KIESZONKOWY SŁOWNIK
ANGIELSKO-POLSKI
POLSKO-ANGIELSKI

Anna Luberda-Kowal

KIESZONKOWY SŁOWNIK
ANGIELSKO-POLSKI
POLSKO-ANGIELSKI

Wydawnictwo Zielona Sowa
Kraków

Recenzja:
prof. dr hab. Grzegorz A. Kleparski

Projekt okładki:
Katarzyna Krochmal-Czyżowska

Opracowanie graficzne okładki:
Adam Kiepura

Skład i łamanie:
Joanna Czubrychowska

Redaktor prowadzący:
Arkadiusz Latusek

Korekta:
Magdalena Bukowiec

ISBN 83-7389-728-3

Wydawnictwo Zielona Sowa Sp. z o.o.
30-415 Kraków, ul. Wadowicka 8 A
tel./fax (012) 266-62-94, tel. (012) 266-62-92,
(012) 266-67-56, (012) 266-67-98
www.zielonasowa.pl
wydawnictwo@zielonasowa.pl

WSTĘP

Kieszonkowy słownik angielsko-polski i polsko-angielski powstał, aby ułatwić Państwu kontakt z językiem angielskim i jego użytkownikami. Został on opracowany na bazie *Nowego słownika angielsko-polskiego* oraz *Nowego słownika polsko-angielskiego*, których jestem współautorką.

Słownik zawiera ponad 40 000 wyrazów hasłowych, zwrotów i znaczeń. Doboru haseł dokonałam, kierując się przede wszystkim częstotliwością ich występowania i przydatnością użycia. Uwzględniłam również takie hasła i wyrażenia, które są już szeroko rozpowszechnione, choć dopiero niedawno wzbogaciły język polski lub angielski.

Słownik został stworzony w oparciu o język angielski stosowany w Wielkiej Brytanii. Jednakże w przypadku istotnych różnic pomiędzy brytyjską i amerykańską odmianą języka angielskiego, podałam również formy charakterystyczne dla tej ostatniej.

W części angielsko-polskiej wyraz hasłowy, w przypadku czasownika nieregularnego, opatrzony został formami II (past simple – czas przeszły) i III (past participle – imiesłów bierny), np.

do (II **did**, III **done**).

Zaznaczyłam również zmiany pisowni form II i III polegające na podwojeniu liter, np.

skip (II / III **skipped**).

W przypadku rzeczowników podałam również nieregularne formy liczby mnogiej, np.

salesman (*l.mn.* **salesmen**).

W części polsko-angielskiej wyraz hasłowy, w przypadku czasownika, to forma niedokonana (np. **powodować**). Dla ułatwienia podałam także, jako osobne hasła, formy dokonane z odsyłaczami do form niedokonanych, np.

spowodować *zob.* **powodować**.

Czasowniki zwrotne ujęte zostały jako osobne hasła. Zamieściłam również objaśnienia najczęściej używanych skrótów.

W obydwu częściach jako osobne hasła podawane są homonimy będące różnymi częściami mowy (np. **ski** – rzeczownik i czasownik; **wierny**

– przymiotnik i rzeczownik) – oznaczono je cyframi rzymskimi **I, II** itd. Jeśli hasło ma kilka znaczeń, każde sygnalizowane jest cyfrą arabską **1, 2, 3** itd. Znajdziecie Państwo także przykłady typowych wyrażeń, idiomów oraz – o ile pozwalały na to rozmiary tego słownika – przykłady użycia wyrazów hasłowych w zdaniach.

Nowość w części angielsko-polskiej słownika stanowi wymowa. Zastosowałam tu nowatorski system zapisu fonetycznego, stworzony przeze mnie specjalnie z myślą o tych, którym brak czasu i cierpliwości do studiowania symboli międzynarodowej transkrypcji fonetycznej (*International Phonetic Alphabet*). Za pomocą polskich liter udało mi się oddać wszelkie niuanse wymowy brytyjskiej, pozostawiając tylko trzy symbole stosowane w tradycyjnej transkrypcji (θ, ð, æ). Za takim ustępstwem przemawiał fakt, że głoski te nie mają odpowiednika wśród dźwięków używanych w języku polskim. Pozytywne wyniki testów przeprowadzonych przeze mnie na próbie kilkudziesięciu osób wyłonionych spośród uczniów szkół średnich pozwalają mieć nadzieję, iż będziecie Państwo usatysfakcjonowani.

Oprócz części głównej słowników zamieściłam również *Objaśnienia symboli transkrypcji fonetycznej* i *Listę skrótów i kwalifikatorów stosowanych w słowniku*. Wśród tych ostatnich znajdują się trzy wyrazy angielskie, kluczowe dla poprawnego odczytania wielu haseł i przykładów: „oneself" (się), „sb" czyli „somebody" (ktoś), „sb's" „somebody's" (czyjś) oraz „sth" czyli „something" (coś).

Aby ułatwić Państwu pierwsze kontakty w języku angielskim, przygotowałam dla potrzeb tego wydania minirozmówki. Znajdziecie tam Państwo (prawie) wszystko to, co będzie Wam potrzebne w najbardziej typowych sytuacjach życia codziennego.

Autorka

LISTA SKRÓTÓW HASŁOWYCH I KWALIFIKATORÓW

AM – forma amerykańska
BR – forma brytyjska
dk – czasownik dokonany
form. – formalne
humor. – humorystyczne
komp. – komputer, Internet
liter. – literackie
l.mn. – liczba mnoga
l.poj. – liczba pojedyncza
ndk – czasownik niedokonany
nieform. – nieformalne
oneself – się (w zdaniu forma zaimka jest uzależniona od osoby: w l.poj. –
    1. os. *myself*, 2. os. *yourself*, 3. os. *himself, herself, itself*; w l.mn. –
    1. os. *ourselves*, 2. os. *yourselves*, 3. os. *themselves*)
one's – czyjś (w zdaniu forma zaimka jest uzależniona od osoby: w l.poj.
    – 1. os. *my*, 2. os. *your*, 3. os. *his, her, its*; w l.mn. – 1. os. *our*, 2. os.
    your, 3. os. *their*)
pejor. – pejoratywne
pot. – potoczne
przen. – przenośnie
przest. – przestarzałe
sb – somebody (ktoś, kogoś, komuś, kimś)
sb's – somebody's (czyjś, kogoś)
sl. – slang
sth – something (coś, czegoś, czemuś, czymś)
wulg. – wulgaryzm

WYKAZ I OBJAŚNIENIA SYMBOLI TRANSKRYPCJI FONETYCZNEJ

Spółgłoski (Consonants):

Przykład:	Symbol transkrypcji:	Opis różnic w głoskach angielskich i polskich:
get	[g]	
chip	[ćz]	zmiękczone „cz", między „cz" i „ć"
jar	[dż]	zmiękczone „dż", między „dż" i „dź"
ri**ng**	[n]	jak „n" wymawiane np. w wyrazie „Anglia"
thin	[θ]	bezdźwięczne, jak „s" z językiem między zębami
this	[ð]	dźwięczne, jak „z" z językiem między zębami
she	[śz]	zmiękczone „sz", między „sz" i „ś"
deci**s**ion	[ż]	zmiękczone „ż", między „ż" i „ź"
yes	[j]	
very	[w]	
wall	[ł]	
red	[r]	bez wibracji

Samogłoski krótkie (Short vowels):

cat	[æ]	między „a" i „e"
b**e**d	[e]	
ago	[e]	bardzo krótkie „e", słabo zaznaczone
s**i**t	[i]	krótkie „i"
cos**y**	[i]	między „y" a „i"
h**o**t	[o]	krótkie „o"
r**u**n	[a]	krótkie „a"
p**u**t	[u]	krótkie „u"

Samogłoski długie (Long vowels):

arm	[a:]	długie, tylnojęzykowe „a"
h**air**	[e:]	dłuższe „e" i krótkie „a" zlane w jeden dźwięk
h**er**	[e̞:]	długie, wargi luźne, między „e", „a" i „o"
s**ee**	[i:]	długie, otwarte „i"
s**aw**	[o:]	długie „o", wargi zaokrąglone
t**oo**	[u:]	długie „u", wargi mocno zaokrąglone

Dwugłoski (Diphthongs):

m**y**	[aj]	
h**ow**	[au]	
d**ay**	[ej]	
n**o**	[eu]	między „ou" i „eu"
n**ear**	[ie]	dłuższe „i" i krótkie, słabe „a", zlane w jeden dźwięk
b**oy**	[oj]	
p**oor**	[ue]	dłuższe „u" i krótkie, słabe „a", zlane w jeden dźwięk

Dwugłoski wymawiamy bez pauzy (nie są zestawieniami dwóch osobno wymawianych głosek).

Tryftongi (Triphthongs):

f**ire**	[aje]	dłuższe „aj" i krótkie „a" zlane w jeden długi dźwięk
s**our**	[aue]	dłuższe „au" i krótkie „a" zlane w jeden długi dźwięk

Akcentowana głoska zaznaczona jest wytłuszczonym drukiem (w wyrazach kilkusylabowych).

CZĘŚĆ
ANGIELSKO-POLSKA

A [ej] pierwsza litera alfabetu.

a [*e / mocne* ej] (**an** [en / mocne æn]) **1** (przed rzeczownikiem w liczbie pojedynczej nadmienionym po raz pierwszy w rozmowie bądź tekście): *Do you have a pen?* Czy masz długopis? **2** pewien, jeden: *A man told me.* Pewien człowiek powiedział mi. **3** jeden (przed liczebnikami policzalnymi): *a thousand pounds* tysiąc funtów. **4** w, na (przy określaniu częstotliwości i szybkości): *twice a week* dwa razy w tygodniu.

abandon [ebǽnden] **1** porzucić, opuścić (osobę lub przedmiot): *The crew abandoned the sinking ship.* Załoga opuściła tonący statek. **2** zaniechać, zrezygnować: *They abandoned their plans.* Zrezygnowali ze swoich planów.

abashed [ebǽszt] zmieszany, speszony.

abbey [ǽbi] opactwo.

abbot [ǽbet] opat.

abbreviate [ebri:wiejt] skracać (słowo, tekst).

abbreviation [ebri:wiéjszn] skrót.

abdicate [ǽbdikejt] abdykować.

abdication [ǽbdikéjszn] abdykacja.

abdomen [ǽbdemen] brzuch.

abduct [ebdakt] *form.* uprowadzić, porwać.

ability [ebíleti] (*l.mn.* **abilities**) umiejętność, zdolność.

able [éjbl] **1** *be able to do sth* być w stanie, zdołać coś zrobić. **2** zdolny, utalentowany.

aboard [ebo:d] na pokładzie, na pokład (statku, samolotu): *All aboard!* Wszyscy na pokład!

abolish [ebólisz] znosić, likwidować.

abolition [æbelíszn] zniesienie.

abortion [ebo:szn] aborcja.

about [ebaut] **1** o (kimś, czymś): *a story about a beggar* opowieść o żebraku. **2** w: *There's something about her that makes everybody like her.* Jest w niej coś, co sprawia, że wszyscy ją lubią. **3** około: *at about two in the afternoon* o około drugiej po południu. **4** *How (what) about...?* Co byś powiedział na...?

above [ebaw] **1** powyżej, ponad, nad: *We flew above the city.* Lecieliśmy ponad miastem. **2** wyżej, więcej: *numbers of fifteen and above* numer piętnasty i powyżej.

abridge [ebridż] skracać (tekst): *the abridged version of the book* skrócona wersja książki.

abroad [ebro:d] za granicą, za granicę.

absence [æbsens] nieobecność.

absent [æbsent] nieobecny.

absent-minded [æbsentmajndid] roztargniony, rozkojarzony.

absolute [æbselu:t] **1** absolutny. **2** bezsporny.

absolutely [æbselu:tli] **1** zdecydowanie, oczywiście. **2** kategorycznie: *I absolutely refuse.* Kategorycznie odmawiam.

absorb [ebzo:b] **1** wchłaniać, absorbować. **2** *przen.* pochłaniać.

abstract I [æbstrækt] abstrakcyjny.

abstract II [æbstrækt] abstrakcja (dzieło sztuki).

absurd [ebse:d] absurdalny.

abuse I [ebju:z] obrażać, znieważać.

abuse II [ebju:s] przekleństwa, obelgi.

abusive [ebju:siw] obraźliwy.

abyss [ebis] (*też przen.*) przepaść, głębia.

academic [ækedemik] **1** akademicki. **2** naukowy.

academy [ækædemi] (*l.mn.* **academies**) akademia.

accelerate [ekselerejt] przyspieszać.

accent I [æksent] **1** sposób wymowy. **2** nacisk, akcent.

accent II [æksent] **1** akcentować (sylabę). **2** podkreślać.

accept [eksept] **1** przyjąć (zaproszenie). **2** zaakceptować coś.

acceptable [ekseptebl] do przyjęcia, zadowalający.

acceptance [ekseptens] przyjęcie, akceptacja.

access I [ækses] **1** dojście (do budynku). **2** dostęp (do informacji).

access II [ækses] *komp.* ściągać (informacje z pamięci komputerowej).

accessible [eksesebl] **1** dostępny, osiągalny. **2** przystępny.

accident [æksident] **1** wypadek: *car accident* wypadek samochodowy. **2** *by accident* przez przypadek.

accidental [æksidentl] przypadkowy.

accommodation [ekomedejszn] zakwaterowanie, mieszkanie.

accompany [ekampeni] **1** towarzyszyć. **2** akompaniować (w muzyce).

accomplish [ekamplisz] **1** wykonać, zrealizować. **2** osiągnąć.

accordance [eko:dens] *in accordance with sth* zgodnie z czymś.

account I [ekaunt] **1** rachunek bankowy, konto: *open a bank account* otworzyć konto w banku. **2** *take account of sth* (*take sth into account*) brać coś pod uwagę.

account II [ekaunt]
◆ **account for** wytłumaczyć; być powodem.

accountant [ekauntent] księgowy.

accurate [ækjeret] dokładny, precyzyjny.

accusation [ækju:ze**j**śzn] oskarżenie.

accuse [ek**ju**:z] oskarżać.

accustom [eka**s**tem] **1** przyzwyczajać: *accustom sb to sth* przyzwyczaić kogoś do czegoś. **2** *accustom oneself to (doing) sth* przyzwyczaić się do (robienia) czegoś.

ace [ejs] as.

ache I [ejk] ból: *headache* ból głowy; *toothache* ból zęba.

ache II [ejk] boleć: *My arms are aching.* Bolą mnie ręce.

achieve [e**ć**i:w] osiągnąć, zdobyć.

achievement [e**ć**i:wment] osiągnięcie.

acid I [æsid] kwas.

acid II [æsid] **1** kwaśny. **2** *acid rain* kwaśny deszcz.

acknowledge [eknolidż] **1** przyznać, uznać. **2** potwierdzić (odbiór).

acknowledgement [eknolidżment] **1** uznanie, przyznanie się. **2** potwierdzenie (odbioru).

acne [ækni] trądzik.

acorn [ejko:n] żołądź.

acoustic [eku:stik] akustyczny.

acoustics [eku:stiks] akustyka.

acquaintance [ekłe**j**ntens] **1** znajomy. **2** znajomość.

acquire [ekła**j**e] nabyć, posiąść.

acquisition [ækłizi**ś**zn] **1** nabytek. **2** nabywanie.

acre [ejk**e**] akr.

acrobat [ækrebæt] akrobata.

across [ekros] **1** przez: *swim across the river* przepłynąć rzekę. **2** po drugiej stronie: *across the street*

po drugiej stronie ulicy. **3** poziomo (w krzyżówkach).

act I [ækt] **1** czyn, akt. **2** ustawa. **3** akt (sztuki teatralnej).

act II [ækt] **1** postępować, zachowywać się. **2** grać (o aktorze).

acting [ækti**n**] gra, aktorstwo.

action [æk**sz**n] **1** działanie. **2** czyn. **3** akcja (filmowa).

active [æktiw] aktywny, czynny.

activity [ækti**w**eti] (*l.mn.* **activities**) **1** działanie, działalność. **2** zajęcie.

actor [ækte] aktor.

actress [æktris] aktorka.

actual [æk**ć**uel] rzeczywisty, faktyczny.

actually [ækczueli] **1** tak naprawdę. **2** właściwie: *Actually I don't know.* Właściwie nie wiem.

acute [ek**j**u:t] **1** ostry, wyostrzony. **2** przenikliwy (o bólu).

ad [æd] *nieform.* ogłoszenie, reklama.

adapt [edæpt] przystosować się (*to sth* do czegoś).

adaptation [ædæpte**j**śzn] adaptacja, przystosowanie się.

add [æd] **1** dodawać. **2** powiększać.

adder [æde] żmija.

addict [ædikt] **1** osoba uzależniona. **2** nałogowiec, entuzjasta. **3** *drug addict* narkoman.

addicted [ediktid] uzależniony (*to sth* od czegoś).

addiction [edik**sz**n] uzależnienie, nałóg.

addition [ediśzn] dodawanie; dodatek; *in additon to* dodatkowo, oprócz.

additional [ediśzenl] dodatkowy.

address I [edres] adres zamieszkania.

address II [edres] 1 adresować (list). 2 *address sb* zwracać się do kogoś.

addressee [ædresi:] adresat.

adequate [ædikłet] odpowiedni, wystarczający.

adjective [ædźiktiw] przymiotnik.

adjust [edźast] 1 poprawiać. 2 regulować.

administration [edministrejśzn] administracja, zarządzanie.

administrative [edministretiw] administracyjny.

admiral [ædmerel] admirał.

admiration [ædmerejśzn] podziw.

admire [edmaje] podziwiać.

admission [edmiśzn] 1 opłata za wstęp: *admission free* wstęp wolny. 2 przyjęcie (np. na studia).

admit [edmit] 1 przyznawać, stwierdzać: *I have to admit that...* Muszę przyznać, że... 2 *admit sb to* wpuszczać, przyjmować kogoś gdzieś.

admittance [edmitens] *form.* wstęp: *No admittance.* Wstęp wzbroniony.

adolescence [ædelesens] wiek młodzieńczy, wiek dojrzewania.

adolescent [ædelesent] nastolatek, młodociany.

adopt [edopt] 1 adoptować (dziecko). 2 przyjąć, zastosować.

adoption [edopśzn] adopcja.

adore [edo:] 1 uwielbiać. 2 adorować.

adult I [ædalt / edalt] dorosły (osoba).

adult II [ædalt / edalt] dorosły.

advance I [edwa:ns] 1 przesuwać się do przodu. 2 robić postępy, rozwijać się.

advance II [edwa:ns] 1 postęp, przesuwanie się do przodu. 2 zaliczka. 3 *in advance* z góry.

advanced [edwa:nst] zaawansowany.

advantage [edwa:ntidź] 1 zaleta. 2 korzyść. 3 przewaga: *have advantage over sb* mieć nad kimś przewagę.

advantageous [ædwentejdźes] korzystny.

adventure [edwenćze] przygoda.

adventurous [edwenćzeres] awanturniczy, pełen przygód (o podróży, życiu).

adventurer [edwenćzere] poszukiwacz przygód.

adverb [ædwe:b] przysłówek.

advertise [ædwetajz] ogłaszać, reklamować.

advertisement [edwe:tisment] ogłoszenie, reklama.

advertising [ædwetajzin] reklama, reklamowanie.

advice [edwajs] rada, porada: *give sb advice* udzielić komuś rady.

advise [ədwajz] radzić, udzielać rady.

adviser [ədwajze] doradca.

aerial [e:riel] antena.

aerobics [e:reubiks] aerobik.

aeroplane [e:replejn] *BR* samolot.

aerosol [e:resol] aerozol.

affair [efe:] **1** wydarzenie. **2** afera. **3** sprawa.

affect [efekt] wpływać, oddziaływać.

affection [efekszn] uczucie, miłość.

afford [efo:d] *can afford sth (to do sth)* móc pozwolić sobie na coś (na zrobienie czegoś), stać kogoś na coś: *Can we afford this house?* Czy stać nas na ten dom?

afraid [efrejd] **1** przestraszony. **2** *be afraid of sth* bać się czegoś: *I'm not afraid of mice.* Nie boję się myszy; *I'm afraid...* Obawiam się, że...

after I [a:fte] **1** po: *We left straight after the performance.* Wyszliśmy zaraz po przedstawieniu. **2** za: *You're coming in after her.* Ty wchodzisz za nią. **3** *After you!* Pan(i) pierwszy(a)! Proszę przodem!

after II [a:fte] później, potem.

afternoon [a:ftenu:n] popołudnie: *Good afternoon!* Dzień dobry! (tylko po południu); *in the afternoon* po południu.

aftershave [a:fteszejw] płyn po goleniu.

afterwards [a:ftełedz] potem, później.

again [egen / egejn] jeszcze raz, znowu.

against [egenst / egejnst] **1** przeciw, przeciwko. **2** wbrew: *It is against the law.* To wbrew prawu. **3** o: *lean against the tree* oprzeć się o drzewo.

age [ejdż] wiek: *at the age of six* w wieku sześciu lat.

agency [ejdżensi] biuro: *travel agency* biuro podróży.

agent [ejdżent] agent, przedstawiciel.

aggression [egreszn] agresja.

aggressive [egresiw] agresywny.

ago [egeu] temu (o czasie): *two days (years) ago* dwa dni (lata) temu.

agony [ægeni] udręka, męczarnia.

agree [egri:] **1** zgadzać się: *agree on sth* zgadzać się na coś; *agree to do sth* zgadzać się zrobić coś; *agree with sb* zgadzać się z kimś.

agreement [egri:ment] **1** zgoda. **2** umowa.

agricultural [ægrikalczerel] rolniczy.

agriculture [ægrikalcze] rolnictwo.

ahead [ehed] **1** z przodu, naprzód. **2** z wyprzedzeniem (o czasie): *plan a year ahead* planować rok naprzód.

aid [ejd] pomoc, wsparcie: *first aid* pierwsza pomoc.

AIDS [ejdz] *Acquired Immune Deficiency Syndrome* zespół nabytego niedoboru odporności.

aim I [ejm] cel.

aim II [ejm] **1** *aim at sth* celować, mierzyć do czegoś. **2** *aim to do sth* dążyć do czegoś.

air I [e:] **1** powietrze. **2** atmosfera, nastrój: *an air of enthusiasm* atmosfera entuzjazmu. **3** *travel by air* podróżować samolotem.

air II [e:] wietrzyć, przewietrzać.

airbag [e:bæg] poduszka powietrzna.

air-conditioned [e:kendiśznd] klimatyzowany, z klimatyzacją.

air conditioning [e:kendiśznin] klimatyzacja.

aircraft [e:kra:ft] samolot, statek powietrzny.

airline [e:lajn] linia lotnicza.

airmail [e:mejl] poczta lotnicza.

airport [e:po:t] lotnisko.

aisle [ajl] **1** przejście między rzędami (krzeseł, półek). **2** nawa boczna (w kościele).

alarm I [ela:m] **1** alarm. **2** system alarmowy;

alarm II [ela:m] **1** niepokoić. **2** alarmować.

alarm clock [ela:mklok] budzik.

album [ælbem] **1** album. **2** płyta długogrająca.

alcohol [ælkehol] alkohol.

alcoholic I [ælkeholik] alkoholik.

alcoholic II [ælkeholik] alkoholowy.

alert I [ele:t] czujny.

alert II [ele:t] stan gotowości, alarm.

alert III [ele:t] ostrzegać, alarmować.

algae [ældżi:] *l.mn.* algi.

algebra [ældżibre] algebra.

algorithm [ælgeriðem] algorytm.

alibi [ælibaj] alibi, usprawiedliwienie.

alien I [ejlien] obcy.

alien II [ejlien] istota pozaziemska, kosmita.

alienate [ejlienejt] wyobcować, wyalienować.

alike I [elajk] podobny, jednakowy: *look alike* wyglądać podobnie.

alike II [elajk] **1** jednakowo, podobnie. **2** zarówno..., jak i...: *young and old alike* zarówno starzy, jak i młodzi.

alive [elajw] żywy, żyjący.

all I [o:l] cały, wszystek: *all the time* cały czas; *all the best* wszystkiego najlepszego.

all II [o:l] **1** wszyscy, wszystko: *all the boys* wszyscy chłopcy; *all right* wszystko w porządku; *Is that all?* Czy to wszystko? **2** *at all* wcale, w ogóle.

all III [o:l] zupełnie, całkiem: *all alone* zupełnie sam.

allergic [ele:dżik] uczulony (*to sth* na coś).

allergy [æledżi] alergia.

alley [æli] aleja, ulica: *blind alley* ślepa uliczka.

alliance [elajens] sojusz, przymierze.

allied [ælajd] sprzymierzony.

alligator [æligejte] aligator.

allow [elau] pozwolić: *allow sb to do sth* pozwolić komuś na zrobienie czegoś.

ally I [ælaj] (*l.mn.* **allies**) sojusznik.

ally II [elaj] (II / III **allied**) sprzymierzać się.

almond [æmend] migdał.

almost [o:lmeust] **1** prawie. **2** o mało co.

alone [eleun] sam: *You're not alone.* Nie jesteś sam.

along I [elon] wzdłuż: *along the road* wzdłuż ulicy.

along II [elon] z, wraz z.

aloud [elaud] głośno, na głos.

alphabet [ælfebet] alfabet.

alphabetical [ælfebetikl] alfabetyczny: *in alphabetical order* w porządku alfabetycznym.

already [o:lredi] już: *I've seen the film already.* Już widziałem ten film.

also [o:lseu] także, też, również.

altar [o:lte] ołtarz.

alter [o:lte] zmieniać, przerabiać.

alteration [o:lterejszn] zmiana, przeróbka.

alternate [o:lte:net] naprzemienny, co drugi.

alternative I [o:lte:netiw] zastępczy, alternatywny.

alternative II [o:lte:netiw] alternatywa.

although [o:lðeu] chociaż, mimo że.

altitude [æltitju:d] wysokość.

altogether [o:ltegeðe] całkowicie, w zupełności; wszyscy (wszystko) razem.

always [o:lłejz] zawsze.

am *ante meridium* przed południem: *at 4 am* o 4 rano.

amateur [æmete] amator, amatorka.

amaze [emejz] zdumiewać.

amazing [emejzin] zdumiewający, zadziwiający.

ambassador [æmbæsede] ambasador.

amber [æmbe] bursztyn.

ambition [æmbiszn] ambicja.

ambitious [æmbiszes] ambitny.

ambulance [æmbjulens] karetka.

American [emeriken] **1** amerykański. **2** Amerykanin.

ammunition [æmjuniszn] amunicja.

amnesty [æmnesti] amnestia.

among [eman] (*BR też* **amongst** [emanst]) pośród, wśród.

amoral [ejmorel] niemoralny.

amount I [emaunt] ilość.

amount II [emaunt] *amount to* **1** wynosić w sumie. **2** oznaczać.

amphetamine [æmfetemin] amfetamina.

amplifier [æmplifaje] wzmacniacz.

amuse [emju:z] rozbawiać, śmieszyć.

amusement [emju:zment] **1** rozrywka, zabawa. **2** *amusement park* wesołe miasteczko.

amusing [emju:zin] śmieszny, zabawny.

an *zob.* **a**.

analogy [enæledżi] analogia.

analyse (*AM* **analyze**) [ænelajz] analizować.

analysis [enælisis] (*l.mn.* **analyses** [enælesi:s]) analiza.

analyst [ænelist] **1** analityk. **2** psychoanalityk.

analytic [ænelitik] analityczny.
anarchy [æneki] anarchia.
anatomy [enætemi] anatomia.
ancestor [ænseste] przodek.
anchor [ænke] kotwica.
ancient [ejnśzent] **1** starożytny. **2** starodawny.
and [end / *mocne* ænd] **1** i: *and so on* i tak dalej. **2** a: *And you?* A ty?
angel [ejndżl] anioł.
anger [ænge] złość, gniew.
angle [æŋgl] **1** kąt. **2** róg.
angler [ængle] wędkarz.
angry [ængri] zły, rozgniewany: *be angry with sb* być złym na kogoś.
animal [æniml] zwierzę.
ankle [æŋkl] kostka (u nogi).
annex [æneks] **1** przybudówka. **2** załącznik.
anniversary [æniwe:seri] (*l.mn.* **anniversaries**) rocznica.
announce [enauns] ogłaszać.
announcement [enaunsment] ogłoszenie.
annoy [enoj] irytować, drażnić.
annoying [enojiŋ] irytujący.
annual [ænjuel] **1** coroczny, doroczny. **2** roczny (o zarobkach).
anonymous [enonimes] anonimowy.
anorak [æneræk] kurtka z kapturem.
another [enaðe] **1** jeszcze jeden. **2** inny. **3** dodatkowy.
answer I [a:nse] **1** odpowiedzieć: *answer a question* odpowiedzieć na pytanie. **2** *answer the phone* odebrać telefon.

◆ **answer back** odpyskować, niegrzecznie odpowiedzieć.
answer II [a:nse] **1** odpowiedź. **2** rozwiązanie.
answering machine [a:nseriŋ meśzi:n] automatyczna sekretarka.
aswerphone [a:nsefeun] **1** *BR* automatyczna sekretarka. **2** telefon z automatyczną sekretarką.
ant [ænt] mrówka.
antelope [æntileup] antylopa.
anthem [ænθem] *national anthem* hymn narodowy.
antibiotic [æntibajotik] antybiotyk.
anticipate [æntisipejt] **1** oczekiwać. **2** przewidywać coś.
antipathy [æntipeθi] antypatia.
antique I [ænti:k] **1** zabytkowy. **2** starożytny.
antiquity [æntikłeti] starożytność.
anxiety [ænzajeti] obawa, niepokój.
anxious [ænkśzes] zaniepokojony, zestresowany.
any I [eni] **1** jakiś, trochę, żaden: *There aren't any tomatoes.* Nie ma (żadnych) pomidorów.; *Have you got any questions?* Czy macie jakieś pytania? **2** każdy, jakikolwiek: *You can come any time.* Możesz przyjść o każdej porze.
any II [eni] **1** w ogóle, trochę. **2** już: *I can't stand it any longer.* Nie mogę już tego znieść.
anybody [enibodi] **1** ktoś: *Is anybody out there?* Jest tam kto? **2** nikt: *There isn't anybody there.*

Nie ma tam nikogo. **3** ktokolwiek, każdy: *Anybody could do that.* Każdy mógłby to zrobić.

anyhow [eni*h*au] **1** tak czy owak, i tak. **2** jakkolwiek: *You can do it anyhow you like.* Możesz to zrobić jak (jakkolwiek) chcesz.

anyone [eniłan] *zob.* **anybody.**

anything [eni*θ*in] **1** coś, cokolwiek: *Is there anything left?* Czy jeszcze coś zostało? **2** nic: *There isn't anything left.* Nic nie zostało. **3** cokolwiek, wszystko: *He'll do anything to get her back.* On zrobi wszystko, by ją odzyskać.

anyway [eniłej] **1** i tak, tak czy owak. **2** w każdym razie, tak czy owak: *Anyway, I'll give you a call.* Tak czy owak zadzwonię do ciebie. **3** tak w ogóle.

anywhere [eniłe:] **1** gdzieś: *Is it anywhere near the post office?* Czy to jest gdzieś w pobliżu poczty? **2** nigdzie. **3** gdziekolwiek: *go anywhere* pojechać (pójść) gdziekolwiek.

apart [epa:t] **1** z dala, oddalony: *The two villages are 3 km apart.* Wioski oddalone są od siebie o trzy kilometry. **2** *apart from* oprócz, z wyjątkiem.

apartment [epa:tment] **1** mieszkanie. **2** apartament.

ape [ejp] małpa człekokształtna.

apologize [epoledżajz] *apologize to sb for sth* przepraszać kogoś za coś.

apology [epoledżi] przeprosiny.

apostle [eposl] apostoł.

apostrophe [epostrefi] apostrof.

apparent [epærent] **1** oczywisty. **2** pozorny.

apparently [epærentli] **1** podobno. **2** widocznie, najwyraźniej.

appeal I [epi:l] **1** apel, wezwanie. **2** urok, czar: *sex appeal* seksapil.

appeal II [epi:l] **1** apelować. **2** przemawiać, trafiać w czyjś gusta.

appear [epie] **1** pojawić się. **2** wydawać się: *She appeared rather sad.* Wydawała się jakaś smutna. **3** występować (w filmach).

appearance [epierens] **1** pojawienie się. **2** wystąpienie. **3** wygląd.

appetite [æpetajt] apetyt.

appetizer [æpetajze] przystawka, zakąska.

applaud [eplo:d] bić brawo, oklaskiwać.

applause [eplo:z] oklaski, aplauz.

apple [æpl] **1** jabłko. **2** *be the apple of one's eye* być czyimś oczkiem w głowie.

appliance [eplajens] urządzenie.

applicant [æplikent] kandydat.

application [æplikejszn] **1** podanie, aplikacja. **2** *komp.* program komputerowy.

apply [eplaj] **1** złożyć podanie. **2** zgłosić się. **3** *apply for sth* ubiegać się o coś.

appoint [epojnt] mianować.

appointment [epojntment] umówiona wizyta, spotkanie: *make an* *appointment* umówić się na spotkanie, wizytę.

appreciate [*epri:śzijejt*] **1** doceniać. **2** być wdzięcznym.

appreciation [*epri:śzijejśzn*] **1** uznanie. **2** ocena. **3** wdzięczność.

approach I [*epreućz*] **1** podchodzić, zbliżać się. **2** zabrać się za coś.

approach II [*epreućz*] **1** nadejście. **2** podejście. **3** dojście.

approachable [*epreućzebl*] przystępny.

appropriate [*epreupriet*] odpowiedni, właściwy.

approval [*epru:wl*] uznanie, aprobata, zgoda.

approve [*epru:w*] **1** aprobować. **2** zatwierdzić.

approximate [*eproksimet*] przybliżony.

approximately [*epro:ksimetli*] w przybliżeniu.

apricot [*ejprikot*] morela.

April [*ejpril*] kwiecień.

apron [*ejpren*] fartuch, fartuszek.

aquarium [*ekłe:rjem*] akwarium.

Aquarius [*ekłe:rjes*] Wodnik (znak zodiaku).

arc [*a:k*] łuk.

arch [*a:ćz*] **1** łuk. **2** sklepienie łukowe.

archaeology [*a:kioledżi*] archeologia.

archbishop [*a:ćzbiśzep*] arcybiskup.

archer [*a:ćze*] **1** łucznik. **2** *Archer* Strzelec (znak zodiaku).

archery [*a:ćzeri*] łucznictwo.

architect [*a:kitekt*] architekt.

architecture [*a:kitekćze*] architektura.

archives [*a:kajwz*] *l.mn.* archiwa, archiwum.

are *zob.* **be.**

area [*e:rje*] **1** obszar. **2** rejon. **3** dziedzina.

arena [*eri:ne*] arena.

argue [*a:gju:*] **1** kłócić się. **2** argumentować.

argument [*a:gjument*] **1** kłótnia, sprzeczka. **2** argument.

Aries [*e:ri:z*] Baran (znak zodiaku).

arise [*erajz*] (II **arose** [*ereuz*], III **arisen** [*erizn*]) pojawić się, powstać.

aristocracy [*æristokresi*] arystokracja.

arithmetic I [*eriθmetik*] **1** arytmetyka. **2** obliczenia.

arithmetic II [*æriθmetik*] arytmetyczny.

arm I [*a:m*] **1** ramię, ręka. **2** *arm in arm* trzymając się pod rękę. **3** *with open arms* z otwartymi rękami.

arm II [*a:m*] zbroić, uzbrajać.

armaments [*a:mements*] *l.mn.* zbrojenia.

armchair [*a:mćze*] fotel.

armed [*a:md*] **1** uzbrojony. **2** *armed conflict* konflikt zbrojny.

armour (*AM* **armor**) [*a:me*] zbroja.

arms [*a:mz*] *l.mn.* broń.

army [*a:mi*] wojsko, armia.

aroma [*ereume*] aromat.

aromatic [æremætik] aromatyczny.

arose *zob.* **arise**.

around I [eraund] **1** dookoła. **2** około: *around ten* około dziesiątej.

around II [eraund] **1** naokoło, wszędzie. **2** niedaleko, w pobliżu.

arrange [erejndż] **1** organizować. **2** umawiać się. **3** układać, ustawiać (np. na półce).

arrangement [erejndżment] **1** przygotowanie. **2** umowa.

arrest I [erest] aresztować (*sb for sth* kogoś za coś).

arrest II [erest] aresztowanie, areszt: *be under arrest* być aresztowanym.

arrival [erajwl] przyjazd, przylot.

arrive [erajw] przybyć, przyjechać, nadejść.

arrogant [æregent] arogancki.

arrow [æreu] strzała, strzałka.

arse [a:s] *wulg. BR* dupa.

arsenal [a:senl] arsenał.

art [a:t] **1** sztuka. **2** *l.mn.* **arts** nauki humanistyczne: *Master of Arts (MA)* magister nauk humanistycznych.

article [a:tikl] **1** artykuł. **2** przedimek. **3** rodzajnik.

artificial [a:tifiśzl] sztuczny: *artificial intelligence* sztuczna inteligencja; *artificial respiration* sztuczne oddychanie.

artist [a:tist] artysta, artystka.

artistic [a:tistik] **1** artystyczny. **2** uzdolniony artystycznie.

as I [*ez / mocne* æz] **1** jak, taki jak: *as tall as you* taki wysoki jak ty. **2** co, tak jak: *Do as he says!* Rób, co on każe!. **3** jako: *She works as a photographer.* Ona pracuje jako fotograf.

as II [*ez / mocne* æz] **1** podczas gdy, kiedy. **2** ponieważ, skoro.

ash [æsz] popiół.

ashamed [eśzejmd] zawstydzony.

ashore [eśzo:] na brzeg, na brzegu, do brzegu.

ashtray [æsztrej] popielniczka.

aside [esajd] na bok: *set aside* odstawić na bok.

ask [a:sk] **1** pytać, zadawać pytanie. **2** prosić. **3** zapraszać: *He asked me to dinner.* Zaprosił mnie na kolację.

◆ **ask for** dopraszać się, prosić się o coś.

asleep [esli:p] **1** śpiący. **2** *fall asleep* zasnąć.

aspect [æspekt] aspekt.

aspirin [æsprin] aspiryna.

ass [æs] **1** osioł, tępak. **2** *wulg. AM* dupa.

assault I [eso:lt] atakować, napadać.

assault II [eso:lt] napaść, atak.

assemble [esembl] gromadzić, zbierać.

assembly [esembli] zgromadzenie, zebranie.

assist [esist] **1** asystować. **2** pomagać.

assistance [esistens] pomoc.

assistant [*es*istent] asystent.

associate I [*eseu*śziejt] **1** zadawać się (z kimś). **2** *be associated with* być związanym z... **3** kojarzyć się.

associate II [*eseu*śziet] partner (w interesach).

association [*eseu*sie*j*śzn] **1** stowarzyszenie, związek. **2** skojarzenie.

assume [*es*ju:m] **1** zakładać, że...: *We can safely assume that...* Możemy bez ryzyka założyć, że... **2** przyjmować na siebie (odpowiedzialność).

assumption [*es*ampszn] założenie.

assurance [*e*śzo:rens] **1** zapewnienie. **2** *self-assurance* pewność siebie.

assure [*e*śzo:] zapewniać.

astonish [*e*stoniśz] zadziwiać, zdumiewać.

astonishment [*e*stoniśzment] zdumienie, zdziwienie.

astrology [*e*stroledżi] astrologia.

astronaut [æstreno:t] astronauta.

astronomy [*e*strone*m*i] astronomia.

astronomer [*e*strone*m*e] astronom.

asylum [*e*sajlem] azyl.

at [et / *mocne* æt] **1** w: *at home* w domu; *at night* w nocy; *aim at sb* celować w kogoś. **2** u: *at his place* u niego (w domu). **3** przy: *at the door* przy drzwiach. **4** o: *at 2 pm* o drugiej po południu.

ate *zob.* **eat**.

atheist [ejθiist] ateista.

athlete [æθli:t] lekkoatleta.

athletic [æθletik] **1** lekkoatletyczny. **2** atletyczny, muskularny (o budowie).

athletics [æθletiks] lekkoatletyka.

atlas [ætles] atlas.

atmosphere [ætm*e*sfie] atmosfera.

atmospheric [ætm*e*sferik] atmosferyczny.

atom [ætem] atom.

atomic [*e*tomik] atomowy: *atomic energy* energia atomowa.

at sign [ætsajn] *komp.* małpa (w adresie internetowym).

attach [et*e*cz] **1** przymocować, przytwierdzić. **2** załączyć, dołączyć.

attack I [et*e*k] atak, szturm.

attack II [et*e*k] atakować, szturmować.

attempt I [etempt] *attempt sth (to do sth)* usiłować, próbować coś zrobić.

attempt II [etempt] próba.

attend [etend] uczęszczać: *attend school* uczęszczać do szkoły.

attendance [etend*e*ns] obecność, frekwencja.

attendant [etend*e*nt] pomocnik, osoba dozorująca.

attention [eten*sz*n] uwaga: *pay attention to sth* zwracać na coś uwagę; *draw attention to sth* zwrócić na coś (czyjąś) uwagę, zainteresować czymś.

attentive [etentiw] **1** uważny. **2** pomocny, troskliwy.

attic [ætik] poddasze, strych.

attire [etaje] strój.

attitude [ætitju:d] **1** *attitude to sth* stosunek, stanowisko wobec czegoś. **2** pogląd na coś.

attorney [ete:ni] pełnomocnik prawny.

attract [etrækt] **1** przyciągać: *opposites attract* przeciwieństwa się przyciągają; *attract attention* przyciągać uwagę. **2** pociągać.

attraction [etrækszn] **1** urok; atrakcja. **2** pociąg do czegoś.

attractive [etræktiw] atrakcyjny, pociągający: *find sb attractive* uważać, że ktoś jest pociągający.

auction [o:kszn] aukcja.

audience [o:djens] **1** widownia. **2** audiencja.

August [o:gest] sierpień.

aunt [a:nt] ciotka, ciocia.

auntie [a:nti] ciocia, cioteczka.

au pair [eupe:] niania, opiekunka do dzieci.

authentic [o:θentik] autentyczny.

author [o:θe] autor, autorka.

authority [o:θoreti] **1** autorytet. **2** władza.

autobiography [o:tebajogrefi] autobiografia.

autograph [otegra:f] autograf.

automatic [o:temætik] automatyczny.

automobile [o:temebi:l] *AM* samochód.

autumn [o:tem] *BR* jesień.

available [ewejlebl] osiągalny, dostępny.

avalanche [æwela:nsz] lawina.

avenue [æwenju:] aleja, ulica.

average I [æweridż] przeciętny.

average II [æweridż] *on average* przeciętnie.

avoid [ewojd] unikać.

await [ełejt] oczekiwać.

awake I [ełejk] (II **awakened** [ełejkend] *albo* **awoke** [ełeuk], III **awoken** [ełeuken]) obudzić, przebudzić.

awake II [ełejk] obudzony, przebudzony.

awaken [ełejken] przebudzić, obudzić.

award I [eło:d] nagroda.

award II [eło:d] nagradzać.

aware [ełe:] *be aware of sth* być świadomym czegoś, zdawać sobie sprawę z czegoś.

away [ełej] **1** stąd, od: *two kilometres away from here* dwa kilometry stąd. **2** *go away* odejść. **3** *be away* być nieobecnym.

awful [o:fl] okropny, straszny, wstrętny.

awfully [o:fli] potwornie, strasznie.

awkward [o:kłed] **1** niezręczny, krępujący (o sytuacji). **2** niezręczny (o osobie).

awoke *zob.* **awake**.

awoken *zob.* **awake**.

axe (*AM* **ax**) [æks] siekiera, topór.

axis [æksez] (*l.mn.* **axes** [æksi:z]) oś (w matematyce).

azure [æże / æzjue / æżjue] lazurowy.

B

B [bi:] druga litera alfabetu.

baby [bejb*i*] **1** dziecko. **2** kochanie.

baby-sit [bejb*i*sit] opiekować się dzieckiem.

baby-sitter [bejb*i*s*i*t*e*] opiekunka do dzieci, niania.

bachelor [bæcz*ele*] kawaler: *confirmed bachelor* stary kawaler.

back I [bæk] **1** plecy, grzbiet. **2** tył (budynku). **3** oparcie (krzesła). **4** wierzch (dłoni). **5** *behind someone's back* za czyimiś plecami. **6** *turn one's back on sb* odwrócić się do kogoś plecami, nie pomóc komuś w trudnej sytuacji.

back II [bæk] **1** z powrotem. **2** *pay sb back* oddać komuś dług; zemścić się na kimś.

back III [bæk] tylny: *back door* tylne drzwi.

back IV [bæk] **1** cofać się. **2** cofać (np. samochód). **3** wspomóc, wesprzeć (szczególnie finansowo).

◆ **back** *sb (sth)* **up 1** popierać, poprzeć kogoś (coś). **2** robić zapasową kopię.

backbone [bækb*e*un] **1** kręgosłup. **2** podstawa.

back button [bækbatn] *komp.* ikona powrotu na stronę internetową.

background [bækgraund] **1** tło (obrazu, historyczne). **2** *family background* pochodzenie.

backhand [bækhænd] bekhend (w tenisie).

backpack [bækpæk] plecak.

backstroke [bækstr*e*uk] styl grzbietowy (pływacki).

backward [bækł*e*d] **1** skierowany do tyłu. **2** zacofany, niedorozwinięty.

backwards [bækł*e*dz] **1** do tyłu, w tył, tyłem. **2** tyłem do przodu.

bacon [bejk*e*n] boczek, bekon.

bad I [bæd] (*stopień wyższy* **worse**, *najwyższy* **(the) worst**) **1** zły. **2** niedobry, niegrzeczny (o dziecku). **3** *too bad* szkoda (wykrzyknik). **4** *go from bad to worse* stawać się coraz gorszym (o sytuacji). **5** *not bad* całkiem niezły.

bad II [bæd] **1** zło. **2** *take the good with the bad* raz na wozie, raz pod wozem.

badge [bædż] odznaka.

badly [bædl*i*] **1** źle. **2** bardzo.

badminton [bædmint*e*n] badminton.

bad-tempered [bædtemp*e*d] w złym humorze, zirytowany.

bag [bæg] **1** torba. **2** plecak. **3** torebka (damska). **4** walizka. **5** *bag of bones pejor.* skóra i kości.

baggage [bægidż] bagaż.

bagpipes [bægpajps] dudy.

bail [bejl] kaucja.

bait [bejt] przynęta.

bake [bejk] piec (ciasto).

baker [bejk*e*] piekarz.

bakery [bejk*e*ri] piekarnia.

balaclava [bælekla:we] czapka kominiarka.

balance [bæl*e*ns] **1** równowaga: *lose one's balance* stracić równowagę. **2** *the balance* saldo rachunku.

balanced [bæl*e*nst] wyważony, przemyślany.

balcony [bælk*e*ni] balkon.

bald [bo:ld] łysy: *go bald* łysieć.

ball [bo:l] **1** piłka. **2** kłębek. **3** bal.

ballad [bæl*e*d] ballada.

ballet [bælej] balet.

balloon [b*e*lu:n] balon, balonik.

ball-point pen [bo:lpojntpen] długopis.

ballroom [bo:lrum] sala balowa.

bamboo [bæmbu:] bambus.

ban [bæn] zakazać, zabronić (prawnie).

banana [b*e*na:n*e*] banan.

band [bænd] **1** grupa, zespół. **2** banda. **3** opaska.

bandage [bændidż] bandaż.

bandit [bændit] bandyta.

bang I [bæn] **1** walić (w drzwi). **2** uderzać się.

bang II [bæn] huk.

banish [bænisz] skazać na banicję, wygnać.

bank [bæn*k*] **1** bank. **2** brzeg (rzeki).

bank account [bæn*k*ekaunt] konto bankowe.

banker [bæn*k*e] bankier.

banknote [bæn*k*neut] banknot.

bankrupt I [bæn*k*rapt] doprowadzić do bankructwa.

bankrupt II [bæn*k*rapt] **1** niewypłacalny. **2** *go bankrupt* zbankrutować.

bankrupt III [bæn*k*rapt] bankrut.

bankruptcy [bæn*k*raptsi] bankructwo.

banner [bæn*e*] **1** sztandar. **2** transparent.

banner ad [bæn*e*r æd] *komp.* banner, reklama internetowa.

banquet [bæn*k*lit] bankiet.

baptism [bæptiz*e*m] chrzest.

baptize [bæptaj*z*] chrzcić.

bar I [ba:] **1** bar. **2** krata. **3** pręt, bramka. **4** tabliczka (czekolady). **5** kostka (mydła). **6** sztaba (metalu). **7** *nieform. behind bars* w więzieniu.

bar II [ba:] zagradzać.

barbecue [ba:bikju:] przyjęcie na świeżym powietrzu z grilem.

barber [ba:b*e*] fryzjer męski.

bare [be:] **1** nagi (o ciele, drzewach itp.). **2** bosy (o stopach).

barefoot [be:fut] boso.

barely [be:li] ledwo, ledwie.

bargain I [ba:gin] targować się.
bargain II [ba:gin] okazja (o zakupie).
barge [ba:dż] barka.
bark I [ba:k] **1** kora (drzewa). **2** szczekanie. **3** *nieform. sb's bark is worse than their bite* ktoś nie jest tak zły, na jakiego wygląda.
bark II [ba:k] **1** szczekać. **2** *nieform. bark up the wrong tree* grubo się mylić.
barley [ba:li] jęczmień.
barmaid [ba:mejd] barmanka.
barman [ba:men] barman.
barn [ba:n] stodoła.
barometer [beromite] barometr.
baroque I [berok] barok.
baroque II [berok] barokowy.
barracks [bæreks] koszary.
barrel [bærel] **1** beczka, baryłka. **2** lufa.
barren [bæren] jałowy.
barricade [bærikejd] barykada.
barrier [bærie] **1** bariera, przeszkoda. **2** bramka (przy wejściu).
barrier cream [bærie kri:m] podkład kosmetyczny.
barrister [bæriste] adwokat, obrońca.
barrow [bæreu] taczka, taczki.
base I [bejs] **1** podstawa. **2** podkład (obrazu). **3** baza (w bejsbolu).
base II [bejs] **1** opierać się, bazować **2** *be based on sth* być zrobionym na podstawie czegoś.
baseball [bejsbo:l] bejsbol.
basement [bejsment] suterena, piwnica.

basic [bejsik] podstawowy, zasadniczy.
basics [bejsiks] *l.mn. the basics* podstawy, rzeczy podstawowe.
basin [bejsn] **1** miednica. **2** *wash basin* umywalka.
basis [bejsis] (*l.mn.* **bases** [bejsi:z]) **1** podstawa: *on the basis of sth* na podstawie czegoś. **2** zasada.
basket [ba:skit] kosz, koszyk.
basketball [ba:skitbo:l] koszykówka.
bass [bejs] bas (głos).
bass guitar [bejsgita:] gitara basowa.
bassoon [besu:n] fagot.
bat [bæt] **1** nietoperz. **2** kij (bejsbolowy itp.). **3** rakietka (tenis stołowy).
bath I [ba:θ] **1** wanna. **2** kąpiel: *have a bath* brać kąpiel, kąpać się.
bath II [ba:θ] kąpać (kogoś).
bathe [bejð] kąpać się, pływać (w morzu, itp.).
bathing costume [bejðinkostju:m] kostium kąpielowy.
bathrobe [ba:θreub] szlafrok.
bathroom [ba:θrum] łazienka.
battery [bæteri] **1** bateria. **2** akumulator.
battle I [bætl] bitwa.
battle II [bætl] walczyć.
battlefield [bætlfi:ld] pole bitwy.
bay [bej] zatoka.
bazaar [beza:] jarmark, kiermasz.
be [bi:] (II **was** [łoz], **were** [łe:], III **been** [bi:n]; *1 os. l.poj. cz.ter.* **am**

[*em*], *2 os.* **are** [a:], *3 os.* **is** [iz], *l.mn. cz.ter.* **are** [a:]) *GRAM.* **1** być. **2** czuć się, miewać się. **3** wynosić (o kwocie). **4** mieć (przy określaniu wieku): *He is two (years old).* On ma dwa lata. **5** (czasownik posiłkowy w tworzeniu czasów ciągłych, strony biernej): *He is sitting in the garden.* On siedzi w ogrodzie.; *The house was built in the twelfth century.* Dom został zbudowany w dwunastym wieku.

beach [bi:cz] plaża.

bead [bi:d] **1** paciorek, koralik. **2** *a bead of sweat* kropla potu.

beak [bi:k] dziób.

beam [bi:m] **1** promień (słoneczny, energii). **2** drewniana belka.

bean [bi:n] **1** warzywo strączkowe, fasola. **2** ziarno: *coffee bean* ziarno kawy.

bear I [be:] **1** niedźwiedź: *polar bear* niedźwiedź polarny. **2** *teddy bear* miś pluszowy.

bear II [be:] (II **bore** [bo:], III **borne** [bo:n]) **1** *form.* nieść, nosić. **2** znosić, wytrzymać. **3** *form.* rodzić (dziecko). **4** *bear in mind* pamiętać.

bearable [be:rebl] znośny.

beard [bied] broda.

beast [bi:st] **1** zwierzę. **2** bestia.

beat I [bi:t] (II **beat** [bi:t], III **beaten** [bi:tn]) **1** pokonać (kogoś), wygrać (z kimś). **2** bić. **3** ubijać (jajka). **4** *beat about the bush* owijać w bawełnę, nie mówić wprost.

beat II [bi:t] **1** bicie (serca). **2** rytm.

beating [bi:tin] *pot.* lanie, manto.

beautiful [bju:tifl] piękny.

beautifully [bju:tifli] pięknie.

beauty [bju:ti] **1** piękno, uroda. **2** piękność (o osobie).

beaver [bi:we] bóbr.

became *zob.* **become**.

because [bikoz] **1** ponieważ, bo, dlatego że. **2** *because of sth (sb)* z powodu czegoś (kogoś).

become [bikam] (II **became** [bikejm], III **become** [bikam]) zostawać, stawać się.

bed [bed] **1** łóżko: *make the bed* ścielić łóżko. **2** *flower bed* klomb. **3** *go to bed* iść spać. **4** *nieform. go to bed with sb* spać z kimś, iść z kimś do łóżka. **5** *get out of bed on the wrong side* wstać lewą nogą z łóżka, być w złym humorze.

bedclothes [bedkleuðz] pościel.

bedroom [bedrum] sypialnia.

bedtime [bedtajm] czas na sen, czas na pójście do łóżka.

bee [bi:] **1** pszczoła. **2** *busy bee* pracuś (o osobie).

beech [bi:cz] buk.

beef [bi:f] **1** wołowina. **2** *roast beef* pieczeń wołowa.

beehive [bi:hajw] ul.

been *zob.* **be**.

beer [bie] piwo.

beetle [bi:tl] żuk, chrząszcz, chrabąszcz.

beetroot [bi:tru:t] burak.

before I [bifo:] zanim, przed.

before II [bifo:] 1 przed. 2 naprzeciwko, przed.

before III [bifo:] wcześniej, przedtem: *I've never seen him before.* Nigdy go wcześniej nie widziałem.

beforehand [bifo:hænd] z wyprzedzeniem, wcześniej.

beg [beg] 1 żebrać. 2 błagać: *beg sb to do sth* błagać kogoś, by coś zrobił. 3 *I beg your pardon?* Słucham? (prosząc o powtórzenie).

began zob. begin.

beggar [bege] żebrak.

begin [bigin] (II **began** [bigæn], III **begun** [bigan]) 1 *begin to do sth* (*begin doing sth*) zacząć, rozpocząć coś.

beginner [bigine] osoba początkująca.

beginning [biginin] początek.

begun zob. begin.

behalf [biha:f] *on behalf of sb* w imieniu kogoś.

behave [bihejw] zachowywać się, postępować.

behaviour [bihejwje] zachowanie, postępowanie.

behind I [bihajnd] 1 za, z tyłu. 2 *do sth behind someone's back* robić coś za plecami kogoś.

behind II [bihajnd] z tyłu, w tyle.

beige [bejż] beżowy.

being I [bi:in] 1 istota: *human being* istota ludzka. 2 istnienie. 3 byt.

being II *forma ciągła* be.

belief [bili:f] 1 wierzenie. 2 wiara. 3 przekonanie.

believe [bili:w] 1 wierzyć. 2 uważać, że..., twierdzić, że...

bell [bel] 1 dzwon. 2 dzwonek: *door bell* dzwonek przy drzwiach.

belly [beli] *pot.* brzuch.

belong [bilon] należeć (*do kogoś* to sb).

belongings [biloninz] *l.mn.* mienie, dobytek.

below I [bileu] pod, poniżej.

below II [bileu] pod spodem, poniżej.

belt [belt] 1 pas, pasek: *safety belt* pas bezpieczeństwa. 2 strefa (w geografii).

bench [bencz] 1 ławka. 2 stół roboczy. 3 *the Bench* sąd.

bend I [bend] 1 wygięcie (czegoś). 2 skłon. 3 zakręt.

bend II [bend] (II / III **bent** [bent]) 1 giąć, zginać, wyginać. 2 zginać się, wyginać się. 3 schylać się.

◆ **bend down** schylić się.

◆ **bend over** pochylić się.

beneath I [bini:θ] pod, poniżej.

beneath II [bini:θ] poniżej, pod spodem.

benefit I [benifit] 1 pożytek. 2 korzyść.

benefit II [benifit] skorzystać (*from sth* z czegoś).

bent zob. bend II.

berry [beri] (*l.mn.* **berries**) jagoda.

beside [bisajd] **1** obok. **2** w porównaniu z...

besides I [bis**a**jdz] poza tym, oprócz tego.

besides II [bis**a**jdz] poza, oprócz.

best I [best] najlepszy.

best II [best] najlepiej.

best III [best] **1** najlepszy, coś najlepszego. **2** *want the best for sb* chcieć jak najlepiej dla kogoś. **3** *do one's best* robić wszystko, co jest w czyjejś mocy. **4** *at best* w najlepszym wypadku. **5** *all the best!* wszystkiego najlepszego! (najlepsze pozdrowienia! – w listach prywatnych).

bestseller [bestsel*e*] bestseler.

bet I [bet] (II / III **bet** [bet]) **1** *bet sb sth* zakładać się z kimś o coś. **2** *nieform.* **I bet** jestem pewien, założę się, że. **3** *nieform.* **you bet!** oczywiście, bez dwóch zdań.

bet II [bet] zakład.

betray [bitr**e**j] zdradzać.

betrayal [bitr**e**j*e*l] zdrada.

better I [bet*e*] **1** lepszy: *better than* lepszy niż; *much better* dużo lepszy. **2** *feel (much, a lot) better* czuć się (dużo) lepiej. **3** *get better* poprawiać się. **4** *the sooner the better* im wcześniej, tym lepiej.

better II [bet*e*] **1** lepiej: *better than* lepiej niż; *I draw better than him.* Ja rysuję lepiej niż on. **2** *had better* lepiej (coś zrobić): *You'd better tell him.* Lepiej mu powiedz.

between [bitli:n] **1** między, pomiędzy. **2** *between you and me* między nami mówiąc.

beverage [b**e**werid*ż*] napój.

beware [bi**ł**e:] wystrzegać się (tylko w zdaniach nakazujących): *Beware of signing anything.* Wystrzegaj się podpisywania czegokolwiek.; *Beware of the dog!* Uwaga, zły pies!

bewildered [bi**ł**ild*e*d] zdumiony, oszołomiony.

beyond I [bi:**j**ond] **1** ponad, powyżej. **2** *prove beyond (any shadow of a) doubt* udowodnić, by nie pozostał nawet cień wątpliwości.

beyond II [bi:**j**ond] **1** ponad, powyżej. **2** *beyond belief* nie do wiary.

Bible [b**a**jbl] *the Bible* Biblia.

bibliography [bibli**o**gr*e*fi] bibliografia.

biceps [b**a**jseps] biceps.

bicycle [b**a**jsikl] rower: *ride a bicycle* jeździć na rowerze.

bid [bid] (II / III **bid** [bid]) licytować.

bidding [bid**i**n] licytacja.

big [big] **1** duży. **2** starszy (o rodzeństwie): *my big sister* moja starsza siostra.

bike [bajk] rower: *ride a bike* jeździć na rowerze.

bill [bil] **1** rachunek. **2** *BR* projekt ustawy w parlamencie. **3** *AM* banknot.

billboard [b**i**lbo:d] billboard.

billiards [biljedz] bilard.
billion [biljen] **1** *BR* bilion. **2** *AM* miliard.
bin [bin] kosz na śmieci (także *litter bin*).
bind I [bajnd] (II / III **bound** [baund]) przywiązać, związać.
bind II [bajnd] *nieform.* utrudnienie, zawracanie głowy.
binder [bajnde] segregator.
bingo [bingeu] bingo.
binoculars [binokjulez] lornetka.
biography [bajografi] biografia.
biological [bajelodżikl] biologiczny.
biology [bajoledżi] biologia.
birch [be:cz] brzoza.
bird [be:d] **1** ptak: *bird of prey* ptak drapieżny. **2** *kill two birds with one stone* upiec dwie pieczenie na jednym ogniu.
birth [be:θ] **1** narodziny. **2** *give birth to a child* urodzić dziecko.
birthday [be:θdej] urodziny.
biscuit [biskit] **1** *BR* herbatnik. **2** *AM* biszkopt.
bishop [biszep] biskup.
bit I [bit] **1** kawałek, część. **2** *a bit* trochę. **3** *quite a bit* całkiem sporo. **4** *bit by bit* stopniowo, krok po kroku. **5** *komp.* bit.
bit II *zob.* **bite.**
bitch [bicz] **1** suka (o psie). **2** *wulg.* suka, dziwka.
bite I [bajt] (II **bit** [bit], III **bitten** [bitn]) **1** ugryźć, ukąsić. **2** *bite one's nails* obgryzać paznokcie.

bite II [bajt] **1** gryz, kęs. **2** ukąszenie.
bitten *zob.* **bite.**
bitter [bite] **1** gorzki. **2** zgorzkniały.
bitterly [biteli] gorzko, ciężko, głęboko (zawiedziony).
black I [blæk] **1** czarny. **2** *black and blue* posiniaczony. **3** *in black and white* czarno na białym.
black II [blæk] czerń.
blackberry [blækberi] jeżyna.
blackbird [blækbe:d] kos.
blackboard [blækbo:d] tablica szkolna.
blackcurrant [blækkarent] czarna porzeczka.
blackjack [blækdżæk] oczko (gra karciana).
blackmail I [blækmejl] szantaż.
blackmail II [blækmejl] szantażować.
blacksmith [blæksmiθ] kowal.
blade [blejd] **1** ostrze (noża). **2** źdźbło (trawy).
blame I [blejm] **1** obwiniać (*sb for sth* kogoś za coś). **2** *be to blame* być winnym, odpowiedzialnym.
blame II [blejm] wina.
blank I [blænk] **1** czysty (o kartce papieru). **2** *blank face* twarz bez wyrazu, obojętna.
blank II [blænk] puste miejsce, czyste pole: *Fill in the blanks in the form.* Proszę wypełnić formularz w przeznaczonych do tego miejscach.
blanket [blænkit] **1** koc. **2** pokrywa (śniegu itp.).

blast I [bla:st] **1** wybuch, eksplozja. **2** silny podmuch.

blast II [bla:st] wysadzić w powietrze.

blaze I [blejz] **1** ogień. **2** blask (słońca). **3** *przen.* *in a blaze of glory* w blasku chwały.

blaze II [blejz] **1** płonąć. **2** błyszczeć.

blazer [blejze] blezer.

bleach I [bli:cz] wybielacz.

bleach II [bli:cz] wybielać.

bled *zob.* **bleed.**

bleed [bli:d] (II / III **bled** [bled]) krwawić.

bleeding I [bli:din] krwawiący.

bleeding II [bli:din] krwawienie.

bleep I [bli:p] dzwonek (budzika, telefonu).

bleep II [bli:p] dzwonić (o budziku, telefonie).

blend I [blend] **1** mieszać. **2** miksować.

blend II [blend] mieszanka (np. kawy).

blender [blende] mikser.

bless [bles] **1** błogosławić. **2** *Bless you!* Na zdrowie! (gdy ktoś kicha).

blessed [blesid] **1** błogosławiony. **2** upragniony.

blessing [blesin] błogosławieństwo.

blew *zob.* **blow.**

blind I [blajnd] **1** niewidomy, ślepy. **2** *turn a blind eye to sth* przymknąć na coś oko.

blind II [blajnd] oślepić.

blind III [blajnd] **1** *the blind* niewidomi. **2** roleta, żaluzja (okienna).

blind alley [blajndæli] ślepa uliczka.

blind date [blajnddejt] randka w ciemno.

blindfold I [blajndfeuld] opaska, przepaska na oczy.

blindfold II [blajndfeuld] zasłaniać oczy.

blink [blink] mrugać.

bliss [blis] rozkosz.

blister [bliste] pęcherz, odcisk.

blizzard [blized] zamieć śnieżna.

bloc [blok] blok (kooperujących państw): *Eastern bloc* blok wschodni.

block I [blok] **1** blokada. **2** blok, kloc. **3** *block of flats* blok mieszkalny.

block II [blok] blokować.

blond [blond] blond (o włosach).

blonde [blond] blondynka.

blood [blad] **1** krew. **2** *in cold blood* z zimną krwią.

blood group [bladgru:p] grupa krwi.

blood pressure [bladpresze] ciśnienie krwi.

bloodthirsty [bladθe:sti] krwiożerczy.

bloody [bladi] **1** zakrwawiony. **2** krwawy: *bloody battle* krwawa bitwa. **3** *nieform.* cholerny.

bloom I [blu:m] **1** kwiat. **2** *be in bloom* kwitnąć.

bloom II [blu:m] kwitnąć, zakwitać.

blossom I [blosem] kwiat.

blossom II [blosem] rozkwitać, kwitnąć.

blot [blot] kleks, plama.

blouse [blauz] bluzka.

blow I [bleu] (II **blew** [blu:], III **blown** [bleun]) 1 dmuchać. 2 wiać. 3 *blow one's nose* wydmuchać nos.

◆ **blow** *sth* **up** 1 wysadzić coś (w powietrze). 2 nadmuchać coś. 3 powiększyć coś (zdjęcia).

blow II [bleu] uderzenie, cios (*też przen.*).

blown *zob.* **blow**.

blue I [blu:] 1 niebieski, błękitny. 2 *navy-blue* granatowy. 3 *feel blue* być smutnym, przygnębionym. 4 *once in a blue moon* bardzo rzadko.

blue II [blu:] 1 błękit. 2 *out of the blue* ni stąd, ni zowąd, niespodziewanie.

blues [blu:z] 1 blues (muzyka). 2 *nieform.* **have (get) blues** być przygnębionym.

bluff I [blaf] blefować.

bluff II [blaf] blef.

blunder [blande] gafa, wpadka.

blunt [blant] 1 tępy (o nożu). 2 *pejor.* bezceremonialny.

blur I [ble:] (II / III **blurred**) zamazywać, rozmazywać.

blur II [ble:] niewyraźna, rozmazana plama.

blush I [blasz] rumienić się, czerwienić się.

blush II [blasz] rumieniec.

boar [bo:] 1 dzik. 2 knur.

board I [bo:d] 1 deska. 2 plansza. 3 tablica. 4 pokład: *on board* na pokład, na pokładzie. 5 rada, zarząd. 6 wyżywienie: *full board* pełne wyżywienie; *half board* niepełne wyżywienie; *board and lodging* mieszkanie z wyżywieniem.

board II [bo:d] wsiadać (na pokład statku, do autobusu, pociągu).

boarding school [bo:dinsku:l] szkoła z internatem.

boast [beust] chwalić się: *boast about sth* przechwalać się czymś.

boat [beut] 1 łódź, łódka, statek. 2 *nieform.* **rock the boat** namieszać. 3 *be in the same boat* jechać na tym samym wózku.

body [bodi] (*l.mn.* **bodies**) 1 ciało. 2 zwłoki. 3 *heavenly body* ciało niebieskie. 4 *nieform.* **over my dead body** po moim trupie.

body-building [bodibildin] kulturystyka.

bodyguard [bodiga:d] osobisty ochroniarz.

boil I [bojl] 1 gotować się, wrzeć. 2 zagotować (coś): *put sth on to boil* zagotować coś. 3 *make one's blood boil* doprowadzać kogoś do furii.

◆ **boil down to** *sth* sprowadzać się do czegoś.

boil II [bojl] 1 wrzenie. 2 *bring to the boil* zagotować.

boiler [bojle] bojler.

bold [beuld] **1** śmiały. **2** krzykliwy (o wzorach, kolorach).

bolt I [beult] **1** zasuwa. **2** strzała.

bolt II [beult] zamykać na zasuwę.

bomb I [bom] **1** bomba. **2** *the bomb* bomba atomowa (wodorowa).

bomb II [bom] bombardować.

bomber [bome] bombowiec.

bond [bond] związek, więź.

bone [beun] **1** kość. **2** *dry as a bone* suchy jak pieprz. **3** *a bag of bones* chudzielec, skóra i kości.

bonfire [bonfaje] ognisko.

bonkers [bonkez] szalony.

bonus [beunes] **1** premia. **2** *added (additional) bonus* dodatkowa korzyść.

book I [buk] **1** książka. **2** *notebook* zeszyt, notatnik. **3** *cheque book* książeczka czekowa.

book II [buk] rezerwować: *book a hotel* rezerwować hotel.

◆ **book in** zameldować się w hotelu.

bookcase [bukkejs] regał na książki, biblioteczka.

booking [bukin] rezerwacja.

bookkeeping [bukki:pin] księgowość.

booklet [buklit] broszura.

bookshop [bukszop] księgarnia.

boom I [bu:m] kwitnąć, prężnie się rozwijać (o ekonomii itp.).

boom II [bu:m] **1** huk, grzmot. **2** wzrost, boom (gospodarczy).

boot I [bu:t] *komp.* inicjować.

boot II [bu:t] **1** but (z cholewką). **2** bagażnik samochodowy.

booth [bu:ð] kabina (telefoniczna itp.).

border I [bo:de] **1** granica. **2** lamówka (ubrania).

border II [bo:de] **1** graniczyć. **2** *border on madness (physical agression, etc.)* być na granicy szaleństwa (rękoczynów itp.).

bore I [bo:] nudzić (kogoś).

bore II [bo:] nudziarz.

bore III *zob.* **bear II**.

bored [bo:d] znudzony.

boredom [bo:dem] nuda.

boring [bo:rin] nudny.

born [bo:n] *zob.* **bear 1** *be born* urodzić się: *I was born in 1980.* Urodziłem się w 1980. **2** *be born* pojawić się, wykluć się (o pomyśle itp.).

borne *zob.* **bear**.

borrow [boreu] pożyczać (*sth from sb* coś od kogoś).

boss [bos] szef, szefowa.

bossy [bosi] apodyktyczny.

botany [boteni] botanika.

both [beuθ] zarówno: *Both Tim and Clara were given awards.* Zarówno Tim, jak i Clara zostali nagrodzeni.

bother I [boðe] **1** przeszkadzać. **2** zawracać głowę, martwić: *Don't let it bother you!* Nie zawracaj sobie tym głowy! **3** *sorry to bother you!* przepraszam, że przeszkadzam! **4** *please don't bother* nie kłopocz się!

bother II [boðe] **1** kłopot. **2** *it's no bother!* żaden problem!

bottle [botl] butelka.

bottle-opener [botleupne] otwieracz do butelek.

bottom [botem] **1** dół: *the bottom of the page* dół strony; *in the bottom* na dole. **2** dno (morskie itp.). **3** *nieform.* pupa. **4** *from the bottom of my heart* z całego serca.

bought *zob.* **buy**.

boulder [beulde] głaz.

boulevard [bulewa:d] bulwar.

bound I *zob.* **bind**.

bound II [baund] **1** *be bound to do sth* z całą pewnością coś zrobić: *He's so talented – he's bound to develop a career.* On jest tak utalentowany – z całą pewnością zrobi karierę. **2** *be bound by law* być zobowiązanym prawnie. **3** *bound for* zmierzający do: *a ship bound for Africa* statek zmierzający do Afryki.

boundary [baunderi] granica.

bouquet [bu:kej] bukiet.

boutique [bu:ti:k] butik.

bow I [bau] kłaniać się, ukłonić się.

bow II [bau] ukłon.

bow III [beu] **1** łuk. **2** kokarda.

bowels [bauelz] *l.mn.* jelita.

bowl [beul] **1** miska, miseczka. **2** kula.

bowler [beule] melonik.

bowling [beulin] gra w kręgle.

bow tie [beutaj] muszka (do koszuli).

box [boks] **1** pudełko, pudło. **2** *nieform. BR the box* telewizor.

boxing [boksin] boks.

boy [boj] **1** chłopiec, chłopak. **2** syn.

boycott I [bojkot] bojkot.

boycott II [bojkot] bojkotować.

boyfriend [bojfrend] chłopak (ukochany): *Lisa and her boyfriend* Lisa i jej chłopak.

bra [bra:] biustonosz, stanik.

bracelet [brejslet] bransoletka.

bracket [brækit] nawias: *in brackets* w nawiasie.

brain [brejn] **1** mózg. **2** umysł (osoba).

brains [brejns] *l.mn.* olej w głowie, rozum.

brainstorm [brejnsto:m] burza mózgów.

brake I [brejk] hamować.

brake II [brejk] hamulec.

branch I [bra:ncz] **1** gałąź (drzewa). **2** oddział, filia (firmy).

branch II [bra:ncz] rozgałęziać się.

brand [brænd] **1** marka. **2** rodzaj. **3** odmiana (zwierząt).

brand name [brændnejm] marka firmy.

brand-new [brændniu:] nowiutki.

brass [bra:s] mosiądz.

brave [brejw] odważny, dzielny.

bravery [brejweri] odwaga, męstwo.

bravo [bra:weu] brawo!

breach [bri:čz] **1** naruszenie, pogwałcenie (prawa itp.): *breach of contract* naruszenie umowy. **2** wyłom.

bread [bred] chleb: *loaf of bread* bochenek chleba.

breadcrumb [bredkram] okruszek.

breadth [bretθ] **1** szerokość. **2** *przen.* rozmach.

break I [brejk] **1** przerwa (na odpoczynek, w szkole). **2** *nieform. Give me a break!* Przestań! (kiedy się komuś nie wierzy).

break II [brejk] (II **broke** [breuk], III **broken** [breukn]) **1** łamać. **2** łamać się. **3** tłuc, rozbić. **4** stłuc się, rozbić się. **5** zepsuć. **6** *break the ice* przełamać lody. **7** *break sb's heart* złamać komuś serce.

♦ **break away** wyrwać się (komuś), oderwać się (od kogoś).

♦ **break down 1** zepsuć się. **2** rozpaść się (o związku). **3** *break down in tears* rozpłakać się.

♦ **break into** *sth* włamać się gdzieś.

♦ **break out** wybuchnąć (o wojnie, epidemii, pożarze).

♦ **break up 1** rozpaść się. **2** rozdzielić. **3** zerwać ze sobą (o związku).

breakdown [brejkdaun] **1** awaria. **2** rozpad (związku).

breakfast [brekfest] śniadanie: *have breakfast* jeść śniadanie; *have sth for breakfast* mieć coś na śniadanie.

breakthrough [brejkθru:] przełom.

breast [brest] **1** pierś (kobiety). **2** *chicken breast* pierś z kurczaka.

breath [breθ] **1** oddech: *take a deep breath* zaczerpnąć głęboki oddech. **2** *take sb's breath away* zapierać dech w piersiach.

breathe [bri:ð] oddychać.

♦ **breathe in** wdychać.

♦ **breathe out** wydychać.

breathless [breθlis] zasapany, bez tchu.

breath-taking [breθtejkiŋ] zapierający dech w piersiach.

bred *zob.* **breed**.

breed I [bri:d] (II / III **bred** [bred]) **1** rozmnażać się. **2** hodować (rośliny, zwierzęta).

breed II [bri:d] **1** rasa (zwierząt). **2** *new breed* nowa generacja (ludzi, urządzeń).

breeze [bri:z] wietrzyk, bryza.

brew I [bru:] *nieform.* **1** napar (o kawie, herbacie). **2** browar (o piwie).

brew II [bru:] warzyć (piwo).

brewery [bru:eri] browar.

bribe I [brajb] łapówka.

bribe II [brajb] przekupić, dać łapówkę.

brick [brik] cegła.

bricklayer [brikleje] murarz.

bride [brajd] panna młoda.

bridegroom [brajdgrum] pan młody.

bridesmaid [brajdzmejd] druhna (na ślubie).

bridge [bridż] **1** most, mostek. **2** brydż (gra w karty).

brief [bri:f] **1** krótki, zwięzły. **2** *in brief* w skrócie.

briefcase [bri:fkejs] walizka.

briefly [bri:fli] **1** szybko, pokrótce. **2** w skrócie.

bright [brajt] **1** jasny, pogodny. **2** błyskotliwy (o osobie). **3** *look on the bright side of things* być optymistą.

brighten [brajtn] rozjaśnić.

♦ **brighten up** rozchmurzyć się.

brilliance [briliens] **1** świetlistość. **2** błyskotliwość.

brilliant [brilient] **1** błyskotliwy (o osobie). **2** fantastyczny, cudowny.

brim [brim] **1** brzeg. **2** rondo (kapelusza).

bring [brin] (II / III **brought** [bro:t]) **1** przynieść (rzecz). **2** przyprowadzić (osobę).

♦ **bring** *sth* **about** spowodować coś.

♦ **bring** *sth* **back 1** przywieźć ze sobą. **2** przywrócić.

♦ **bring** *sb (sth)* **down 1** opuścić. **2** zestrzelić.

♦ **bring** *sth* **forward 1** przesunąć na wcześniejszą datę. **2** zaproponować (rozwiązanie itp.).

♦ **bring** *sb (sth)* **up 1** wychowywać kogoś. **2** poruszyć (temat). **3** *bring up to date* unowocześnić.

brink [brink] **1** krawędź. **2** *be on the brink of sth* być na krawędzi czegoś (bliskim czegoś).

brisk [brisk] energiczny, ożywiony, dynamiczny.

bristle [brisl] szczecina (zwierzęcia).

Brit [brit] *nieform.* Brytyjczyk.

British [britisz] brytyjski.

broad [bro:d] **1** szeroki. **2** ogólny (zarys itp.). **3** *in broad daylight* w biały dzień.

broadcast I [bro:dka:st] audycja, program.

broadcast II [bro:dka:st] emitować, nadawać (program, audycję).

brochure [breuśze] broszura.

broke I *zob.* **break.**

broke II [breuek] spłukany, bez grosza.

broken I *zob.* **break.**

broken II [breukn] **1** stłuczony (o szkle). **2** zepsuty.

broken-hearted [breuknha:tid] ze złamanym sercem.

broker [breuke] makler.

bronze I [bronz] brąz (metal).

bronze II [bronz] z brązu, brązowy.

brooch [breućz] broszka.

brook [bruk] strumień, potok.

broom [brum] miotła.

broth [broθ] rosół.

brother [braðe] brat.

brother-in-law [braðerinlo:] (*l.mn.* **brothers-in-law**) szwagier.

brotherly [braðeli] braterski.

brought *zob.* **bring.**

brow [brau] brew.

brown [braun] brązowy.

browse [brauz] **1** *komp.* przeszuki-
wać (w Internecie). **2** przeglądać
(gazetę).

browser [brauze] przeglądarka: *web
browser* przeglądarka stron internetowych.

bruise I [bru:z] siniak.

bruise II [bru:z] posiniaczyć (się),
nabić siniaka.

brunette [brunet] brunetka.

brush I [brasz] szczotka: *toothbrush*
szczoteczka do zębów; *paint-
brush* pędzel do malowania; *hairbrush* szczotka do włosów.

brush II [brasz] **1** zmieść, zamiatać.
2 czyścić, szczotkować (np. zęby).

◆ **brush** *sb (sth)* **aside** odsunąć,
odrzucić.

◆ **brush** *sth* **up** odświeżyć (szczególnie wiedzę).

brussels sprout [braslz spraut] bruk-
selka.

brutal [bru:tl] brutalny.

brute [bru:t] brutal.

BSc *Bachelor of Science* licencjat
(w dziedzinie nauk ścisłych).

bubble I [babl] **1** bańka mydlana.
2 balon (z gumy do żucia).

bubble II [babl] bulgotać, wrzeć.

bubble gum [bablgam] guma balo-
nowa.

buck [bak] **1** *AM nieform.* dolar. **2**
samiec (np. królika).

bucket [bakit] wiadro.

buckle [bakl] sprzączka.

bud [bad] pąk (kwiatu).

budget [badżit] budżet.

buffalo [bafeleu] **1** *BR* bawół. **2** *AM*
bizon.

buffet [bufej] bufet.

bug [bag] **1** robak. **2** wirus (*też komp.*).
3 podsłuch.

buggy [bagi] wózek spacerowy.

build [bild] (II / III **built** [bilt]) budować: *built of wood (stone)* zbudowany z drewna (kamienia).

builder [bilde] budowniczy.

building [bildin] **1** budynek. **2** budowa.

built *zob.* build.

bulb [balb] **1** żarówka. **2** bulwa kwiatowa.

bulge [baldż] wybrzuszenie.

bull [bul] **1** byk. **2** *przen.* *take the
bull by its horns* chwycić byka za
rogi.

bulldog [buldog] buldog.

bulldozer [buldeuze] buldożer.

bullet [bulit] kula, nabój.

bulletin [buletin] **1** biuletyn. **2** *news
bulletin* skrót wiadomości.

bulletin board [buletinbo:d] *komp.*
tablica ogłoszeń (na stronie internetowej).

bullshit [bulszit] *wulg.* bzdura!

bully [buli] znęcać się nad młodszy-
mi i słabszymi.

bumblebee [bamblbi:] trzmiel.

bump I [bamp] **1** guz. **2** wybój.
3 stłuczka.

bump II [bamp] uderzyć: *bump a-
gainst (into) sth* uderzyć w coś,
uderzyć się o coś.

◆ **bump into** *sb* spotkać kogoś przypadkiem, wpaść na kogoś.

bumper [bampe] zderzak.

bumpy [bampi] wyboisty.

bun [ban] **1** bułka, bułeczka. **2** kok (uczesanie).

bunch [bancz] **1** bukiet. **2** kiść (np. winogron).

bundle [bandl] tobołek, pakunek, zwitek.

bungalow [bangeleu] bungalow.

bunk [bank] koja.

bunker [banke] bunkier.

bunny [bani] króliczek.

buoy [boj] boja.

burden [be:dn] ciężar, brzemię.

bureaucracy [bjuerokresi] biurokracja.

bureaucratic [bjuerekrætik] biurokratyczny.

burger [be:ge] burger.

burglar [be:gle] włamywacz.

burglary [be:gleri] włamanie.

burgle [be:gl] włamać się.

burial [beriel] pochówek.

buried *zob.* **bury**.

burn I [be:n] oparzenie.

burn II [be:n] (II / III **burnt** [be:nt] lub **burned** [be:nd]) **1** palić się (o ogniu). **2** oparzyć się. **3** spalać (paliwo): *My car burns gas.* Mój samochód jest na gaz. **4** *burn to the ground* spalić się doszczętnie.

◆ **burn down** spalić się.

◆ **burn up** spalić się doszczętnie.

burner [be:ne] palnik.

burnt *zob.* **burn**.

burst [be:st] (II / III **burst** [be:st]) pękać.

◆ **burst in (into)** *sth* **1** wpaść gdzieś. **2** *burst into flames* stanąć w płomieniach. **3** *burst into tears* zalać się łzami.

◆ **burst out** wybuchnąć (o emocjach): *burst out laughing (crying)* wybuchnąć śmiechem (płaczem).

bury [beri] (II / III **buried**) **1** pochować. **2** zakopać.

bus [bas] autobus: *go by bus* jechać autobusem.

bush [busz] **1** krzak, krzew. **2** *beat about the bush* owijać w bawełnę.

busily [bizili] pracowicie.

business [biznes] **1** biznes, firma. **2** sprawa (do załatwienia). **3** branża. **4** *nieform.* *none of your business* nie twój interes. **5** *mind one's own business* pilnować swojego nosa.

businessman [biznezmen] (*l.mn.* **businessmen**) biznesmen.

businesswoman [bizneslumen] (*l.mn.* **businesswomen** [bizneslimin]) bizneswoman.

bus-stop [basstop] przystanek autobusowy.

bust [bast] **1** biust. **2** popiersie.

bustle [basl] *bustle around (about)* krzątać się.

busy [bizi] **1** zajęty, zapracowany. **2** ruchliwy. **3** *BR* zajęty (telefon).

but I [bat / *słabe* bet] **1** ale. **2** *but then* ale z drugiej strony.

but II [bat / *słabe* bet] **1** oprócz. **2** *the last but one* przedostatni.

butcher [bu*cze*] rzeźnik.

butcher's [bu*czez*] sklep mięsny, masarnia.

butler [bat*le*] kamerdyner.

butter [bat*e*] masło.

butterfly [bat*e*flaj] (*l.mn.* **butterflies**) motyl.

buttock [bat*ek*] pośladek.

button I [batn] **1** guzik (przy ubraniu). **2** przycisk, guzik.

button II [batn] zapinać na guziki.

buy [baj] (II / III **bought** [bo:t]) kupować: *buy sth for sb* kupić coś dla kogoś.

buyer [baj*e*] kupujący.

buzz I [baz] bzyczeć, brzęczeć.

buzz II [baz] bzyczenie, brzęczenie.

by I [baj] **1** przez: *book written by Miłosz* książka napisana przez Miłosza. **2** przy: *stand by the door* stać przy drzwiach. **3** za: *take sb by the hand* wziąć kogoś za rękę. **4** przed, do: *by 5 o'clock* przed piątą, do piątej. **5** *travel by bus (plane)* podróżować autobusem (samolotem). **6** *by accident (mistake)* przez przypadek (pomyłkę). **7** *one by one* jeden po drugim. **8** *bit by bit* stopniowo, krok po kroku. **9** *by day* za dnia; *by night* nocą. **10** *by oneself* zupełnie sam: *The kids were left by themselves.* Dzieci były pozostawione zupełnie same.

by II [baj] obok, w pobliżu: *They ran by without stopping.* Przebiegli obok bez zatrzymywania się.

bye [baj] pa! (przy pożegnaniu).

byte [bajt] *komp.* bajt.

C

C [si:] trzecia litera alfabetu.

cab [kæb] taksówka.

cabaret [kæb*erej*] kabaret.

cabbage [kæbidż] kapusta.

cabin [kæbin] **1** kabina. **2** kajuta. **3** chata.

cabinet [kæbin*et*] szafka.

cable [kejbl] **1** kabel. **2** telegram.

cable car [kejblka:] kolejka linowa.

cactus [kæktes] (*l.mn.* **cacti** [kæktaj] *albo* **cactuses** [kæktesis]) kaktus.

café [kæfej] kawiarnia.

cage [kejdż] klatka.

cake [kejk] **1** ciasto. **2** ciastko. **3** *sell like hot cakes* sprzedawać się jak gorące bułeczki. **4** *piece of cake* drobnostka, bułka z masłem.

calculate [kælkj*el*ejt] **1** obliczać. **2** oceniać.

calculation [kælkj*el*ejszn] obliczenie, wyliczenie, kalkulacja.

caculator [kælkj*el*ejt*e*] kalkulator.

calender [kæl*en*d*e*] kalendarz.

calf [ka:f] (*l.mn.* **calves** [ka:wz]) **1** łydka. **2** cielę.

call I [ko:l] **1** *be called* nazywać się: *What is this fish called?* Jak się nazywa ta ryba? **2** nazwać. **3** telefonować (*sb* do kogoś). **4** wołać (kogoś). **5** *call a meeting* zwołać zebranie. **6** zatrzymywać się (o pociągu, autobusie). **7** *nieform.* *call it a day* zakończyć pracę.

◆ **call back** oddzwonić.

◆ **call by** wpaść na chwilę.

◆ **call in** wpaść na chwilę (szczególnie po drodze w inne miejsce).

◆ **call** *sth* **off** odwołać coś.

call II [ko:l] **1** rozmowa telefoniczna. **2** *give sb a call* zadzwonić do kogoś. **3** *make a call* wykonać telefon.

call box [ko:lboks] budka telefoniczna.

calm I [ka:m] **1** zrelaksowany, spokojny. **2** spokojny, gładki (o tafli wody).

calm II [ka:m] uspokoić (kogoś).

◆ **calm down 1** uspokoić się. **2** *calm sb down* uspokoić kogoś.

calorie [kæl*eri*] kaloria.

calves zob. **calf**.

came zob. **come**.

camel [kæml] wielbłąd.

camera [kæm*ere*] **1** aparat fotograficzny. **2** kamera.

camp I [kæmp] obóz, biwak: *scout camp* obóz harcerski.

camp II [kæmp] **1** biwakować, rozbić namiot. **2** *go camping* jechać pod namioty.

campaign [kæmpejn] kampania.

campfire [kæmpfaje] ognisko na obozowisku.

campsite [kæmpsajt] kemping, pole namiotowe.

campus [kæmpes] miasteczko studenckie.

can I [kæn / słabe ken] (II **could** [ku:d], III **been able** [bi:nejbel]; *formy przeczące* **can't** [ka:nt], *form.* **cannot** [kænot]) GRAM. **1** móc. **2** umieć, potrafić. **3** mieć pozwolenie. **4** mieć możliwość. **5** (określając wrażenia zmysłowe): *I can see you.* Widzę cię.

can II [kæn] **1** puszka. **2** kanister.

canal [kenæl] kanał.

canary [kene:ri] (*l.mn.* **canaries**) kanarek.

cancel [kænsl] (II / III **cancelled**) **1** odwołać (spotkanie). **2** anulować (czek). **3** unieważniać (umowę).

cancer [kænse] **1** rak, nowotwór. **2** *Cancer* Rak (znak zodiaku).

candidate [kændidet] kandydat.

candle [kændl] świeca, świeczka.

candlestick [kændlstik] lichtarz, świecznik.

candy [kændi] AM słodycze.

cane I [kejn] **1** trzcina. **2** laska.

cane II [kejn] chłostać.

cannon [kænen] armata, działo.

cannot *zob.* **can**.

canoe [kenu:] **1** kajak. **2** kanoe.

can-opener [kæneupne] otwieracz do puszek.

can't *forma ściągnięta* **cannot**.

canteen [kænti:n] stołówka.

canyon [kænjen] kanion.

cap [kæp] **1** czapka. **2** nakrętka, kapsel.

capability [kejpebileti] zdolność.

capable [kejpebl] **1** zdolny, uzdolniony. **2** *be capable of doing sth* być zdolnym do zrobienia czegoś.

capacity [kepæseti] **1** pojemność (pojemnika). **2** ładowność (statku). **3** zdolność.

cape [kejp] przylądek.

capital I [kæpitl] **1** *capital city* stolica. **2** *capital letter* wielka litera.

capital II [kæpitl] **1** stolica. **2** kapitał.

capitalism [kæpitelizem] kapitalizm.

capitulate [kepićzelejt] kapitulować.

capitulation [kepićzelejszn] kapitulacja.

Capricorn [kæpriko:n] Koziorożec (znak zodiaku).

captain [kæptin] **1** kapitan. **2** komandor.

captivity [kaptiweti] niewola.

capture [kæpćze] **1** pojmać. **2** uchwycić (atmosferę itp.).

car [ka:] **1** samochód. **2** AM wagon (pociągu).

caramel [kæremel] **1** karmel. **2** karmelek.

caravan [kærewæn] **1** przyczepa kempingowa. **2** karawana.

carbon [ka:ben] węgiel (pierwiastek chemiczny).

card [ka:d] **1** karta: *credit card* karta kredytowa; *birthday card* kartka urodzinowa. **2** pocztówka. **3** *l.mn.* **cards** karty do gry: *play cards* grać w karty.

cardboard [ka:dbo:d] tektura, karton.

cardigan [ka:digen] rozpinany sweter, kardigan.

cardinal I [ka:dinl] główny: *cardinal numbers* liczebniki główne.

cardinal II [ka:dinl] kardynał.

care I [ke:] **1** opieka, troska. **2** *take care of sth (sb)* zająć się, zaopiekować się czymś (kimś). **3** *nieform. take care!* trzymaj się!

care II [ke:] **1** *care about sb (sth)* troszczyć się o kogoś (o coś), przejmować się. **2** *I don't care!* Nic mnie to nie obchodzi! **3** *nieform. Who cares?* A kogo to obchodzi?

◆ **care for** *sb (sth)* zajmować się, opiekować się kimś (czymś).

career [kerie] kariera.

carefree [ke:fri:] beztroski.

careful [ke:fl] **1** ostrożny, uważny. **2** *Be careful!* Uważaj!

careless [ke:les] nieuważny, nieostrożny.

caress [keres] pieścić.

caretaker [ke:tejke] dozorca, dozorczyni.

caricature [kærikécze] karykatura.

caring [ke:rin] troskliwy, opiekuńczy.

carnival [ka:niwl] karnawał.

carol [kærel] *Christmas carol* kolęda.

car park [ka:pa:k] parking samochodowy.

carpenter [ka:pinte] stolarz.

carpet [ka:pit] wykładzina, dywan.

carriage [kæridż] **1** wóz, powóz. **2** *BR* wagon (w pociągu).

carrot [kæret] marchew.

carry [kæri] (II / III **carried**) **1** nieść, dźwigać. **2** przenosić (o chorobie). **3** nosić ze sobą.

◆ **carry on** kontynuować.

◆ **carry out** *sth* przeprowadzać (eksperymenty).

cart [ka:t] wóz, wózek.

carton [ka:tn] karton.

cartoon [ka:tu:n] **1** rysunek satyryczny. **2** film rysunkowy, kreskówka.

cartridge [ka:tridż] **1** nabój. **2** wkładka (np. z tuszem do drukarek).

carve [ka:w] **1** rzeźbić. **2** kroić (upieczone mięso).

case [kejs] **1** przypadek (w medycynie). **2** przypadek gramatyczny. **3** sprawa sądowa. **4** sytuacja. **5** *in that case* w takim razie. **6** *just in case* na wszelki wypadek. **7** *in case of sth* na wypadek czegoś. **8** etui. **9** walizka.

cash I [kæsz] gotówka: *pay in cash* płacić gotówką; *in cash* w gotówce.

cash II [kæsz] *cash a cheque* realizować czek.

cash desk [kæʃzdesk] kasa w sklepie.

cashier [kæʃzie] kasjer.

casino [kesi:neu] (*l.mn.* **casinos**) kasyno.

cassette [keset] kaseta.

cast I [ka:st] (II / III **cast** [ka:st]) 1 obsadzić w roli. 2 rzucać. 3 *cast a spell on sb (sth)* rzucić czar na kogoś (coś). 4 *cast some light on sth* rzucić na coś światło. 5 *cast shadow* rzucać cień.

cast II [ka:st] 1 obsada (filmu). 2 gips.

castle [ka:sl] zamek.

casual [kæʒu:el] 1 swobodny. 2 przypadkowy.

casually [kæʒu:eli] 1 niezobowiązująco. 2 od niechcenia (o zachowaniu).

casualty [kæʒu:elti] (*l.mn.* **casualties**) 1 ofiara (wypadku). 2 izba przyjęć (w szpitalu).

catalogue (*AM* **catalog**) [kætelog] katalog.

catastrophe [ketæstrefi] katastrofa.

catch [kæcz] (II / III **caught** [ko:t]) 1 łapać. 2 zarazić się czymś. 3 *catch sb red-handed* przyłapać kogoś na gorącym uczynku. 4 *catch fire* zapalić się. 5 *catch a bus* złapać autobus.

♦ **catch up with** *sb* (**catch** *sb* **up**) dogonić kogoś, dorównać komuś.

category [kætegeri] (*l.mn.* **categories**) kategoria.

caterpillar [kætepile] gąsienica.

cathedral [keθi:drel] katedra.

cattle [kætl] bydło.

caught *zob.* **catch**.

cauliflower [koliflaue] kalafior.

cause I [ko:z] 1 powód, przyczyna (*of sth* czegoś). 2 cel: *for a good cause* na dobry cel.

cause II [ko:z] 1 spowodować, sprawić. 2 *cause sb sth* sprawić, dostarczyć komuś coś.

caution I [ko:szn] 1 ostrożność. 2 ostrzeżenie.

caution II [ko:szn] ostrzegać (*sb against doing sth* kogoś przed zrobieniem czegoś).

cautious [ko:szes] ostrożny, uważny.

cave [kejw] jaskinia, grota.

caviar [kæwia:] kawior.

CD [si:di:] *compact disc* płyta kompaktowa.

CD player [si:di:pleje] odtwarzacz płyt kompaktowych.

ceiling [si:lin] sufit.

celebrate [selebrejt] 1 świętować (sukces). 2 obchodzić (urodziny).

celery [seleri] seler.

cell [sel] 1 cela. 2 komórka organizmu.

cellar [sele] piwnica.

cello [czeleu] wiolonczela.

cellphone [selfeun] komórka, telefon komórkowy.

cellular phone [seljulefeun] telefon komórkowy.

cement [siment] cement.

cemetery [semetri] cmentarz.

cent [sent] cent.

centigrade [sentigrejd] stopnie Celsjusza: *10 centigrade* 10 stopni Celsjusza.

centimetre (*AM* **centimeter**) [sentimi:te] centymetr.

central [sentrel] 1 centralny, w centrum. 2 główny. 3 środkowy.

centre (*AM* **center**) I [sente] 1 środek. 2 centrum: *shopping centre* centrum handlowe.

century [sénczeri] (*l.mn.* **centuries**) stulecie, wiek.

cereal [sieriel] 1 zboże. 2 płatki zbożowe.

ceremony [serimeni] (*l.mn.* **ceremonies**) ceremonia.

certain I [se:tn] pewny, przekonany o czymś.

certain II [se:tn] jakiś, pewien.

certainly [se:tnli] 1 niewątpliwie, na pewno. 2 *certainly!* ależ oczywiście! 3 *certainly not!* absolutnie nie!

certainty [se:tnti] pewność.

certificate [setifiket] 1 dyplom. 2 świadectwo. 3 akt: *certificate of birth* świadectwo urodzenia; *certificate of marriage* świadectwo ślubu.

chain [czejn] łańcuch: *food chain* łańcuch pokarmowy.

chair [cze:] 1 krzesło. 2 katedra (na uniwersytecie).

chairman [cze:men] (*l.mn.* **chairmen**) 1 przewodniczący (zebrania). 2 prezes (firmy).

chairperson [cze:pe:sn] 1 przewodniczący (zebrania). 2 prezes (firmy).

chairwoman [cze:łumen] (*l.mn.* **chairwomen** [cze:łimin]) 1 przewodnicząca (zebrania). 2 prezes (firmy).

chalk [czo:k] kreda.

challenge I [czælindż] wyzwanie.

challenge II [czælindż] *challenge sb to sth (to do sth)* rzucać komuś wyzwanie (do zrobienia czegoś).

chamber [czejmbe] 1 sala. 2 komnata. 3 izba (np. w parlamencie).

chambermaid [czejmbemejd] pokojówka.

chamber music [czejmbemju:zik] muzyka kameralna.

champagne [szæmpejn] szampan.

champion [czæmpien] mistrz.

championship [czæmpienszip] zawody, mistrzostwa.

chance [cza:ns] 1 szansa. 2 *give sb a chance* dać komuś szansę. 3 *by chance* przez przypadek.

change I [czejndż] 1 zmienić. 2 zmienić się. 3 (*też get changed*) przebrać się. 4 *change planes* przesiadać się z samolotu na samolot. 5 rozmienić pieniądze. 6 *change one's mind* zmienić zdanie.

change II [czejndż] 1 zmiana. 2 *for a change* dla odmiany. 3 drobne (pieniądze). 4 reszta (w sklepie).

channel [ćzænl] 1 kanał telewizyjny. 2 kanał wodny.

chaos [kejos] chaos.

chaotic [kejotik] chaotyczny.

chapel [ćzæpl] kaplica.

chapter [ćzæpt*e*] rozdział.

character [kær*e*kt*e*] 1 charakter, osobowość. 2 atmosfera. 3 postać. 4 bohater (książki).

characteristic I [kær*e*kt*e*ristik] cecha.

characteristic II [kær*e*kt*e*ristik] charakterystyczny.

characteristically [kær*e*kt*e*ristikl*i*] charakterystycznie.

characterize [kær*e*kt*e*rajz] 1 charakteryzować, cechować. 2 scharakteryzować, opisać.

charge I [ćza:dż] 1 *charge for* pobierać opłatę za... 2 obciążyć (kosztami). 3 *charge sb with sth* oskarżyć kogoś o coś. 4 ładować (baterię).

charge II [ćza:dż] 1 opłata. 2 oskarżenie. 3 *free of charge* bezpłatny. 4 *be in charge of sth* być odpowiedzialnym za coś.

charitable [ćzær*i*t*e*bl] charytatywny.

charity [ćzær*e*ti] 1 dobroczynność. 2 organizacja charytatywna.

charm [ćza:m] urok.

charming [ćza:mi*n*] czarujący.

chart [ćza:t] 1 wykres. 2 *the charts* lista przebojów.

chase I [ćzejs] 1 gonić. 2 *chase away* wygonić.

chase II [ćzejs] pościg.

chat I [ćzæt] (II / III **chatted**) gawędzić, gadać.

chat II [ćzæt] 1 pogawędka. 2 *komp.* czat (w Internecie).

chatter I [ćzæt*e*] trajkotać, paplać.

chatter II [ćzæt*e*] paplanina, gadanina.

cheap I [ćzi:p] tani.

cheap II [ćzi:p] tanio.

cheat [ćzi:t] 1 oszukiwać. 2 ściągać (w szkole).

◆ **cheat on** *sb* zdradzać kogoś.

check I [ćzek] sprawdzić.

◆ **check in** zameldować się w hotelu, do odprawy (na lotnisku).

◆ **check out** wymeldować się z hotelu.

check II [ćzek] kontrola.

checked [ćzekt] w kratkę.

cheek [ćzi:k] 1 policzek. 2 *have the cheek to do sth* mieć czelność coś zrobić.

cheer [ćzi*e*] 1 wiwatować. 2 pocieszać.

◆ **cheer up** 1 rozchmurzyć się. 2 *cheer sb up* pocieszać kogoś.

cheerful [ćzi*e*fl] radosny.

cheerleader [ćzi*e*li:d*e*] czirliderka.

cheese [ćzi:z] ser: *cottage cheese* twaróg.

cheetah [ćzi:t*e*] gepard.

chemist [kemist] 1 *BR* aptekarz, farmaceuta. 2 chemik.

chemistry [kemistr*i*] chemia.

chemist's [kemists] *BR* apteka.

cheque [ćzek] czek.

cherry [ćzer*i*] (*l.mn.* **cherries**) 1 czereśnia. 2 wiśnia.

chess [ćzes] szachy: *play chess* grać w szachy.

chest [ćzest] 1 klatka piersiowa. 2 skrzynia.

chestnut [ćzesnat] kasztan.

chew [ćzu:] żuć, przeżuwać.

chewing gum [ćzu:i*ŋ*gam] guma do żucia.

chicken [ćzik*e*n] kurczak.

chief I [ćzi:f] szef, wódz.

chief II [ćzi:f] główny.

child [ćzajld] (*l.mn.* **children** [ćzildr*e*n]) dziecko.

childbirth [ćzajldbe:θ] poród.

childhood [ćzajldhud] dzieciństwo.

childish [ćzajldiś] *pejor.* dziecinny, niedojrzały, infantylny.

children *zob.* **child**.

chill I [ćzil] chłodzić.

chill II [ćzil] 1 chłód. 2 przeziębienie.

chilly [ćzil*i*] chłodny (o pogodzie, człowieku).

chimney [ćzimn*i*] komin.

chimpanzee [ćzimpænzi: / ćzimp*e*nzi:] szympans.

chin [ćzin] podbródek.

china [ćzaj*n*e] porcelana.

Chinese [ćzajni:z] 1 chiński. 2 Chińczyk.

chip I [ćzip] 1 *BR* frytka. 2 *AM* czips. 3 *komp.* czip. 4 odłamek.

chip II [ćzip] (II / III **chipped**) odłamać się.

chirp [ćze:p] ćwierkać.

chocolate [ćzoklit] czekolada, czekoladka: *box of chocolates* bombonierka; *hot chocolate* czekolada na gorąco.

choice [ćzojs] wybór: *have no choice* nie mieć wyboru; *by choice* z wyboru.

choir [kłaj*e*] chór.

choke [ćzeuk] 1 krztusić się. 2 dławić (kogoś).

choose [ćzu:z] (II **chose** [ćzeuz], III **chosen** [ćzeuzn]) wybierać.

chop I [ćzop] (II / III **chopped**) 1 siekać. 2 rąbać (drzewo).

chop II [ćzop] kotlet.

chorus [ko:r*e*s] refren.

chose *zob.* **choose**.

chosen *zob.* **choose**.

Christ [krajst] Chrystus: *before Christ* przed Chrystusem, przed naszą erą.

christen [kris*e*n] chrzcić, ochrzcić.

Christian [krisćzen] chrześcijanin.

Christianity [kristiæn*e*ti] chrześcijaństwo.

Christmas [krism*e*s] Boże Narodzenie: *Christmas tree* choinka.

Christmas Eve [krism*e*si:w] Wigilia Bożego Narodzenia.

chronicle [kronikl] kronika.

church [ćze:ćz] kościół: *Catholic Church* Kościół katolicki; *Church of England* Kościół anglikański.

CIA *Central Intelligence Agency* Centralna Agencja Wywiadowcza.

cigar [siga:] cygaro.

cigarette [sigeret] papieros.

cinema [sineme / sinema:] kino.

circa [se:ke] około: *circa 200 BC* około 200 lat przed naszą erą.

circle I [se:kl] **1** koło, okrąg. **2** krąg (przyjaciół).

circle II [se:kl] zakreślić kółkiem (odpowiedź).

circuit [se:kit] **1** obwód (elektryczny). **2** objazd.

circulate [se:kjulejt] krążyć (o plotce).

circulation [se:kjulejśzn] krążenie krwi.

circumstance [se:kemstæns / se:kemstens] warunek, sytuacja.

circus [se:kes] cyrk.

citizen [sitizn] obywatel, mieszkaniec.

citizenship [sitiznśzip] obywatelstwo.

citrus [sitres] owoc cytrusowy.

city [siti] (*l.mn.* **cities**) (duże) miasto: *capital city* stolica.

civic [siwik] **1** miejski. **2** obywatelski.

civil [siwl] obywatelski.

civilisation [siwelajzejśzn] cywilizacja.

claim I [klejm] **1** twierdzić. **2** domagać się.

claim II [klejm] **1** roszczenie, pretensje. **2** twierdzenie.

clan [klæn] klan.

clap [klæp] (II / III **clapped**) klaskać.

clarify [klærifaj] (II / III **clarified**) wyjaśniać.

clarinet [klærenet] klarnet.

clash [klæsz] **1** ścierać się. **2** nakładać się na siebie.

class [kla:s] **1** klasa (grupa w szkole). **2** lekcja. **3** klasa społeczna.

classic I [klæsik] klasyczny.

classic II [klæsik] klasyk, klasyka.

classical [klæsikl] klasyczny: *classical music* muzyka klasyczna.

classification [klæsifikejśzn] **1** klasyfikacja. **2** grupa, klasa.

classify [klæsifaj] (II / III **classified**) klasyfikować.

classmate [kla:smejt] kolega (koleżanka) z klasy.

classroom [kla:srum] klasa (sala lekcyjna).

claw [klo:] **1** pazur (zwierzęcia). **2** szpon (ptaka). **3** szczypce (raka).

clay [klej] glina.

clean I [kli:n] czysty.

clean II [kli:n] myć, czyścić.

◆ **clean up** posprzątać.

cleaner's [kli:nez] pralnia chemiczna.

cleanse [klenz] zmywać (skórę).

clear I [klie] **1** jasny. **2** zrozumiały.

clear II [klie] **1** sprzątnąć. **2** przejaśniać się (o pogodzie).

clearing [klierin] polana.

clearly [klieli] **1** wyraźnie (mówić). **2** najwyraźniej.

clergy [kle:dżi] kler, duchowieństwo.

clerk [kla:k] urzędnik, urzędniczka.
clever [klewe] **1** *BR* zdolny, inteligentny. **2** sprytny.
click I [klik] **1** stukać (o butach). **2** *komp.* kliknąć: *Double click on this.* Kliknij na to dwa razy.
click II [klik] **1** stuknięcie. **2** pstryknięcie. **3** kliknięcie (myszką komputerową).
client [klajent] klient.
cliff [klif] klif, wybrzeże klifowe.
climate [klajmit] klimat.
climatic [klajmætik] klimatyczny.
climb I [klajm] wspinać się.
climb II [klajm] wspinaczka.
climbing [klajmin] wspinaczka górska.
cling [klin] (II / III **clung** [klan]) **1** trzymać kurczowo: *cling on (to) sth (sb)* przylgnąć do czegoś (kogoś), trzymać się czegoś. **2** przykleić się
clinic [klinik] klinika.
clip I [klip] spinacz.
clip II [klip] (II / III **clipped**) spiąć spinaczem.
cloak [kleuk] peleryna.
cloakroom [kleukrum] **1** szatnia. **2** *BR* toaleta.
clock [klok] zegar.
clockwise [klokłajz] zgodnie z ruchem wskazówek zegara.
clone I [kleun] klon (organizm).
clone II [kleun] klonować.
close I [kleuz] **1** zamykać. **2** zakończyć.

close II [kleus] bliski: *close friends* bliscy przyjaciele.
close III [kleus] blisko.
closed [kleuzd] zamknięty.
cloth [kloθ] **1** tkanina. **2** *tablecloth* obrus.
clothes [kleuðz] *l.mn.* ubrania.
clothing [kleuðin] ubranie.
cloud [klaud] chmura.
cloudless [klaudlis] bezchmurny.
cloudy [klaudi] zachmurzony.
clown [klaun] clown.
club [klab] **1** klub. **2** *(night) club* klub (nocny), dyskoteka. **3** trefl (w kartach).
clue [klu:] **1** wskazówka, podpowiedź. **2** *not have a clue* nie mieć zielonego pojęcia.
clumsy [klamzi] niezdarny (o osobie), nieporęczny.
clung *zob.* **cling**.
clutch I [klaćz] kurczowo ściskać.
clutch II [klaćz] sprzęgło.
cm *centimetre* centymetr.
Co. *Company* spółka.
coach I [keućz] **1** trener. **2** autokar.
coach II [keućz] trenować (kogoś).
coal [keul] węgiel kamienny.
coal mine [keulmajn] kopalnia węgla kamiennego.
coarse [ko:s] szorstki.
coast [keust] wybrzeże.
coat [keut] **1** płaszcz, kurtka. **2** warstwa.
cobble [kobl] bruk.
cobweb [kobłeb] pajęczyna.

cocaine [keukejn] kokaina.

cock [kok] **1** kogut. **2** *wulg.* penis, kutas.

cockpit [kokpit] kabina pilota, kokpit.

cockroach [kokreucz] karaluch.

cocktail [koktejl] koktajl.

cocoa [keukeu] kakao.

coconut [keukenat] orzech kokosowy.

cocoon [keku:n] kokon.

code [keud] **1** kodeks. **2** szyfr. **3** *dialling code* numer kierunkowy. **4** *post code* (*AM zip code*) kod pocztowy.

coexist [keuigzist] współistnieć.

coffee [kofi] kawa.

coffin [kofin] trumna.

coil [kojl] **1** zwój. **2** cewka.

coin [kojn] moneta.

coincidence [keuinsidens] **1** zbieg okoliczności. **2** *by coincidence* przez przypadek.

coincidental [keuinsidentl] przypadkowy.

coke [keuk] **1** coca-cola. **2** *nieform.* kokaina. **3** koks.

cola [keule] coca-cola.

cold I [keuld] **1** zimny. **2** chłodny (o człowieku). **3** *get cold* ochłodzić się, wystygnąć. **4** *in cold blood* z zimną krwią.

cold II [keuld] przeziębienie.

collapse I [kelæps] **1** zawalić się (o budynku). **2** podupaść.

collapse II [kelæps] **1** zawalenie się (budynku). **2** upadek.

collar [kole] kołnierz.

colleague [koli:g] kolega, koleżanka (z pracy).

collect [kelekt] **1** zbierać. **2** kolekcjonować. **3** zebrać coś od kogoś.

collection [kelekszn] zbiór, kolekcja.

college [kolidż] kolegium, koledż.

collide [kelajd] zderzyć się (*with sth* z czymś).

collision [keliżn] zderzenie, kolizja: *head-on collision* zderzenie czołowe.

colloquial [keleukliel] kolokwialny, potoczny.

colonel [ke:nl] pułkownik.

colony [koleni] (*l.mn.* **colonies**) kolonia.

colossal [kelosl] kolosalny.

colour (*AM color*) **I** [kale] kolor.

colour (*AM color*) **II** [kale] malować, kolorować (np. malowankę).

colourful (*AM colorful*) [kalefl] kolorowy (ubrania), barwny (opis).

colourless (*AM colorless*) [kalelis] bezbarwny.

colt [kolt] źrebak.

column [kolem] **1** kolumna (budynku). **2** rubryka (gazety).

comb I [keum] grzebień.

comb II [keum] czesać.

combat [kombæt] walka.

combination [kombinejszn] połączenie, kombinacja.

combine [kembajn] łączyć.

come [kam] (II **came** [kejm], III **come** [kam]) przychodzić, przyjeżdżać.

◆ **come across (upon)** *sth* natknąć się na coś przez przypadek.

◆ **come back** wracać.

◆ **come down with** *sth* zachorować na coś.

◆ **come from** pochodzić z: *She comes from Poland.* Ona pochodzi z Polski.

◆ **come in 1** *Come in!* Wejdź! **2** nadchodzić.

◆ **come on** *nieform.* *come on!* **1** chodź już!, pośpiesz się! **2** przestań!

◆ **come up** pojawić się.

◆ **come up with** *sth* wymyślić coś, wpaść na coś.

comeback [kambæk] powrót.

comedian [kemi:dien] komik.

comedy [komedi] (*l.mn.* **comedies**) komedia.

comet [komit] kometa.

comfort I [kamfet] **1** wygoda, komfort. **2** otucha.

comfort II [kamfet] pocieszać.

comfortable [kamftebl] wygodny, komfortowy.

comic [komik] **1** komik. **2** komiks.

comma [kome] przecinek.

command I [kema:nd] **1** komenda. **2** *be in command* dowodzić, być prowadzącym, osobą odpowiedzialną. **3** *have (a good) command of English* dobrze mówić po angielsku.

command II [kema:nd] **1** wydawać rozkaz. **2** dowodzić.

commander [kema:nde] dowódca.

commando [kema:ndeu] **1** komandos. **2** oddział komandosów.

commemorate [kememerejt] upamiętnić.

comment I [koment] **1** komentarz. **2** *no comment* bez komentarza.

comment II [koment] komentować (*on sth* coś).

commentator [komentejte] sprawozdawca, komentator.

commerce [kome:s] handel.

commercial I [keme:szl] komercyjny.

commercial II [keme:szl] reklama telewizyjna.

commission [kemiszn] **1** komisja. **2** prowizja od sprzedaży.

commit [kemit] (II / III **committed**) *commit a crime* popełnić przestępstwo.

commitment [kemitment] zobowiązanie.

committee [kemiti] komitet, komisja.

common I [komen] **1** powszechny, popularny. **2** wspólny.

common II [komen] *have sth in common* mieć coś wspólnego.

Commons [komenz] *l.mn. the Commons BR* Izba Gmin (Izba Niższa Parlamentu Brytyjskiego).

communicate [kemju:nikejt] **1** porozumiewać się. **2** wyrażać.

communication [kemju:nikejszn] **1** komunikacja. **2** porozumiewanie się.

community [kemju:neti] społeczność, środowisko.

commute [kemju:t] dojeżdżać (do
pracy).

compact [kompækt] kompaktowy,
zwarty.

compact disc [kompækt disk] płyta
kompaktowa.

companion [kempænien] towarzysz,
kompan.

company [kampeni] (*l.mn.* **compa-
nies**) **1** firma, przedsiębiorstwo.
2 towarzystwo.

comparative I [kempæretiw] **1** po-
równawczy. **2** względny.

comparative II [kempæretiw] stopień wyższy (przymiotnika,
przysłówka).

compare [kempe:] porównać: *compare sth with (to) sth* porównywać
coś z czymś.

comparison [kempærisn] porównanie.

compartment [kempa:tment] **1** przedział (w pociągu). **2** przegródka
(w portfelu).

compass [kampes] kompas.

compasses [kampesiz] cyrkiel.

compassion [kempæszn] współczucie.

compatible [kempætebl] **1** zgodny,
pasujący. **2** *komp.* kompatybilny.

compensate [kompensejt] zrekompensować (*for sth* coś).

compensation [kompensejszn] re-
kompensata, odszkodowanie.

compete [kempi:t] współzawodniczyć, rywalizować.

competence [kompitens] kompetencje, profesjonalność.

competent [kompitent] kompetentny, fachowy.

competition [kompetiszn] **1** rywalizacja. **2** zawody. **3** konkurencja
(między firmami).

complain [komplejn] **1** narzekać
(*about sb, sth* na kogoś, coś). **2**
składać zażalenie, reklamację.

complaint [komplejnt] **1** narzekanie.
2 skarga, zażalenie.

complete I [kompli:t] **1** całkowity.
2 cały.

complete II [kompli:t] **1** ukończyć
(zadanie). **2** wypełnić (formularz).

completely [kompli:tli] całkowicie,
zupełnie.

complex I [kompleks] złożony.

complex II [kompleks] kompleks.

complexion [komplekszn] cera, kar-
nacja.

complicate [komplikejt] komplikować.

complicated [komplikejtid] skomplikowany.

compliment [kompliment] komplement: *pay sb a compliment* powiedzieć komuś komplement.

component [kempeunent] składnik.

compose [kempeuz] **1** komponować. **2** *be composed of...* składać
się z...

composer [kempeuze] kompozytor.

composition [kompeziśzn] **1** skład. **2** komponowanie. **3** utwór muzyczny.

compound [kompaund] **1** związek chemiczny. **2** wyraz złożony.

comprehend [komprihend] *form.* rozumieć, zdawać sobie sprawę.

comprehension [komprihenśzn] **1** zrozumienie. **2** pojęcie.

comprehensive [komprehensiw] **1** pełny. **2** *comprehensive school BR* państwowa szkoła średnia.

comprise [kemprajz] **1** *be comprised of* składać się z... **2** stanowić.

compromise I [kompremajz] kompromis.

compromise II [kompremajz] iść na kompromis.

compulsory [kempalseri] obowiązkowy, przymusowy.

computer [kempju:te] komputer: *computer program* program komputerowy; *computer game* gra komputerowa.

conceal [kensi:l] ukrywać.

conceited [kensi:tid] zarozumiały.

concentrate I [konsentrejt] koncentrować się (o osobie).

concentrate II [konsentrejt] koncentrat.

concentration camp [konsentrejśzn kæmp] obóz koncentracyjny.

concept [konsept] pojęcie.

concern I [kense:n] **1** troska. **2** zmartwienie.

concern II [kense:n] *concern sb* **1** mieć związek z kimś. **2** dotyczyć kogoś.

concerned [kense:nd] **1** *be concerned about sth* martwić się czymś. **2** *as far as I'm concerned* jeśli o mnie chodzi.

concerning [kense:nin] dotyczący.

concert [konset] koncert.

conclusion [kenklu:żn] **1** wniosek: *draw a conclusion* wyciągnąć wniosek. **2** sfinalizowanie (umowy).

concoction [kenkokśzn] mieszanka.

concrete I [konkri:t] beton.

concrete II [konkri:t] **1** konkretny. **2** betonowy.

condemn [kendem] **1** potępiać. **2** *condemn sb to sth* skazywać kogoś na coś.

condense [kendens] kondensować.

condition [kendiśzn] **1** stan. **2** warunek. **3** *on condition that* pod warunkiem, że...

conditional I [kendiśzenl] **1** uwarunkowany. **2** *conditional clause* zdanie warunkowe (w gramatyce).

conditional II [kendiśzenl] tryb warunkowy, okres warunkowy (w gramatyce).

conditioner [kendiśzene] odżywka do włosów.

condolences [kendeulensiz] *l.mn.* kondolencje.

condom [kondom] prezerwatywa, kondom.

conduct [kendakt] **1** przeprowadzać (eksperyment). **2** dyrygować.

conductor [kendakte] **1** dyrygent. **2** konduktor.

cone [keun] **1** stożek. **2** szyszka.

confederation [kenfederejśzn] konfederacja.

conference [konferens] konferencja, narada.

confess [kenfes] **1** wyznać. **2** *confess to sth (doing sth)* przyznać się do (zrobienia) czegoś.

confession [kenfeśzn] spowiedź.

confidence [konfidens] pewność siebie.

confident [konfident] pewny siebie.

confidential [konfidenśzl] poufny.

confirm [kenfe:m] potwierdzić.

confirmation [konfemejśzn] **1** potwierdzenie. **2** bierzmowanie.

conflict [konflikt] konflikt, starcie.

confront [kenfrant] stawić czoło.

confrontation [konfrantejśzn] konfrontacja.

confuse [kenfju:z] **1** dezorientować. **2** mylić kogoś z kimś innym.

confused [kenfju:zd] zdezorientowany.

confusion [kenfju:żn] zamieszanie.

congratulate [kengraeczu:lejt] gratulować: *congratulate sb on sth* pogratulować komuś czegoś.

congratulations [kengraeczu:lejśznz] *Congratulations!* gratulacje!

congress [kongres] kongres.

connect [kenekt] łączyć, połączyć.

connected [kenektid] połączony.

connection [kenekśzn] **1** związek. **2** połączenie (lotnicze). **3** *in connection with* w związku z...

conquer [konke] **1** podbić, zdobyć. **2** pokonać.

conqueror [konkere] zdobywca.

conquest [konkłest] podbój.

conscience [konśzns] sumienie: *guilty conscience* nieczyste sumienie; *clear conscience* czyste sumienie.

conscientious [konśzienśzes] sumienny.

conscious [konśzes] **1** przytomny. **2** świadomy (*of sth* czegoś).

consciousness [konśzesnes] **1** świadomość (*of sth* czegoś). **2** przytomność.

consent I [kensent] zgoda, pozwolenie.

consent II [kensent] dać zgodę, pozwolenie.

consequence [konsikłens] rezultat.

consequently [konsikłentli] w rezultacie.

conservation [konsewejśzn] **1** ochrona środowiska. **2** konserwacja (zabytków).

conservatism [konse:wetizem] konserwatyzm.

conservative [konse:wetiw] konserwatywny.

consider [kenside] **1** rozważyć, brać pod uwagę. **2** *consider sb to be* uważać kogoś za...

considerable [kensiderebl] znaczny.

considerate [kensideret] liczący się z innymi.

consideration [kensiderejszn] 1 czynnik. 2 namysł: *take sth into consideration* wziąć coś pod uwagę.

consist [kensist] 1 *consist of sth* składać się z czegoś. 2 *consist in (doing) sth* polegać na czymś (robieniu czegoś).

consistency [kensistensi] 1 konsekwencja. 2 konsystencja.

consistent [kensistent] 1 stały, ciągły, nieustający: *consitent improvement* stała poprawa. 2 konsekwentny. 3 *consistent with* zgodny z...

consolation [konselejszn] pociecha, pocieszenie.

console [kenseul] pocieszać.

consonant [konsenent] spółgłoska.

constable [konstebl] posterunkowy.

constant [konstent] stały.

constantly [konstentli] stale.

constitute [konstitju:t] stanowić.

constitution [konstitju:szn] 1 konstytucja. 2 skład.

constitutional [konstitju:szenl] konstytucyjny.

construct [kenstrakt] budować, konstruować.

construction [kenstrakszn] 1 konstrukcja. 2 budowa: *under construction* w budowie.

consul [konsl] konsul.

consulate [konsjulet] konsulat.

consult [kensalt] skonsultować się (*sb* z kimś).

consultant [kensaltent] konsultant.

consume [kensju:m] 1 *form.* konsumować. 2 zużywać (energię, wodę itp.). 3 pożerać, pochłaniać (o ogniu).

consumer [kensju:me] konsument.

consumption [kensampszn] 1 konsumpcja, spożycie. 2 zużycie (energii itp.).

cont. *continued* ciąg dalszy.

contact I [kontækt] kontakt: *keep (stay) in contact* pozostać w kontakcie.

contact II [kontækt] kontaktować się.

contact lenses [kontækt lenziz] soczewki kontaktowe.

contagious [kentejdzes] zaraźliwy, zakaźny.

contain [kentejn] zawierać.

container [kentejne] pojemnik, kontener.

contaminate [kentæminejt] skazić, zanieczyścić.

contemplate [kontemplejt] rozważać.

contemporary [kentempreri] współczesny.

contempt [kentempt] pogarda.

contemptuous [kentemptjues] pogardliwy.

content [kontent] 1 zawartość. 2 *l.mn. contents* spis treści.

contest [kontest] konkurs.

context [kontekst] kontekst.

continent [kontinent] 1 kontynent. 2 *the Continent BR* Europa.

continental [kontinentl] kontynentalny.

continual [kentinjuel] ciągły, stały.

continue [kentinju:] **1** trwać, utrzymywać się. **2** kontynuować. **3** *to be continued* ciąg dalszy nastąpi.

continuous [kentinjues] ciągły, stały.

contract I [kontrækt] umowa, kontrakt.

contract II [kentrækt] kurczyć się.

contraction [kentrækśzn] **1** kurczenie się. **2** forma ściągnięta (w gramatyce).

contradict [kontredikt] **1** zaprzeczać. **2** przeczyć.

contrary I [kontreri] *on the contrary* przeciwnie.

contrary II [kontreri] przeciwstawny, przeciwny.

contrast I [kontra:st] kontrast.

contrast II [kontra:st] kontrastować.

contribute [kentribju:t] przyczynić się (*to sth* do czegoś).

contribution [kontribju:śzn] **1** datek. **2** udział, wkład.

control I [kentreul] kontrola, panowanie: *have control over sb (sth)* mieć nad kimś (czymś) kontrolę; *be under control* być pod kontrolą; *take control over sth* przejąć nad czymś kontrolę; *lose control* stracić panowanie nad sobą.

control II [kentreul] (II / III **controlled**) **1** panować (nad kimś). **2** kontrolować.

controversial [kontrewe:śzl] kontrowersyjny.

controversy [kentrowesi] kontrowersja.

covenience [kenwi:niens] **1** wygoda. **2** dogodność.

convenient [kenwi:nient] dogodny.

conveniently [kenwi:nientli] dogodnie.

convent [konwent] klasztor.

convention [kenwenśzn] **1** konwencja. **2** zjazd.

conventional [kenwenśzenl] konwencjonalny.

conversation [konwesejśzn] rozmowa.

conversion [kenwe:śzn] *conversion to* przejście na (religię).

convey [kenwej] **1** przekazywać (informacje). **2** oddawać (znaczenie).

convict [kenwikt] **1** skazywać. **2** *be convicted of sth* być uznanym za winnego czegoś.

convince [kenwins] przekonać (*sb that* kogoś, że...).

convinced [kenwinst] przekonany.

convincing [kenwinsin] przekonujący, przekonywający.

cook I [kuk] gotować (się).

cook II [kuk] kucharz.

cooker [kuke] kuchenka (gazowa lub elektryczna).

cookery book [kukeribuk] książka kucharska.

cool I [ku:l] **1** chłodny (o temperaturze, osobie). **2** opanowany (o osobie). **3** *nieform.* super, odlotowy.

cool II [ku:l] schładzać.

◆ **cool down** ostygnąć, ochłonąć, uspokoić się (o człowieku).

cooperate [keuoperejt] **1** współpracować. **2** pomagać.

cooperation [keuoperejśzn] **1** współpraca. **2** pomoc.

cooperative [keuoperetiw] **1** wspólny (wysiłek). **2** pomocny (o osobie).

cop [kop] *nieform.* gliniarz (policjant).

cope [keup] radzić sobie.

copy I [kopi] (*l.mn.* **copies**) **1** kopia. **2** egzemplarz.

copy II [kopi] (II / III **copied**) **1** kserować. **2** odpisywać.

copyright [kopirajt] prawa autorskie.

cork [ko:k] korek.

corkscrew [ko:kskru] korkociąg.

corn [ko:n] **1** *BR* zboże, ziarno. **2** *AM* kukurydza.

corner [ko:ne] **1** róg, kąt. **2** rzut rożny (w piłce nożnej).

cornflakes [ko:nflejks] płatki kukurydziane.

coronation [korenejśzn] koronacja.

corporation [ko:perejśzn] korporacja.

corps [ko:] korpus.

corpse [ko:ps] zwłoki.

correct I [kerekt] **1** poprawny (o odpowiedzi). **2** odpowiedni.

correct II [kerekt] **1** poprawiać. **2** korygować.

correspond [korispond] **1** korespondować. **2** *correspond to sth* odpowiadać czemuś.

correspondence [korispondens] korespondencja.

correspondent [korispondent] korespondent.

corresponding [korispondin] odpowiedni.

corridor [korido:] korytarz.

cosmetic I [kozmetik] kosmetyk.

cosmetic II [kozmetik] kosmetyczny.

cosmic [kozmik] kosmiczny.

cosmopolitan [kozmepoliten] kosmopolityczny.

cost I [kost] **1** koszt, cena. **2** *at all costs* za wszelką cenę.

cost II [kost] (II / III **cost** [kost]) kosztować: *How much does it cost?* Ile to kosztuje?

costume [kostju:m] kostium, strój: *swimming costume* kostium kąpielowy.

cosy [keuzi] przytulny.

cot [kot] łóżeczko dziecinne.

cottage [kotidż] dom na wsi, chatka.

cotton [kotn] bawełna.

couch [kaućz] kanapa.

cough I [kof] kaszleć.

cough II [kof] kaszel.

could [ked / *mocne* kud] **1** *zob.* **can**. **2** (w grzecznych pytaniach): *Could you possibly close the window?* Czy mógłby pan ewentualnie zamknąć okno? **3** (forma przypuszczająca): *It could be very nice.* Mogłoby być bardzo miło.

couldn't *forma ściągnięta* **could not**.

council [kaunsl] rada: *town council* rada miejska.

count I [kaunt] **1** liczyć. **2** *Don't count your chickens before they are hatched.* Nie mów hop, póki nie przeskoczysz., Nie dziel skóry na niedźwiedziu.

◆ **count on (upon)** *sb* liczyć na kogoś.

count II [kaunt] **1** obliczanie. **2** hrabia.

countable [kauntebl] policzalny.

counter [kaunte] lada.

countess [kauntis] hrabina.

countless [kauntlis] niezliczony.

country [kantri] (*l.mn.* **countries**) **1** państwo, kraj. **2** *the country* wieś. **3** muzyka country.

countryside [kantrisajd] wieś.

county [kaunti] hrabstwo.

couple I [kapl] **1** para. **2** kilka. **3** para (związek, małżeństwo).

couple II [kapl] połączyć.

courage [karidż] odwaga.

course [ko:s] **1** kurs. **2** danie. **3** *of course* oczywiście; *of course not* oczywiście, że nie. **4** *in due course* w odpowiednim czasie.

court [ko:t] **1** sąd. **2** kort.

courtyard [ko:tja:d] dziedziniec.

cousin [kazn] kuzyn, kuzynka.

cover I [kawe] **1** przykryć, pokryć. **2** *cover the cost* pokryć koszt.

cover II [kawe] **1** okładka. **2** przykrywka. **3** *under cover* pod osłoną.

cow [kau] krowa.

coward [kaued] tchórz.

cowardice [kauedis] tchórzostwo.

cowboy [kauboj] kowboj.

crab [kræb] krab.

crack I [kræk] **1** pękać. **2** rozbić.

crack II [kræk] **1** pęknięcie. **2** *a crack of thunder* uderzenie pioruna, grzmot.

cracker [kræke] **1** krakers. **2** *Christmas cracker* świąteczna zabawka.

cradle [krejdl] kołyska.

craft [kra:ft] **1** rzemiosło. **2** pojazd.

craftsman [kra:ftsmen] (*l.mn.* **craftsmen**) rzemieślnik.

cramp [kræmp] skurcz.

crane [krejn] **1** dźwig. **2** żuraw.

crash I [kræsz] *crash into sth* wjechać na coś.

crash II [kræsz] **1** trzask. **2** *car crash* wypadek samochodowy; *plane crash* katastrofa lotnicza.

crawl I [kro:l] kraul (styl pływacki).

crawl II [kro:l] **1** czołgać się. **2** raczkować.

crayon [krejen] kredka świecowa.

crazy [krejzi] **1** szalony, stuknięty. **2** *drive sb crazy* doprowadzać kogoś do szału, działać komuś na nerwy. **3** *be crazy about sb (sth)* mieć bzika na punkcie kogoś (czegoś).

cream [kri:m] **1** krem. **2** śmietana. **3** krem kosmetyczny.

create [kri:**ejt**] tworzyć.

creation [kri:**ej**szn] **1** tworzenie. **2** dzieło.

creative [kri:**ej**tiw] twórczy, kreatywny.

creature [kri:**ćz**e] istota, stworzenie.

credit [kredit] **1** kredyt. **2** zasługi.

creditor [kredit**e**] wierzyciel.

creep [kri:p] (II / III **crept** [krept]) skradać się.

crept *zob.* **creep.**

crew [kru:] załoga.

cricket [krikit] **1** krykiet (gra). **2** świerszcz.

crime [krajm] przestępstwo: *commit a crime* popełnić przestępstwo.

criminal I [kriminl] przestępca.

criminal II [kriminl] **1** przestępczy, zbrodniczy. **2** karny.

crimson [krimzn] purpurowy, szkarłatny.

cripple [kripl] *pejor.* kaleka.

crisis [kraj**s**is] (*l.mn* **crises** [krajsi:z]) kryzys.

crisps [krisps] *l.mn. BR* czipsy.

crispy [kri**sp**i] chrupiący, kruchy (o jedzeniu).

critic [kritik] krytyk.

critical [kritikl] krytyczny.

criticism [kritisi**z**em] krytyka.

criticize [kritisajz] krytykować.

crocodile [krok**e**dajl] krokodyl.

crop [krop] **1** plon. **2** produkcja.

cross I [kros] **1** krzyż. **2** krzyżyk.

cross II [kros] **1** przejść przez coś: *cross the street* przejść przez ulicę. **2** krzyżować (rośliny). **3** *keep one's fingers crossed for sb* trzymać kciuki za kogoś.

crossing [kro**s**in] **1** przejście: *pedestrian (zebra) crossing* przejście dla pieszych. **2** skrzyżowanie.

crossroads [kro**sr**eudz] skrzyżowanie.

cross section [krossek**sz**n] przekrój.

crossword [kros**le:**d] krzyżówka.

crouch [kraucz] **1** kucać. **2** czaić się.

crow I [kr**eu**] wrona.

crow II [kr**eu**] piać (o kogucie).

crowd [kraud] tłum.

crowded [kraudid] zatłoczony.

crown I [kraun] korona.

crown II [kraun] koronować.

crucial [kru:**sz**l] decydujący.

cruel [kru:**e**l] okrutny.

cruelty [kru:**e**lti] okrucieństwo.

cruise [kru:z] rejs statkiem.

crumb [kram] okruch.

crumble [krambl] kruszyć się.

crunch I [krancz] chrupanie.

crunch II [krancz] **1** skrzypieć (o śniegu). **2** chrupać (jedzenie).

crunchy [kran**cz**i] chrupiący (o jedzeniu).

crush I [krasz] **1** miażdżyć. **2** gnieść.

crush II [krasz] **1** sok ze świeżych owoców. **2** *have a crush on sb* być w kimś zakochanym.

crutch [kracz] kula (podpora).

cry I [kraj] (II / III **cried**) **1** płakać. **2** krzyczeć. **3** *cry over spilled milk* płakać nad rozlanym mlekiem.

cry II [kraj] (*l.mn.* **cries**) **1** krzyk.
2 płacz.

crystal [kristl] **1** kryształ. **2** kryształek.

cube [kju:b] **1** kostka (np. cukru).
2 sześcian. **3** trzecia potęga (w matematyce).

cubic [kju:bik] sześcienny: *cubic metre* metr sześcienny.

cuckoo [kuku:] kukułka.

cucumber [kju:kambe] ogórek.

cuddle [kadl] przytulać.

cue [kju:] sygnał, wskazówka.

cuff [kaf] mankiet.

cult [kalt] **1** sekta. **2** kult.

cultivate [kaltiwejt] **1** uprawiać (ziemię). **2** kultywować coś.

cultural [kalćzerel] **1** kulturowy: *cultural heritage* dziedzictwo kulturowe. **2** kulturalny (związany z kulturą).

culture [kalćze] kultura.

cultured [kalćzed] kulturalny, wychowany.

cunning [kanin] przebiegły.

cup I [kap] **1** filiżanka. **2** puchar: *The World Cup* Puchar Świata (w piłce nożnej).

cupboard [kabed] szafka.

cure I [kjue] lekarstwo (*też przen.*).

cure II [kjue] **1** leczyć. **2** rozwiązać problem.

curiosity [kjuerioseti] ciekawość.

curious [kjueries] **1** ciekawy. **2** wścibski, ciekawski.

curl [ke:l] lok (włosów).

curly [ke:li] kręcony (włosy).

currency [karensi] waluta.

current I [karent] obecny, bieżący.

current II [karent] prąd (rzeczny, elektryczny).

curse I [ke:s] **1** przeklinać, kląć.
2 *curse sb (sth)* przeklinać kogoś (coś).

curse II [ke:s] **1** przekleństwo, wulgaryzm. **2** klątwa.

cursed [ke:st] przeklęty.

cursor [ke:se] *komp.* kursor.

curtain [ke:tn] **1** zasłona. **2** kurtyna.

cushion [kuszn] poduszka.

custom [kastem] obyczaj, zwyczaj.

customer [kasteme] klient, klientka.

customs [kastemz] punkt odprawy celnej, granica.

cut I [kat] (II / III **cut** [kat]) **1** kroić (np. mięso). **2** skaleczyć się. **3** obcinać (włosy).

◆ **cut down 1** *cut sth down* ściąć coś. **2** *cut down (on) sth* ograniczyć coś.

◆ **cut sth off 1** odciąć, odkroić. **2** odciąć dopływ.

cut II [kat] **1** skaleczenie. **2** rozcięcie. **3** *haircut* fryzura.

cutlery [katleri] sztućce.

CV [si:wi:] *curriculum vitae* życiorys.

cycle I [sajkl] **1** cykl. **2** obrót.

cycle II [sajkl] jeździć na rowerze.

cyclist [sajklist] rowerzysta.

cynical [sinikl] cyniczny.

cypress [sajpres] cyprys.

D

D [di:] czwarta litera alfabetu.
dab I [dæb] odrobina, szczypta.
dab II [dæb] (II / III **dabbed**) **1** przetrzeć. **2** nałożyć, nanieść.
dachshund [dækshund] jamnik.
dad [dæd] tata.
daddy [dædi] tatuś, tata.
dagger [dæge] sztylet.
daily I [dejli] codzienny.
daily II [dejli] dziennik, gazeta codzienna.
dairy [de:ri] mleczarnia, sklep nabiałowy.
daisy [dejzi] stokrotka.
dam [dæm] tama.
damage I [dæmidż] uszkodzenie.
damage II [dæmidż] **1** zniszczyć. **2** uszkodzić.
damages [dæmidżiz] *l.mn.* odszkodowanie.
damn I [dæm] *nieform.* cholera!
damn II [dæm] *nieform.* cholerny.
damn III [dæm] *nieform.* **not give a damn** mieć w nosie: *I don't give a damn what they say!* Mam w nosie, co oni powiedzą!
damp [dæmp] wilgotny.
dance I [da:ns] tańczyć.
dance II [da:ns] **1** taniec. **2** potańcówka.

dandruff [dændraf] łupież.
danger [dejndże] niebezpieczeństwo: *in danger* w niebezpieczeństwie.
dangerous [dejndżeres] niebezpieczny.
dare I [de:] **1** mieć czelność. **2** *dare (to) do sth* odważyć się coś zrobić. **3** *don't you dare* nie waż się. **4** *dare sb to do sth* wyzwać kogoś do zrobienia czegoś.
dare II [de:] wyzwanie.
dark I [da:k] ciemny.
dark II [da:k] **1** *the dark* ciemność. **2** *after dark* po zmroku.
darling I [da:lin] kochanie.
darling II [da:lin] ukochany.
dart [da:t] rzutka, strzałka.
darts [da:ts] gra w rzutki, strzałki.
dash I [dæsz] **1** *dash into* wpaść, wbiec. **2** *dash across* pędzić przez.
dash II [dæsz] myślnik.
data [dejte] dane.
database [dejtebejs] *komp.* baza danych.
data processing [dejte preusesin] *komp.* przetwarzanie danych.
date I [dejt] **1** data. **2** randka. **3** *out-of-date* przestarzały, przeterminowany. **4** *up-to-date* unowocześniony, nowoczesny. **5** daktyl.

date II [dejt] 1 datować (list). 2 datować, oceniać wiek. 3 *date sb* chodzić z kimś (na randki).

◆ **date back to** być datowanym na: *These churches date back to the 11th century.* Te kościoły są datowane na XI wiek.

daughter [do:te] córka.

daughter-in-law [do:terinlo:] (*l.mn.* **daughters-in-law**) synowa.

dawn I [do:n] brzask, świt.

dawn II [do:n] świtać.

day [dej] 1 dzień. 2 *these days* ostatnio. 3 *by day* w dzień, za dnia. 4 *the day before yesterday* przedwczoraj. 5 *the day after tomorrow* pojutrze.

daze [dejz] *in a daze* oszołomiony.

dazzle [dæzl] oślepiać.

dead [ded] 1 zmarły, martwy, nieżywy. 2 *dead silence* grobowa cisza. 3 *over my dead body* po moim trupie.

deadline [dedlajn] ostateczny termin.

deadly [dedli] śmiercionośny, śmiertelny.

deaf [def] głuchy.

deal I [di:l] (II / III **dealt** [delt]) 1 rozdawać karty. 2 handlować narkotykami.

◆ **deal in** *sth* handlować czymś.

◆ **deal with** *sb (sth)* 1 zajmować się czymś. 2 poradzić sobie z kimś, czymś. 3 traktować o czymś.

deal II [di:l] 1 interes. 2 *a great deal* ogromna ilość, mnóstwo. 3 *big deal!* wielkie rzeczy!

dealer [di:le] 1 pośrednik handlowy. 2 osoba rozdająca karty.

dealt *zob.* **deal**.

dear I [die] 1 drogi (na początku listu): *Dear Kate* Droga Kate. 2 kochany.

dear II [die] kochanie.

dearest [dierest] najdroższy.

death [deθ] śmierć.

debate I [dibejt] debata.

debate II [dibejt] dyskutować.

debit [debit] debet.

debt [det] 1 dług. 2 *be in debt* być zadłużonym.

debtor [dete] dłużnik.

decay I [dikej] psuć się, gnić.

decay II [dikej] 1 rozkład, gnicie. 2 próchnica (zębów).

deceased I [disi:st] zmarły.

deceased II [disi:st] nieboszczyk.

deceive [disi:w] oszukiwać, okłamywać.

December [disembe] grudzień.

decency [di:sensi] przyzwoitość.

decent [di:sent] 1 przyzwoity. 2 porządny.

decide [disajd] decydować (się).

decimal I [desiml] ułamek dziesiętny.

decimal II [desiml] dziesiętny.

decipher [disajfe] odcyfrować, rozszyfrować.

decision [disiżn] decyzja: *make (come to) a decision* podejmować decyzję.

deck [dek] 1 pokład (statku). 2 *double-decker bus* autobus piętrowy.

declaration [deklerejšzn] deklaracja.

declare [dikle:] **1** *form.* oznajmiać. **2** *declare war on sb* wypowiadać komuś wojnę.

decorate [dekerejt] **1** *decorate a flat* remontować (malować, tapetować itp.) mieszkanie. **2** ozdabiać.

decoration [dekerejšzn] **1** dekoracja, ozdoba: *Christmas decorations* ozdoby choinkowe. **2** wystrój.

decorator [dekerejte] malarz (pokojowy).

decrease I [dikri:s] opadać, zmniejszać się.

decrease II [di:kri:s] spadek (np. cen).

dedicate [dedikejt] **1** dedykować. **2** poświęcać coś czemuś, komuś.

deduce [didju:s] *form.* dedukować.

deduct [didakt] odejmować, potrącać.

deduction [didakšzn] **1** odejmowanie. **2** dedukcja.

deed [di:d] **1** *form.* czyn. **2** akt prawny.

deep [di:p] **1** głęboki. **2** *przen.* głęboki, wielki. **3** *take a deep breath* wziąć głęboki oddech.

deeply [di:pli] głęboko.

deer [die] **1** jeleń. **2** *(roe) deer* sarna. **3** zwierzyna płowa.

defeat I [difi:t] pokonać.

defeat II [difi:t] porażka, przegrana.

defect [di:fekt] wada, defekt.

defective [difektiw] wadliwy.

defence [difens] **1** obrona. **2** przedstawiciel obrony (w sądzie).

defend [difend] bronić (się).

defendant [difendent] oskarżony.

defender [difende] obrońca.

deficiency [difišznsi] brak, niedostatek.

define [difajn] **1** definiować, określać. **2** charakteryzować.

definite [definit] **1** zdecydowany. **2** określony.

definitely [definitli] zdecydowanie.

definition [definišzn] definicja.

defrost [di:frost] odmrażać.

defy [difaj] (II / III **defied**) sprzeciwić się.

degree [digri:] **1** stopień (temperatury). **2** poziom (czegoś). **3** dyplom uniwersytecki.

delay I [dilej] **1** opóźniać. **2** odwlekać.

delay II [dilej] opóźnienie.

delete [dili:t] *komp.* usunąć.

deliberate [diliberet] celowy.

deliberately [diliberetli] celowo.

delicate [deliket] delikatny.

delicious [dilišzes] przepyszny.

delight I [dilajt] zachwycać.

◆ **delight in** *sth* rozkoszować się czymś.

delight II [dilajt] zachwyt, radość.

delighted [dilajtid] **1** zachwycony. **2** *be delighted to do sth* z przyjemnością coś zrobić.

deliver [diliwe] dostarczyć.

delivery [diliweri] **1** dostawa. **2** poród.

demand I [dima:nd] **1** żądać. **2** wymagać.

demand II [dima:nd] **1** żądanie, wymaganie. **2** popyt.

demanding [dima:ndin] wymagający.

demo [demeu] demo (wersja demonstracyjna czegoś).

democracy [dimokresi] demokracja.

democratic [demekrætik] demokratyczny.

demolish [dimolisz] burzyć, obalać.

demonstrate [demenstrejt] pokazywać, demonstrować.

demonstration [demenstrejśzn] **1** manifestacja. **2** pokaz.

den [den] nora (np. lisa).

denial [dinajel] **1** zaprzeczenie. **2** odmowa.

denim [denim] dżins w jasnoniebieskim kolorze.

dense [dens] gęsty.

density [denseti] gęstość.

dent I [dent] wgniecenie.

dent II [dent] wgniatać.

dental [dentl] **1** dentystyczny. **2** dotyczący zębów.

dentist [dentist] stomatolog, dentysta.

deny [dinaj] (II / III **denied**) **1** przeczyć. **2 deny sb sth** odmówić komuś czegoś.

deodorant [di:euderent] dezodorant.

depart [dipa:t] *form.* odjeżdżać, odchodzić.

department [dipa:tment] **1** wydział, instytut. **2** departament.

department store [dipa:tment sto:] dom towarowy, handlowy.

departure [dipa:cze] odjazd, odlot.

depend [dipend] **1** zależeć. **2** *it depends* to zależy.

◆ **depend on (upon)** *sb (sth)* **1** *depend on sb for sth* polegać na kimś w jakiejś sprawie. **2** zależeć od kogoś (czegoś).

dependable [dipendebl] niezawodny.

dependence [dipendens] zależność.

dependent [dipendent] zależny, uzależniony.

depopulate [di:popjulejt] zmniejszać zaludnienie.

deposit I [dipozit] wpłacać na konto.

deposit II [dipozit] wpłata na konto.

depress [dipres] przygnębiać.

depressed [diprest] przygnębiony.

depression [dipreśzn] **1** depresja. **2** obniżenie terenu. **3** kryzys.

deprive [diprajw] pozbawić (*sb of sth* kogoś czegoś).

depth [depθ] głębokość.

deputy [depju:ti] zastępca.

descend [disend] **1** schodzić. **2** *descend from* wywodzić się z...

descendant [disendent] potomek.

descent [disent] pochodzenie.

describe [diskrajb] opisywać.

description [diskripszn] opis.

desert I [dize:t] **1** opuścić, zostawić. **2** dezerterować.

desert II [dezet] pustynia.

deserve [dize:w] *deserve sth* zasługiwać na coś

design I [dizajn] projektować.

design II [dizajn] **1** projekt. **2** wzór.

designer [dizajne] projektant: *web designer* twórca stron internetowych.

desire I [dizaje] pożądać.

desire II [dizaje] **1** ogromna chęć, pragnienie. **2** pożądanie.

desk [desk] biurko.

despair I [dispe:] desperacja, rozpacz.

despair II [dispe:] rozpaczać.

desperate [desperet] **1** zdesperowany. **2** rozpaczliwy.

desperately [desperetli] rozpaczliwie.

despise [dispajz] nienawidzić, gardzić.

despite [dispajt] mimo, pomimo.

dessert [dize:t] deser.

destination [destinejszn] miejsce przeznaczenia, cel podróży.

destiny [destini] przeznaczenie, los.

destroy [distroj] niszczyć.

destruction [distrakszn] zniszczenie.

detach [ditæcz] zdjąć, odczepić.

detached [ditæczt] **1** bezstronny. **2** *detached house* dom wolno stojący.

detail [di:tejl] **1** detal, szczegół. **2** *in detail* szczegółowo.

detailed [di:tejld] szczegółowy.

detective [ditektiw] detektyw.

deteriorate [ditierierejt] pogarszać się.

determination [dite:minejszn] determinacja.

determine [dite:min] **1** wskazać. **2** ustalać, określać.

determined [dite:mind] zdeterminowany.

detour [di:tue] objazd.

devastate [dewestejt] niszczyć, dewastować.

develop [diwelep] **1** rozwijać się. **2** rozwijać (myśl). **3** wywołać (film, zdjęcia).

developing country [diwelepin kantri] kraj rozwijający się.

development [diwelepment] rozwój.

deviation [di:wiejszn] dewiacja, odchylenie od normy.

device [diwajs] **1** urządzenie, przyrząd. **2** metoda.

devil [dewl] **1** diabeł. **2** *talk of the devil* o wilku mowa! **3** *go to the devil!* idź do diabła!, odczep się!

devote [diweut] **1** poświęcić czemuś coś. **2** przeznaczyć.

devoted [diweutid] **1** oddany. **2** poświęcony.

devotion [diweuszn] **1** oddanie. **2** pobożność.

devour [diwaue] pożerać.

dew [dju:] rosa.

diagnose [dajegneuz] diagnozować.

diagnosis [dajegneusis] (*l.mn.* **diagnoses** [dajegneusi:z]) diagnoza.

diagram [dajegræm] diagram, wykres.

dial [dajel] (II / III **dialled**) wykręcać, wybierać numer telefoniczny.

dialect [dajelekt] dialekt.

dialling code [dajelinkeud] numer kierunkowy.

dialogue (*AM* dialog) [dajelog] dialog.

diameter [dajæmite] średnica.

diamond [dajmend] 1 diament. 2 karo (w kartach).

diary [dajeri] (*l.mn.* **diaries**) 1 pamiętnik. 2 kalendarz.

dice [dajs] (*l.mn.* **dice**) kostka do gry

dictate [diktejt] dyktować.

dictator [diktejte] dyktator.

dictionary [dikszenri] słownik.

did *zob.* **do**.

didn't *forma ściągnięta* **did not**.

die [daj] 1 umrzeć: *die of (from) sth* umrzeć na coś. 2 *nieform. I'm dying for a drink!* Umieram z pragnienia!
♦ **die down** zamilknąć, ucichnąć.
♦ **die out** wymierać, znikać.

diesel [di:zl] 1 samochód napędzany ropą. 2 olej napędowy.

diet [dajet] dieta: *go (be) on a diet* przejść na dietę.

differ [dife] różnić się (*from sb, sth* od kogoś, czegoś).

difference [difrens] 1 różnica. 2 *make no difference* nie mieć znaczenia.

different [difrent] inny, różny.

difficult [difikelt] trudny.

difficulty [difikelti] (*l.mn.* **difficulties**) 1 trudność, problem. 2 *with difficulty* z trudnością.

dig [dig] (II / III **dug** [dag]) kopać.
♦ **dig** *sth* **out** wykopać, wydobyć.

digest [dajdżest] 1 trawić. 2 przemyśleć.

digestion [dajdżesczn / didżesczn] trawienie.

digit [didżit] cyfra.

digital [didżitel] cyfrowy.

dignity [digniti] godność.

diligent [dilidżent] pilny, pracowity.

dilute [dajlu:t] rozcieńczać.

dim [dim] przyciemniony, przyćmiony.

dimension [dimenszn] wymiar.

dimensional [dimenszenl] wymiarowy: *3-dimensional* trójwymiarowy.

diminish [diminisz] zmniejszać się.

dining room [dajninrum] jadalnia.

dinner [dine] obiad (wieczorem), kolacja.

dinosaur [dajneso:] dinozaur.

dip I [dip] (II / III **dipped**) zanurzyć, zamoczyć.

dip II [dip] 1 *nieform.* kąpiel, nurek. 2 wgłębienie, spadek. 3 sos, dip.

diploma [dipleume] dyplom.

diplomacy [dipleumesi] dyplomacja.

diplomatic [diplemætik] dyplomatyczny.

direct I [dajrekt / direkt] 1 reżyserować. 2 prowadzić. 3 *direct sb to...* wskazać komuś drogę do...

direct II [dajrekt / direkt] **1** bezpośredni (dojazd). **2** bezpośredni (o osobie).

direction [dajrekšzn / direkšzn] **1** kierunek. **2** *give directions* wskazać drogę.

directly [dajrektli / direktli] **1** wprost, bezpośrednio. **2** *speak directly* mówić wprost.

director [dajrekte / direkte] **1** dyrektor. **2** reżyser.

directory [dajrekteri / direkteri] spis: *telephone directory* książka telefoniczna.

dirt [de:t] brud.

dirty [de:ti] **1** brudny. **2** *dirty word* brzydkie słowo.

disability [disebileti] upośledzenie.

disabled [disejbld] niepełnosprawny.

disadvantage [disedwa:ntidż] wada, minus.

disagree [disegri:] nie zgadzać się.

disagreement [disegri:ment] sprzeczka, kłótnia.

disappear [disepie] znikać.

disappoint [disepojnt] rozczarować.

disappointed [disepojntid] rozczarowany.

disappointment [disepojntment] zawód, rozczarowanie.

disapproval [disepru:wl] dezaprobata.

disapprove [disepru:w] nie pochwalać.

disaster [diza:ste] katastrofa.

disastrous [diza:stres] katastrofalny.

disc (*AM* **disk**) [disk] **1** dysk. **2** *compact disc* płyta kompaktowa. **3** *komp.* dysk.

discipline [disiplin] dyscyplina.

disc jockey [diskdżoki] dysk dżokej, didżej.

disclose [diskleuz] ujawnić.

disco [diskeu] dyskoteka.

disconnect [diskenekt] odłączyć.

discontinue [diskentinju:] przerwać.

discord [disko:d] **1** niezgoda. **2** dysonans (w muzyce).

discordant [disko:dent] niezgrany.

discotheque [disketek] dyskoteka.

discount [diskaunt] zniżka, rabat.

discourage [diskaridż] zniechęcić.

discover [diskawe] **1** odkryć. **2** dowiedzieć się.

discovery [diskaweri] (*l.mn.* **discoveries**) **1** odkrycie: *scientific discoveries* odkrycia naukowe. **2** odnalezienie.

discreet [diskri:t] dyskretny.

discriminate [diskriminejt] **1** rozróżniać. **2** *discriminate against* dyskryminować ze względu na...

discrimination [diskriminejšzn] **1** dyskryminacja: *racial discrimination* dyskryminacja rasowa. **2** rozeznanie.

discuss [diskas] *discuss sth* przedyskutować coś, dyskutować o czymś.

discussion [diskašzn] dyskusja.

disease [dizi:z] choroba.

disgrace I [disgrejs] hańba.

disgrace II [disgrejs] okrywać hańbą.

disguise I [disgajz] *disguise (oneself) as* przebrać (się) za...

disguise II [disgajz] przebranie: *in disguise* w przebraniu.

disgust [disgast] obrzydzenie, wstręt.

disgusting [disgastin] obrzydliwy.

dish [diš] 1 danie. 2 naczynie.

dishonest [disonist] nieuczciwy.

dishonesty [disonisti] nieuczciwość.

disinfect [disinfekt] dezynfekować.

disinterested [disintrestid] 1 bezstronny. 2 niezainteresowany.

disk [disk] *komp.* 1 dyskietka. 2 *AM* twardy dysk.

disk drive [diskdrajw] *komp.* napęd dysków.

dislike [dislajk] nie lubić.

disloyal [disloj*e*l] nielojalny.

disloyalty [disloj*e*lti] nielojalność.

dismiss [dismis] 1 *form.* zwalniać z pracy. 2 zwolnić (uczniów).

disobedience [disebi:diens] nieposłuszeństwo.

disobedient [disebi:dient] nieposłuszny.

disobey [disebej] być nieposłusznym.

disorder [diso:de] 1 bałagan. 2 zaburzenia (w medycynie).

display I [displej] 1 wystawiać na pokaz. 2 okazywać uczucia.

display II [displej] 1 pokaz. 2 *be on display* być prezentowanym.

displease [displi:z] zdenerwować, zirytować.

disposable [dispeuzebl] jednorazowy.

disposal [dispeuzl] 1 pozbycie się. 2 *be at sb's disposal* być do czyjejś dyspozycji.

disqualify [disklolifaj] (II / III **disqualified**) dyskwalifikować.

dissatisfied [dissætisfajd] niezadowolony.

dissolve [dizo:lw] 1 rozpuszczać (się). 2 rozwiązać (związek małżeński).

distance [distens] 1 odległość. 2 *keep one's distance* zachowywać dystans.

distant [distent] odległy.

distinct [distinkt] 1 różny, odrębny. 2 wyraźny.

distinctly [distinktli] wyraźnie.

distinctive [distinktiw] specyficzny.

distinguish [distingliš] 1 *distinguish between* rozróżniać między... 2 *distinguish from* wyróżniać spośród...

distress [distres] rozpacz.

distribute [distribju:t] 1 rozdawać. 2 rozprowadzać.

distribution [distribju:šn] dystrybucja.

district [distrikt] 1 dzielnica. 2 rejon.

distrust I [distrast] nie ufać.

distrust II [distrast] nieufność.

disturb [diste:b] 1 przeszkadzać. 2 niepokoić.

ditch [dić] rów.

dive [dajw] nurkować.

diver [dajwe] nurek.

diversity [dajwe:seti] różnorodność.

divide [diwajd] 1 dzielić: *divide into sth* podzielić na coś. 2 *divide sth* *among (between)* rozdzielić pomiędzy...

dividend [diwidend] dywidenda.

divine [diwajn] boski.

division [diwiżn] **1** podział. **2** dzielenie (w matematyce). **3** oddział.

divorce I [diwo:s] **1** *get divorced* brać rozwód. **2** *divorce sb* rozwieść się z kimś.

divorce II [diwo:s] rozwód.

divorcee [diwo:si:] rozwodnik, rozwódka.

dizzy [dizi] *I feel dizzy.* Kręci mi się w głowie.

DJ [di:dżej] *disc jockey* didżej.

do I [du:] GRAM (II **did** [did], III **done** [dan]) **1** (czasownik posiłkowy w czasach prostych): *Do you like cheese?* Czy lubisz ser?; *How did you feel?* Jak się czułeś? **2** (używany, by uniknąć powtarzania czasownika): *I can't run as fast as she does.* Nie umiem biegać tak szybko jak ona.

do II [du:] (II **did** [did], III **done** [dan]) **1** robić, czynić: *What did you do when I was away?* Co robiłeś, kiedy mnie nie było? **2** *do one's best* robić wszystko, co w czyjejś mocy. **3** *do sb good* pomóc komuś. **4** *do sb harm* zaszkodzić komuś. **5** *What do you do?* Czym się pan (pani) zajmuje? **6** *do sb a favour* wyświadczyć komuś przysługę. **9** *it will do* wystarczy.

♦ **do with** *sth* **1** *I could do with* chętnie bym coś zrobił: *I could do with a cup of coffee.* Chętnie napiłbym się kawy. **2** zrobić coś z czymś, zapodziać coś: *What have you done with the newspaper?* Co zrobiłeś z tą gazetą?

doc [dok] *komp.* dokument, plik.

dock I [dok] zawijać do portu.

dock II [dok] *l.mn.* **docks** port.

doctor [dokte] **1** lekarz. **2** doktor (osoba z doktoratem).

document I [dokjument] **1** dokument. **2** *komp.* dokument.

document II [dokjument] dokumentować.

documentary I [dokjumentri] film dokumentalny.

documentary II [dokjumentri] dokumentalny.

doesn't *forma ściągnięta* **does not.**

dogde [dodż] robić unik, unikać.

dog [dog] **1** pies: *walk the dog* wychodzić z psem. **2** *a dog's life* pieskie życie. **3** *let sleeping dogs lie* nie wywoływać wilka z lasu.

dole [deul] zapomoga, zasiłek (dla bezrobotnych): *be on the dole* być na zasiłku.

doll [dol] lalka.

dollar [dole] dolar.

dolphin [dolfin] delfin.

domestic [demestik] **1** domowy. **2** wewnętrzny (o sprawach państwowych). **3** udomowiony.

dominate [dominejt] dominować.

done *zob.* **do**.

donkey [do*nki*] osioł.

donor [d*eune*] dawca, ofiarodawca.

don't *forma ściągnięta* **do not**, *zob.* **do**.

doom [du:m] zagłada.

door [do:] **1** drzwi: *answer the door* otworzyć drzwi (gdy ktoś puka). **2** *live next door* mieszkać obok.

doorbell [do:bel] dzwonek do drzwi.

doorknob [do:nob] klamka.

doormat [do:mæt] wycieraczka.

doorstep [do:step] próg.

dope [d*eup*] **1** *nieform.* narkotyk. **2** idiota.

DOS *disk operating system* system operacyjny DOS.

dot [dot] **1** kropka. **2** *nieform. on the dot* co do minuty.

double I [dabl] podwójny: *double room* pokój dwuosobowy.

double II [dabl] podwajać.

double-decker [dabldek*e*] autobus piętrowy.

doubt I [daut] wątpić: *I doubt it* wątpię, nie sądzę.

doubt II [daut] **1** wątpliwość. **2** *without (a shadow of a) doubt* bez (cienia) wątpliwości.

doubtful [da*u*tfl] **1** pełen wątpliwości. **2** wątpliwy (np. plan).

dough [d*eu*] **1** ciasto. **2** *nieform.* kasa, pieniądze.

doughnut (*AM* **donut**) [d*eu*nat] pączek.

dove [daw] gołąb.

down [daun] **1** w dół, na dół. **2** na dole. **3** *write (note) down* zanoto-

wać. **4** *sit down* usiąść. **5** *get down to work* zabrać się do pracy.

downhill [da*u*nhil] (z góry) w dół.

download [daunl*eu*d] *komp.* ściągać dane.

downpour [daunpo:] ulewa.

downstairs [daunste:z] **1** na dole (na niższym piętrze). **2** w dół (po schodach).

downward [dau*n*łed] skierowany ku dołowi.

doze I [d*eu*z] zdrzemnąć się.

◆ **doze off** zasypiać.

doze II [d*eu*z] drzemka.

draft [dra:ft] **1** szkic. **2** przekaz pieniężny. **3** *AM* przeciąg.

drag [dræg] (II / III **dragged**) **1** wlec. **2** prowadzić.

dragon [dræg*en*] smok.

dragonfly [dræg*en*flaj] ważka.

drain I [drejn] **1** odcedzić. **2** spłynąć (o wodzie).

drain II [drejn] odpływ.

drainpipe [dre*j*npajp] rynna.

drama [dra:m*e*] dramat, sztuka.

dramatic [dr*e*mætik] dramatyczny.

drank *zob.* **drink**.

draught [dra:ft] **1** przeciąg. **2** *on draught BR* z beczki, lane (piwo).

draughts [dra:fts] warcaby.

draw I [dro:] (II **drew** [dru:], III **drawn** [dro:n]) **1** rysować. **2** ciągnąć. **3** remisować.

draw II [dro:] remis.

drawback [dro:bæk] wada.

drawer [dro:] szuflada.

drawing [dro:in] rysunek.

drawn zob. **draw**.

dread [dred] bać się (czegoś).

dreadful [dredfl] okropny, paskudny.

dream I [dri:m] 1 sen: *have a (bad) dream* mieć (zły) sen. 2 marzenie.

dream II [dri:m] (II / III **dreamt** [dremt] *albo* **dreamed** [dri:md]) 1 śnić. 2 marzyć.

dreamt zob. **dream**.

dregs [dregz] fusy.

dress I [dres] 1 ubierać. 2 *get dressed* ubrać się. 3 *dress a wound* opatrzyć ranę.

dress II [dres] 1 sukienka. 2 ubiór.

dressing gown [dresingaun] szlafrok.

drew zob. **draw**.

dried [drajd] suszony.

drift I [drift] dryfować.

drift II [drift] zaspa.

drill I [dril] 1 wiertarka. 2 *dentist's drill* wiertło dentystyczne.

drill II [dril] 1 wiercić. 2 musztrować.

drink I [drink] (II **drank** [drænk], III **drunk** [drank]) 1 pić. 2 pić alkohol. 3 *drink and drive* prowadzić samochód po pijanemu.

drink II [drink] 1 napój, coś do picia. 2 drink alkoholowy.

drip [drip] (II / III **dripped**) kapać, ciec.

drive I [drajw] (II **drove** [dreuw], III **driven** [driwn]) 1 prowadzić (samochód). 2 *drive sb somewhere* zawozić kogoś gdzieś: *I'll drive you home.* Zawiozę cię do domu. 3 *drive sb mad (crazy)* doprowadzać kogoś do szaleństwa.

drive II [drajw] 1 podróż samochodem. 2 wjazd. 3 droga dojazdowa. 4 *komp. disc drive* stacja dysków.

drive-in [drajwin] kino samochodowe (gdzie ogląda się film, siedząc w samochodzie) lub restauracja.

driver [drajwe] kierowca.

driving licence [drajwin lajsens] prawo jazdy.

drizzle I [drizl] mżyć.

drizzle II [drizl] mżawka.

drop I [drop] (II / III **dropped**) 1 upuścić. 2 upaść. 3 spadać (o temperaturze). 4 *drop dead* paść martwym.

♦ **drop in** *(on sb)* wpaść do kogoś na chwilkę.

drop II [drop] 1 kropla. 2 spadek (temperatury). 3 *a drop in the ocean* kropla w morzu (potrzeb).

dropdown menu [dropdaun menju:] *komp.* menu rozwijane.

droplet [droplit] kropelka.

drought [draut] susza.

drove zob. **drive**.

drown [draun] tonąć, utopić się (o człowieku).

drug [drag] 1 narkotyk: *take drugs* brać narkotyki. 2 lekarstwo.

drug addict [dragædikt] narkoman.

drugstore [dragsto:] *AM* apteka.

drum [dram] 1 bęben. 2 *the drums* perkusja.

drummer [dra*me*] perkusista.

drunk I *zob.* **drink**.

drunk II [dra*n*k] **1** pijany. **2** *blind drunk* pijany jak bela.

drunk III [dra*n*k] pijak.

drunkard [dra*n*ked] pijak.

dry I [draj] **1** suchy. **2** wyschnięty. **3** *dry wine* wino wytrawne. **4** *as dry as a bone* suchy jak pieprz.

dry II [draj] (II / III **dried**) suszyć, wysuszyć.

dry-clean [drajkli:n] czyścić chemicznie.

dry cleaner's [drajkli:*nez*] pralnia chemiczna.

dryer [draj*e*] suszarka.

dual [dju:*e*l] podwójny: *dual citizenship* podwójne obywatelstwo.

duchess [da*cz*is] księżna.

duck [dak] **1** kaczka. **2** *like water off a duck's back* spłynąć (po kimś) jak po kaczce.

due [dju:] **1** planowy. **2** należny (o opłacie). **3** *due to* z powodu. **4** *in due course* we właściwym czasie.

duet [dju:et] duet.

dug *zob.* **dig**.

duke [dju:k] książę.

dull [dal] **1** nudny, nieciekawy. **2** szary (o pogodzie). **3** przytłumiony (o dźwięku). **4** tępy (o bólu).

dumb [dam] **1** niemy. **2** idiotyczny.

dump I [damp] **1** zostawić, rzucić. **2** pozbyć się.

dump II [damp] **1** wysypisko śmieci. **2** śmietnisko (o brudnym miej-

scu). **3** *nieform.* *be down in the dumps* być w dołku, być nieszczęśliwym, zrezygnowanym.

dune [dju:n] wydma.

dungeon [dandżen] loch.

duplicate I [dju:plikejt] kopiować.

duplicate II [dju:pliket] duplikat.

durable [djuerebl] trwały.

duration [djurejszn] czas trwania.

during [djuerin] podczas, w trakcie: *during winter* w czasie zimy.

dusk [dask] zmrok.

dust I [dast] kurz, pył.

dust II [dast] ścierać kurze.

dustbin [dastbin] kosz na śmieci.

dustman [dastmen] (*l.mn.* **dustmen**) śmieciarz.

Dutch [dacz] holenderski.

duty [dju:ti] (*l.mn.* **duties**) **1** obowiązek. **2** *on (off) duty* na (po) dyżurze. **3** cło.

duty-free [dju:ti:fri:] wolnocłowy.

duvet [du:wej] *BR* kołdra.

DVD [di:wi:di:] *Digital Video Disc, Digital Versatile Disc* DVD.

dwarf [dło:f] (*l.mn.* **dwarves** [dło:wz]) karzeł.

dye I [daj] farba.

dye II [daj] (II / III **dyed**) farbować.

dynamic [dajnæmik] dynamiczny.

dynamics [dajnæmiks] dynamika.

dynamite [dajnemajt] dynamit.

dynasty [dinesti] (*l.mn* **dynasties**) dynastia.

d'you *forma ściągnięta* **do you**.

dyslexia [disleksie] dysleksja.

E

E I [i:] piąta litera alfabetu.

E II *East* Wschód.

each [i:ćz] każdy.

each other [i:ćzaðe] się, siebie, sobie nawzajem: *They loved each other dearly.* Bardzo się kochali.

eager [i:ge] gorliwy, chętny.

eagle [i:gl] orzeł.

ear [ie] **1** ucho. **2** *be all ears* zamieniać się w słuch.

earl [e:l] hrabia.

early I [e:li] wczesny.

early II [e:li] wcześnie.

earn [e:n] **1** zarabiać. **2** *earn a living* pracować, zarabiać na życie.

earnest [e:nist] poważny (o człowieku).

earnings [e:ninz] *l.mn.* zarobki.

earphones [iefeunz] *l.mn.* słuchawki.

earring [ierin] kolczyk.

earth [e:θ] **1** *the Earth* Ziemia (planeta). **2** ziemia. **3** *How on earth (did you do it)?* Jak u licha (udało ci się to zrobić)?

earthquake [e:θkłejk] trzęsienie ziemi.

earthworm [e:θłe:m] dżdżownica.

ease I [i:z] **1** łatwość: *with ease* z łatwością. **2** *feel at ease* czuć się

swobodnie (jak u siebie w domu). **3** *at ease!* spocznij!

ease II [i:z] **1** ułatwiać. **2** łagodzić (ból).

easily [i:zili] łatwo, z łatwością.

East I [i:st] *the East* Wschód (kraje): *the Middle East* Bliski Wschód; *the Far East* Daleki Wschód.

east II [i:st] **1** wschód (strona świata). **2** *the east* wschód (kraju).

east III [i:st] wschodni.

Easter [i:ste] Wielkanoc.

eastern [i:sten] wschodni.

easy I [i:zi] łatwy.

easy II [i:zi] **1** łatwo. **2** *Take it easy!* Nie przejmuj się tym! **3** *easier said than done* łatwiej powiedzieć niż zrobić.

eat [i:t] (II **ate** [æt / ejt], III **eaten** [i:tn]) **1** jeść. **2** jadać.

ebony [ebeni] heban.

e-books [i:buks] *komp.* książki dostępne przez Internet.

e-card [i:ka:d] *komp.* kartka okolicznościowa, wysyłana za pomocą Internetu.

eccentric I [iksentrik] ekscentryczny.

eccentric II [iksentrik] ekscentryk.

echo [ekeu] echo.

eclipse [iklips] zaćmienie.

ecology [ikol*edźi*] ekologia.

ecological [i:k*e*lo*dżikl*] ekologiczny.

economic [ik*e*nomik] **1** gospodarczy, ekonomiczny. **2** dotyczący ekonomii.

economical [ik*e*nomikl] oszczędny.

economically [ik*e*nomikl*i*] **1** oszczędnie. **2** finansowo.

economics [ik*e*nomiks] ekonomia.

economist [ik*o*nemist] ekonomista.

economy I [ik*o*nemi] **1** gospodarka. **2** oszczędność.

economy II [ik*o*nemi] *economy class* klasa turystyczna (w samolocie).

ecstasy [ekst*e*si] ekstaza.

Eden [i:d*e*n] raj.

edge [edż] **1** brzeg, krawędź. **2** skraj.

edit [edit] **1** redagować (tekst). **2** montować (program). **3** wydawać (gazetę).

edition [idiśzn] wydanie.

editor [edit*e*] **1** redaktor. **2** wydawca.

educate [edju:kejt / e*d*żu:kejt] **1** kształcić. **2** uświadamiać.

educated [edju:kejtid / e*d*żu:kejtid] wykształcony.

education [edju:k**e**jśzn / e*d*żu:k**e**j- śzn] **1** edukacja. **2** wykształcenie.

educational [edju:k**e**jśzenl / e*d*żu:- kej*ś*zenl] edukacyjny, oświatowy.

EEC *European Economic Community* EWG.

eel [i:l] węgorz.

effect [ifekt] **1** efekt, skutek: *have an effect on sb (sth)* wywierać skutek na kimś (czymś). **2** *take effect* wchodzić w życie. **3** *put sth into effect* wprowadzać coś w życie. **4** *special effects* efekty specjalne.

effective [ifektiw] efektywny, skuteczny.

efficiency [ifiśzns*i*] wydajność.

efficient [ifiśznt] wydajny.

effort [ef*e*t] wysiłek.

effortless [ef*e*tlis] łatwy, nie wymagający wysiłku.

e.g. *exempli gratia* np.

egg [eg] **1** jajko: *hard-boiled (soft- -boiled) egg* jajko na twardo (na miękko); *scrambled eggs* jajecznica. **2** *lay eggs* składać jaja.

ego [eg*e*u / i:g*e*u] ego, „ja".

egocentric [eg*e*usentrik / i:g*e*usentrik] egocentryczny.

egoism [eg*e*uizem / i:g*e*uizem] egoizm.

egoist [eg*e*uist / i:g*e*uist] egoista.

egoistic [eg*e*uistik / i:g*e*uistik] egoistyczny.

eight [ejt] **1** osiem. **2** ósma (godzina).

eighteen [ejti:n] osiemnaście.

eighty [ejt*i*] **1** osiemdziesiąt. **2** *the eighties* lata osiemdziesiąte.

either I [ajð*e*] żaden (z dwóch).

either II [ajð*e*] (w zdaniach twierdzących) *either... or...* albo... albo...: *We could either go to the* *beach or stay by the pool.* Możemy albo iść na plażę, albo zostać na basenie.

either III [ajõe] (w zdaniach przeczących) też nie: *'I can't cook'. 'I can't either'.* „Nie umiem gotować". „Ja też nie".

eject [idżekt] **1** wyjąć. **2** wyrzucić, wydalić.

elaborate I [ilæberet] **1** zawiły, złożony. **2** misterny (o dekoracji).

elaborate II [ilæberejt] opracować (dokładnie).

elastic [ilæstik] elastyczny.

elbow [elbeu] łokieć.

elder [elde] starszy: *he and his elder daughter* on i jego starsza siostra.

elderly [eldeli] starszy, podstarzały.

eldest [eldist] najstarszy.

elect [ilekt] wybierać (przez głosowanie).

election [ilekszn] wybory.

electric [ilektrik] elektryczny.

electrician [ilektriszn] elektryk.

electricity [ilektriseti] elektryczność, prąd.

electrify [ilektrifaj] (II / III **electrified**) elektryfikować.

electron [ilektron] elektron.

electronic [ilektronik] **1** elektroniczny. **2** internetowy: *electronic library* biblioteka internetowa.

electronic mail [ilektronik mejl] *komp.* poczta elektroniczna, e-mail.

elegance [elegens] elegancja.

elegant [elegent] elegancki.

element [element] **1** pierwiastek chemiczny. **2** element, część.

elemental [elementl] elementarny, podstawowy.

elementary [elimentri] **1** podstawowy. **2** elementarny.

elephant [elifent] słoń.

elevator [eliwejte] *AM* winda.

eleven [ilewn] **1** jedenaście. **2** jedenasta (godzina).

elicit [ilisit] *form.* wywołać (u kogoś), spowodować.

eliminate [iliminejt] **1** eliminować. **2** likwidować.

elimination [iliminejszn] **1** eliminacja. **2** likwidacja.

élite [ejli:t] elita.

else [els] **1** jeszcze, więcej: *Anything else?* Coś jeszcze? **2** *or else* albo, w przeciwnym razie. **3** *somebody else* ktoś inny.

elsewhere [elsle:] gdzie indziej.

e-mail I [i:mejl] *komp.* **1** poczta elektroniczna. **2** list przesyłany pocztą elektroniczną, mail.

e-mail II [i:mejl] *komp.* wysyłać e-mail, mailować.

emancipate [imænsipejt] emancypować, wyzwalać.

emancipation [imænsipejszn] emancypacja, wyzwolenie.

embankment [imbænkment] **1** nabrzeże (rzeczne). **2** nasyp.

embargo [imba:geu] (*l.mn.* **embargoes**) embargo.

embark [imba:k] wejść na pokład statku.

embarrass [imbæres] zawstydzać, wprawiać w zakłopotanie.

embarrassed [imbærest] zażenowany, zawstydzony.

embarrassing [imbæresin] krępujący, wprawiający w zakłopotanie.

embarrassment [imbæresment] zażenowanie.

embassy [embesi] (*l.mn.* **embassies**) ambasada.

emblem [emblem] **1** godło. **2** emblemat, symbol.

embrace I [imbrejs] obejmować, ściskać.

embrace II [imbrejs] uścisk, objęcie.

embroider [imbrojde] haftować.

embroidery [imbrojderi] haft.

embryo [embrieu] (*l.mn.* **embryos**) embrion, zarodek.

emerald [emereld] szmaragd.

emerge [ime:dż] wyłonić się.

emergency [ime:dżensi] **1** nagły wypadek. **2** *in emergency* w razie niebezpieczeństwa.

emergency exit [ime:dżensi eksit] wyjście awaryjne.

emigrant [emigrent] emigrant.

emigrate [emigrejt] emigrować.

emit [imit] (II / III **emitted**) emitować, wydzielać.

emotion [imeuszn] uczucie, emocja.

emotional [imeuszenl] **1** uczuciowy. **2** emocjonujący.

empathy [empeθi] empatia.

emperor [empere] cesarz.

emphasis [emfesis] (*l.mn.* **emphases** [emfesi:z]) **1** nacisk. **2** akcent.

emphasize [emfesajz] podkreślać.

empire [empaje] imperium, cesarstwo.

empirical [impirikl] doświadczalny, empiryczny.

employ [imploj] **1** zatrudniać (pracowników). **2** zastosować.

employee [emploji: / imploji:] pracownik, pracownica.

employer [imploje] pracodawca.

employment [implojment] zatrudnienie.

empress [empris] cesarzowa.

emptiness [emptines] pustka.

empty I [empti] pusty.

empty II [empti] (II / III **emptied**) **1** opróżniać. **2** opustoszeć.

emulsion [imalszn] emulsja.

enable [inejbl] umożliwić (*sb to do sth* komuś zrobienie czegoś).

enamel [inæml] **1** emalia. **2** szkliwo (zębów).

enchanting [inćza:ntin] czarujący.

encircle [inse:kl] otaczać.

enclose [inkleuz] **1** dołączać do listu: *please find the enclosed cheque* do listu dołączam czek. **2** otaczać: *The garden was enclosed with high stone walls.* Ogród otoczony był wysokim kamiennym murem.

encounter I [inkaunte] **1** napotykać. **2** *form.* spotkać.

encounter II [inkau*nte*] spotkanie.
encourage [inkaridż] zachęcać (*sb to do sth* kogoś do zrobienia czegoś).
encouragement [inkaridżment] zachęta.
encouraging [inkaridż*in*] zachęcający.
encyclopedia (*BR też* **encyclopaedia**) [insajklepi:die] encyklopedia.
end I [end] **1** koniec. **2** *in the end* w końcu. **3** *at the end of sth* na końcu czegoś. **4** *come to an end* kończyć się. **5** *make ends meet* wiązać koniec z końcem. **6** *put an end to sth* położyć czemuś kres.
end II [end] kończyć (się).
♦ **end in** *sth* zakończyć się czymś.
♦ **end up** *end up doing sth* skończyć jakoś: *We ended up in a cheap hotel with no electricity.* Znaleźliśmy się w tanim hoteliku bez elektryczności.
end user [endju:ze] *komp.* użytkownik Internetu.
ending [endin] zakończenie: *happy ending* szczęśliwe zakończenie.
endless [endles] niekończący się.
endurance [indju*e*rens] wytrzymałość.
endure [indju*e*] wytrzymywać.
enemy [ene*mi*] (*l.mn.* **enemies**) wróg, nieprzyjaciel.
energetic [enedżetik] energiczny.
energetically [enedżetik*li*] energicznie.

energy [enedżi] **1** energia. **2** *atomic energy* energia atomowa.
enforce [info:s] **1** egzekwować. **2** narzucać.
enforcement [info:sment] **1** zaostrzenie. **2** narzucenie (praw).
engage [ingejdż] **1** zajmować. **2** zatrudnić, zaangażować.
engaged [ingejdżd] **1** zajęty (o osobie, linii telefonicznej). **2** zaręczony: *be engaged to sb* być z kimś zaręczonym.
engagement [ingejdżment] zaręczyny.
engine [endżin] **1** silnik. **2** lokomotywa.
engineer [endżini*e*] inżynier, technik.
English [inglisz] angielski.
Englishman [ingliszmen] Anglik.
Englishwoman [ingliszłumen] Angielka.
enjoy [indżoj] **1** cieszyć się (*sth* czymś). **2** *enjoy oneself* bawić się: *Enjoy yourself.* Baw się dobrze. **3** *Did you enjoy the film?* Czy podobał ci się film?
enjoyable [indżoj*e*bl] przyjemny.
enjoyment [indżojment] przyjemność, radość.
enlarge [inla:dż] powiększać.
Enlightenment [inlajtenment] *The (Age of) Enlightenment* Oświecenie (epoka).
enormous [ino:mes] ogromny.
enough [inaf] **1** dosyć, dość. **2** wystarczająco: *good enough* wystar-

czająco dobry. **3** *that's enough!* *(enough of it!)* dość tego!

enquire *zob.* **inquire.**

enquiry *zob.* **inquiry.**

enrol (*AM* **enroll**) [inr**e**ul] (II / III **enrolled**) zapisać się (do szkoły).

enrolment (*AM* **enrollment**) [inr**e**ulment] zapisy (do szkoły, na kurs).

ensure [inšzo:] zapewniać.

enter [ent*e*] **1** wchodzić. **2** wstępować (na uniwersytet). **3** *enter the war (competition)* przystąpić do wojny (konkursu). **4** *komp.* wpisać (kod itp.) **5** *komp.* komenda „wejdź".

enterprise [ent*e*prajz] **1** przedsiębiorstwo. **2** przedsięwzięcie.

entertain [ent*e*t*e*jn] zabawiać.

entertainment [ent*e*t*e*jnment] rozrywka.

enthusiasm [inθ**j**u:zj**æ**z*e*m] entuzjazm.

enthusiastic [inθ**j**u:zi**æ**stik] entuzjastyczny.

entirely [intaj*e*l*i*] całkowicie.

entitle [intajtl] **1** uprawnić (kogoś). **2** *be entitled sth* być zatytułowanym jakoś.

entitled [intajt*e*ld] **1** uprawniony. **2** zatytułowany.

entity [ent*e*ti] jednostka.

entrance [entrens] wejście.

entrepreneur [ontr*e*pren*e*:] przedsiębiorca.

entrust [intrast] powierzyć: *entrust sb with sth (entrust sth to sb)* powierzyć komuś coś.

entry [entr*i*] (*l.mn.* **entries**) **1** wejście. **2** uzyskanie członkostwa, przystąpienie: *entry to the European Community* wejście do Unii Europejskiej. **3** *no entry* zakaz wstępu (wjazdu).

enumerate [inj**u**:merejt] wyliczać.

envelope [env*e*leup / onw*e*leup] koperta.

envious [envi*e*s] zazdrosny.

environment [inwajrenment] **1** środowisko naturalne. **2** otoczenie.

environmentalist [inwajrenment*e*list] ekolog.

environmentally friendly [inwajrenment*e*l*i* frendl*i*] przyjazny dla środowiska.

envy I [enw*i*] zazdrość, zawiść.

envy II [enw*i*] (II / III **envied**) zazdrościć: *envy sb (for) sth* zazdrościć komuś czegoś.

enzyme [enzajm] enzym.

epic [epik] epopeja, epos.

epidemic [epidemik] epidemia.

epilepsy [epileps*i*] padaczka.

episode [epis*e*ud] **1** epizod. **2** odcinek (serialu).

epoch [i:pok] epoka.

equal I [i:k**ł**el] **1** równy. **2** jednakowy.

equal II [i:k**ł**el] ktoś równy, taki sam.

equal III [i:k**ł**el] (II / III **equalled**) równać się, wynosić: *two and two equals four* dwa dodać dwa równa się cztery.

equally [i:k**ł**el*i*] **1** równo, po równo. **2** tak samo.

equation [ikłejżn] **1** równość. **2** równanie.

equator (**Equator**) [ikłejte] równik.

equatorial [ekłeto:riel] równikowy.

equilibrium [i:kłilibriem] (*l.mn.* **equilibriums** lub **equilibria**) równowaga.

equip [iklip] (II / III **equipped**) wyposażyć w coś.

equipment [ikłipment] sprzęt, wyposażenie.

equity [ekłiti] równość.

er [e:] *wtrącenie* (używane jako przerywnik w toku mowy, najczęściej kiedy nie wie się, co dalej powiedzieć): *'I think it was fantastic!' 'Er, really?'* „Myślę, że to było fantastyczne!" „Ee, naprawdę?"

era [ire] era.

erase [irejz] wymazywać, ścierać.

erect [irekt] wznosić, stawiać.

erosion [ireużn] erozja.

erotic [irotik] erotyczny.

erroneous [ireunies] błędny.

error [ere] błąd: *make (commit) an error* popełnić błąd.

eruption [irapszn] wybuch wulkanu, erupcja.

escalator [eskelejte] ruchome schody.

escape I [iskejp] uciekać.

escape II [iskejp] **1** ucieczka. **2** *fire escape* wyjście pożarowe.

escort I [isko:t] eskortować.

escort II [esko:t] **1** eskorta: *under escort* pod eskortą. **2** osoba towarzysząca.

especially [ispeszeli] **1** szczególnie. **2** specjalnie: *especially for you* specjalnie dla ciebie.

espionage [espiena:ż] szpiegostwo.

essay [esej] **1** wypracowanie. **2** esej.

essence [esens] **1** esencja. **2** sedno.

essential [isenszl] **1** niezbędny. **2** podstawowy.

establish [istæbliśz] **1** założyć (organizację). **2** ustalić.

establishment [istæbliszment] **1** organizacja, placówka. **2** założenie, ustanowienie.

estate [istejt] **1** posiadłość, majątek ziemski. **2** majątek, spadek. **3** *housing estate* osiedle mieszkaniowe.

esteem [isti:m] estyma, szacunek.

estimate I [estimejt] szacować, oszacowywać.

estimate II [estimet] **1** szacunkowa wartość. **2** ocena.

etc. *et cetera* itd., itp.

eternal [ite:nl] wieczny.

eternity [ite:neti] wieczność.

ethic [eθik] etyka.

ethical [eθikl] **1** etyczny. **2** moralny.

ethnic [eθnik] etniczny.

EU *European Union* UE (Unia Europejska).

European [juerepi:en] europejski.

evacuate [iwækju:ejt] ewakuować.

evade [iwejd] unikać.

evaluate [iwælju:ejt] oceniać (postępy).

evaporate [iwæperejt] wyparować.

evasion [iwejżn] uchylanie się.

eve [i:w] **1** *New Year's Eve* Sylwester. **2** *Christmas Eve* Wigilia Bożego Narodzenia.

even I [i:wn] **1** nawet. **2** *even if* nawet jeśli. **3** *even though* mimo że.

even II [i:wn] **1** równy, gładki (o powierzchni). **2** równomierny. **3** parzysty (o liczbie). **4** *be even* być kwita.

evening [i:wnin] **1** wieczór. **2** *good evening* dobry wieczór.

event [iwent] **1** wydarzenie. **2** konkurencja (sportowa).

eventually [iwenczueli] w końcu.

ever [ewe] **1** kiedykolwiek, kiedyś: *Have you ever been there?* Czy byłeś tam kiedyś? **2** *hardly ever* rzadko kiedy. **3** *ever since* od tego czasu.

every [ewri] **1** każdy: *every day* każdego dnia, codziennie. **2** *every other* co drugi.

everybody [ewribodi] każdy, wszyscy: *everybody knows that* wszyscy to wiedzą (każdy to wie).

everyday [ewridej] codzienny.

everyone [ewriłan] każdy, wszyscy: *everyone knows that* wszyscy to wiedzą (każdy to wie).

everything [ewriθin] wszystko: *Is everything ok?* Wszystko w porządku?

everywhere [ewriłe:] wszędzie.

evidence [ewidens] **1** dowód. **2** zeznania.

evident [ewident] oczywisty, wyraźny.

evil I [i:wl] zły.

evil II [i:wl] zło.

evolution [i:welu:szn] **1** ewolucja. **2** rozwój.

evolutionary [i:welu:szenri] ewolucyjny.

evolve [iwolw] ewoluować, rozwijać się.

exact [igzækt] dokładny.

exactly [igzæktli] **1** dokładnie. **2** *exactly!* no właśnie!, właśnie tak! **3** *not exactly* niezupełnie, nie do końca.

exaggerate [igzædżerejt] przesadzać, wyolbrzymiać.

exaggeration [igzædżerejszn] przesada.

exam [igzæm] egzamin.

examination [igzæminejszn] **1** egzamin: *take (sit) an examination* przystępować do egzaminu, zdawać egzamin; *pass an examination* zdać egzamin; *fail an examination* oblać egzamin, nie zdać egzaminu. **2** badanie, oględziny.

examine [igzæmin] **1** badać (pacjenta). **2** sprawdzić.

example [igza:mpl] przykład: *set an example for* być przykładem dla...; *for example* na przykład.

excavate [ekskewejt] wykopywać.

excavation [ekskewejszn] wykopaliska.

exceed [iksi:d] przekraczać: *exceed the speed limit* przekraczać dozwoloną prędkość.

excel [iksel] (II / III **excelled**) *excel in (at) sth* być świetnym w czymś.

excellent [ekselent] doskonały, świetny.

except [iksept] **1** z wyjątkiem, oprócz. **2** *except for* z wyjątkiem, oprócz.

exception [iksepšzn] **1** wyjątek. **2** *without exception* bez wyjątku. **3** *make an exception* zrobić wyjątek.

exceptional [iksepšzenl] wyjątkowy.

excess I [ikses] nadmiar.

excess II [ekses] dodatkowy.

excessive [iksesiw] nadmierny, przesadny.

exchange I [iksćzejndż] **1** wymiana. **2** *foreign exchange* wymiana waluty.

exchange II [iksćzejndż] wymieniać.

exchange rate [iksćzejndżrejt] kurs dewizowy.

excite [iksajt] ekscytować.

excited [iksajtid] podekscytowany.

exciting [iksajtin] ekscytujący.

exclaim [iksklejm] wykrzyknąć.

exclamation [eksklemejšzn] okrzyk.

exclamation mark [eksklemejšznma:k] wykrzyknik (znak interpunkcyjny).

exclude [iksklu:d] **1** wykluczyć. **2** nie brać pod uwagę.

exclusive I [iksklu:siw] **1** ekskluzywny. **2** zastrzeżony. **3** wyłączny.

exclusive II [iksklu:siw] informacja, która pojawia się tylko w jednej gazecie.

exclusively [iksklu:siwli] wyłącznie.

excursion [ikske:šzn] wycieczka (szkolna).

excuse I [ikskju:z] **1** wybaczyć. **2** *excuse me* przepraszam: *Excuse me, what is the time please?* Przepraszam, która jest godzina?

excuse II [ikskju:s] wymówka.

executive I [igzekjutiw] wykonawczy, kierowniczy.

executive II [igzekjutiw] dyrektor, kierownik.

exemplify [igzemplifaj] (II / III **exemplified**) **1** obrazować, stanowić przykład. **2** dawać przykład.

exercise I [eksesajz] **1** ćwiczenie. **2** *do exercises* ćwiczyć.

exercise II [eksesajz] **1** ćwiczyć. **2** *form. exercise the right (power, influence)* korzystać z prawa (siły, wpływu).

exhaust [igzo:st] **1** wyczerpać, zużyć. **2** zmęczyć (kogoś).

exhausted [igzo:stid] wyczerpany, bardzo zmęczony.

exhausting [igzo:stin] wyczerpujący, męczący.

exhibit I [igzibit] wystawiać (na wystawie).

exhibit II [igzibit] **1** okaz, eksponat. **2** dowód rzeczowy.

exhibition [eksibišzn] **1** wystawa. **2** pokaz (umiejętności).

exile [egzajl] **1** wygnanie, emigracja: *be in exile* być na wygnaniu. **2** wygnaniec, uchodźca.

exist [igzist] istnieć.

existence [igzistens] **1** istnienie. **2** egzystencja, życie.

exit I [eksit / egzit] **1** wyjście. **2** wyjazd (z autostrady).

exit II [eksit / egzit] **1** *form.* wyjść. **2** *komp.* zakończyć, wyjść.

exotic [igzotik] egzotyczny.

expand [ikspænd] **1** powiększać się, rozwijać się (o firmie). **2** rozszerzać się (o metalu, gazie).

expansion [ikspænśzn] **1** ekspansja (terytorialna). **2** wzrost, rozwój.

expect [ikspekt] **1** oczekiwać. **2** *expect sb to do sth* oczekiwać, że ktoś coś zrobi. **3** *I expect* sądzę, spodziewam się, że....

expectation [ikspektejśzn] oczekiwanie.

expedition [ekspidiśzn] ekspedycja.

expel [ikspel] (II / III **expelled**) wyrzucić (ze szkoły).

expense [ikspens] **1** koszt. **2** *at sb's expense* na czyjś koszt.

expenses [ikspensiz] *l.mn.* wydatki.

expensive [ikspensiw] drogi, kosztowny.

experience I [ikspieriens] doświadczenie: *gain experience* zdobyć doświadczenie; *work experience* doświadczenie zawodowe.

experience II [ikspieriens] doświadczać.

experienced [ikspierienst] doświadczony.

experiment I [iksperiment] eksperymentować.

experiment II [iksperiment] ekperyment.

experimental [iksperimentl] eksperymentalny.

expert [ikspe:t] ekspert, specjalista.

expire [ikspaje] wygasać, tracić ważność.

expiry [ikspajeri] wygaśnięcie, utrata ważności: *expiry date* data ważności.

explain [iksplejn] **1** tłumaczyć, wyjaśniać. **2** *explain oneself* tłumaczyć się.

explanation [eksplenejśzn] wyjaśnienie, wytłumaczenie.

explicit [iksplisit] wyraźny.

explode [ikspleud] wybuchać.

exploit [iksplojt] **1** wyzyskiwać. **2** eksploatować, wydobywać.

exploration [eksplerejśzn] badanie, eksploracja.

explore [iksplo:] **1** badać (teren). **2** zgłębiać, analizować (problem).

explorer [iksplo:re] badacz, badaczka.

explosion [ikspleużn] wybuch.

explosive I [ikspleusiw] wybuchowy.

explosive II [ikspleusiw] materiał wybuchowy.

export I [ikspo:t] eksportować.

export II [ekspo:t] eksport.

exporter [ikspo:te] eksporter.

expose [ikspeuz] ujawnić, zdemaskować.

exposure [ikspeu*że*] **1** ujawnienie, zdemaskowanie. **2** wystawienie na działanie.

express I [ikspres] **1** wyrażać: *express feelings* wyrażać uczucia. **2** *express oneself* wyrażać siebie.

express II [ikspres] ekspresowy.

express III [ikspres] ekspres (o pociągu).

expression [ikspreśzn] **1** wyrażenie. **2** mina.

exquisite [ikskłizit / ekskłizit] piękny, wspaniały.

extend [ikstend] **1** rozciągać się. **2** poszerzyć, powiększyć: *We extended this room last year.* W zeszłym roku poszerzyliśmy ten pokój.

extension [ikstenśzn] **1** dobudówka. **2** *extension number* numer wewnętrzny.

extensive [ikstensiw] **1** rozległy. **2** obszerny. **3** szczegółowy.

extent [ikstent] rozmiar, zakres.

exterior I [iksti*erie*] zewnętrzny.

exterior II [iksti*erie*] część zewnętrzna.

external [ikste*:*nl] zewnętrzny.

extinct [iksti*n*kt] wymarły (o gatunku).

extinguish [iksti*n*głisz] zgasić, ugasić.

extinguisher [iksti*n*głisz*e*] gaśnica.

extra I [ekstr*e*] dodatkowy.

extra II [ekstr*e*] dodatkowo.

extract [ikstrækt] **1** wydobyć, uzyskać. **2** wyrwać (ząb). **3** wyłudzić.

extraordinary [ikstro:dnr*i*] **1** niezwykły. **2** niesamowity.

extravagant [ikstræw*e*gent] **1** wystawny, rozrzutny, ekstrawagancki. **2** imponujący, wspaniały.

extreme I [ikstri:m] **1** ekstremalny (np. temperatura). **2** skrajny (o opiniach).

extreme II [ikstri:m] **1** skrajność, ekstremalność. **2** *from one extreme to the other* z jednej skrajności w drugą.

extremely [ikstri:ml*i*] **1** skrajnie. **2** niezwykle, wyjątkowo.

eye [aj] **1** oko. **2** *believe one's eyes* wierzyć własnym oczom. **3** *black eye* podbite oko. **4** *invisible to the naked eye* niewidoczny gołym okiem.

eyebrow [**aj**brau] brew.

eyelash [**aj**læsz] rzęsa.

eyelid [**aj**lid] powieka.

eye shadow [**aj**śzædeu] cień do powiek.

eyesight [**aj**sajt] wzrok.

eyewitness [**aj**łitn*es*] naoczny świadek.

F

F [ef] szósta litera alfabetu.

fable [fejbl] bajka.

fabric [fæbrik] materiał, tkanina.

fabricate [fæbrikejt] **1** zmyślić. **2** fałszować.

fabricated [fæbrikejtid] **1** sfałszowany. **2** zmyślony.

fabulous [fæbju*les*] **1** niewiarygodny. **2** *nieform.* fantastyczny, super.

facade [fe*sa:*d] front, fasada budynku.

face I [fejs] *rzecz.* **1** twarz: *face to face* twarzą w twarz. **2** mina: *make (pull) a face (faces)* robić miny. **3** *in the face of sth* w obliczu czegoś.

face II [fejs] **1** obrócić się twarzą do. **2** stawić czoło: *let's face it* spójrzmy prawdzie w oczy. **3** (o budynku) wychodzić na coś. **4** *face the music* akceptować karę.

facial [fej*szl*] twarzowy, związany z twarzą: *facial expression* wyraz twarzy; *facial nerve* nerw twarzowy; *facial cream* krem do twarzy.

facilitate [fe*silitejt*] ułatwić.

facility [fe*sileti*] (*l.mn.* **facilities**) **1** łatwość. **2** *l.mn.* **facilities** udogodnienia.

facsimile [fæksi*meli*] **1** kopia. **2** faks.

fact [fækt] **1** fakt. **2** *as a matter of fact* ściśle rzecz biorąc.

faction [fækszn] frakcja (polityczna), odłam, klika.

factory [fæk*teri*] (*l.mn.* **factories**) fabryka.

faculty [fæk*elti*] (*l.mn.* **faculties**) **1** talent. **2** wydział (uczelni).

fade [fejd] **1** zanikać. **2** blaknąć. **3** więdnąć (o kwiatach).

faience [faj*a:*ns] fajans.

fail [fejl] **1** *fail to do sth* nie udać się. **2** nie zdać, oblać (egzamin).

failure [fejl*je*] **1** niepowodzenie. **2** wada.

faint [fejnt] **1** mdleć. **2** zasłabnąć.

fair I [fe:] **1** sprawiedliwy, uczciwy: *fair play* uczciwa gra. **2** odpowiedni. **3** (o włosach, cerze) jasny, blond.

fair II [fe:] uczciwie: *play fair* grać uczciwie.

fair III [fe:] targi.

fairly [fe:*li*] **1** rzetelnie. **2** całkowicie.

fairy [fe:*ri*] (*l.mn.* **fairies**) **1** czarodziejka, wróżka. **2** *pejor.* gej, ciota.

fairy tale [fe:*ri*tejl] bajka.

faith [fejθ] wiara, ufność.

faithful [fejθfl] wierny, lojalny.

faithfully [fejθfeli] **1** wiernie. **2** *BR yours faithfully* z poważaniem (w listach do osób, których nazwiska nie znamy, zaczynanych od *Dear Sir / Madam*).

fake [fejk] fałszerstwo, oszustwo.

falcon [fo:lken] sokół.

fall I [fo:l] (II **fell** [fel], III **fallen** [fo:len]) **1** upaść. **2** spadać, obniżać się. **3** *fall asleep* zasnąć. **4** *fall in love with sb* zakochać się w kimś.

◆ **fall apart** *przen.* rozpaść się.

◆ **fall out** wypadać (o włosach, zębach).

◆ **fall over 1** przewrócić się. **2** *nieform.* (*komp.*) przestać funkcjonować.

fall II [fo:l] **1** upadek. **2** opad. **3** spadek. **4** *AM* jesień.

false [fo:ls] **1** błędny. **2** obłudny. **3** fałszywy.

fame [fejm] sława.

familiar [femilje] **1** znajomy. **2** spoufalony.

family [fæmeli] (*l.mn.* **families**) rodzina: *family name* nazwisko; *family tree* drzewo genealogiczne.

famine [fæmin] **1** głód. **2** brak.

famous [fejmes] sławny, słynny.

fan [fæn] **1** wentylator. **2** wachlarz. **3** fan, kibic.

fanatic [fenætik] fanatyk.

fancy I [fænsi] **1** kaprys. **2** fantazja.

fancy II [fænsi] fantazyjny.

fancy III [fænsi] (II / III **fancied**) *BR* mieć ochotę.

fantastic [fæntæstik] **1** nierzeczywisty. **2** *nieform.* fantastyczny, wspaniały.

fantasy [fæntesi] **1** wyobraźnia. **2** zachcianka.

far I [fa:] (*stopień wyższy* **farther** *albo* **further**, *najwyższy* **(the) farthest** *albo* **furthest**) daleki, odległy.

far II [fa:] (*stopień wyższy* **farther** *albo* **further**, *najwyższy* **farthest** *albo* **furthest**) **1** daleko (w czasie, przestrzeni): *far away* daleko stąd. **2** *as far as* o ile, aż do. **3** *so far* jak dotąd. **4** *as far as I know* o ile wiem.

fare [fe:] opłata za podróż.

farewell [fe:lel] pożegnanie.

farm [fa:m] ferma, gospodarstwo rolne.

farmer [fa:me] rolnik.

farther [fa:ðe] *zob.* **far**.

farthest [fa:ðist] *zob.* **far**.

fascinate [fæsinejt] fascynować, zachwycać.

fascinating [fæsinejtin] zachwycający, fascynujący.

fascination [fæsinejśzn] fascynacja.

fascism [fæśzizem] faszyzm.

fascist [fæśzist] faszysta.

fashion [fæśzn] **1** moda, styl. **2** *in fashion* modny; *out of fashion* niemodny.

fashionable [fæśznebl] modny.

fast I [fa:st] **1** szybki. **2** pospieszny (pociąg).

fast II [fa:st] **1** szybko. **2** *be fast asleep* spać mocno (głęboko).

fast III [fa:st] post.

fasten [fa:sn] **1** zamknąć. **2** przymocować. **3** zapiąć, zawiązać: *fasten seatbelts* zapiąć pasy.

fat I [fæt] **1** tłusty. **2** gruby: *grow fat* tyć.

fat II [fæt] tłuszcz.

fatal [fejtl] **1** śmiertelny w skutkach. **2** fatalny.

fatal error [fejtl er*e*] *komp.* błąd krytyczny.

fate [fejt] **1** przeznaczenie, los. **2** zguba, śmierć.

father [fa:ð*e*] **1** ojciec. **2** ksiądz. **3** *The Holy Father* Ojciec Święty. **4** *BR Father Christmas* Święty Mikołaj.

fatherhood [fa:ð*e*hud] ojcostwo.

father-in-law [fa:ð*e*rinlo:] (*l.mn.* **fathers-in-law**) teść.

fatherland [fa:ð*e*lænd] kraj ojczysty, ojczyzna.

fault [fo:lt] **1** wada. **2** usterka. **3** wina: *It was all my fault.* To wszystko moja wina.

faulty [fo:lti] wadliwy, błędny.

fauna [fo:n*e*] fauna.

favour (*AM* **favor**) [fejw*e*] **1** łaska. **2** przysługa. **3** *do me a favour* wyświadcz mi przysługę. **4** *in favour of sb* na czyjąś korzyść.

favourable (*AM* **favorable**) [fejw*e*rebl] **1** życzliwy. **2** korzystny.

favourite (*AM* **favorite**) **I** [fejwrit] ulubiony.

favourite (*AM* **favorite**) **II** [fejwrit] ulubieniec.

fax I [fæks] faks (maszyna lub dokument).

fax II [fæks] faksować, przesyłać coś faksem.

fear I [fi*e*] lęk, strach.

fear II [fi*e*] bać się.

fearful [fi*e*fl] zaniepokojony.

fearless [fi*e*les] nieustraszony.

feast [fi:st] **1** uczta. **2** uroczystość.

feather [feð*e*] pióro ptasie.

feature [fi:cz*e*] **1** cecha, właściwość. **2** *features* rysy twarzy.

February [febru*e*ri] luty.

fed *zob.* **feed**.

federal [feder*e*l] związkowy, federalny.

federation [feder*e*jszn] federacja.

fee [fi:] opłata, czesne.

feed [fi:d] (**II / III fed** [fed]) **1** karmić. **2** *komp.* zasilać, doprowadzać. **3** *nieform. be fed up with sth* mieć czegoś po dziurki w nosie, być czymś zmęczonym.

feel [fi:l] (**II / III felt** [felt]) **1** wyczuwać dotykiem. **2** czuć, czuć się. ◆ **feel for** *sb* współczuć komuś.

feeling [fi:lin] **1** uczucie. **2** dotyk. **3** odczucie.

feet *zob.* **foot**.

fell *zob.* **fall**.

fellow [fele*u*] *pot.* gość, facet.

felt I *zob.* **feel**.

felt II [felt] filc.

felt-tip pen [felttippen] pisak, flamaster.

female I [fi:mejl] płci żeńskiej, żeński.

female II [fi:mejl] osobnik płci żeńskiej, samica: *male and female* obojga płci.

feminine [feminin] 1 żeński, kobiecy. 2 rodzaju żeńskiego (w językoznawstwie).

fence I [fens] ogrodzenie.

fence II [fens] 1 ogrodzić. 2 uprawiać szermierkę.

fern [fe:n] paproć (roślina).

ferry [feri] (*l.mn.* ferries) prom.

fertile [fe:tajl] 1 płodny. 2 żyzny.

fertility [fe:tileti] płodność.

fertilize [fe:tilajz] 1 zapładniać. 2 użyźniać.

fertilizer [fe:tilajze] nawóz.

festival [festiwl] 1 święto. 2 festiwal.

fetch [fećz] pójść po coś, sprowadzić.

fever [fi:we] 1 gorączka. 2 rozgorączkowanie.

feverish [fi:weriš] 1 gorączkowy. 2 rozgorączkowany.

few [fju:] 1 mało, trochę, niewiele. 2 *a few* nieco, kilka, kilkoro.

fiancé [fijonsej] narzeczony.

fianceé [fijonsej] narzeczona.

fibre (*AM* fiber) [fajbe] 1 włókno. 2 błonnik.

fiction [fikšzn] 1 fikcja. 2 beletrystyka.

fictional [fikšzenl] beletrystyczny.

fictitious [fiktišzes] fikcyjny, urojony.

fiddle [fidl] 1 *pot.* skrzypce, skrzypki. 2 *(as) fit as a fiddle* zdrów jak ryba.

fidelity [fideleti] 1 wierność (ideałom). 2 dokładność.

field [fi:ld] 1 pole. 2 boisko. 3 domena.

fierce [fies] 1 srogi, wściekły. 2 gwałtowny.

fifteen [fifti:n] piętnaście.

fifteenth [fifti:nθ] piętnasty.

fifth [fifθ] piąty.

fiftieth [fiftieθ] pięćdziesiąty.

fifty [fifti] pięćdziesiąt.

fig [fig] figa.

fight I [fajt] (II / III fought [fo:t]) 1 walczyć. 2 kłócić się.

fight II [fajt] walka, bitwa.

fighter [fajte] 1 żołnierz, bojownik. 2 myśliwiec (samolot).

figure [fige] 1 liczba, cyfra. 2 postać. 3 kształt. 4 figura (matematyczna). 5 obraz, ilustracja.

file I [fajl] 1 segregator. 2 kartoteka. 3 *komp.* plik.

file II [fajl] 1 segregować. 2 złożyć dokument.

fill [fil] napełniać (się).
   ◆ **fill** *sth* **in** wypełnić coś (dokument, formularz).

fillet [filit] filet.

filling [filin] 1 plomba. 2 farsz.

filling station [filinstejšzn] stacja benzynowa.

film I [film] 1 film fotograficzny, negatyw. 2 film (kino, TV). 3 warstwa.

film II [film] filmować.

filter I [filte] filtr.

filter II [filt*e*] filtrować.
filth [filθ] brud.
filthy [filθ*i*] brudny.
fin [fin] płetwa.
final I [fajnl] końcowy, ostateczny.
final II [fajnl] **1** finał (w sporcie). **2** *BR*
finals egzaminy końcowe.
finally [fajn*e*li] w końcu, wreszcie.
finance I [**faj**næns / **fi**næns] finansować.
finance II [**faj**næns / **fi**næns] finanse.
financial [fajnænszl / finænszl] finansowy.
find [fajnd] (II / III **found** [faund])
1 znajdować. **2** odkrywać. **3** stwierdzać.
◆ **find** *sth* **out** odkryć coś, dowiedzieć się o czymś.
fine I [fajn] **1** ładny, przyjemny.
2 drobny. **3** czysty. **4** *be fine* dobrze się mieć, czuć.
fine II [fajn] pięknie, dobrze.
fine III [fajn] grzywna, kara pieniężna.
finger [fi*n*g*e*] **1** palec (u ręki). **2** *keep*
one's fingers crossed for sb trzymać za kogoś kciuki.
fingerprint [fi*n*g*e*print] odcisk palca.
finish I [finisz] kończyć (się).
◆ **finish with** *sb* **(sth)** skończyć
z kimś (czymś): *I've finished*
with Tim. Skończyłam z Timem.
finish II [finisz] koniec, finisz (w sporcie).

fire I [faj*e*] **1** ogień: *catch fire* zapalić się; *set sth on fire (set fire to*
sth) podpalić coś. **2** pożar: *fire*
brigade straż pożarna; *fire escape*
wyjście przeciwpożarowe; *fire*
extinguisher gaśnica.
fire II [faj*e*] **1** zapalić. **2** *nieform.*
wyrzucić z pracy. **3** strzelać.
fireman [faj*e*m*e*n] (*l.mn.* **firemen**)
strażak.
fireplace [faj*e*plejs] kominek.
fireworks [faj*e*ł*e*:ks] sztuczne ognie.
firm I [fe:m] firma, przedsiębiorstwo.
firm II [fe:m] **1** mocny, trwały. **2** stanowczy.
first I [fe:st] pierwszy.
first II [fe:st] **1** najpierw, po raz
pierwszy, po pierwsze. **2** *at first*
początkowo, na początku. **3** *first*
of all przede wszystkim. **4** *for the*
first time po raz pierwszy.
first aid [fe:stejd] pierwsza pomoc
(w nagłych wypadkach).
first name [fe:stnejm] imię.
fish I [fisz] (*l.mn.* **fish** *albo* **fishes**)
1 ryba. **2** *have other fish to fry*
mieć ważniejsze sprawy na głowie.
3 *neither fish nor flesh nor good*
red herring ni pies ni wydra.
fish II [fisz] łowić ryby.
fisherman [fisz*e*m*e*n] (*l.mn.* **fishermen**) rybak.
fishing [fiszi*n*] rybołówstwo, wędkarstwo: *go fishing* iść na ryby.
fishing rod [fiszi*n*rod] wędka.

fist [fist] pięść.

fit I [fit] **1** *fit for sth* odpowiedni. **2** zdrowy: *keep fit* utrzymywać kondycję; *fit as a fiddle* zdrów jak ryba.

fit II [fit] (II / III **fitted**) **1** pasować (o ubraniu): *fit like a glove* pasować jak ulał. **2** dopasować (o ubraniu).

fit III [fit] **1** krój. **2** atak (choroby).

five [fajw] **1** pięć. **2** piąta (godzina).

fix [fiks] **1** przymocować. **2** naprawić, uporządkować. **3** wyznaczyć (spotkanie).

flag [flæg] flaga, bandera.

flake [flejk] łuska, płatek: *snowflake* płatek śniegu; *cornflakes* płatki kukurydziane.

flame I [flejm] płomień.

flame II [flejm] płonąć.

flap I [flæp] trzepotać, klapnąć.

flap II [flæp] **1** lekkie uderzenie. **2** klapa, klapka.

flare [fle:] migotać, błyskać.

flash I [flæsz] **1** błyskać. **2** nadawać.

flash II [flæsz] **1** błysk. **2** lampa błyskowa, flesz.

flashlight [flæszlajt] latarka.

flask [fla:sk] płaska butelka.

flat I [flæt] **1** równy, płaski. **2** bez powietrza (o dętce). **3** wyładowany (o baterii).

flat II [flæt] **1** mieszkanie: *a block of flats* blok mieszkalny. **2** płaszczyzna. **3** równina.

flatter [flæte] pochlebiać.

flattery [flæteri] pochlebstwo.

flavour (*AM* **flavor**) [flejwe] smak.

flaw [flo:] **1** rysa. **2** wada.

flax [flæks] len.

flea [fli:] pchła.

flea market [fli:ma:kit] pchli targ.

fleck [flek] plamka, cętka.

fled *zob.* **flee**.

flee [fli:] (II / III **fled** [fled]) uciekać.

fleet [fli:t] flota.

flesh [flesz] **1** ciało. **2** mięso.

flew *zob.* **fly**.

flexibility [fleksebileti] **1** elastyczność. **2** umiejętność dostosowania się.

flexible [fleksebl] **1** elastyczny. **2** umiejący się dostosować (człowiek).

flicker I [flike] **1** błyskać. **2** mrugać.

flicker II [flike] **1** migotanie. **2** drganie.

flier (**flyer**) [flaje] **1** lotnik. **2** ulotka reklamowa.

flight [flajt] **1** lot. **2** stado ptaków, eskadra samolotów. **3** ucieczka.

flight attendant [flajtetendent] steward, stewardessa.

flimsy [flimzi] kruchy, cienki.

fling [flin] (II / III **flung** [flan]) rzucać.

flint [flint] krzemień.

flipper [flipe] odnóże pływne (np. żółwia, foki), płetwa.

flirt [fle:t] **1** flirtować. **2** machać (skrzydłami).

flirtation [fle:tejszn] flirt.

float [fleut] unosić się (na wodzie).

flock [flok] **1** stado. **2** gromada, tłum.

flood I [flad] **1** powódź. **2** *przen.* zalew, wielka ilość.

flood II [flad] zalewać, zatapiać.

floodgate [fladgejt] śluza.

floor [flo:] **1** podłoga. **2** piętro (budynku): *first floor BR* pierwsze piętro, *AM* parter; *ground floor BR* parter. **3** dno (morza).

floppy disk [flopi disk] *komp.* dyskietka.

flora [flo:re] flora.

flour [flaue] mąka.

flourish [flariš] **1** kwitnąć. **2** prosperować.

flow I [fleu] płynąć, przepływać.

flow II [fleu] **1** przepływ. **2** przypływ.

flower [flaue] kwiat.

flowerbed [flauebed] grządka kwiatowa.

flowerpot [flauepot] doniczka.

flown *zob.* **fly II.**

flu [flu:] *pot.* grypa.

fluent [flu:ent] płynny, biegły (w mowie).

fluently [flu:entli] płynnie, biegle (mówić).

fluffy [flafi] puszysty.

fluid I [flu:id] płynny.

fluid II [flu:id] płyn.

fluidity [flu:ideti] płynność.

flung *zob.* **fling.**

flush [flaš] **1** zaczerwienić się. **2** spłukiwać (wodą): *He flushed the loo.* Spuścił wodę w ubikacji.

flute [flu:t] flet.

fly I [flaj] (*l.mn.* **flies**) **1** mucha. **2** (*BR* często **flies**) rozporek. **3** *komp.* **on the fly** podczas pracy programu.

fly II [flaj] (II **flew** [flu:], III **flown** [fleun]) **1** fruwać, latać (o ptaku). **2** latać (samolotem). **3** mknąć.

flyer *zob.* **flier.**

flying saucer [flajin so:se] latający talerz (UFO).

foam I [feum] piana.

foam II [feum] pienić się.

focus I [feukes] (*l.mn.* **focuses** *albo* **foci** [feusai]) **1** ognisko (w fizyce). **2** centrum, siedlisko: *focus of attention* centrum uwagi.

focus II [feukes] **1** ogniskować. **2** nastawiać ostrość.

foe [feu] wróg, przeciwnik.

fog [fog] mgła.

foggy [fogi] **1** mglisty (o pogodzie). **2** *przen.* niepewny. **3** *not have the foggiest idea* nie mieć zielonego (najmniejszego) pojęcia, zupełnie nie wiedzieć.

fold I [feuld] zagięcie, fałda.

fold II [feuld] **1** składać, zaginać. **2** otulać.

folder [feulde] **1** skoroszyt. **2** broszurka, ulotka. **3** *komp.* zbiór plików, folder.

folk I [feuk] **1** ludzie. **2** *one's folks* rodzina, zwłaszcza rodzice. **3** muzyka ludowa (folkowa).

folk II [feuk] ludowy.

folklore [feuklo:] folklor.

follow [foleu] 1 *follow sb* iść za kimś, śledzić kogoś. 2 podążać. 3 stosować się do czegoś (o instrukcjach).

follower [foleue] zwolennik.

following [foleuin] 1 następujący: *the following* co następuje. 2 następny.

fond [fond] 1 czuły, kochający. 2 *be fond of sb (sth)* lubić kogoś (coś).

font [font] 1 chrzcielnica. 2 (*BR też fount*) komplet czcionek, krój.

food [fu:d] pokarm, jedzenie: *frozen food* mrożonki.

fool I [fu:l] głupiec: *make a fool of oneself* ośmieszyć się; *make a fool of sb* zrobić z kogoś durnia.

fool II [fu:l] 1 wygłupiać się. 2 *fool sb* okpić kogoś.

foolish [fu:liś] głupi.

foot [fu:t] (*l.mn.* **feet** [fi:t]) 1 stopa. 2 noga (zwierzęcia). 3 spód, dół. 4 stopa (jednostka miary). 5 *on foot* pieszo.

football [futbo:l] 1 piłka nożna, futbol. 2 futbol amerykański.

footballer [futbo:le] piłkarz.

footprint [futprint] ślad stopy.

footstep [futstep] 1 krok. 2 *follow (tread) in sb's footsteps* iść w czyjeś ślady.

footwear [futłe:] obuwie.

for I [fo:] 1 dla: *I've got something for you.* Mam coś dla Ciebie. 2 za, po stronie. 3 w imieniu. 4 dla, do, w celu: *tools for making a wooden box* narzędzia do wykonania drewnianej skrzynki. 5 dla, z, z powodu: *I sing for joy.* Śpiewam dla zabawy. 6 do (kierunek). 7 po, za (o cenie): *Pencils are for $ 1.40.* Ołówki są po 1,40 dolara. 8 od, przez, na (okres czasu): *He was jailed for 10 months.* Więzili go przez 10 miesięcy.; *for some time* na (przez) jakiś czas; *for ever (for-ever)* na zawsze.

for II [fo:] ponieważ, gdyż.

forbade *zob.* **forbid**.

forbid [febid] (II **forbade** [febejd], III **forbidden** [febidn]) zakazywać, zabraniać.

forbidden [febidn] zakazany, niedozwolony: *strictly forbidden* surowo zakazane.

force I [fo:s] 1 siła, moc. 2 przemoc: *by force* przemocą, siłą. 3 siła (w fizyce).

force II [fo:s] 1 wymuszać, narzucać: *force sb to do sth* zmusić kogoś do zrobienia czegoś. 2 forsować.

forecast I [fo:ka:st] (II / III **forecast** [fo:ka:st]) przewidywać, zapowiadać.

forecast II [fo:ka:st] przewidywanie, prognoza: *weather forecast* prognoza pogody.

forehand [fo:hænd] uderzenie w tenisie, forhend.

forehead [forid / fo:hed] czoło.

foreign [forin] 1 obcy, cudzoziemski: *foreign language* język obcy.

2 zagraniczny: *Foreign Office* Ministerstwo Spraw Zagranicznych.

foreigner [fori*ne*] obcokrajowiec, cudzoziemiec.

forest [fo*ri*st] las.

forever (**for ever**) [fe*rewe*] zawsze, na zawsze.

forgave *zob.* **forgive**.

forge I [fo:dż] kuźnia.

forge II [fo:dż] **1** kuć. **2** fałszować, podrabiać.

forgery [fo:dż*eri*] **1** fałszerstwo. **2** falsyfikat.

forget [f*e*get] (II **forgot** [f*e*got], III **forgotten** [f*e*gotn] *albo AM* **forgot**) **1** zapominać: *forget to do sth* zapomnieć coś zrobić. **2** nie pamiętać. **3** *forget it!* **a)** nie ma o czym mówić!, nie ma sprawy!; **b)** zapomnij!, nie ma mowy!

forgetful [f*e*getfl] zapominalski.

forgive [f*e*giw] (II **forgave** [f*e*gejw], III **forgiven** [f*e*giwn]) **1** wybaczać. **2** darować.

forgiveness [f*e*giwnis] wybaczenie.

fork [fo:k] **1** widelec. **2** widły.

form I [fo:m] **1** forma, postać. **2** rodzaj. **3** formularz: *complete (fill in) a form* wypełnić formularz. **4** kondycja, samopoczucie (w sporcie). **5** klasa, oddział (w szkole).

form II [fo:m] **1** kształtować, formować. **2** rozwijać. **3** tworzyć, ustanowić.

formal [fo:ml] **1** formalny. **2** urzędowy, oficjalny.

formality [fo:mæl*eti*] (*l.mn.* **formalities**) formalność.

format [fo:mæt] *komp.* formatować.

former [fo:m*e*] **1** dawny, były. **2** *the former* pierwszy (z dwóch): *The former view is more interesting than the latter.* Ten pierwszy pogląd jest bardziej interesujący niż ten drugi.

formerly [fo:m*eli*] poprzednio, dawniej.

formula [fo:mjul*e*] (*l.mn.* **formulae** [fo:mjuli:] *albo* **formulas**) **1** formuła. **2** przepis (prawny). **3** wzór (w matematyce).

formulate [fo:mjulejt] formułować, wyrażać.

fortieth [fo:ti*e*θ] czterdziesty.

fortnight [fo:tnajt] dwa tygodnie.

fortress [fo:tris] forteca.

fortunately [fo:cz*e*netli] na szczęście.

fortune [fo:czn] **1** traf, los. **2** fortuna, majątek: *make a fortune* robić majątek.

forty [fo:ti] czterdzieści.

forward I [fo:ł*e*d] przedni, skierowany do przodu.

forward II (**forwards**) [fo:ł*e*d] naprzód, do przodu.

forward III [fo:ł*e*d] **1** przesłać dalej. **2** ekspediować.

fossil [fosl] skamieniałość.

fought *zob.* **fight**.

foul I [faul] **1** wstrętny, odrażający. **2** brudny, plugawy.

foul II [faul] **1** brudzić. **2** faulować (w sporcie).

found I *zob.* **find**.

found II [faund] **1** zakładać, tworzyć. **2** fundować. **3** opierać: *be founded on sth* opierać się na czymś.

foundation [faundej́szn] **1** fundament: *foundation stone* kamień węgielny. **2** fundacja. **3** założenie.

foundling [faundlin] *przest.* podrzutek.

foundry [faundri] odlewnia.

fount [faunt] *zob.* **font**.

fountain [fauntin] fontanna.

fountain pen [fauntinpen] wieczne pióro.

four [fo:] **1** cztery. **2** czwarta (godzina).

fourteen [fo:ti:n] czternaście.

fourteenth [fo:ti:nθ] czternasty.

fourth [fo:θ] czwarty.

fowl [faul] (*l.mn.* **fowl** *albo* **fowls***)* **1** ptak (domowy), drób. **2** ptactwo.

fox [foks] lis.

fraction [frækszn] **1** drobina, część. **2** ułamek.

fracture I [frækcze] pęknięcie, złamanie.

fracture II [frækcze] złamać (się), pęknąć.

fragile [frædżajl] **1** kruchy, łamliwy. **2** wątły.

fragment [frægment] **1** fragment (rozmowy, tekstu). **2** odłamek (np. porcelany).

fragmentary [frægmentri] fragmentaryczny, częściowy.

fragrance [frejgrens] aromat, woń.

fragrant [frejgrent] aromatyczny, pachnący.

frame [frejm] **1** rama, oprawa. **2** szkielet (konstrukcji). **3** budowa ciała.

framework [frejmłe:k] **1** szkielet konstrukcji. **2** *przen.* struktura.

franchise [frænczajz] licencja, koncesja.

frank [frænk] otwarty, szczery.

frankly [frænkli] szczerze.

frantic [fræntik] szalony, zapamiętały.

fraternity [frete:neti] **1** bractwo. **2** braterstwo.

fraud [fro:d] **1** oszustwo. **2** oszust.

freak [fri:k] **1** kaprys, wybryk: *freak of nature* wybryk natury. **2** *nieform.* świr.

freckle [frekl] pieg, plamka.

free I [fri:] **1** wolny. **2** niezależny. **3** bezpłatny. **4** niezajęty: *The toilet is free.* Toaleta jest wolna.

free II [fri:] uwolnić, wyzwolić.

free III [fri:] bezpłatnie: *for free* za darmo.

freedom [fri:dem] wolność, swoboda.

freeze [fri:z] (II **froze** [freuz], III **frozen** [freuzn]) **1** marznąć, zamarzać. **2** zamrażać.

freezer [fri:ze] chłodnia, zamrażarka.

French [frenćz] francuski.
French fries [frenćzfrajz] frytki.
Frenchman [frenćzmen] Francuz.
frequency [fri:kłensi] częstość, częstotliwość.
frequent I [fri:kłent] częsty.
frequent II [frikłent] uczęszczać, bywać.
fresco [freskeu] fresk.
fresh [freśz] **1** świeży. **2** nowy. **3** *fresh water* słodka woda.
friar [fraje] mnich.
friction [frikśzn] tarcie, pocieranie.
Friday [frajdi / frajdej] piątek.
fridge [fridź] *nieform. BR* lodówka.
fried *zob.* **fry.**
friend [frend] **1** przyjaciel, kolega: *a friend of mine (John's)* mój (Johna) przyjaciel. **2** *make friends with sb* zaprzyjaźnić się z kimś.
friendly [frendli] przyjazny, przyjacielski.
friendship [frendśzip] przyjaźń.
fright [frajt] strach: *die of fright* umierać ze strachu.
frighten [frajtn] straszyć, przestraszyć.
frightened [frajtend] przestraszony, wystraszony.
fringe [frindź] **1** frędzel. **2** *BR* grzywka.
frizzy [frizi] skręcony, kędzierzawy.
frock [frok] **1** suknia. **2** habit.
frog [frog] żaba.
frogman [frogmen] (*l.mn.* **frogmen**) płetwonurek.

from [frem / *mocne* from] od, z: *from... to...* od... do…; *from above* z góry; *from here* stąd; *from there* stamtąd; *from now on* od tej chwili.
front I [frant] **1** przód, czoło: *in front of* przed. **2** front (na wojnie).
front II [frant] frontowy, czołowy: *front seat* przednie siedzenie.
frontier [frantje] granica.
frost I [frost] mróz.
frosty [frosti] mroźny, oszroniony.
froth [froθ] piana.
frown [fraun] marszczyć brwi.
frozen [freuzn] **1** zamarznięty. **2** mrożony (o jedzeniu).
fruit [fru:t] (*l.mn.* **fruit** *albo* **fruits**) owoc: *citrus fruit* owoce cytrusowe.
fruitful [fru:tfl] owocny.
fruitless [fru:tles] bezowocny.
frustrate [frastrejt] frustrować.
frustration [frastrejśzn] **1** pokrzyżowanie planów. **2** frustracja.
fry [fraj] (II / III **fried**) smażyć (się).
frying pan [frajinpæn] **1** patelnia. **2** *out of the frying pan into the fire* z deszczu pod rynnę.
FTP *komp. file transfer protocol* protokół przesyłania plików.
fuck I [fak] *wulg.* pieprzenie, pierdolenie.
fuck II [fak] *wulg.* pieprzyć, pierdolić: *We're fucked!* Jesteśmy udupieni!; *Fuck me!* Ja pierdolę!; *Fuck you!* Pierdol się!

◆ **fuck off** *wulg.* spieprzać, spierdalać.

fuel [fju:el] paliwo: *diesel fuel* olej napędowy.

fugitive [fju:dżetiw] zbieg, uciekinier.

fulfil (*AM* **fulfill**) [fulfil] 1 spełniać (obowiązek). 2 zaspokajać (potrzeby).

fulfilment (*AM* **fulfillment**) [fulfilment] spełnienie (np. obowiązków), wykonanie.

full I [ful] pełny, kompletny.

full II [ful] całość, pełnia: *in full* w całości.

full moon [fulmu:n] pełnia (księżyca).

full-time [fultajm] pełnoetatowy, w pełnym wymiarze czasu.

fully [fuli] całkowicie, w pełni.

fume [fju:m] dym, opary.

fun [fan] 1 wesołość, zabawa. 2 *for fun* dla zabawy. 3 *have fun* dobrze się bawić.

function I [fankszn] funkcja, zadanie: *perform a function* spełniać zadanie.

function II [fankszn] funkcjonować, działać.

function key [fanksznki:] *komp.* klawisz funkcyjny.

functional [fankszenl] 1 funkcjonalny, czynnościowy. 2 funkcyjny (w matematyce).

fund [fand] fundusz.

fundamental [fandementl] podstawowy, fundamentalny.

funeral [fju:nerel] pogrzeb.

funfair [fanfe:] *BR* wesołe miasteczko.

fungus [fanges] (*l.mn.* **fungi** [fangaj / fandżaj] *albo* **funguses**) grzyb.

funky [fanki] *nieform.* 1 muzyka funky. 2 nowoczesny.

funny [fani] zabawny, śmieszny.

fur [fe:] 1 futro, sierść. 2 skóra futerkowa.

furious [fjueries] wściekły, bardzo zły.

furnish [fe:nisz] dostarczać, wyposażać.

furniture [fe:nicze] meble, umeblowanie: *a piece of furniture* mebel.

further I [fe:ðe] 1 *zob.* **far**. 2 kolejny.

further II [fe:ðe] 1 *zob.* **far**. 2 bardziej, więcej.

furthest [fe:ðest] *zob.* **far**.

fury [fjueri] furia, wściekłość.

fuse [fju:z] 1 bezpiecznik. 2 lont.

fuss [fas] zamieszanie, krzątanina: *make a fuss about (over) sth* robić wiele hałasu o coś.

futile [fju:tajl] daremny, bezskuteczny.

future I [fju:cze] *the future* przyszłość: *in (the) future* od dziś, w przyszłości.

future II [fju:cze] przyszły.

futuristic [fju:czeristik] futurystyczny.

G

G [dżi:] siódma litera alfabetu.
gadget [gædżit] przyrząd, urządzenie.
gaffe [gæf] gafa.
gag [gæg] **1** knebel. **2** gag (filmowy).
gage *zob.* **gauge.**
gaily [gejli] **1** wesoło. **2** barwnie.
gain I [gejn] **1** zdobyć, zyskać. **2** nabrać (właściwości). **3** spieszyć się (o zegarku).
gain II [gejn] **1** wzrost. **2** zysk.
galaxy [gæleksi] **1** (*l.mn.* **galaxies**) galaktyka. **2** *the Galaxy* Galaktyka (nasza).
gale [gejl] wichura.
gallery [gæleri] (*l.mn.* **galleries**) **1** galeria. **2** podium.
gallon [gælen] galon (jednostka objętości).
gallop I [gælep] galopować.
gallop II [gælep] galop.
gallows [gæleuz] (*l.mn.* **gallows**) szubienica.
gamble I [gæmbl] uprawiać hazard.
gamble II [gæmbl] ryzyko.
gambler [gæmble] hazardzista.
game [gejm] **1** gra. **2** *l.mn.* **games** igrzyska, zawody: *Olimpic games* igrzyska olimpijskie.
gander [gænde] gąsior.

gang [gæn] **1** gang, banda (przestępców). **2** brygada, ekipa (pracowników). **3** *nieform.* paczka (znajomych).
gangster [gænste] członek gangu.
gaol *zob.* **jail.**
gap [gæp] **1** szpara, luka. **2** różnica.
garage [gæra:ż / gæridż] **1** garaż. **2** warsztat.
garbage [ga:bidż] **1** śmieci. **2** *komp.* zbędne dane. **3** *nieform.* bzdury.
garden [ga:dn] **1** ogród. **2** *l.mn.* **gardens** ogród (dla roślin, zwierząt): *zoological (botanical) gardens* ogród zoologiczny (botaniczny).
gardener [ga:dne] ogrodnik.
gardening [ga:dnin] ogrodnictwo.
garlic [ga:lik] czosnek.
gas [gæs] **1** gaz: *fuel gas* paliwo gazowe. **2** *AM nieform.* benzyna.
gaseous [gæsjes] lotny, gazowy.
gasoline (**gasolene**) [gæseli:n] *AM* benzyna.
gasp I [ga:sp] ciężki oddech, dyszenie.
gasp II [ga:sp] dyszeć.
gas station [gæsstejśzn] *AM* stacja benzynowa.
gate [gejt] **1** brama. **2** szlaban. **3** furtka. **4** bramka (na lotnisku).

gather [gæðe] 1 zbierać się, gromadzić. 2 zbierać, zrywać (owoce, kwiaty).

gathering [gæðerin] zgromadzenie.

gauge (*AM* **gage**) [gejdż] 1 skala. 2 narzędzie pomiarowe.

gave *zob.* **give**.

gay I [gej] 1 homoseksualny, gejowski. 2 *przest.* radosny.

gay II [gej] homoseksualista, gej.

gaze [gejz] przyglądać się.

gear [gie] 1 koło zębate. 2 bieg (w samochodzie).

geese *zob.* **goose**.

gel [dżel] żel.

gelatine [dżeleti:n] żelatyna.

gem [dżem] 1 kamień szlachetny. 2 *przen.* klejnot.

Gemini [dżeminaj / dżemini:] Bliźnięta (znak zodiaku)

gender [dżende] rodzaj (w gramatyce).

gene [dżi:n] gen.

genealogy [dżi:niæledżi] genealogia.

general I [dżenerel] 1 ogólny, powszechny. 2 *in general* na ogół, ogólnie. 3 generalny (dyrektor).

general II [dżenrel] generał.

generally [dżenreli] 1 zwykle. 2 ogólnie: *generally speaking* ogólnie mówiąc.

generate [dżenerejt] 1 wywoływać (emocje). 2 wytwarzać.

generation [dżenerejszn] 1 wytwarzanie. 2 pokolenie.

generosity [dżeneroseti] 1 wielkoduszność. 2 hojność.

generous [dżeneres] 1 hojny. 2 wielkoduszny.

genetic [dżenetik] genetyczny.

genetics [dżenetiks] genetyka.

genial [dżi:niel] 1 dobrotliwy. 2 łagodny (o klimacie).

genius [dżi:nies] 1 geniusz, talent. 2 (*l.mn.* **geniuses**) geniusz (osoba). 3 (*l.mn.* **genii** [dżinjaj]) *one's good (bad) genius* czyjś dobry (zły) duch opiekuńczy.

gentle [dżentl] 1 miły, łagodny. 2 delikatny.

gently [dżentli] delikatnie, łagodnie.

gentleman [dżentlmen] (*l.mn.* **gentlemen**) 1 pan: *ladies and gentlemen* panie i panowie. 2 dżentelmen.

gentleness [dżentlnes] delikatność, łagodność.

gents [dżents] *nieform.* toaleta męska.

genuine [dżenjuin] 1 prawdziwy. 2 szczery.

genus [dżi:nes] (*l.mn.* **genera** [dżenere] *albo* **genuses**) 1 rodzaj (w systematyce). 2 klasa, gatunek.

geographer [dżiogrefe] geograf.

geographical [dżi:egræfikl] geograficzny.

geography [dżiogrefi] geografia.

geologist [dżioledżist] geolog.

geology [dżioledżi] geologia.

geometrical (**geometric**) [dżi:eumetrikl (dżi:eumetrik)] geometryczny.

geometry [dżio*me*tri] geometria.

germ [dże:m] zarazek.

German [dże:men] **1** niemiecki. **2** Niemiec.

gesture I [*dże*sćze] gest.

gesture II [*dże*sćze] dać znak.

get [get] (II **got** [got], III **got** [got] *albo AM lub przest.* **gotten** [gotn]) **1** dostać (otrzymać). **2** dostać (zarazić się). **3** przynieść. **4** stawać się: *It's getting late.* Robi się późno.

◆ **get away** uciec.

◆ **get back 1** wrócić. **2** cofać się.

◆ **get down 1** połykać. **2** notować.

◆ **get in** wsiąść, wejść.

◆ **get off 1** wysiąść. **2** *nieform.* **get off!** odczep się!, spadaj!

◆ **get on 1** mieć ze sobą dobre stosunki. **2** radzić sobie.

◆ **get out 1** wydostać się. **2** uciec. **3** *nieform.* **Get out of here!** Wynoś się stąd!

◆ **get over 1** powrócić do zdrowia. **2** pokonać.

◆ **get together** spotykać się.

◆ **get up** wstawać, budzić się.

geyser [*gi:*ze] gejzer.

ghost [ge*ust*] duch.

giant I [*dża*jent] olbrzym.

giant II [*dża*jent] olbrzymi.

gift [gift] **1** prezent, dar. **2** *gift for sth* talent do czegoś. **3** *Don't look a gift horse in the mouth.* Darowanemu koniowi nie patrzy się w zęby.

gifted [*gi*ftid] utalentowany.

gig [gig] *nieform. komp.* gigabajt.

gigabyte [*gi*gebajt] *komp.* gigabajt.

gigaflop [*gi*geflop] *komp.* gigaflop.

gigantic [dżaj*gæ*ntik] gigantyczny.

giggle I [gigl] chichotać.

giggle II [gigl] chichot.

gill [gil] (*często w l.mn.* **gills** [gilz]) skrzele.

ginger I [*dżi*ndże] **1** imbir. **2** werwa, energia.

ginger II [*dżi*ndże] **1** imbirowy. **2** rudy (o włosach).

gingerbread [*dżi*ndżebred] piernik.

gipsy *zob.* **gypsy**.

giraffe [dżi*ra:*f] (*l.mn.* **giraffe** *albo* **giraffes**) żyrafa.

girl [ge:l] dziewczynka, dziewczyna.

girlfriend [*ge:*lfrend] dziewczyna, przyjaciółka (ukochana).

give [giw] (II **gave** [gejw], III **given** [giwn]) **1** dawać. **2** wytwarzać: *Fire gives heat.* Ogień daje żar. **3** wydawać: *They are giving a party.* Oni wydają przyjęcie. **4** *nieform. not give a damn* nie zależeć: *They don't give a damn about the environment.* Nie zależy im na środowisku naturalnym.

◆ *give sth away* rozdawać coś.

◆ *give sth back* oddawać coś.

◆ *give in* poddać się.

◆ *give out 1* wyczerpać się. **2** *give sth out* rozdawać coś. **3** *give out sth* wydzielać (zapach).

◆ **give up 1** zaprzestać, rzucić: *give up doing sth* przestać coś robić; *My boss gave up smoking.* Mój szef rzucił palenie. **2** ustąpić, poddać się.

given *zob.* **give**.

glacier [glæsje] lodowiec.

glad [glæd] zadowolony, radosny: *glad to see you* miło cię widzieć; *I'm glad.* Cieszę się.

glamour (*AM* **glamor**) [glæme] świetność.

glance I [gla:ns] spojrzeć, rzucić okiem.

glance II [gla:ns] **1** spojrzenie. **2** *at first glance* na pierwszy rzut oka.

gland [glænd] gruczoł.

glare [gle:] piorunujące spojrzenie.

glaring [gle:rin] **1** oślepiający. **2** *przen.* jaskrawy, rażący (np. błąd).

glass [gla:s] **1** szkło. **2** szklanka. **3** kieliszek, lampka.

glasses [gla:siz] okulary.

glaze [glejz] glazura, szkliwo.

gleam [gli:m] migotać, błyszczeć.

glide [glajd] **1** ślizgać się. **2** szybować.

glider [glajde] szybowiec.

gliding [glajdin] szybownictwo.

glimmer I [glime] migotać.

glimmer II [glime] **1** poblask. **2** migotanie.

glimpse I [glimps] rzut oka, spojrzenie.

glimpse II [glimps] zauważyć, dostrzec.

glisten [glisn] połyskiwać, lśnić.

glitter I [glite] błyszczeć.

glitter II [glite] blask, połysk.

global [gleubl] **1** globalny. **2** ogólnoświatowy.

globe [gleub] **1** kula: *the globe* kula ziemska. **2** globus.

gloom [glu:m] **1** mrok. **2** przygnębienie, posępność.

gloomy [glu:mi] **1** mroczny. **2** posępny.

glory [glo:ri] **1** sława. **2** chwała.

glossy [glosi] lśniący.

glove [glaw] **1** rękawiczka. **2** *fit (sb) like a glove* pasować (komuś) jak ulał.

glow I [gleu] **1** żarzyć się. **2** *przen.* promieniować (np. radością).

glow II [gleu] żar.

glue I [glu:] klej.

glue II [glu:] przyklejać.

gnat [næt] komar.

gnaw [no:] ogryzać.

go I [geu] (II **went** [łent], III **gone** [gon]) **1** iść. **2** podróżować, jechać: *go by car (train)* jechać samochodem (pociągiem); *go by plane* lecieć samolotem. **3** odejść. **4** minąć (o czasie, zdarzeniu). **5** stawać się: *go bad* psuć się. **6** chodzić, uczęszczać: *He goes to a primary school.* On chodzi to szkoły podstawowej.

◆ **go ahead** wykonać bez wahania: *Go ahead!* Śmiało!

◆ **go away 1** odejść. **2** wyjeżdżać.

◆ **go back** wrócić.

◆ **go down 1** zatonąć. **2** zachodzić (o słońcu, księżycu).

◆ **go on 1** kontynuować. **2** ciągnąć dalej (rozmowę).

◆ **go out 1** zgasnąć (o świetle). **2** wychodzić. **3** *go out with sb* chodzić (umawiać się) z kimś: *go out together* chodzić ze sobą.

go II [gəu] próba: *I will give it a go.* Spróbuję.

goal [gəul] **1** gol, bramka: *score (kick) a goal* strzelić bramkę. **2** cel, bramka.

goalkeeper [gəulki:pe] bramkarz.

goat [gəut] koza, kozioł.

god [god] **1** bożek, bóg. **2** *God* Bóg.

godchild [godczajld] (*l.mn.* **godchildren** [godczildren]) chrześniak, chrześniaczka.

goes *zob.* **go**.

goggles [goglz] okulary ochronne, gogle.

gold [gəuld] złoto.

golden [gəulden] **1** złoty, ze złota. **2** złocisty.

goldfish [gəuldfisz] (*l.mn.* **goldfish** *albo* **goldfishes**) złota rybka.

golf [golf] golf (gra).

golf club [golfklab] **1** kij golfowy. **2** klub golfowy.

golf course [golfko:s] pole golfowe.

gone *zob.* **go**.

good I [gud] (*stopień wyższy* **better**, *najwyższy* **(the) best**) **1** dobry. **2** odpowiedni, poprawny. **3** moralnie dobry. **4** grzeczny, miły.

5 atrakcyjny: *She's looking pretty good!* Ona wygląda bardzo atrakcyjnie! **7** *do sb good* przydać się: *A good sleep will do you good.* Porządny sen dobrze ci zrobi. **8** *for good* na dobre, na zawsze.

good II [gud] **1** dobro (moralne). **2** korzyść.

good afternoon [guda:ftenu:n] dzień dobry (mówione po południu).

goodbye [gudbaj] do widzenia.

good evening [gudi:wnin] dobry wieczór.

good-humoured [gudhju:med] pogodny (o człowieku).

good-looking [gudlukin] przystojny.

good morning [gudmo:nin] dzień dobry (używane przed południem).

goodnight [gudnajt] dobranoc.

good-natured [gudnejcze:d] życzliwy, dobroduszny.

goods [gudz] *l.mn.* towary, artykuły.

goose [gu:s] (*l.mn.* **geese** [gi:s]) gęś.

gooseberry [guzberi] (*l.mn.* **gooseberries**) agrest.

gorgeous [go:dżes] wspaniały, cudowny.

gorilla [gerile] goryl.

Gospel [gospel] Ewangelia.

gossip I [gosip] **1** plotka. **2** pogawędka.

gossip II [gosip] **1** plotkować. **2** gawędzić.

got *zob.* **get**.

gotten *zob.* **get**.

govern [gawn] 1 rządzić. 2 determinować.

government [gawenment] 1 rząd, rada ministrów. 2 ustrój.

governor [gawene] 1 *AM* gubernator. 2 dyrektor, naczelnik (banku).

gown [gaun] 1 suknia. 2 toga.

grab [græb] (II / III **grabbed**) chwycić, porwać.

grace [grejs] 1 wdzięk, gracja. 2 łaska.

graceful [grejsfl] pełen wdzięku.

grade [grejd] 1 stopień. 2 ranga. 3 gatunek, klasa. 4 ocena, stopień (w szkole). 5 *AM* klasa (w szkole).

gradual [grædżuel] stopniowy.

gradually [grædżueli] stopniowo.

graduate I [grædżuejt] zostać absolwentem: *graduate from* ukończyć (jakąś szkołę).

graduate II [grædżuet] absolwent.

graffiti [grefi:ti] graffiti.

grain [grejn] 1 zboże. 2 ziarno. 3 odrobina.

gram (**gramme**) [græm] gram.

grammar [græme] gramatyka.

grammar school [græmesku:l] 1 *BR* szkoła średnia (od 11. roku życia). 2 *AM przest.* szkoła podstawowa.

grammatical [gremætikl] gramatyczny.

gramme *zob.* gram.

granary [græneri] spichlerz.

grand [grænd] 1 wspaniały, imponujący. 2 znakomity, świetny.

grandchild [grænćzajld] wnuk, wnuczka.

granddaughter [grændo:te] wnuczka.

grandfather [grænfa:ðe] dziadek.

grandmother [grænmaðe] babcia.

grand piano [grændpiæneu] fortepian.

grandson [grænsan] wnuk.

grant I [gra:nt] 1 oddać. 2 przyznawać, nadawać.

grant II [gra:nt] stypendium.

grape [grejp] winogrono.

grapefruit [grejpfru:t] grejpfrut.

grapevine [grejpwajn] winorośl.

graph [gra:f] wykres.

graphic [græfik] 1 graficzny. 2 obrazowy.

grasp I [gra:sp] 1 chwycić. 2 pojąć (umysłem).

grasp II [gra:sp] 1 chwyt. 2 pojmowanie.

grass [gra:s] 1 trawa. 2 *nieform.* trawka (marihuana).

grasshopper [gra:shope] konik polny.

grate I [grejt] ruszt.

grate II [grejt] zetrzeć.

grateful [grejtfl] wdzięczny.

grater [grejte] tarka.

gratitude [grætitju:d] wdzięczność.

grave I [grejw] grób.

grave II [grejw] 1 poważny. 2 ponury.

gravel [græwl] żwir.

gravestone [grejwsteun] nagrobek.

graveyard [grejwja:d] cmentarz.

gravitation [grævite**j**szn] ciążenie, grawitacja.

gravity [græwe**t**i] **1** powaga. **2** przyciąganie ziemskie.

gray *zob.* **grey**.

grease I [gri:s] **1** tłuszcz. **2** smar.

grease II [gri:s] smarować.

greasy [gri:si] **1** tłusty (o włosach, skórze). **2** usmarowany.

great [grejt] **1** wielki (o talencie). **2** ogromny. **3** świetny, doskonały. **4** *great!* świetnie! doskonale!

greedily [gri:di**l**i] chciwie, łakomie.

greedy [gri:di] łakomy, chciwy.

Greek [gri:k] **1** grecki. **2** Grek.

green I [gri:n] **1** zielony (kolor). **2** niedojrzały. **3** zielony (bez doświadczenia).

green II [gri:n] **1** zieleń. **2** skwer.

greengrocer's [gri:ngr**eus**ez] sklep owocowo-warzywny, warzywniak.

greenhouse [gri:nhaus] szklarnia, cieplarnia.

greet [gri:t] witać, pozdrawiać.

greeting [gri:ti**n**] **1** powitanie. **2** *l.mn.* *greetings* pozdrowienia.

grenade [grenejd] granat (ładunek wybuchowy).

grew *zob.* **grow**.

grey (*AM* **gray**) [grej] **1** szary, popielaty. **2** siwy (o włosach).

greyhound [grejhaund] chart.

grief [gri:f] smutek.

grieve [gri:w] rozpaczać.

grill I [gril] piec na grilu, grilować.

grill II [gril] **1** opiekacz. **2** ruszt (gril).

grim [grim] **1** ponury. **2** nieugięty.

grin [grin] (II / III **grinned**) śmiać się szeroko.

grind [grajnd] (II / III **ground** [graund]) **1** mleć. **2** zgrzytać.

grinder [grajnd**e**] młynek.

grip I [grip] (II / III **gripped**) ściskać, trzymać.

grip II [grip] **1** uścisk. **2** uchwyt.

groan I [gr**eu**n] jęczeć.

groan II [gr**eu**n] jęk.

groom [gru:m] pan młody.

gross I [gr**eu**s] **1** brutto. **2** rażący.

gross II [gr**eu**s] suma.

ground I [graund] **1** ziemia. **2** teren.

ground II [graund] **1** opierać się. **2** osiąść na mieliźnie.

ground III *zob.* **grind**.

ground floor [graundflo:] parter.

groundless [graundl**es**] bezpodstawny, nieuzasadniony.

group I [gru:p] grupa, zespół.

group II [gru:p] **1** grupować się. **2** grupować, dzielić.

grow [gr**eu**] (II **grew** [gru:], III **grown** [gr**eu**n]) **1** rosnąć. **2** urosnąć. **3** hodować. **4** stawać się; *grow old* starzeć się; *grow worse* psuć się.

◆ **grow up** dorastać.

growl I [graul] warknąć (o psie).

growl II [graul] warknięcie.

grown I *zob.* **grow**.

grown II [gr**eu**n] dorosły.

grown-up [gr**eu**nap] dorosły.

growth [greuθ] **1** wzrost. **2** porost. **3** przyrost. **4** narośl.

grumble [grambl] narzekać, zrzędzić.

grunt I [grant] **1** chrząknąć. **2** burknąć.

grunt II [grant] **1** chrząknięcie. **2** stęknięcie.

guarantee I [gærenti:] **1** gwarancja. **2** zapewnienie. **3** poręczenie.

guarantee II [gærenti:] **1** udzielić gwarancji. **2** zapewnić. **3** poręczyć.

guaranty [gærenti] **1** poręczenie. **2** zabezpieczenie.

guard I [ga:d] chronić, strzec.

guard II [ga:d] **1** straż. **2** strażnik.

guardian [ga:djen] **1** opiekun. **2** strażnik.

guerrilla [gerile] partyzant.

guess I [ges] **1** zgadywać. **2** *I guess* uważam, wydaje mi się, że. **3** *nieform. guess what!* wiesz co!

guess II [ges] domniemanie, przypuszczenie.

guest [gest] **1** gość. **2** *be my guest* proszę bardzo.

guide I [gajd] prowadzić, kierować.

guide II [gajd] **1** przewodnik (osoba). **2** wskazówka.

guidebook [gajdbuk] przewodnik (książka).

guideline [gajdlajn] **1** wskazówka. **2** *l.mn. guidelines* wytyczne.

guillotine [gileti:n] gilotyna.

guilt [gilt] wina.

guilty [gilti] winny: *plead guilty* przyznać się do winy (w sądzie);

find sb guilty uznać kogoś winnym.

guinea pig [ginipig] **1** świnka morska. **2** *przen.* królik doświadczalny.

guitar [gita:] gitara: *play the guitar* grać na gitarze.

guitarist [gita:rist] gitarzysta.

gulf [galf] zatoka.

gull [gal] mewa.

gullible [galebl] naiwny, łatwowierny.

gulp I [galp] połknąć.

gulp II [galp] **1** przełknięcie. **2** łyk.

gum [gam] **1** dziąsło. **2** *chewing gum* guma do żucia.

gun [gan] pistolet, strzelba, karabin; działo.

gunpowder [ganpaude] proch strzelniczy.

gust [gast] **1** podmuch (wiatru). **2** wybuch (emocji).

gut [gat] **1** *nieform.* bebech, brzuch. **2** jelito. **3** struna.

guts [gats] *l.mn.* **1** *nieform.* wnętrzności. **2** odwaga.

gutter [gate] **1** ściek, rynna. **2** rynsztok.

guy [gaj] *nieform.* facet, gość.

gym [dżim] *nieform.* **1** sala gimnastyczna, siłownia. **2** gimnastyka, wf.

gymnasium [dżimnejzjem] sala gimnastyczna, siłownia.

gymnastics [dżimnæstiks] gimnastyka.

gypsum [dżipsem] gips.

gypsy (*BR też* **gipsy**) [dżipsi] Cygan.

H

H [ejćz] ósma litera alfabetu.

habit [hæbit] **1** przyzwyczajenie, nawyk. **2** nałóg: *drug habit* uzależnienie od narkotyków. **3** habit (zakonny).

habitable [hæbitebl] mieszkalny.

habitat [hæbitæt] naturalne środowisko (w biologii).

habitual [hebićzuel] **1** charakterystyczny. **2** notoryczny (przestępca).

hacker [hæke] *komp.* **1** haker (pirat komputerowy). **2** *nieform.* zapalony komputerowiec.

had *zob.* **have**.

hail [hejl] grad.

hair [he:] **1** włosy. **2** włos: *two blond hairs* dwa jasne włosy. **3** *split hairs* dzielić włos na czworo.

hairbrush [he:braśź] szczotka do włosów.

haircut [he:kat] strzyżenie, obcięcie włosów.

hairdo [he:du:] *nieform.* fryzura.

hairdresser [he:drese] fryzjer, fryzjerka: *hairdresser's salon* salon fryzjerski.

hairdrier [he:draje] suszarka do włosów.

hair gel [he:dżel] żel do włosów.

hairstyle [he:stajl] fryzura, uczesanie.

hairy [he:ri] **1** włochaty. **2** kosmaty (o materiale).

half I [ha:f] (*l.mn.* **halves** [ha:wz]) **1** połowa, pół: *half an hour* pół godziny; *one and a half* półtora. **2** *go halves* podzielić się po połowie.

half II [ha:f] w połowie, do połowy.

half board [ha:fbo:d]] nocleg z niepełnym wyżywieniem (w turystyce).

half-naked [ha:fnejkid] półnagi.

half-price [ha:fprajs] *at (for) half-price* za pół ceny.

hall [ho:l] **1** przedpokój, korytarz. **2** sala.

hallmark [ho:lma:k] **1** cecha charakterystyczna. **2** stempel probierczy.

hallucination [helu:sinejśzn] halucynacja.

halt I [ho:lt] **1** zatrzymanie się. **2** postój.

halt II [ho:lt] **1** zatrzymywać (się). **2** zatrzymać (samochód).

halves *zob.* **half**.

ham [hæm] **1** szynka. **2** zad (zwierzęcy).

hamburger [hæmbe:ge] hamburger.

hammer [hæme] młot.

hammock [hæmek] hamak.

hamper I [hæmpe] kosz (piknikowy, sklepowy).

hamper II [hæmpe] hamować, utrudniać.

hamster [hæmste] chomik.

hand I [hænd] 1 ręka, dłoń: *hand in hand* ręka w rękę; *at hand* pod ręką; *by hand* ręcznie. 2 *have a free hand* mieć wolną rękę. 3 *keep one's hands off sb (sth)* trzymać się (ręce) z daleka od kogoś (czegoś). 4 *on the one (other) hand* z jednej (drugiej) strony. 5 charakter pisma.

hand II [hænd] wręczyć: *hand sth to sb* wręczać coś komuś.

◆ **hand in** złożyć, wręczyć (pracę).

◆ **hand over** przekazywać.

handbag [hændbæg] torebka.

handbook [hændbuk] poradnik, podręcznik.

handcuffs [hændkafs] kajdanki.

handful [hændful] 1 garść (czegoś). 2 garstka.

handicap [hændikæp] 1 upośledzenie. 2 wyrównanie szans (w sporcie).

handicapped [hændikæpt] upośledzony.

handicraft [hændikra:ft] 1 rękodzieło. 2 rękodzielnictwo.

handkerchief [hænkećzif / hænkećzi:f] chusteczka do nosa.

handle I [hændl] 1 klamka. 2 uchwyt, rączka.

handle II [hændl] 1 dotykać: *Please, do not handle the goods.* Proszę nie dotykać towaru. 2 manipulować, obsługiwać. 3 kierować. 4 obchodzić się. 5 poradzić sobie, dać sobie radę: *I can handle it.* Ja się tym zajmę.

handmade [hændmejd] ręcznie wykonany, ręcznej roboty.

handshake [hændśzejk] 1 uścisk dłoni. 2 *komp.* uzgodnienie, wymiana potwierdzeń.

handsome [hænsem] 1 przystojny, atrakcyjny. 2 hojny, okazały (prezent).

handwriting [hændrajtin] 1 pismo ręczne. 2 charakter pisma.

handwritten [hændritn] odręcznie napisany.

handy [hændi] 1 przydatny. 2 poręczny.

hang [hæn] (II / III **hung** [han]) 1 powiesić, zawiesić. 2 wisieć, zwisać: *His picture hangs over his bed.* Jego obraz wisi nad jego łóżkiem. 3 (II / III **hanged**) powiesić (kogoś).

◆ **hang on** poczekać.

◆ **hang on to** *sth (sb)* zachować coś, trzymać się czegoś (kogoś), trwać przy czymś.

◆ **hang up 1** odkładać (słuchawkę). 2 *komp.* zawiesić się.

hangar [hæne] hangar.

hanger [hæ*ne*] wieszak.
hang-glider [hæ*n*glajd*e*] **1** lotnia. **2** lotniarz.
hangover [hæ*neuwe*] *nieform.* kac: *have a hangover* mieć kaca.
hank [hæ*n*k] motek.
haphazard [hæphæz*ed*] przypadkowy.
haphazardly [hæphæz*ed*l*i*] na chybił trafił.
happen [hæp*en*] **1** wydarzyć się. **2** przydarzać się, zdarzać się.
happening [hæp*enin*] **1** wydarzenie. **2** happening (artystyczny).
happily [hæp*i*l*i*] szczęśliwie, radośnie.
happiness [hæp*ines*] szczęście.
happy [hæp*i*] **1** szczęśliwy. **2** zadowolony: *happy about sth* zadowolony z czegoś; *I'm not happy about your decision.* Nie jestem zadowolona z twojej decyzji. **3** *Happy Birthday* wszystkiego najlepszego z okazji urodzin.
happy ending [hæp*i* endi*n*] szczęśliwe zakończenie, happy end.
harass [hæ*res*] **1** nękać. **2** niepokoić.
harassment [hæ*res*ment] nękanie, prześladowanie: *racial harassment* prześladowania rasowe; *sexual harassment* napastowanie seksualne.
harbour (*AM* harbor) **I** [ha:b*e*] **1** port. **2** schronienie.
harbour (*AM* harbor) **II** [ha:b*e*] **1** żywić (uczucie). **2** dać schronienie.

hard I [ha:d] **1** twardy. **2** trudny. **3** ostry, surowy: *be hard on sb* być surowym dla kogoś. **4** *no hard feelings!* bez urazy! **5** *nieform.* *give sb a hard time* dać komuś wycisk.
hard II [ha:d] **1** twardo. **2** z trudem. **3** ciężko: *take sth (very) hard* bardzo się czymś przejąć.
hard copy [ha:dkop*i*] *komp.* wydruk.
hard-core [ha:dko:] **1** wulgarny (o pornografii). **2** niezmienny (pogląd).
hardcover [ha:dkawe] książka w twardej oprawie.
hard disk [ha:ddisk] *komp.* twardy dysk.
harden [ha:dn] **1** twardnieć. **2** umocnić (człowieka, pozycję).
hard error [ha:de*re*] *komp.* błąd stały.
hardly [ha:dl*i*] **1** ledwo: *I hardly know you.* Prawie cię nie znam. (Ledwo co cię znam.) **2** prawie nie: *I can hardly wait!* Nie mogę się doczekać! **3** *hardly anyone (anything)* prawie nikt (nic). **4** *hardly ever* prawie nigdy.
hard rock [ha:drok] hard rock (muzyka).
hardship [ha:dśzip] przeciwności, trudności.
hardware [ha:dłe:] **1** *komp.* sprzęt komputerowy (bez oprogramowania). **2** broń i wyposażenie (wojskowe).

hardworking [ha:dłe:ki*n*] ciężko pracujący, pracowity.

hare [he:] zając.

harm I [ha:m] uszkodzenie ciała, szkoda: *do harm to sb* wyrządzić komuś krzywdę.

harm II [ha:m] skrzywdzić, szkodzić: *I wouldn't harm a fly!* Nie skrzywdziłbym nawet muchy!

harmful [ha:mfl] szkodliwy, krzywdzący.

harmless [ha:ml*es*] nieszkodliwy, niegroźny.

harmonious [ha:me*u*ni*es*] **1** zgodny. **2** melodyjny.

harmony [ha:me*n*i] harmonia.

harness [ha:nis] uprząż.

harp [ha:p] harfa.

harsh [ha:sz] **1** srogi, surowy: *I was too harsh in my criticism of her work.* Zbyt ostro skrytykowałem jej pracę. **2** ciężki.

hart [ha:t] jeleń.

harvest I [ha:wist] **1** żniwa. **2** plon, żniwo: *harvest festival* dożynki. **3** *przen.* owoce, plony (pracy).

harvest II [ha:wist] zbierać plony.

harvester [ha:wiste] **1** żniwiarz. **2** żniwiarka (maszyna rolnicza).

has *zob.* **have.**

hashish [hæszi:sz] haszysz.

hasn't [hæznt] *forma skrócona* **has not.**

haste [hejst] pośpiech.

hasten [hejsn] **1** przyspieszać. **2** pospieszyć się.

hastily [hejstil*i*] **1** pospiesznie. **2** pochopnie.

hasty [hejsti] **1** pospieszny. **2** pochopny.

hat [hæt] kapelusz.

hatch I [hæcz] **1** luk, właz. **2** śluza.

hatch II [hæcz] **1** *hatch eggs* wysiadywać jaja. **2** wykluwać się.

hatchet [hæczit] **1** toporek. **2** *bury the hatchet* zakopać topór wojenny.

hate I [hejt] nienawiść.

hate II [hejt] nienawidzić: *hate doing (to do) sth* nienawidzić czegoś robić.

hateful [hejtfl] znienawidzony.

hatred [hejtrid] nienawiść.

hat trick [hættrik] hat-trick (w sporcie).

haunt [ho:nt] nawiedzać, straszyć (o duchach).

have [hæw / *słabe* hew] (II / III **had** [hæd / *słabe* hed]) **1** (także **have got** w mowie) mieć, posiadać: *He has (got) a new boat.* On ma nową łódź.; *Do you have (Have you got) a sister?* Czy masz siostrę? **2** posiadać (cechę, własność): *The lolly had a strawberry flavour.* Lizak miał smak truskawkowy. **3** otrzymać: *She had a letter from Tom.* Otrzymała list od Toma. **4** spowodować (zrobienie czegoś przez drugą osobę), kazać (*sb do sth* komuś cos zrobić): *He had me clean my shoes.*

On kazał mi wyczyścić moje buty.
5 doświadczać, przechodzić (chorobę, stan – także **have got**): *I've got a headache.* Boli mnie głowa.
6 jeść, pić: **have breakfast** jeść śniadanie. **7 have (got) to do sth** być zmuszonym do zrobienia czegoś, musieć coś zrobić: *I have to go.* Muszę iść.; *Did you have to do it?* Czy musiałeś to zrobić?
8 have sth done mieć coś zrobione: *I had the roof fixed.* Mam naprawiony dach (naprawiono mi dach). **9** organizować, wykonać: *She had a party.* Zrobiła imprezę.
10 trzymać, umieścić: *I had my diary in a secret box.* Trzymałam swój pamiętnik w sekretnym pudełku. **11 have sth (nothing) to do with sth (sb)** mieć coś (nie mieć nic) wspólnego z czymś (kimś).
12 Have a good time! Baw się dobrze!

◆ **have sth on** mieć coś na sobie (ubranie).

have II [hæw / słabe hew] *GRAM* **1** (słowo posiłkowe bez samodzielnego znaczenia używane do tworzenia czasów Perfect): *I have read the book.* Przeczytałem książkę.; *Has she come?* Czy przyszła? **2** *nieform.* **have had it** być w bardzo złym stanie (o rzeczach), być w kłopotach, być zmęczonym (o ludziach). **3 have done with sth** skończyć z czymś.

haven't [hævnt] *forma skrócona* **have not**.

hawk [ho:k] jastrząb.

hawthorn [ho:θo:n] głóg.

hay [hej] **1** siano. **2 make hay while the sun shines** kuć żelazo póki gorące.

hay fever [hejfi:we] katar sienny.

hazard I [hæzed] **1** ryzyko. **2** przypadek.

hazard II [hæzed] ryzykować.

hazardous [hæzedes] ryzykowny.

haze [hejz] lekka mgła.

hazelnut [hejzelnat] orzech laskowy.

he [hi:] on.

head I [hed] **1** głowa. **2** łeb (zwierzęcia). **3** umysł: *I can't get you out of my head.* Nie potrafię sobie ciebie wybić z głowy. **4 head over heels** bez opamiętania, po uszy. **5 keep one's head** nie tracić głowy; **lose one's head** tracić głowę. **6 from head to foot (toe)** od stóp do głów. **7** przywódca, głowa: *Head of State* głowa państwa. **8** *l.mn.* **heads** orzeł: **heads or tails** orzeł czy reszka.

head II [hed] **1** stać na czele. **2 head for** kierować się do..., zdążać do...

headache [hedejk] **1** ból głowy: *I have a headache.* Boli mnie głowa. **2** *przen.* zmartwienie.

headland [hedlend] przylądek.

headlight [hedlajt] reflektor (samochodu).

headline [hedlajn] **1** nagłówek. **2** *the news headlines* skrót najważniejszych wiadomości.

headmaster [hedma:ste] dyrektor szkoły.

headmistress [hedmistres] dyrektorka szkoły.

headphones [hedfeunz] *l.mn.* słuchawki (na uszy).

headquarters [hedkło:tez] *l.mn.* **1** siedziba główna. **2** kwatera główna.

headset [hedset] słuchawka.

headway [hedłej] postęp.

heal [hi:l] **1** goić (się). **2** leczyć (osobę, ranę). **3** uśmierzyć (ból).

healing [hi:lin] uzdrawiający, leczniczy.

health [helθ] zdrowie.

healthy [helθi] **1** zdrowy. **2** korzystny dla zdrowia.

heap [hi:p] stos.

hear [hie] (II / III **heard** [he:d]) **1** słyszeć. **2** dowiedzieć się: *I've heard that...* Słyszałem, że...

◆ **hear from** *sb* dostać wiadomości: *It's nice to hear from you again.* Miło znów słyszeć wieści od ciebie.

hearing [hierin] **1** słuch. **2** słyszalność. **3** przesłuchanie.

hearing aid [hierinejd] aparat słuchowy.

heart [ha:t] **1** serce (organ). **2** serce (emocje): *break sb's heart* złamać komuś serce; *from the bottom of my heart* z całego serca; *love sb*

with all one's heart kochać kogoś całym sercem. **3** *l.mn.* **hearts** kier (kolor w kartach). **4** *by heart* na pamięć (nauczyć się). **5** *cross my heart (and hope to die)* słowo daję.

heartache [ha:tejk] *przen.* smutek, cierpienie.

heartbeat [ha:tbi:t] **1** uderzenie serca. **2** bicie serca.

heartbroken [ha:tbreukn] zrozpaczony, ze złamanym sercem.

heartless [ha:tles] bez serca.

heat I [hi:t] **1** *the heat* upał. **2** ciepło (w fizyce). **3** ogrzewanie.

heat II [hi:t] grzać, ogrzewać.

◆ **heat** *sth* **up** podgrzewać coś (jedzenie, picie).

heater [hi:te] grzejnik.

heath [hi:θ] wrzosowisko.

heather [heðe] wrzos.

heating [hi:tin] ogrzewanie: *central heating* centralne ogrzewanie.

heaven [hewn] **1** niebiosa, niebo (w religii). **2** *Heaven* Opatrzność.

heavy [hewi] **1** ciężki. **2** gruby, ciężki (o materiale). **3** intensywny, mocny: *be a heavy smoker* dużo palić.

heavy metal [hewimetl] heavy metal (muzyka).

hectare [hekte:] hektar.

hedge [hedż] żywopłot.

hedgehog [hedżhog] jeż.

heel [hi:l] **1** pięta. **2** obcas.

height [hajt] **1** wzrost, wysokość: *a man of average height* człowiek średniego wzrostu; **be 1 metre 80 cm in height** mieć 1 m 80 cm wzrostu. **2** *przen.* szczyt, rozkwit.

heir [e:] spadkobierca, następca.

heiress [e:res] spadkobierczyni, następczyni.

held *zob.* **hold**.

helicopter [helikopte] śmigłowiec, helikopter.

hell [hel] **1** piekło (w religii). **2** *What the hell do you want?* Czego ty, do diabła, chcesz? **3** *nieform.* **Go to hell!** Idź do diabła!

hello [hel*e*u] **1** cześć. **2** dzień dobry, halo (w rozmowie telefonicznej).

helmet [helmit] hełm, kask.

help I [help] **1** pomoc, ratunek: *help!* na pomoc! **2** (*też daily help*) pomoc domowa.

help II [help] **1** pomagać: *help each other* wzajemnie sobie pomagać; *Can I help you?* W czym mogę pomóc? **2** zaradzić. **3** *help sb to sth* częstować kogoś czymś. **4** *help oneself* częstować się: *Help yourself!* Częstuj się!

helpful [helpfl] pomocny; użyteczny.

help key [helpki:] *komp.* klawisz „pomoc".

helpless [helpl*e*s] bezsilny.

helplessly [helpl*e*sli] bezradnie.

hemisphere [hemisfi*e*] półkula.

hen [hen] kura.

her I [h*e*: / słabe h*e*] (*forma zależna* **she**) **1** ją, jej: *I like her.* Lubię ją;

Give it to her. Daj jej to.; *without her* bez niej. **2** *It's her!* To ona!

her II [h*e*: / słabe h*e*] jej (należący do niej): *It's her business.* To jej sprawa.

herb [h*e*:b] zioło, ziele.

herbal [h*e*:bl] ziołowy.

herd [h*e*:d] stado (zwierząt).

here [hi*e*] **1** tu, tutaj, w tym miejscu: *here and there* tu i tam. **2** *here is (are)...* oto jest (są)... **3** *here you are* proszę bardzo (podając coś komuś).

hereditary [hireditri] dziedziczny.

heredity [hired*e*ti] dziedziczność.

heresy [heres*i*] (*l.mn.* **heresies**) herezja.

heretic [heretik] heretyk.

heritage [heritidż] dziedzictwo.

hermit [h*e*:mit] pustelnik.

hero [hi*e*reu] (*l.mn.* **heroes**) bohater, idol.

heroic [hir*e*uik] bohaterski.

heroin [her*e*uin] heroina (narkotyk).

heroine [her*e*uin] *liter.* bohaterka, heroina.

heroism [her*e*uizem] bohaterstwo, heroizm.

herring [herin] śledź.

hers [h*e*:z] (używany, jeżeli nie występuje po nim rzeczownik) jej: *Which car is hers?* Który samochód jest jej?

herself [h*e*:self] **1** się, siebie, sobie (w odniesieniu do niej): *She hurt herself.* Uderzyła się.; *She bought* *herself a new hat.* Kupiła sobie nowy kapelusz. **2** sama, osobiście: *She saw it herself.* Ona sama to widziała. **3** *all by herself* całkiem sama.

hesitant [hezitent] niezdecydowany.

hesitate [hezitejt] wahać się.

hesitation [hezitejśzn] niepewność.

hi [haj] *nieform.* cześć!

hiccup [hikap] czkawka.

hide [hajd] (II **hid** [hid], III **hidden** [hidn]) chować (się), ukrywać (się).

hideous [hidjes] **1** odrażający (zbrodnia). **2** ohydny.

hierarchy [hajera:ki] hierarchia.

hi-fi [hajfaj / hajfaj] *high fidelity* hi-fi.

high I [haj] **1** wysoki. **2** główny. **3** wysoki (cena). **4** wielki. **5** *high time* najwyższy czas: *It's high time you went to bed.* Najwyższy czas, abyś poszedł do łóżka. **6** *high noon* samo południe.

high II [haj] **1** wysoko, w górze. **2** mocno. **3** *look (search) high and low* szukać wszędzie.

high heels [hajhi:lz] *l.mn.* (*też heels*) wysokie obcasy, szpilki.

highlander [hajlende] góral, góralka.

highlight I [hajlajt] **1** plama światła (sztuka). **2** najważniejsze wydarzenie.

highlight II [hajlajt] **1** uwydatnić. **2** podkreślić. **3** *komp.* podświetlić.

highly [hajli] wysoce, wielce.

high school [hajsku:l] **1** *BR* szkoła ogólnokształcąca. **2** *AM* liceum.

high-tech [hajtek] *nieform.* najnowocześniejszy, najnowszy.

high tide [hajtajd] przypływ.

highway [hajłej] **1** *BR* szosa. **2** *AM* autostrada.

hijack [hajdżæk] porwać (samolot).

hike [hajk] wędrować.

hiker [hajke] turysta, turystka.

hill [hil] pagórek, wzgórze.

hilly [hili] **1** pagórkowaty. **2** stromy.

him [him] (*forma zależna* **he**) **1** jemu, mu; jego, go: *without him* bez niego; *I like him.* Lubię go.; *Give it to him.* Daj mu to. **2** *It's him!* To on! **3** *it's nice of him* miło z jego strony.

himself [himself] **1** się, siebie, sobie (w odniesieniu do niego): *He hurt himself.* On się zranił. **2** sam, osobiście: *He saw it himself.* Sam to widział. **3** *all by himself* całkiem sam.

hinge [hindż] zawias.

hint [hint] **1** aluzja. **2** wskazówka, rada.

hip [hip] biodro.

hip hop [hiphop] hip hop (rodzaj muzyki).

hippie (**hippy**) [hipi] hipis, hipiska.

hipsters [hipstez] biodrówki (spodnie).

hire I [haje] wynajęcie, najem: *for hire* do wynajęcia.

hire II [haje] wynajmować.

his [hiz] jego: *his dog* jego pies; *a friend of his* jego znajomy; *The book is his.* Książka jest jego.

hiss [his] syczeć.

historian [histo:rien] historyk.

historic [histo:rik] historyczny, ważny (o wydarzeniu).

historical [histo:rikl] historyczny (o książce).

history [histri] historia.

hit I [hit] **1** cios. **2** trafienie (w cel). **3** przebój.

hit II [hit] (II / III **hit** [hit]) **1** uderzyć. **2** trafić (w cel).

hitchhike [hićhajk] podróżować autostopem.

hitchhiker [hićhajke] autostopowicz, autostopowiczka.

hive [hajw] ul.

HIV *human immunodeficiency virus* wirus HIV.

hoarse [ho:s] zachrypnięty, ochrypły.

hobby [hobi] (*l.mn.* **hobbies**) hobby.

hockey [hoki] hokej.

hold I [heuld] (II / III **held** [held]) **1** trzymać, ściskać: *hold sb in one's arms* trzymać kogoś w ramionach. **2** pomieścić. **3** *hold the line* nie odkładać słuchawki (telefonu).

◆ **hold on 1** trzymać się. **2** zaczekać. **3** chwileczkę!

hole [heul] dziura.

holiday [holedej] **1** wakacje: *the summer holidays* letnie wakacje. **2** *BR*

urlop. **3** dzień wolny (od pracy). **4** *AM* święta.

hollow [holeu] **1** wgłębienie. **2** kotlina.

holy [heuli] **1** święty: *the Holy Father* Ojciec Święty. **2** poświęcony.

home [heum] **1** dom, mieszkanie: *at home* w domu; *go home* iść do domu. **2** ognisko domowe. **3** kraj rodzinny.

homeless [heumles] bezdomny: *l.mn.* **the homeless** bezdomni.

homesick [heumsik] *be (feel) homesick* tęsknić za domem (krajem).

home town [heumtaun] miasto rodzinne.

homework [heumłe:k] praca domowa, zadanie domowe.

homicide [homisajd] **1** zabójstwo. **2** morderca, morderczyni.

homosexual I [homeseksźuel] homoseksualista, lesbijka.

homosexual II [homeseksźuel] homoseksualny.

honest [onist] **1** uczciwy. **2** godny zaufania. **3** szczery. **4** *to be honest* mówiąc szczerze...

honestly [onistli] **1** uczciwie. **2** szczerze. **3** naprawdę.

honesty [onisti] **1** uczciwość. **2** szczerość.

honey [hani] **1** miód. **2** kochanie (zwrot pieszczotliwy).

honeymoon [hanimu:n] miesiąc miodowy, podróż poślubna.

honour (*AM* **honor**) **I** [on*e*] **1** honor, zaszczyt: *have the honour to do sth* mieć zaszczyt coś zrobić. **2** honor.

honour (*AM* **honor**) **II** [on*e*] **1** poważać. **2** być zaszczyconym.

hood [hud] kaptur.

hoof [hu:f] (*l.mn.* **hoofs** *albo* **hooves**) kopyto.

hook [huk] hak, haczyk.

hooligan [hu:lig*e*n] chuligan.

hop I [hop] chmiel.

hop II [hop] (II / III **hopped**) skakać, podskakiwać.

hope I [h*e*up] nadzieja.

hope II [h*e*up] mieć nadzieję: *I hope (that) he'll come.* Mam nadzieję, że on przyjdzie.

hopeful [h*e*upfl] **1** pełen nadziei. **2** rokujący nadzieje.

hopefully [h*e*up*f*eli] **1** przy odrobinie szczęścia: *Hopefully, she'll come.* Miejmy nadzieję, że ona przyjdzie. **2** z nadzieją.

hopeless [h*e*uples] beznadziejny, do niczego.

horizon [h*e*r**aj**zn] horyzont.

horizontal [horizontl] poziomy.

hormone [ho:m*e*un] hormon.

horn [ho:n] **1** róg (zwierzęcia). **2** róg (instrument muzyczny). **3** klakson. **4** *przen.* *take the bull by the horns* wziąć byka za rogi.

hornet [ho:nit] szerszeń.

horoscope [hor*e*sk*e*up] horoskop.

horrible [horibl] **1** straszny. **2** potworny.

horrific [h*e*rifik] przerażający.

horrified [horifajd] przerażony.

horrify [horifaj] (II / III **horrified**) przerazić.

horror [hor*e*] **1** przerażenie. **2** zgroza.

horror film (*AM* **horror movie**) [hor*e*film (hor*e* mu:wi)] horror (film).

horse [ho:s] **1** koń. **2** kawaleria. **3** *straight from the horse's mouth* z pierwszej ręki.

horseback [ho:sbæk] *on horseback* konno.

horseradish [ho:srædiš] chrzan.

horseshoe [ho:sšzu:] podkowa.

hose [h*e*uz] **1** wąż, szlauch. **2** wyroby pończosznicze.

hospitable [hospit*e*bl] gościnny.

hospital [hospit*e*l] szpital.

hospitality [hospitæl*e*ti] gościnność.

host [h*e*ust] gospodarz domu.

hostage [hostidż] zakładnik.

hostel [hostl] **1** *nieform.* internat. **2** *youth hostel* schronisko młodzieżowe.

hostess [h*e*ust*e*s] **1** gospodyni, pani domu. **2** stewardesa, hostessa.

hostile [hostajl] wrogi (*to sth, sb* w stosunku do czegoś, kogoś).

hostility [hostil*e*ti] wrogość.

hot [hot] **1** gorący, upalny: *It's hot.* Jest gorąco. **2** *I'm hot.* Gorąco mi. **3** ostry (o potrawie).

hotel [h*e*utel] hotel.

hotlink [hotlink] *komp.* łącze z uaktualnianiem automatycznym.

hour [au*e*] **1** godzina (60 minut): *every hour* co godzinę. **2** godzina (pora doby): *at this hour* o tej porze.

house [haus] **1** dom, budynek. **2** firma: *publishing house* wydawnictwo; *on the house* na koszt firmy. **3** *move house* przeprowadzić się. **4** widownia (w teatrze): *house full* wszystkie bilety wysprzedane.

household [haus*h*euld] **1** gospodarstwo domowe. **2** *household equipment* sprzęt gospodarstwa domowego.

housekeeper [hauski:p*e*] gospodyni (pomoc) domowa.

housewife [haus*ł*ajf] gospodyni domowa (kobieta niepracująca zawodowo).

housework [haus*ł*e:k] prace domowe (związane z prowadzeniem domu).

hover [how*e*] zawisnąć w powietrzu.

how I [hau] **1** jak. **2** *How do you do?* Miło mi (przy poznaniu); *How are you?* Jak się masz?; *How's everything?, How are things?* Co słychać?, Jak leci? **3** *How much is the jacket?* Ile kosztuje kurtka?

how II [hau] jak, w jaki sposób: *The teacher showed us how to sing.* Nauczyciel nam pokazał, jak śpiewać.

however [hauew*e*] jednak, jednakże.

howl I [haul] **1** wycie. **2** ryk.

howl II [haul] **1** wyć. **2** ryczeć.

HTML *Hyper Text Mark-up Language* komp. język znaczników hipertekstowych.

hue [hju:] odcień, barwa.

hug I [hag] uścisk: *give sb a hug* uściskać kogoś.

hug II [hag] (II / III **hugged**) ściskać, tulić.

huge [hju:dż] olbrzymi, ogromny.

human I [hju:m*e*n] człowiek.

human II [hju:m*e*n] ludzki, człowieczy.

human being [hju:m*e*n bii*n*] istota ludzka, człowiek.

humane [hju:m*e*jn] **1** ludzki. **2** humanitarny.

humanity [hju:mænet*i*] **1** ludzkość. **2** człowieczeństwo.

humble [hambl] **1** pokorny. **2** skromny.

humid [hju:mid] wilgotny.

humidity [hju:mid*eti*] wilgoć.

humiliate [hju:milijejt] poniżać, upokorzyć.

humorous [hju:m*e*res] **1** humorystyczny. **2** żartobliwy.

humour (*AM* **humor**) [hju:m*e*] **1** humor: *a good sense of humour* poczucie humoru. **2** nastrój.

hump [hamp] garb.

humpback [hampbæk] **1** garb. **2** garbus.

hundred [handred] sto: *two hundred* dwieście.

hundredth [handretθ] setny.

hung *zob.* **hang**.

hunger [ha*ng*e] 1 głód. 2 *hunger for sth* pragnienie czegoś.

hungry [ha*ng*r*i*] głodny.

hunt I [hant] 1 poszukiwać. 2 polować.

hunt II [hant] 1 poszukiwania. 2 polowanie.

hunter [hant*e*] myśliwy, łowca.

hurricane [harik*e*n] huragan.

hurry I [har*i*] pośpiech: *be in a hurry* spieszyć się.

hurry II [har*i*] (II / III **hurried**) 1 spieszyć się: *hurry up!* pospiesz się! 2 przyspieszać, ponaglać.

hurt [he*:*t] (II / III **hurt** [he*:*t]) 1 ranić, kaleczyć: *He hurt his knee.* Skaleczył sobie kolano. 2 boleć: *It hurts.* To boli. 3 sprawić ból, sprawić przykrość.

husband [hazb*e*nd] mąż.

hush I [hasz] cisza: *hush!* cicho!

hush II [hasz] uciszać.

husk [hask] łuska, łupina.

hustle [hasl] 1 bieganina, krzątanina. 2 szwindel.

hut [hat] chata, szałas.

hutch [hać] 1 klatka (dla zwierząt). 2 *pejor.* klitka.

hydrocarbon [hajdr*e*ka:ben] węglowodór.

hydrogen [ha*j*dr*e*dż*e*n] wodór.

hygiene [ha*j*dż*i:*n] higiena.

hygienic [ha*j*dż*i:*nik] higieniczny.

hypnosis [hipn*e*usis] hipnoza.

hypnotize [h*i*pn*e*tajz] hipnotyzować.

hypocrisy [hip*o*kr*e*s*i*] hipokryzja.

hypocrite [h*i*p*e*krit] hipokryta, obłudnik.

hypothesis [hajp*o*θesis] (*l.mn.* **hypotheses** [hajp*o*θesi:z]) hipoteza.

hypothetical [hajp*e*θetikl] hipotetyczny.

hysteria [hist*ie*r*i*e] histeria.

hysterical [histerikl] histeryczny.

I

I I [aj] dziewiąta litera alfabetu.

I II [aj] ja.

ice [ajs] **1** lód. **2** *BR* lody: *vanilla ice* lody waniliowe.

iceberg [**aj**sbe:g] **1** góra lodowa. **2** *przen.* *the tip of the iceberg* wierzchołek góry lodowej.

ice-cold [ajsk**eu**ld] **1** lodowaty. **2** dobrze schłodzony.

ice cream [ajskri:m] lody: *two strawberry ice creams* dwa lody truskawkowe.

ice-cube [**aj**skju:b] kostka lodu.

ice hockey [**aj**shok*i*] hokej na lodzie.

ice skating [**aj**sskejt*in*] łyżwiarstwo.

icon [**aj**kon] **1** ikona (w sztuce). **2** *komp.* ikona.

icy [**aj**s*i*] **1** lodowaty. **2** oblodzony.

ID [ajdi:] *identification, identity* dowód tożsamości.

idea [ajdi**e**] **1** pomysł. **2** pogląd. **3** pojęcie: *I have no idea.* Nie mam pojęcia.

ideal I [ajdi:el] **1** ideał (zasada). **2** ideał.

ideal II [ajdi:el] idealny.

ideally [ajdi:el*i*] **1** najlepiej, optymalnie. **2** idealnie.

identical [ajdentikl] identyczny: *identical to (with) sth* taki sam jak coś.

identification [ajdentifik**ej**śzn] **1** identyfikacja. **2** dowód tożsamości.

identification card [ajdentifik**ej**śzn ka:d] dowód tożsamości.

identify [ajdentifaj] (II / III **identified**) **1** stwierdzać tożsamość. **2** *identify oneself with sb (sth)* utożsamiać się z kimś (czymś).

identity [ajdent*eti*] **1** tożsamość. **2** odrębność.

identity card [ajdent*eti* ka:d] dowód tożsamości.

ideological [ajdi*e*lo**dżikl**] ideologiczny.

ideology [ajdiol**edżi**] ideologia.

idiom [idj**em**] idiom.

idiot [idjet] *nieform.* idiota.

idle I [**aj**dl] próżnować.

idle II [**aj**dl] **1** leniwy (człowiek). **2** jałowy (dyskusja).

idol [**aj**dl] **1** bożek (pogański). **2** idol.

if [if] **1** jeżeli, jeśli: *If you invite me, I'll come.* Jeśli mnie zaprosisz, to przyjdę. **2** gdyby: *if I were a rich man* gdybym był bogaty; *as if* jak gdyby. **3** czy: *I wonder if she remembers me.* Zastanawiam się, czy ona mnie pamięta.

igloo [**i**glu:] igloo.

ignorance [**ign**er*e*ns] ignorancja.

ignorant [ign*e*rent] nieświadomy, niedouczony.

ignore [igno:] ignorować, lekceważyć.

ill I [il] **1** zło: *wish sb ill* źle życzyć komuś. **2** dolegliwość.

ill II [il] **1** chory: *fall ill* zachorować. **2** *feel ill* mieć mdłości.

ill III [il] źle.

illegal [ili:gl] **1** nielegalny. **2** nieprzepisowy (w sporcie).

illegible [iled*ż*ebl] nieczytelny.

illegitimate [ilid*ż*itim*e*t] **1** bezprawny, nielegalny. **2** nieślubny (o dziecku).

illiterate [ilit*e*ret] analfabeta.

illness [iln*e*s] choroba.

illogical [ilod*ż*ikl] nielogiczny.

illusion [ilu:*ż*n] złudzenie.

illustrate [il*e*strejt] ilustrować.

illustration [il*e*strej*ż*zn] **1** ilustracja. **2** przykład.

image [imid*ż*] **1** wyobrażenie. **2** wzór. **3** wizerunek.

imagination [imædżin**ej**szn] wyobraźnia.

imagine [imæd*ż*in] **1** wyobrazić sobie. **2** przypuszczać.

imitate [imitejt] naśladować.

imitation [imit**ej**szn] **1** naśladowanie. **2** imitacja (czegoś).

immature [im*e*ć*zu*e] niedojrzały (o osobie, owocu).

immediate [imi:diet] **1** natychmiastowy. **2** bezpośredni. **3** najbliższy.

immediately [imi:dietl*i*] **1** natychmiast. **2** bezpośrednio.

immense [imens] **1** ogromny. **2** *nieform.* świetny.

immerse [ime:s] zanurzać.

immigrant [imigrent] imigrant.

immigrate [imigrejt] imigrować.

immigration [imigr**ej**szn] imigracja.

immobile [im*e*ubajl] nieruchomy.

immoral [imor*e*l] niemoralny.

immortal [imo:tl] nieśmiertelny.

immortality [imo:tæl*e*ti] nieśmiertelność.

immunity [imju:n*e*ti] **1** odporność. **2** immunitet.

impact [impækt] **1** uderzenie. **2** działanie: *make (have) an impact on sb (sth)* mieć wpływ na kogoś (coś).

impartial [impa:szl] bezstronny.

impatience [impej*ż*zns] niecierpliwość, zniecierpliwienie.

impatient [impej*ż*znt] niecierpliwy.

imperative I [imper*e*tiw] **1** konieczność. **2** tryb rozkazujący (w językoznawstwie).

imperative II [imper*e*tiw] **1** konieczny. **2** bezwzględny. **3** rozkazujący (w językoznawstwie).

imperceptible [impesept*e*bl] niedostrzegalny.

imperfect [impe:fikt] niedoskonały.

imperfection [impefekszn] **1** niedoskonałość. **2** wada, usterka.

imperial [imp*ie*riel] **1** imperialny, cesarski. **2** monarszy.

imperialism [imp*ie*ri*e*lizem] imperializm.

impersonal [impe:senl] **1** bezosobowy. **2** nieosobowy (w językoznawstwie).

implant I [impla:nt] wszczepić (w medycynie).

implant II [impla:nt] implant.

implement [impliment] **1** wprowadzić w życie. **2** *komp.* implementować (system).

implementation [implimentejśzn] **1** wdrożenie. **2** *komp.* implementacja.

implicate [implikejt] wplątać, zamieszać: *be implicated in sth* być wplątanym w coś.

implication [implikejśzn] **1** konsekwencja, implikacja. **2** sugestia.

imply [implaj] (II / III implied) **1** sugerować. **2** implikować.

impolite [impelajt] nieuprzejmy, niegrzeczny.

import I [impo:t] **1** import. **2** znaczenie.

import II [impo:t] importować.

importance [impo:tens] znaczenie, ważność: *attach importance to sth* przywiązywać wagę do czegoś.

important [impo:tent] ważny, znaczący: *It's not important.* To nie ma znaczenia.

importer [impo:te] importer.

impose [impeuz] narzucać.

impossibility [imposebileti] niemożliwość, niemożność.

impossible [imposebl] **1** niemożliwy: *It's impossible to do.* To jest

niemożliwe do wykonania. **2** nieprawdopodobny.

impotent [impetent] **1** bezsilny. **2** cierpiący na impotencję.

impractical [impræktikl] **1** niepraktyczny. **2** nierealny.

impress [impres] **1** zrobić wrażenie: *be impressed by sth* być pod wrażeniem czegoś. **2** wpoić, uświadomić.

impression [impreśzn] wrażenie.

impressive [impresiw] imponujący, przekonujący.

imprison [imprizn] uwięzić, zamknąć w więzieniu.

imprisonment [imprizenment] uwięzienie.

improbable [improbebl] **1** mało prawdopodobny. **2** nieprawdopodobny.

improper [imprope] **1** nieodpowiedni. **2** nieprzyzwoity (język).

improve [impru:w] **1** poprawić. **2** poprawić się.

improvement [impru:wment] **1** poprawa. **2** postęp. **3** ulepszenie.

improvisation [imprewajzejśzn] improwizacja.

improvise [imprewajz] improwizować.

impulse [impals] **1** impuls. **2** bodziec.

impulsive [impalsiw] **1** impulsywny. **2** spontaniczny.

in I [in] **1** wewnątrz, w środku. **2** *be in* być w domu: *Is Ally in?* Czy jest Ally?

in II [in] **1** w (określenie miejsca): *in Cracow* w Krakowie. **2** do (wnętrza czegoś): *We went in the shop.* Weszliśmy do sklepu. **3** w (określenia czasowe): *in March* w marcu; *in 2000* w roku 2000; *in the morning* rano. **4** za (tydzień, kilka minut itp.): *in three weeks* za trzy tygodnie. **5** w (jakiejś dziedzinie), z (czegoś): *a test in English* test z angielskiego. **6** po (w określaniu języka): *in English (Polish)* po angielsku (polsku). **7** za pomocą (w określeniach sposobu): *in pencil* ołówkiem; *in writing* na piśmie.

inability [inebileti] niemożność, niezdolność.

inaccurate [inækjeret] niedokładny, nieprecyzyjny.

inactive [inæktiw] **1** bezczynny (człowiek). **2** nieczynny.

inadequate [inædiklet] niedostateczny, nieodpowiedni.

inborn [inbo:n] **1** wrodzony. **2** odziedziczony.

incapability [inkejpebileti] niezdolność, niezdatność.

incapable [inkejpebl] niezdolny.

inch [incz] **1** cal. **2** *inch by inch* stopniowo.

incident [insident] **1** wydarzenie. **2** incydent.

incidental [insidentl] **1** marginalny. **2** uboczny. **3** przypadkowy.

incidentally [insidentli] **1** przypadkowo. **2** tak w ogóle, na marginesie, swoją drogą.

incline [inklajn] skłaniać się do czegoś.

inclined [inklajnd] skłonny.

include [inklu:d] zawierać, obejmować: *included in the price* wliczony w cenę.

including [inklu:din] wliczając w to, łącznie z...

inclusive [inklu:siw] łączny: *all-inclusive* obejmujący wszystkie świadczenia (pobyt, wypoczynek).

incoherent [inkeuhierent] niespójny, nieskładny.

income [inkam] dochód: *income tax* podatek dochodowy.

incompetence [inkompitens] niekompetencja, nieudolność.

incompetent [inkompitent] niekompetentny.

incomplete [inkempli:t] **1** niepełny. **2** niekompletny. **3** niedokończony.

incomprehensible [inkomprihensebl] niezrozumiały.

inconsistent [inkensistent] **1** niestały. **2** *inconsistent with sth* niezgodny, sprzeczny z czymś.

inconvenience [inkenwi:niens] **1** niewygoda. **2** niedogodność.

inconvenient [inkenwi:nient] **1** niedogodny. **2** kłopotliwy (o sytuacji).

incorrect [inkerekt] **1** niepoprawny. **2** niestosowny.

increase I [inkri:s] przyrost, wzrost: *be on the increase* wzrastać, wzmagać się.

increase II [inkri:s] powiększać się, wzrastać.

increasingly [inkri:sinli] coraz bardziej, więcej.

incredible [inkredebl] **1** niewiarygodny. **2** *nieform.* niesamowity, cudowny.

incredibly [inkredebli] **1** niewiarygodnie. **2** *nieform.* niesamowicie.

indecent [indi:sent] **1** nieprzyzwoity. **2** skandaliczny.

indeed [indi:d] **1** *form.* rzeczywiście. **2** istotnie. **3** naprawdę.

indefinite [indefinet] **1** niejasny. **2** nieokreślony.

independence [indipendens] niezależność, niepodległość.

independent [indipendent] **1** niezależny. **2** niepodległy.

index [indeks] (*l.mn.* **indexes** lub **indices** [indisi:z]) **1** indeks. **2** katalog.

indicate [indikejt] **1** wskazywać (kierunek). **2** świadczyć o czymś. **3** pokazywać.

indicator [indikejte] **1** wskazówka. **2** oznaka. **3** kierunkowskaz (drogowy).

indices *zob.* **index**.

indifference [indifrens] obojętność.

indifferent [indifrent] obojętny.

indigestion [indidżesczen] niestrawność.

indirect [indirekt / indajrekt] **1** okrężny. **2** wymijający (o odpowiedzi). **3** pośredni.

indispensable [indispensebl] niezbędny, niezastąpiony.

individual I [indiwidżuel] **1** jednostka. **2** indywiduum. **3** oryginał.

individual II [indiwidżuel] **1** indywidualny. **2** pojedynczy.

indoor [indo:] **1** halowy (sport). **2** domowy (strój). **3** kryty (basen).

indoors [indo:z] wewnątrz (budynku).

industrial [indastriel] **1** przemysłowy. **2** uprzemysłowiony.

industry [indastri] przemysł.

ineffective [inifektiw] nieskuteczny, nieefektywny.

inefficient [inifisznt] niewydajny, nieskuteczny.

inelegant [inelegent] nieelegancki.

inevitable [inewitebl] nieuchronny.

inexact [inigzækt] niedokładny.

inexcusable [inikskju:zebl] niewybaczalny.

inexpensive [inikspensiw] niedrogi.

infamy [infemi] **1** zła sława. **2** niegodziwość.

infancy [infensi] niemowlęctwo.

infant [infent] niemowlę, małe dziecko.

infect [infekt] zarazić (*też przen.*).

infection [infekszn] zakażenie, infekcja.

infectious [infekszes] **1** zakaźny. **2** *przen.* zaraźliwy, wciągający.

inferior I [infierie] podwładny.

inferior II [infierie] **1** gorszy. **2** niższy (stopniem).

infertile [infe:tajl] **1** nieurodzajny. **2** bezpłodny.

infertility [infetileti] **1** nieurodzajność. **2** bezpłodność.

infinite [infinet] **1** nieskończony. **2** niezmierny.

infinity [infineti] nieskończoność (też w matematyce).

inflammable [inflæmebl] palny, łatwo palny.

inflation [inflejszn] inflacja.

influence I [influens] wpływ.

influence II [influens] wywierać wpływ, wpływać.

influential [influenszl] wpływowy, poważany.

influenza [influenze] *form.* grypa.

inform [info:m] informować.

informal [info:ml] **1** bezpośredni. **2** swobodny. **3** nieoficjalny.

information [infemejszn] informacje: *a piece (bit, item) of information* informacja.

information superhighway [infemejszn su:pehajłej] *komp.* infostrada.

infrequent [infri:kłent] rzadki, nieczęsty.

ingenious [indżi:nies] pomysłowy.

ingenuity [indżinju:eti] pomysłowość.

ingenuous [indżenjues] prostoduszny, naiwny.

ingredient [ingri:dient] **1** składnik (kulinarny). **2** *przen.* element.

inhabit [inhæbit] zamieszkiwać.

inhabitant [inhæbitent] mieszkaniec.

inherit [inherit] **1** dziedziczyć (tradycje). **2** przejąć w spadku.

inheritance [inheritens] spadek, dziedzictwo.

inhuman [inhju:men] nieludzki.

inhumane [inhju:mejn] niehumanitarny.

initial [iniszl] początkowy.

initials [iniszelz] *l.mn.* inicjały.

initiative [iniszetiw] **1** inicjatywa (cecha). **2** przedsięwzięcie.

inject [indżekt] wstrzykiwać.

injection [indżekszn] **1** zastrzyk. **2** wtrysk (paliwa).

injure [indże] **1** uszkodzić. **2** zranić (uczucia).

injured [indżed] ranny, zraniony (też *przen.*).

injury [indżeri] **1** uraz. **2** obrażenie, rana.

injustice [indżastis] niesprawiedliwość.

ink [ink] atrament, tusz.

inland [inlend] **1** śródlądowy, położony w głębi lądu. **2** wewnętrzny, krajowy.

inn [in] zajazd, gospoda.

inner [ine] wewnętrzny.

innocence [inesens] **1** niewinność. **2** naiwność.

innocent [inesent] **1** niewinny. **2** naiwny.

input [input] **1** wkład, przyczynek. **2** *komp.* dane wejściowe.

inquire (enquire) [inkłaje] pytać się, zasięgać informacji.

◆ **inquire after** *sb* pytać o kogoś.

◆ **inquire into** *sth* wypytywać o coś.

inquiry (**enquiry**) [inkłajeri] (*l.mn.* **inquiries**) 1 pytanie. 2 dochodzenie.

inquisitive [inkłizetiw] 1 dociekliwy. 2 wścibski, ciekawski.

insane [insejn] 1 obłąkany. 2 szalony (plan).

insect [insekt] owad.

insecure [insikjue] 1 niepewny. 2 bez poczucia bezpieczeństwa.

insecurity [insikjuereti] 1 brak pewności siebie. 2 niepewność (np. finansowa).

insensible [insensebl] 1 nieprzytomny. 2 niewrażliwy.

insensitive [insensetiw] 1 nietaktowny. 2 nieczuły.

inside I [insajd] w, wewnątrz: *inside the building* w budynku.

inside II [insajd] do wnętrza, do środka: *come inside* wejść do środka (domu).

inside III [insajd] 1 wnętrze. 2 strona wewnętrzna: *inside out* na lewą stronę, na odwrót.

insist [insist] 1 nalegać. 2 obstawać: *John insisted that he was right.* John upierał się, że ma rację.

insolent [inselent] bezczelny, zuchwały.

insomnia [insomnie] bezsenność.

inspect [inspekt] 1 zbadać, skontrolować. 2 wizytować.

inspection [inspekszn] kontrola, inspekcja.

inspector [inspekte] 1 kontroler. 2 *BR* inspektor (policji). 3 *BR* kontroler (w autobusie).

inspiration [insperejszn] inspiracja.

inspire [inspaje] natchnąć.

install (**instal**) [insto:l] zainstalować.

instalment (*AM* **installment**) [insto:lment] 1 rata. 2 odcinek (powieści).

instance [instens] 1 przykład: *for instance* na przykład. 2 przypadek.

instant I [instent] 1 moment. 2 *nieform.* kawa rozpuszczalna.

instant II [instent] 1 natychmiastowy. 2 na poczekaniu, instant.

instead [insted] 1 w zamian. 2 zamiast: *instead of sb (sth)* zamiast kogoś (czegoś).

instinct [instinkt] instynkt.

instinctive [instinktiw] instynktowny.

institute [institju:t] instytut.

institution [institju:szn] 1 instytucja. 2 ustanowienie, wszczęcie.

institutional [institju:szenl] instytucjonalny, zbiorowy.

instruct [instrakt] instruować, pouczać.

instruction [instrakszn] 1 nauczanie. 2 polecenie.

instructive [instraktiw] pouczający.

instructor [instrakte] instruktor.

instrument [instrument] 1 narzędzie. 2 instrument (muzyczny): *play an instrument* grać na instrumencie.

insufficient [insefiśznt] niewystarczający.

insulate [insjulejt] izolować, ocieplać.

insulation [insjulejśzn] izolacja.

insult I [insalt] zniewaga, obelga.

insult II [insalt] znieważyć, obrazić.

insurance [inśzo:rens] **1** ubezpieczenie: *accident insurance* ubezpieczenie od nieszczęśliwych wypadków. **2** (*też insurance policy*) polisa ubezpieczeniowa.

insure [inśzo:] ubezpieczyć się: *insure sth (sb) against sth* ubezpieczyć coś (kogoś) na wypadek czegoś.

insured [inśzo:d] ubezpieczony.

insurer [inśzo:re] ubezpieczyciel.

integrate [intigrejt] **1** wcielać. **2** integrować.

integration [intigrejśzn] integracja.

intellect [intelekt] intelekt.

intellectual I [intelekćzuel] intelektualista.

intellectual II [intelekćzuel] intelektualny.

intelligence [intelidżens] **1** inteligencja: *intelligence quotient* iloraz inteligencji. **2** informacje (wywiadu).

intelligent [intelidżent] inteligentny.

intend [intend] zamierzać.

intense [intens] intensywny.

intensive [intensiw] intensywny (kurs).

intention [intenśzn] zamiar, chęć.

intentional [intenśzenl] umyślny, celowy.

interact [interækt] **1** oddziaływać wzajemnie. **2** nawiązywać kontakty (o ludziach). **3** *komp.* komunikować się.

interaction [interækśzn] interakcja, wzajemne oddziaływanie.

interest I [intrest] **1** zainteresowanie. **2** hobby: *His main interest is jazz.* On głównie interesuje się jazzem. **3** zysk. **4** udział (w biznesie). **5** odsetki.

interest II [intrest] **1** zainteresować. **2** dotyczyć (czegoś).

interested [intrestid] zaciekawiony, zainteresowany: *be interested in sth* interesować się czymś.

interesting [intrestin] ciekawy, interesujący.

interface [intefejs] *komp.* interfejs, sprzęg.

interfere [intefie] wtrącać się: *Don't interfere!* Nie wtrącaj się!

interference [intefierens] ingerencja, wtrącanie się.

interior I [intierie] wnętrze.

interior II [intierie] wewnętrzny.

intermediate [intemi:diet] **1** pośredni. **2** średnio zaawansowany: *intermediate course (book)* kurs (podręcznik) dla średnio zaawansowanych.

internal [inte:nl] **1** wewnętrzny. **2** krajowy.

international [intenæśznel] międzynarodowy.

Internet [intenet] Internet: *be on (connected to) the Internet* być podłączonym do Internetu; *buy sth on the Internet* kupować coś przez Internet; *find sth on the Internet* znaleźć coś w Internecie; *accessible via the Internet* dostępny w Internecie.

interpret [inte:prit] **1** interpretować. **2** tłumaczyć, przekładać (ustnie).

interpretation [inte:pritejšzn] interpretacja.

interpretative [inte:pritetiw] objaśniający.

interpreter [inte:prite] **1** tłumacz (żywego słowa). **2** interpretator, komentator.

interrogate [interegejt] **1** przesłuchiwać. **2** *komp.* zapytać.

interrogation [interegejšzn] przesłuchanie.

interrogative [interogetiw] **1** pytający (wzrok). **2** pytający, pytajny (w językoznawstwie).

interrupt [interapt] przerwać.

interruption [interapšzn] przerwanie, przerwa.

intersection [intesekšzn] **1** skrzyżowanie. **2** przecięcie (się).

interval [intewl] **1** przerwa, odstęp. **2** antrakt.

intervene [intewi:n] interweniować.

intervention [intewenšzn] interwencja.

interview I [intewju:] **1** (*też job interview*) rozmowa kwalifikacyjna.

2 wywiad: *TV interview* wywiad telewizyjny; *give an interview* udzielić wywiadu.

interview II [intewju:] **1** odbyć rozmowę kwalifikacyjną. **2** przeprowadzać wywiad.

intimacy [intimesi] **1** zażyłość. **2** intymność.

intimate [intimet] **1** zażyły. **2** intymny. **3** intymny (kontakt).

into [intu: / *słabe* inte] **1** do (wewnątrz): *go into a building* wejść do budynku. **2** na, w (coś): *translate into German* przetłumaczyć na niemiecki.

intolerable [intolerebl] **1** nieznośny. **2** nadmierny.

intolerance [intolerens] nietolerancja.

intolerant [intolerent] nietolerancyjny.

intoxicate [intoksikejt] **1** odurzyć. **2** zatruć.

intoxication [intoksikejšzn] **1** upojenie (alkoholowe). **2** osłupienie.

introduce [intredju:s] **1** przedstawiać: *introduce sb to sb* przedstawić kogoś komuś; *introduce oneself to sb* przedstawiać się komuś. **2** wprowadzić (zmianę).

introduction [intredakšzn] **1** prezentacja, przedstawienie (wzajemne osób). **2** wprowadzenie. **3** wstęp.

introductory [intredakteri] wprowadzający, wstępny.

intrude [intru:d] **1** przeszkadzać. **2** niepokoić.

intruder [intru:de] intruz.

intuition [intju:iśzn] **1** intuicja. **2** przeczucie.

intuitive [intju:etiw] intuicyjny.

invade [inwejd] najechać, zaatakować.

invader [inwejde] najeźdźca.

invalid I [inweli:d / inwelid] inwalida, niepełnosprawny.

invalid II [inwælid] **1** nieuzasadniony. **2** nieważny (bilet).

invaluable [inwæljuebl] **1** nieoceniony. **2** bezcenny.

invariable [inwe:riebl] niezmienny.

invasion [inwejżn] inwazja, najazd.

invent [inwent] **1** wynaleźć. **2** wymyślić. **3** zmyślić.

invention [inwenśzn] **1** wynalazek. **2** wynalezienie. **3** wymysł.

inverse [inwe:s] odwrotny.

inversion. [inwe:śzn] inwersja, odwrócenie.

inverted commas [inwe:tid komez] BR cudzysłów.

invest [inwest] **1** inwestować. **2** nadawać (władzę).

investigate [inwestigejt] **1** przeprowadzać dochodzenie. **2** badać.

investigation [inwestigejśzn] **1** dochodzenie. **2** badanie. **3** kontrola.

investigator [inwestigejte] **1** oficer śledczy. **2** AM *private investigator* prywatny detektyw.

investment [inwestment] **1** inwestowanie. **2** inwestycja.

investor [inweste] inwestor.

invisible [inwizebl] niewidoczny, niewidzialny.

invitation [inwitejśzn] **1** zaproszenie: *accept an invitation* przyjąć zaproszenie; *decline an invitation* nie przyjąć zaproszenia; *admission by invitation only* wstęp tylko za zaproszeniami. **2** zachęta.

invite [inwajt] **1** zapraszać: *invite sb to a party* zaprosić kogoś na przyjęcie. **2** zachęcić.

invoice [inwojs] faktura.

involve [inwolw] **1** pociągać za sobą. **2** wplątać, angażować: *be involved in (with) sth* angażować się w coś.

involved [inwolwd] **1** zainteresowany. **2** zamieszany.

inward [inłed] **1** skryty, wewnętrzny. **2** (BR też **inwards**) do wewnątrz.

ion [ajen] jon.

IP [ajpi:] *Internet protocol* protokół komunikacyjny sieci Internet.

IQ [ajkju:] *intelligence quotient* iloraz inteligencji.

iris [ajeris] **1** (*l.mn.* **irides** [ajeridi:z]) tęczówka (oka). **2** (*l.mn.* **irises**) irys (kwiat).

iron I [ajen] **1** żelazo: *strike while the iron is hot* kuć żelazo póki gorące. **2** żelazko.

iron II [ajen] prasować.

iron III [ajen] żelazny.

ironic (**ironical**) [ajronik (ajronikl]) ironiczny, paradoksalny.

irony [ajereni] ironia.

irrational [iræśzenl] **1** irracjonalny. **2** bezrozumny (o zwierzęciu).

irregular [iregjul*e*] **1** nieregularny. **2** nieregularny (w językoznawstwie).

irrelevant [irel*e*went] **1** niezwiązany z tematem. **2** nieistotny.

irresistible [irizist*e*bl] nieodparty, przemożny.

irrespective [irispektiw] *BR nieform.* **irrespective of sth** niezależnie od czegoś, bez względu na coś.

irresponsibility [irisponsibil*e*ti] nieodpowiedzialność, lekkomyślność.

irresponsible [irisp*o*ns*e*bl] nieodpowiedzialny.

irreversible [iriw*e:*s*e*bl] nieodwracalny.

irritate [iritejt] **1** irytować. **2** podrażnić.

irritation [irit*e*jszn] rozdrażnienie.

island [*a*jl*e*nd] wyspa, wysepka.

isle [ajl] wyspa.

isolate [*a*js*e*lejt] **1** odizolować. **2** wyodrębnić.

isolated [*a*js*e*lejtid] **1** samotny. **2** odosobniony.

isolation [ajs*e*l*e*jszn] wyodrębnienie, oddzielenie, odizolowanie.

issue I [iszu:/ isju:] **1** kwestia. **2** wydawanie. **3** numer (czasopisma).

issue II [iszu:/ isju:] **1** wydawać (książkę). **2** wydać (nakaz). **3** wyemitować (banknoty).

isthmus [ism*e*s] przesmyk (w geografii).

it [it] **1** ono; (o rzeczownikach nieosobowych) on, ona *GRAM*. **2** to (wskazując na coś): *What is it?* Co to jest?; *Don't touch it!* Nie dotykaj tego! **3** (w konstrukcjach bezosobowych): *It's raining.* Pada deszcz.

Italian [it*æ*lj*e*n] **1** włoski. **2** Włoch.

itch [icz] swędzieć.

item [*a*jt*e*m] **1** rzecz, artykuł. **2** punkt, pozycja.

its [its] (o rzeczownikach nieosobowych) jego, jej, swój: *the decision and its consequences* (ta) decyzja i jej konsekwencje.

itself [ifself] **1** się, siebie, sobie (dotyczy rzeczowników nieosobowych): *The dog hurt itself.* Pies skaleczył się. **2** sam. **3** sam w sobie: *English is not difficult in itself.* Język angielski sam w sobie nie jest trudny.

ivory [*a*jw*e*ri] kość słoniowa.

ivy [*a*jw*i*] bluszcz.

J

J [dżej] dziesiąta litera alfabetu.
jack [dżæk] **1** lewarek, podnośnik.
   2 walet (w kartach). **3** gniazdko.
   4 *Union Jack* narodowa flaga
   brytyjska. **5** *nieform.* **jack-of-all-**
   -trades złota rączka, majster od
   wszystkiego.
jackal [dżækl / dżæko:l] szakal.
jacket [dżækit] **1** marynarka, żakiet.
   2 kurtka.
jackpot [dżækpot] najwyższa stawka: *hit the jackpot* zgarnąć pulę.
jaguar [dżægjue] jaguar.
jail (*BR też* **goal**) [dżejl] więzienie.
jam I [dżæm] **1** tłum, korek uliczny.
   2 opały: *nieform. a real jam* niezły pasztet, niezła wpadka. **3** (*też*
   jam session) jam session (w muzyce). **4** dżem.
jam II [dżæm] (II / III **jammed**) **1** u-
   pchnąć, wcisnąć. **2** wciskać, przy-
   trzasnąć (palec).
January [dżænjueri] styczeń.
Japanese [dżæpeni:z] **1** japoński.
   2 Japończyk.
jar [dża:] **1** słój, słoik. **2** dzban.
jargon [dża:gen] żargon.
jasmin [dżæzmin / dżæsmin] jaś-
   min.
jaundice [dżo:ndis] żółtaczka.

javelin [dżæwlin] **1** oszczep. **2** *the*
   javelin rzut oszczepem (sport).
jaw [dżo:] szczęka.
jazz [dżæz] jazz (muzyka).
jealous [dżeles] zazdrosny (*of sb,*
   sth zazdrosny o kogoś, coś).
jealousy [dżelesi] zazdrość.
jeans [dżi:nz] dżinsy.
jeer [dżie] wyśmiać.
jelly [dżeli] **1** galareta. **2** galaretka
   (owocowa).
jellyfish [dżelifisz] (*l.mn.* **jellyfish**
   albo **jellyfishes**) meduza.
jeopardize [dżepedajz] narażać na
   niebezpieczeństwo.
jerk [dże:k] **1** szarpnięcie. **2** *AM nie-*
   form. pejor. cymbał.
jest [dżest] żart.
jet [dżet] **1** odrzutowiec. **2** strumień.
jetlag [dżetlæg] zmęczenie po dłu-
   giej podróży samolotem (spowo-
   dowane zmianą czasu).
jewel [dżu:el] **1** klejnot. **2** kamień
   (w zegarku).
jeweller (*AM* **jeweler**) [dżu:ele] jubiler.
jewellery (*AM* **jewelry**) [dżu:elri]
   klejnoty, kosztowności, biżuteria.
jingle I [dżingl] **1** dzwonienie. **2** slo-
   gan reklamowy, *nieform.* dżingiel.

jingle II [dżingl] **1** dzwonić. **2** pobrzękiwać.

job [dżob] **1** praca, posada: *get a job* dostać pracę. **2** zadanie. **3** *nieform.* zajęcie. **4** zlecenie. **5** *komp.* zadanie.

jobless [dżobles] bezrobotny.

jockey [dżoki] dżokej.

jocular [dżokjule] żartobliwy, dowcipny.

jog [dżog] (II / III **jogged**) **1** biegać, uprawiać jogging. **2** szturchnąć.

jogging [dżogin] jogging, bieganie.

join [dżojn] **1** dołączyć do: *I'll join you in Cracow.* Dołączę do was w Krakowie. **2** zostać członkiem. **3** złączyć: *join pieces together* połączyć części.

◆ **join in** przyłączyć się, włączyć się do czegoś: *Join in the fun.* Przyłącz się do zabawy.

joint I [dżojnt] **1** staw (w anatomii). **2** złącze. **3** *nieform.* skręt, joint.

joint II [dżojnt] **1** połączony. **2** wspólny.

joke I [dżeuk] **1** dowcip, kawał: *tell a joke* opowiedzieć dowcip. **2** żart. **3** *it's no joke* nie ma żartów.

joke II [dżeuk] żartować: *You must be joking!* Chyba żartujesz!

joker [dżeuke] **1** dowcipniś. **2** *nieform. pejor.* typek. **3** dżoker (karta do gry).

jolly I [dżoli] wesoły.

jolly II [dżoli] *nieform. BR* bardzo.

jolt I [dżeult / dżolt] **1** wstrząs. **2** szarpnięcie.

jolt II [dżeult / dżolt] **1** rzucać. **2** wstrząsnąć.

journal [dże:nel] **1** dziennik. **2** czasopismo.

journalism [dże:nelizem] dziennikarstwo.

journalist [dże:nelist] dziennikarz.

journey [dże:ni] **1** podróż: *(Have a) safe journey!* Szczęśliwej podróży! **2** droga.

joy [dżoj] **1** radość: *jump for joy* skakać z radości. **2** *nieform. I wish you joy!* Powodzenia!

joyful [dżojfl] radosny, szczęśliwy.

Jr *Junior* junior.

jubilee [dżu:bili:] jubileusz.

judge I [dżadż] **1** sędzia. **2** juror.

judge II [dżadż] **1** osądzić. **2** sędziować. **3** ocenić. **4** *judging by (from)* sądząc z.

judgment (**judgement**) [dżadżment] **1** orzeczenie, wyrok (sądu). **2** pogląd: *in my judgment* w moim mniemaniu. **3** wyrok.

judo [dżu:deu] dżudo (sport).

jug [dżag] dzban, dzbanek.

juggle [dżagl] żonglować.

juice [dżu:s] sok: *orange juice* sok pomarańczowy.

juicy [dżu:si] **1** soczysty. **2** *nieform.* pikantny (o historyjce, opowieści).

jukebox [dżu:kboks] szafa grająca.

July [dżulaj] lipiec.

jumble [dżambl] gmatwanina.

jumble sale [dżamblsejl] wyprzedaż rzeczy używanych.

jumbo [dżambeu] *nieform.* ogromny.

jumbo jet [dżambeudżet] wielki odrzutowiec pasażerski.

jump I [dżamp] **1** skok. **2** przeszkoda.

jump II [dżamp] **1** skakać. **2** podskoczyć. **3** *jump to conclusions* wyciągać pochopne wnioski.

◆ **jump over** przeskoczyć.

jumper [dżampe] sweter, pulower.

junction [dżankszn] **1** skrzyżowanie. **2** węzeł kolejowy.

June [dżu:n] czerwiec.

jungle [dżangl] dżungla.

junior I [dżu:nie] **1** osoba młodsza. **2** niższy rangą. **3** młodszy (o synu). **4** junior (w sporcie).

junior II [dżu:nie] **1** niższy rangą. **2** młodszy.

junk [dżank] *nieform.* rupiecie.

junkie [dżanki] *nieform.* ćpun.

jurist [dżuerist] *form.* prawnik.

jury [dżueri] **1** jury. **2** ława przysięgłych.

just I [dżast] **1** właśnie, dopiero co. **2** trochę. **3** tylko: *just a cup of coffee, please* poproszę tylko o filiżankę kawy. **4** po prostu: *I just don't know what to do.* Po prostu nie wiem co robić.

just II [dżast] **1** sprawiedliwy. **2** słuszny.

justice [dżastis] **1** sprawiedliwość. **2** wymiar sprawiedliwości.

justifiable [dżastifajebl] słuszny, uzasadniony.

justification [dżastifikejszn] uzasadnienie, usprawiedliwienie.

justify [dżastifaj] (II / III **justified**) **1** usprawiedliwiać. **2** *komp.* wyjustować.

juvenile [dżu:wenajl] nieletni.

juxtapose [dżakstepeuz] zestawiać.

juxtaposition [dżakstepeziszn] zestawienie.

K [kej] jedenasta litera alfabetu.

kaleidoscope [ke*la*jd*e*sk*e*up] kalejdoskop.

kangaroo [kæ*nge*r*u*:] kangur.

karate [ke*ra*:t*i*] karate.

Kb *komp.* **kilobyte** kilobajt.

keen [ki:n] chętny, skory: *be keen on sth* być fanem czegoś, uwielbiać coś; *be keen on doing sth* uwielbiać coś robić.

keep I [ki:p] (II / III **kept** [kept]) **1** zatrzymać (kogoś gdzieś). **2** trzymać, przechowywać: *keep sth warm* trzymać coś w cieple. **3** zachować (np. bilet). **4** *keep (on) doing sth* nie przestawać robić czegoś. **5** hodować. **6** dotrzymywać (np. obietnicy). **7** pozostać, zostać (w jakimś stanie): *keep calm* zachować spokój.

◆ **keep off** nie zbliżać się: *please, keep off the grass* nie deptać trawników.

keep II [ki:p] utrzymanie.

keeper [ki:p*e*] **1** dozorca. **2** bramkarz.

kennel [kenl] psia buda.

kerb [ke:b] *BR* krawężnik.

kernel [ke:nl] **1** jądro. **2** sedno (sprawy).

ketchup [ke*ć*z*e*p] keczup.

kettle [ketl] czajnik.

key [ki:] **1** klucz: *car key* kluczyk do samochodu. **2** klawisz (instrumentu muzycznego). **3** *przen.* **key to sth** klucz do (rozwiązania) czegoś. **4** legenda.

keyboard [ki:bo:d] **1** klawiatura (komputera, muzyczna). **2** (*też* **keyboards**) syntezator.

keyhole [ki:h*e*ul] dziurka od klucza.

kick I [kik] kopnięcie.

kick II [kik] **1** kopnąć. **2** *kick a goal* strzelić gola.

kid I [kid] dzieciak.

kid II [kid] *nieform.* (II / III **kidded**) **1** stroić sobie żarty. **2** nabierać, żartować: *You're kidding!* Żartujesz!

kidnap [kidnæp] (II / III **kidnapped**) porwać.

kidnapper [kidnæp*e*] porywacz.

kidnapping [kidnæpi*n*] porwanie.

kidney [kidn*i*] nerka.

kill [kil] **1** zabić. **2** *nieform.* boleć.

killer [kil*e*] morderca.

killing [kili*n*] zabójstwo, zabijanie.

kilobyte [kil*e*bajt] kilobajt.

kilometre (*AM* **kilometer**) [kil*e*mi:t*e* / kil*o*mit*e*] kilometr.

kilt [kilt] kilt (spódnica szkocka).

kin [kin] krewni: *next of kin* najbliższy krewny.

kind I [kajnd] **1** rodzaj, gatunek: *this kind of book* ten rodzaj książki. **2** typ.

kind II [kajnd] **1** życzliwy, dobry: *That's very kind of you.* To bardzo miło z twojej strony. **2** uprzejmy: *Would you be kind enough (so kind as) to give me a lift?* Bądź tak uprzejmy i podwieź mnie.

kindergarten [kind*e*ga:tn] **1** *AM* zerówka. **2** *BR* żłobek, przedszkole.

kind-hearted [kajndha:tid] dobry, życzliwy.

kindly I [**kaj**ndl*i*] uprzejmy, życzliwy.

kindly II [**kaj**ndl*i*] życzliwie, uprzejmie.

king [kin] **1** król. **2** król (w kartach), damka (w warcabach).

kingdom [ki*n*d*e*m] królestwo.

kiosk [ki:osk] **1** kiosk. **2** *BR* budka telefoniczna.

kiss I [kis] pocałunek: *nieform. give me a kiss* daj buziaka.

kiss II [kis] całować: *kiss sb on sth* pocałować kogoś w coś; *kiss sb goodbye* pocałować kogoś na do widzenia.

kit [kit] zestaw, komplet: *first-aid kit* apteczka podręczna.

kitchen [ki*ć*zin] kuchnia.

kite [kajt] latawiec.

knee [ni:] **1** kolano. **2** *przen. on one's knees* na kolanach, ulegle.

kneel [ni:l] (II / III **knelt** [nelt]) klęczeć, uklęknąć.

knelt *zob.* **kneel**.

knew *zob.* **know**.

knickers [nik*e*z] *BR* majtki.

knife [najf] (*l.mn.* **knives** [najwz]) nóż.

knight [najt] **1** rycerz. **2** koń, skoczek (figura w szachach).

knit [nit] (II / III **knitted**) robić na drutach.

knob [nob] gałka, pokrętło.

knock I [nok] **1** uderzenie. **2** stuknięcie, pukanie. **3** *knock! knock!* puk, puk!

knock II [nok] **1** uderzyć. **2** pukać.

◆ **knock sb out 1** znokautować kogoś. **2** pokonać, wyeliminować kogoś.

◆ **knock sb over** potrącić, przejechać kogoś (samochodem).

knot I [not] **1** węzeł, supeł. **2** sęk (w drzewie).

knot II [not] (II / III **knotted**) wiązać: *knot one's tie* wiązać krawat.

know [n*e*u] (II **knew** [nju:], III **known** [n*e*un]) **1** wiedzieć, dowiedzieć się: *know about sth* wiedzieć o czymś; *I don't know.* Nie wiem. **2** znać: *know sb by name* znać kogoś z nazwiska. **3** umieć: *I know how to dance.* Umiem tańczyć.

knowledge [nolidż] **1** wiedza, świadomość. **2** wiedza: *a branch of knowledge* dziedzina wiedzy.

known *zob.* **know**.

L

L [el] dwunasta litera alfabetu.

lab [læb] *nieform.* laboratorium.

label I [lejbl] **1** etykieta. **2** nalepka.

label II [lejbl] (II / III **labelled**) **1** opatrzyć etykietą. **2** *przen.* zaszufladkować.

laboratory [lebo*r*etri] (*l.mn.* **laboratories**) laboratorium.

labour (*AM* **labor**) [lejb*e*] **1** praca, robota: *Labour Party BR* Partia Pracy. **2** siła robocza. **3** poród.

labyrinth [læb*e*rinθ] labirynt.

lace [lejs] **1** sznurowadło. **2** koronka.

lack I [læk] brak: *lack of water* brak wody.

lack II [læk] brakować, cierpieć na brak: *He doesn't lack confidence.* Nie brak mu pewności siebie.

ladder [læd*e*] drabina.

ladle [lejdl] chochla.

lady [lejd*i*] (*l.mn.* **ladies**) **1** pani: *the old lady* starsza pani; *Ladies and gentlemen!* Panie i Panowie! **2** dama. **3** *Ladies* toaleta damska.

ladybird [lejd*i*be:d] biedronka.

lagoon [legu:n] laguna.

laid *zob.* **lay**.

lain *zob.* **lie**.

lake [lejk] jezioro.

lamb [læm] **1** jagnię, owieczka. **2** jagnięcina (mięso).

lame [lejm] **1** kulawy. **2** słaby (argument).

lamp [læmp] lampa, latarnia.

lamp-post [læmppeust] słup latarni.

lampshade [læmpszejd] abażur, klosz.

land I [lænd] **1** teren, ziemia. **2** grunt. **3** wieś. **4** kraina.

land II [lænd] **1** wylądować. **2** dobić do brzegu.

landing [lændin] **1** lądowanie. **2** podest.

landlady [lændlejd*i*] gospodyni, właścicielka mieszkania.

landlord [lændlo:d] gospodarz, właściciel mieszkania.

landscape [lændskejp] **1** krajobraz. **2** pejzaż (w sztuce).

lane [lejn] **1** uliczka, ścieżka. **2** pas ruchu.

language [længlidż] język (mowa): *the Polish language* język polski; *komp.* *programming language* język programowania; *bad language* ordynarne słownictwo.

lantern [lænt*e*n] latarnia.

lap [læp] **1** kolana, uda: *sit on sb's lap* siedzieć komuś na kolanach. **2** okrążenie (w sporcie), etap.

large [la:dż] **1** duży, wielki. **2** obfity. **3** szeroki (kompetencje). **4** *on a large scale* na wielką skalę.

largely [la:dżl*i*] **1** w dużym stopniu. **2** wyraźnie.

lark [la:k] skowronek.

larva [la:w*e*] (*l.mn.* **larvae** [la:wi:]) larwa.

lash [læsz] **1** rzęsa. **2** rzemień.

lasso [læsu: / læse*u*] (*l.mn.* **lassoes**) lasso.

last I [la:st] **1** ostatni (końcowy). **2** poprzedni. **3** miniony: *last week (month)* w zeszłym tygodniu (miesiącu). **4** *at last* nareszcie. **5** *last but not least* ostatni, ale nie mniej ważny.

last II [la:st] **1** na końcu: *arrive last* przybyć na końcu. **2** po raz ostatni: *I last saw him in June.* Ostatnio widziałam go w czerwcu.

last III [la:st] **1** trwać. **2** być trwałym.

lasting [la:stin*g*] trwały.

last-minute [la:stminit] z ostatniej chwili, ostatni.

last name [la:stnejm] nazwisko.

late I [lejt] **1** spóźniony, opóźniony: *We're late.* Spóźniliśmy się. **2** zmarły.

late II [lejt] **1** późno: *It's late.* Jest późno. **2** pod koniec: *late in 2000* pod koniec 2000 r. **3** *better late than never* lepiej późno niż wcale.

lately [lejtl*i*] ostatnio.

lather [la:ð*e*] piana (mydło).

latitude [lætitju:d] szerokość geograficzna.

latter [læt*e*] *the latter* (ten) drugi, ostatni (wymieniając): *I hate snakes and spiders, especially the latter.* Nie cierpię węży i pająków, a zwłaszcza tych ostatnich.

laugh I [la:f] śmiech.

laugh II [la:f] śmiać się (*at sb, sth* z kogoś, czegoś).

laughter [la:ft*e*] śmiech.

launderette (**laundrette**) [lo:ndret / lo:nder*e*t] *BR* pralnia samoobsługowa.

laundry [lo:ndr*i*] **1** pralnia. **2** pranie: *do the laundry* zrobić pranie.

laurel [lor*e*l] wawrzyn.

lava [la:w*e*] lawa.

lavatory [læw*e*tr*i*] ubikacja, toaleta.

law [lo:] **1** prawo: *break the law* łamać prawo; *against the law* nielegalnie, niezgodnie z prawem. **2** ustawa, przepis. **3** prawo (nauka).

lawful [lo:fl] legalny, zgodny z prawem.

lawn [lo:n] trawnik.

lawyer [lo:j*e*] **1** adwokat. **2** prawnik.

lay I [lej] (II / III **laid** [lejd]) **1** położyć, kłaść. **2** nakryć (do stołu): *lay the table* nakryć do stołu. **3** *lay eggs* składać jajka, nieść się (o ptakach).

♦ **lay** *sth* **aside** odłożyć coś na bok (książkę, pieniądze).

◆ **lay** *sb* **off** zwolnić kogoś (czasowo).

lay II *zob.* **lie.**

lay III [lej] **1** świecki, laicki. **2** niewtajemniczony.

layer [le*je*] warstwa.

lazy [le*j*zi] leniwy, powolny.

lead I [li:d] (II / III **led** [led]) **1** prowadzić (kogoś). **2** zaprowadzić (o drodze). **3** kierować, dowodzić (kimś). **4** wieść (życie).

lead II [li:d] **1** prowadzenie. **2** kierownictwo. **3** główna rola (film).

lead III [led] ołów.

leader [li:d*e*] **1** przywódca. **2** szef. **3** lider.

leadership [li:d*e*szip] kierownictwo.

leading [li:d*i*n] **1** wiodący. **2** wybitny.

leaf [li:f] (*l.mn.* **leaves**) **1** liść. **2** kartka. **3** *turn over a new leaf* rozpocząć nowe życie.

leaflet [li:flet] ulotka.

league [li:g] **1** liga. **2** klasa, poziom: *She's out of my league.* Ona jest nie dla mnie (za dobra).

leak I [li:k] **1** pęknięcie. **2** wyciek. **3** przeciek (o informacjach).

leak II [li:k] **1** przeciekać. **2** wyciekać.

leakage [li:kidż] **1** ulatnianie się. **2** wyciek.

lean [li:n] (II / III **leant** [lent]) **1** chylić się, przechylać. **2** opierać się: *lean against sth* opierać się o coś.

leant *zob.* **lean.**

leap I [li:p] (II / III **leapt** [lept]) **1** przeskoczyć. **2** skakać (z tematu na temat).

leap II [li:p] skok.

leapt *zob.* **leap.**

leap year [li:pjie / li:pje:] rok przestępny.

learn [le:n] (II / III **learnt** *albo* **learned** [le:nt]) **1** uczyć się: *I learn English.* Uczę się angielskiego. **2** *form.* poznać, dowiedzieć się: *learn the latest news* poznać najnowsze wiadomości; *I was saddened to learn of her death.* Zasmuciłem się, kiedy dowiedziałem się o jej śmierci.

learnt *zob.* **learn.**

lease I [li:s] dzierżawa, najem.

lease II [li:s] dzierżawić, wynajmować.

leash [li:sz] smycz.

least I [li:st] najmniejszy.

least II [li:st] **1** *the least* najmniej. **2** *at least* przynajmniej. **3** *in the least* wcale. **4** *last but not least* ostatni, ale nie mniej ważny.

leather [le*ð*e] skóra (materiał).

leave I [li:w] (II / III **left** [left]) **1** wyjść, odjechać. **2** pozostawić, zostawić. **3** opuścić, porzucić: *leave home (school)* porzucić dom (szkołę). **4** *leave alone* zostawić w spokoju.

leave II [li:w] **1** pozwolenie. **2** urlop, zwolnienie.

lecture I [lek*cz*e] wykład.

lecture II [lekćze] wykładać.
lecturer [lekćzere] wykładowca.
led zob. **lead**.
leek [li:k] por.
left I zob. **leave**.
left II [left] lewy.
left-handed [lefthændid] leworęczny.
leg [leg] **1** noga. **2** łapa. **3** *pull sb's leg* nabierać kogoś.
legal [li:gl] **1** legalny. **2** prawny.
legend [ledżend] **1** legenda, podanie. **2** legenda (do mapy).
legendary [ledżendrı] legendarny.
legible [ledżebl] czytelny.
legitimate [lidżitimet] **1** prawowity. **2** uzasadniony. **3** ślubny (o dziecku).
leisure [leże] wolny czas, wypoczynek.
lemon I [lemen] cytryna.
lemon II [lemen] cytrynowy.
lemonade [lemenejd] lemoniada.
lend [lend] (II / III **lent** [lent]) pożyczyć (coś komuś).
length [lenθ] **1** długość. **2** czas trwania. **3** *at length* szczegółowo.
lengthen [lenθen] **1** przedłużyć. **2** wydłużyć.
lenient [li:nient] pobłażliwy.
lens [lenz] **1** soczewka: *contact lenses* szkła kontaktowe. **2** obiektyw.
Leo [li:eu] Lew (znak zodiaku).
leper [lepe] trędowaty.
leprosy [lepresı] trąd.
less [les] **1** mniej: *I watch TV less these days*. Ostatnio mniej oglą-

dam telewizję. **2** *the less... the less (the more)...* im mniej... tym mniej (tym więcej)... **3** *no less than* nie mniej niż...
lesson [lesn] lekcja (nauka): *lesson plan* plan lekcji.
let [let] (II / III **let** [let]) **1** (w propozycjach): *Let's go!* Chodźmy! **2** *let sb do sth* pozwolić komuś coś zrobić: *Dad didn't let Ann go out.* Tata nie pozwolił Annie wyjść. **3** niech: *Let me see.* Niech pomyślę. **4** (*też let out*) wynająć.
◆ **let** sb **down** zawieść, rozczarować kogoś.
◆ **let** sb **(sth) in** wpuścić kogoś (do środka).
◆ **let** sb **(sth) out 1** wypuścić kogoś (coś). **2** wynająć.
lethal [li:θel] śmiertelny, śmiercionośny (broń, choroba).
letter [lete] **1** list. **2** litera.
lettuce [letıs] sałata.
level I [lewl] **1** poziom. **2** stopień. **3** poziom: *advanced level* poziom zaawansowany (w nauce czegoś).
level II [lewl] **1** poziomy. **2** równy (o położeniu).
level III [lewl] (II / III **levelled**) wyrównać.
lever [li:we] dźwignia, lewar.
levy [lewı] (II / III **levied**) nałożyć podatek.
liable [lajebl] **1** narażony. **2** podatny (na chorobę). **3** odpowiedzialny.

liar [la*je*] kłamca.
liberal [lib*er*el] **1** hojny. **2** tolerancyjny, pobłażliwy.
liberate [lib*e*rejt] wyzwolić, uwolnić.
liberty [lib*e*ti] wolność, swoboda.
Libra [li:bre] Waga (znak zodiaku).
librarian [lajbre:rien] bibliotekarz.
library [lajb*re*ri] (*l.mn.* **libraries**) biblioteka.
lice *zob.* **louse**.
licence [lajs*ens*] **1** licencja, pozwolenie: *driving licence* prawo jazdy. **2** koncesja.
lick [lik] lizać.
lid [lid] **1** powieka. **2** wieko.
lie I [laj] kłamstwo.
lie II [laj] (II / III **lied**) kłamać.
lie III [laj] (II **lay** [lej], III **lain** [lejn]) **1** położyć. **2** leżeć (o człowieku, zwierzęciu). **3** znajdować się (o mieście, obiekcie).
◆ **lie down** położyć się.
lieutenant [*le*ften*en*t] *BR* porucznik, kapitan (w marynarce).
life [lajf] (*l.mn.* **lives** [lajwz]) **1** życie. **2** energia. **3** tryb życia.
lifeboat [lajfb*e*ut] łódź ratunkowa.
life buoy [lajfb*o*j] koło ratunkowe.
life jacket [laj*f*dżækit] kamizelka ratunkowa.
lifetime [laj*f*tajm] życie.
lift I [lift] **1** winda. **2** podwiezienie (samochodem): *give sb a lift* podwieźć kogoś.
lift II [lift] **1** podnieść. **2** udźwignąć.

light I [lajt] **1** światło. **2** ogień: *Have you got a light?* Czy masz ogień?
light II [lajt] **1** jasny, widny. **2** lekki. **3** wesoły: *light music* lekka muzyka. **4** łagodny.
light III [lajt] (II / III **lit** [lit] *albo* **lighted** [la*j*tid]) **1** oświetlić. **2** zapalić.
light bulb [lajtbalb] żarówka.
lighter [laj*te*] zapalniczka.
light-hearted [lajtha:tid] **1** radosny. **2** żartobliwy.
lightning [lajtn*in*] **1** pioruny. **2** błyskawice: *a flash of lightning* błyskawica.
like I [lajk] **1** tak... jak. **2** *nieform.* tak jakby.
like II [lajk] **1** lubić. **2** podobać się: *I like my new car.* Podoba mi się mój nowy samochód.
like III [lajk] **1** jak: *like new* jak nowy. **2** tak jak.
likely [lajkl*i*] prawdopodobny.
lilac I [lajl*ek*] bez (kwiat).
lilac II [lajl*ek*] liliowy, lila (kolor).
lily [lil*i*] (*l.mn.* **lilies**) lilia.
limb [lim] **1** kończyna. **2** konar.
lime [lajm] **1** wapno. **2** lipa.
limit I [limit] **1** granica. **2** kres. **3** ograniczenie.
limit II [limit] ograniczyć.
limitation [limit*e*jszn] ograniczenie.
limp I [limp] utykać.
limp II [limp] zwiędły, słaby.
line [lajn] **1** sznur. **2** linia. **3** szereg. **4** kolejka. **5** wers.

linen [linin] **1** płótno lniane. **2** bielizna pościelowa.

liner [lajne] **1** liniowiec. **2** podszewka.

linger [linge] **1** pozostawać dłużej. **2** ociągać się.

linguist [lingłist] językoznawca.

lining [lajnin] podszewka.

link I [link] **1** ogniwo. **2** połączenie. **3** *komp.* połączenie, łączność.

link II [link] **1** połączyć, powiązać z sobą. **2** *komp.* połączyć.

lion [lajen] lew.

lioness [lajenes] lwica.

lip [lip] warga.

lipstick [lipstik] szminka.

liquid I [liklid] płyn.

liquid II [liklid] płynny, ciekły.

lisp [lisp] seplenić.

list [list] lista: *shopping list* lista zakupów.

listen [lisn] słuchać (*to sth* czegoś).

listener [lisne] słuchacz.

lit *zob.* **light**.

literal [literel] **1** dosłowny. **2** autentyczny.

literary [litereri] literacki.

literature [litrécze] literatura.

litre (*AM* **liter**) [li:te] litr.

litter [lite] śmieci.

little I [litl] **1** mały, niewielki. **2** mały (o dziecku).

little II [litl] **1** mało, niewiele. **2** *a little* (*a little bit*) trochę.

live I [liw] **1** żyć. **2** przeżyć. **3** mieszkać: *Where do you live?* Gdzie mieszkasz?

live II [lajw] **1** żywy. **2** aktualny. **3** na żywo (relacja w telewizji).

lively [lajwli] żwawy, wesoły.

liver [liwe] wątroba.

living [liwin] **1** życie: *make (earn) one's living* zarabiać na życie. **2** styl życia.

lizard [lized] jaszczurka.

load I [leud] ładunek.

load II [leud] **1** załadować (transport). **2** *komp.* instalować (program komputerowy).

loaf [leuf] (*l.mn.* **loaves**) bochenek (chleba).

loan [leun] pożyczka.

loathe [leuð] nie cierpieć (czegoś).

lobby [lobi] **1** foyer. **2** lobby.

lobster [lobste] homar.

local [leukl] miejscowy, tutejszy.

locate [leukejt] **1** zlokalizować. **2** umieścić.

location [leukejszn] **1** plener. **2** lokalizacja.

lock I [lok] **1** zamek (u drzwi). **2** śluza. **3** kosmyk. **4** *komp.* blokada.

lock II [lok] zamknąć na klucz.

locker [loke] szafka, schowek.

locomotive [leukemeutiw] lokomotywa.

lodge [lodż] **1** dać zakwaterowanie. **2** umieścić.

lodger [lodże] lokator.

lodging [lodżin] kwatera, nocleg.

loft [loft] strych, poddasze.

log I [log] **1** kłoda. **2** rejestr. **3** *komp.* dziennik.

log II [log] (II / III **logged**) **1** zanotować. **2** ścinać (drzewa).

◆ **log in (log on)** *komp.* zalogować się.

◆ **log off (log out)** *komp.* wylogować się.

logic [lodżik] logika.

logical [lodżikl] logiczny.

lollipop [lolipop] lizak.

lolly [loli] (*l.mn.* **lollies**) lizak.

loneliness [leunlines] samotność.

lonely [eunli] **1** samotny. **2** odludny (o miejscu).

long I [lon] **1** długi. **2** długi. **3** *a long time* długo. **4** *a long time ago* dawno temu.

long II [lon] **1** długo. **2** na długo. **3** od dawna. **4** *as long as* tak długo jak..., o ile... **5** *nieform.* **long time no see!** kopę lat! **6** *so long!* do zobaczenia! **7** *don't be long!* pospiesz się!

long III [lon] **1** tęsknić (*for sb, sth* za kimś, czymś). **2** pragnąć.

longitude [londżitju:d / longitju:d] długość geograficzna.

look I [luk] **1** patrzeć (*at sb, sth* na kogoś, coś). **2** wyglądać: *look like* wyglądać jak...

◆ **look after sb (sth)** opiekować się, zajmować się kimś (czymś).

◆ **look around (round)** rozglądać się.

◆ **look at sb (sth)** patrzeć na kogoś (coś).

◆ **look for sb (sth)** szukać kogoś (czegoś).

◆ **look forward to sth** oczekiwać z niecierpliwością, cieszyć się na coś: *I look forward to hearing from you soon.* Liczę na szybką odpowiedź (w listach).

◆ **look through sb (sth)** przejrzeć, przeszukać kogoś (coś).

◆ **look sb (sth) up 1** odwiedzić kogoś, wpaść do kogoś. **2** sprawdzić coś (zajrzeć do słownika).

look II [luk] **1** spojrzenie: *take (have) a look at sb (sth)* popatrzeć na kogoś (coś). **2** wygląd: *good looks* uroda. **3** rzut okiem.

loop [lu:p] **1** pętla. **2** *komp.* pętla.

loose [lu:s] **1** luźny (o ubraniu). **2** obluzowany. **3** *let (set) loose* uwolnić. **4** swobodny.

lord [lo:d] **1** pan, władca. **2** *BR* lord. **3** *the Lord (Our Lord)* Pan (Bóg).

lorry [lori] (*l.mn.* **lorries**) *BR* ciężarówka.

lose [lu:z] (II / III **lost** [lost]) **1** stracić. **2** zgubić. **3** *lose one's way* zgubić się, zabłądzić. **4** przegrać.

loser [lu:ze] **1** przegrany. **2** *nieform.* nieudacznik.

loss [los] **1** porażka. **2** zguba. **3** strata.

lost I *zob.* **lose**.

lost II [lost] **1** zgubiony. **2** przegrany. **3** stracony. **4** *lost and found (office), lost property office* biuro rzeczy znalezionych.

lot I [lot] **1** los (człowieka). **2** parcela.

lot II [lot] **1** *a lot (lots)* wiele. **2** *a lot (lots) of sth* dużo czegoś. **3** bardzo: *thanks a lot* bardzo dziękuję.

lotion [leuśzn] płyn, emulsja (kosmetyk, lek).

lottery [loteri] loteria.

loud [laud] **1** głośny. **2** krzykliwy. **3** *read sth out loud* czytać coś na głos.

loudspeaker [laudspi:ke] głośnik.

lounge [laundż] **1** hol (w hotelu). **2** salon. **3** poczekalnia.

louse [laus] **1** (*l.mn.* **lice** [lajs]) wesz. **2** (*l.mn.* **louses**) gnida.

love I [law] **1** kochać: *I love you.* Kocham cię. **2** uwielbiać: *I love it!* Uwielbiam to! **3** bardzo się podobać: *I love your hat.* Bardzo mi się podoba twój kapelusz.

love II [law] **1** miłość: *love at first sight* miłość od pierwszego wejrzenia. **2** ukochany.

lovely [lawli] **1** śliczny. **2** miły.

lover [lawe] **1** kochanek. **2** miłośnik. **3** zakochany.

low I [leu] **1** niski. **2** wątły. **3** cichy, niski (głos).

low II [leu] **1** nisko. **2** cicho: *turn the radio down low* ściszyć radio.

lowland (**lowlands**) [leulend(z)] niziny.

low tide [leutajd] odpływ.

loyal [lojel] wierny, lojalny.

loyalty [lojelti] wierność, lojalność.

LP [elpi:] *long-playing record* płyta długogrająca.

luck [lak] **1** szczęście: *good luck* szczęście; *bad luck* pech. **2** *good luck!* powodzenia!

luckily [lakili] na szczęście.

lucky [laki] szczęśliwy.

luggage [lagidż] bagaż.

lukewarm [lu:kło:m] letni, ciepławy.

lullaby [lalebaj] kołysanka.

lunatic [lu:netik] szaleniec.

lunch [lancz] lunch (wczesny obiad).

lung [lan] płuco.

lurk [le:k] **1** czaić się. **2** *komp.* śledzić przebieg rozmowy internetowej.

lust [last] żądza, pożądanie.

luxury [lakśzeri] **1** luksus. **2** zbytek.

lyric I [lirik] liryczny.

lyric II [lirik] **1** utwór liryczny, liryk. **2** *l.mn.* **lyrics** słowa piosenki.

lyrical [lirikl] **1** liryczny, nastrojowy. **2** *wax lyrical* wychwalać, wysławiać.

M

M [em] trzynasta litera alfabetu.

m *metre* metr.

MA [emej] *Master of Arts* magister (nauk humanistycznych).

machine [meśzi:n] maszyna.

machine-gun [meśzi:ngan] karabin maszynowy.

machine language [meśzi:nlæng-glidż] *komp.* język maszynowy.

machinery [meśzi:neri] 1 maszyny. 2 mechanizm.

mackintosh [mækintośz] płaszcz przeciwdeszczowy.

mad [mæd] 1 szalony. 2 obłąkany. 3 *mad at (with) sb* wściekły na kogoś. 4 *nieform.* *be mad about sb* szaleć za kimś.

madam [mædem] pani (zwrot grzecznościowy).

made *zob.* **make**.

madness [mædnes] szaleństwo.

magazine [mægezi:n] 1 czasopismo. 2 magazyn.

magic I [mædżik] magia, czary.

magic II [mædżik] magiczny.

magical [mædżikl] 1 magiczny. 2 czarujący.

magician [medżiśzn] 1 czarnoksiężnik, czarownik. 2 magik, iluzjonista.

magnet [mægnit] magnes (kawałek metalu).

magnetic [mægnetik] magnetyczny.

magnificent [mægnifisnt] wspaniały.

magnify [mægnifaj] (II / III **magnified**) 1 powiększyć. 2 *przen.* wyolbrzymić (problem).

magnifying glass [mægnifajin gla:s] szkło powiększające.

magpie [mægpaj] sroka.

mahogany [mehogeni] mahoń.

maid [mejd] pokojówka.

maiden name [mejdnnejm] nazwisko panieńskie.

mail I [mejl] 1 poczta. 2 korespondencja. 3 *komp.* poczta elektroniczna.

mail II [mejl] wysłać pocztą.

mailbox [mejlboks] 1 skrzynka pocztowa. 2 skrzynka na listy. 3 *komp.* skrzynka odbiorcza.

mailman [mejlmen] (*l.mn.* **mailmen**) listonosz.

main I [mejn] sieć (wodociągowa, kanalizacyjna).

main II [mejn] główny: *main course* danie główne.

mainly [mejnli] głównie.

maintain [mejntejn] 1 zachowywać (milczenie). 2 utrzymywać (temperaturę). **3** konserwować. **4** twierdzić.

maintenance [mejntenens] **1** konserwacja, utrzymanie. **2** utrzymywanie (dobrych stosunków z kimś).

maize [mejz] *BR* kukurydza.

majesty [mædżesti] **1** majestat. **2** majestatyczność. **3** królewska mość.

major I [mejdże] **1** major. **2** dur (tonacja muzyczna).

major II [mejdże] **1** główny. **2** większy.

majority [medżoreti] większość.

make I [mejk] (II / III **made** [mejd]) **1** robić: *make tea* zaparzyć herbatę; *make a decision* powziąć decyzję; *make a mistake* zrobić błąd; *make the bed* pościelić łóżko. **2** *make sb do sth* zmusić kogoś do zrobienia czegoś. **3** uczynić: *make friends* zaprzyjaźnić się.
◆ **make up 1** *make sb up* malować się. **2** *make up with sb* pogodzić się z kimś. **3** *make sth up* zmyślić coś.
◆ **make up for** *sth* nadrobić, zrekompensować coś.

make II [mejk] marka (produktu).

maker [mejke] producent.

make-up [mejkap] kosmetyki.

male I [mejl] **1** mężczyzna. **2** samiec.

male II [mejl] **1** męski. **2** płci męskiej.

malice [mælis] złośliwość.

malicious [meliszes] złośliwy, nikczemny.

mammal [mæmel] ssak.

man [mæn] (*l.mn.* **men** [men]) **1** mężczyzna. **2** człowiek. **3** mąż, partner.

manage [mænidż] **1** poradzić sobie. **2** dać sobie radę: *Can you manage?* Dasz sobie radę? **3** prowadzić, kierować.

management [mænidżment] **1** zarządzanie. **2** zarząd.

manager [mænidże] **1** kierownik. **2** dyrektor. **3** menedżer.

mane [mejn] grzywa.

manhood [mænhud] **1** męskość. **2** wiek męski.

maniac [mejniæk] **1** szaleniec. **2** fanatyk.

manifest [mænifest] **1** manifestować. **2** okazać.

manipulate [menipjulejt] manipulować (kimś, czymś).

mankind [mænkajnd] ludzkość.

manner [mæne] **1** sposób. **2** zachowanie. **3** *l.mn. manners* maniery.

manoeuvre (*AM* **maneuver**) **I** [menu:we] manewr.

manoeuvre (*AM* **maneuver**) **II** [menu:we] manewrować.

mansion [mænszn] **1** rezydencja. **2** pałac.

manual I [mænjuel] podręcznik.

manual II [mænjuel] **1** ręczny. **2** fizyczny.

manually [mænjueli] ręcznie.

manufacture I [mænjufækcze] *form.* produkcja.

manufacture II [mænjufækcze] wyprodukować.

manufacturer [mænjufækczere] producent.

manuscript [mænjuskript] 1 rękopis. 2 manuskrypt.

many [meni] dużo, wiele, wielu: *not many* niewiele, niewielu; *how many?* ile?, ilu?

map [mæp] mapa.

marble [ma:bl] marmur.

March [ma:cz] marzec.

march I [ma:cz] marsz.

march II [ma:cz] maszerować.

mare [me:] kobyła, klacz.

margarine [ma:dżeri:n] margaryna.

margin [ma:dżin] margines.

marital [mæritl] małżeński: *marital status* stan cywilny.

mark I [ma:k] 1 zaznaczyć. 2 poprawiać (test).

mark II [ma:k] 1 plama, ślad. 2 znak. 3 stopień (w szkole).

market [ma:kit] 1 rynek. 2 targ.

marmalade [ma:melejd] dżem.

marriage [mæridż] 1 małżeństwo. 2 ślub.

married [mærid] 1 żonaty. 2 zamężna.

marry [mæri] (II / III **married**) 1 poślubić: *get married to sb* poślubić kogoś. 2 udzielić ślubu.

marsh [ma:sz] moczary, bagno.

martial arts [ma:szla:ts] sztuki walki.

martyr [ma:te] męczennik.

marvel [ma:wl] cud.

marvellous (*AM* **marvelous**) [ma:weles] cudowny.

mascot [mæsket / mæskot] maskotka.

masculine [mæskjulin] 1 męski (o cechach). 2 męski (w językoznawstwie).

mask I [ma:sk] 1 maska. 2 maseczka (w kosmetyce).

mask II [ma:sk] maskować.

mass [mæs] 1 masa, mnóstwo. 2 *Mass* msza.

massacre [mæseke] masakra.

massage I [mæsa:ż] masaż.

massage II [mæsa:ż] masować.

massive [mæsiw] 1 masywny. 2 ogromny.

master [ma:ste] 1 mistrz. 2 pan. 3 nauczyciel. 4 *Master of Arts* magister nauk humanistycznych.

masterpiece [ma:stepi:s] arcydzieło.

mat [mæt] mata, wycieraczka.

match I [mæcz] 1 mecz. 2 partia, małżeństwo. 3 zapałka.

match II [mæcz] pasować do siebie.

mate [mejt] 1 kumpel. 2 samiec (w zoologii). 3 mat (w szachach).

material I [metierjel] 1 dokumentacja. 2 substancja. 3 tkanina.

material II [metierjel] 1 materialny. 2 istotny.

maternal [mete:nl] macierzyński.

maternity [mete:neti] macierzyństwo.

mathematical [mæθemætikl] matematyczny.

mathematician [mæθemetiˈszn] matematyk.

mathematics [mæθemætiks] matematyka.

maths [mæθs] *nieform. BR* matematyka.

matter I [mæte] **1** sprawa. **2** kłopot.

matter II [mæte] mieć znaczenie: *It doesn't matter.* Nic nie szkodzi.

mattress [mætres] materac.

mature I [meˈczue] **1** dojrzały, dorosły. **2** dojrzały (ser).

mature II [meˈczue] dojrzewać.

maximum I [mæksimem] (*l.mn.* **maximums** *albo* **maxima**) maksimum.

maximum II [mæksimem] maksymalny.

may [mej] *GRAM* **1** móc (możliwość): *It may snow.* Może padać śnieg. **2** móc (pozwolenie): *You may go.* Możesz iść. **3** *form.* móc (prośba): *May I have this dance?* Czy mogę prosić do tańca?

May [mej] maj.

maybe [mejbiː] może, być może.

mayonnaise [mejeˈnejz] majonez.

mayor [meː] burmistrz.

maze [mejz] labirynt.

me [miː] (*forma zależna* **I**) **1** mnie, mi: *Listen to me!* Słuchaj mnie!; *Give it to me!* Daj mi to! **2** *it's me* to ja.

meadow [medeu] łąka.

meal [miːl] posiłek.

mean I [miːn] **1** skąpy. **2** podły.

mean II [miːn] (II / III **meant** [ment]) **1** znaczyć. **2** *mean to do sth* zamierzać coś zrobić: *I didn't mean to hurt you.* Nie chciałem cię zranić. **3** *What do you mean?* Co masz na myśli?, O co ci chodzi?

meaning [miːnin] **1** znaczenie. **2** wymowa.

means [miːnz] **1** sposób: *by means of* przy użyciu... **2** środki pieniężne.

meantime [miːntajm] w międzyczasie, tymczasem.

measles [miːzlz] odra (choroba).

measure I [meˈże] **1** jednostka, miara. **2** środek zaradczy. **3** miarka.

measure II [meˈże] **1** wymierzyć. **2** mieć rozmiar. **3** ocenić.

measurement [meˈżement] rozmiar.

meat [miːt] mięso.

mechanic [mekænik] mechanik.

mechanical [mekænikl] **1** mechaniczny. **2** techniczny.

mechanism [mekenizem] mechanizm.

medal [medl] medal.

media [miːdie] *l.mn.* **the media** media.

medical [medikl] medyczny.

medicine [medsn] **1** lekarstwo. **2** medycyna.

medieval (**mediaeval**) [medjiːwl] średniowieczny.

meditate [meditejt] rozważać.

medium I [mi:djem] **1** (*l.mn.* **mediums**) medium (o osobie). **2** (*l.mn.* **mediums** *albo* **media**) środek (przekazu).

medium II [mi:djem] średni (rozmiar).

meet [mi:t] (II / III **met** [met]) **1** spotykać. **2** spotykać się. **3** poznać: ***Pleased to meet you!*** Miło mi pana (panią) poznać!

meeting [mi:tin] **1** spotkanie. **2** zebranie. **3** zawody sportowe.

megabit [megebit] *komp.* megabit.

megabyte [megebajt] *komp.* megabajt.

megaphone [megefeun] megafon.

melody [meledi] (*l.mn.* **melodies**) melodia.

melt [melt] topić się.

member [membe] członek (klubu).

membership [membeśzip] członkostwo: ***EU membership*** członkostwo w UE.

memo [memeu] notatka.

memoirs [memła:z] *l.mn.* pamiętniki.

memorial [memo:rjel] pomnik.

memorize [memerajz] nauczyć się na pamięć.

memory [memeri] (*l.mn.* **memories**) **1** pamięć. **2** wspomnienie. **3** *komp.* pamięć.

men *zob.* **man**.

mend [mend] naprawiać.

mental [mentl] **1** umysłowy. **2** psychiatryczny.

mentally [menteli] **1** umysłowo. **2** psychicznie.

mention [menśzn] wspominać, napomykać o czymś.

menu [menju:] **1** menu, karta dań. **2** *komp.* menu.

merchandise [me:czendajz] towar, towary.

merchant [me:czent] handlowiec.

merciful [me:sifl] litościwy, miłosierny.

mercy [me:si] **1** łaska. **2** litość.

merely [mieli] tylko, jedynie.

merge [me:dż] zmieszać.

merger [me:dże] fuzja.

meridian [meridien] południk (w geografii).

merit [merit] **1** zasługa. **2** zaleta.

mermaid [me:mejd] syrena.

merry [meri] wesoły: ***Merry Christmas!*** Wesołych Świąt!

merry-go-round [merigeuraund] karuzela.

mess I [mes] bałagan.

mess II [mes] majstrować.

◆ **mess with** *sb (sth)* zadzierać z kimś.

message [mesidż] **1** wiadomość. **2** *komp.* komunikat.

met *zob.* **meet**.

metal [metl] **1** metal. **2** (*też* ***heavy metal***) heavy metal (muzyka).

metallic [metælik] **1** metalowy. **2** metaliczny.

metamorphosis [metemo:fesis] (*l.mn.* **metamorphoses** [metemo:fesi:z]) metamorfoza.

metaphor [metefo:] metafora.

meteorology [mi:tieroledży] meteorologia.

meter [mi:te] **1** licznik. **2** zob. **metre**.

method [meθed] **1** metoda. **2** sposób.

metre (*AM* **meter**) [mi:te] metr.

mice *zob.* **mouse**.

microphone [majkrefeun] mikrofon.

microscope [majkreskeup] mikroskop.

midday [middej] południe (pora dnia).

middle I [midl] środek (drogi): *in the middle of sth* w środku czegoś.

middle II [midl] środkowy, średni: *middleweight* waga średnia (w boksie).

middle age [midlejdż] wiek średni.

Middle Ages [midlejdżiz] średniowiecze.

midnight [midnajt] północ (pora).

might I [majt] *GRAM* **1** móc (możliwość): *He might be right.* (Być) może on ma rację. **2** móc (przypuszczenia na temat przeszłości): *He might have been killed!* On mógł zginąć! **3** móc (propozycja): *We might go there.* Może pójdziemy tam.

might II [majt] **1** potęga, moc. **2** siła.

mighty [majti] **1** potężny. **2** ogromny.

migraine [mi:grejn] migrena.

migrate [majgrejt] migrować.

mild [majld] **1** łagodny. **2** umiarkowany.

mile [majl] mila.

military [miletri] wojskowy.

milk I [milk] **1** mleko. **2** *it's no good crying over spilt milk* nie ma co płakać nad rozlanym mlekiem.

milk II [milk] doić.

milkman [milkmen] (*l.mn.* **milkmen**) mleczarz.

milkshake [milkśzejk] napój mleczny.

milky [milki] **1** mleczny. **2** *the Milky Way* Droga Mleczna.

mill I [mil] **1** młynek. **2** młyn.

mill II [mil] mleć, mielić.

miller [mile] młynarz.

millimetre (*AM* **millimeter**) [milimi:te] milimetr.

million [miljen] milion: *four million* cztery miliony.

millionaire [miljene:] milioner.

mime I [majm] **1** pantomima. **2** mim.

mime II [majm] wyrażać mimicznie, pokazywać na migi.

mince [mins] mleć, mielić.

mind I [majnd] **1** umysł. **2** inteligencja. **3** opinia. **4** *lose one's mind* tracić głowę. **5** *make up one's mind (about sth)* zdecydować się (na coś).

mind II [majnd] **1** przejmować się czymś. **2** mieć coś przeciwko czemuś: *I don't mind* the sun. Słońce mi nie przeszkadza. **3** uważać (na coś). **4** *mind one's own business* pilnować swojego nosa. **5** *never mind* nie szkodzi.

mine I [majn] (używany, jeżeli nie występuje po nim rzeczownik) mój: *Which bed is mine?* Które łóżko jest moje?; *a friend of mine* mój znajomy.

mine II [majn] kopalnia.

miner [majne] górnik.

mineral [minerel] minerał.

mineral water [minerel lo:te] woda mineralna.

miniature I [minecze] miniatura.

miniature II [minecze] miniaturowy.

minimum [minimem] minimalny.

minimum II [minimem] (*l.mn.* **minimums** *albo* **minima**) minimum.

miniskirt [miniske:t] spódnica mini.

minister [ministe] 1 pastor. 2 minister.

minor I [majne] nieletni.

minor II [majne] 1 pomniejszy. 2 niewielki.

minority [majnoreti] (*l.mn.* **minorities**) mniejszość.

mint [mint] mięta.

minus [majnes] 1 minus (w matematyce). 2 wada.

minute I [minit] 1 minuta. 2 chwila: *just a minute please* minutkę, chwilę.

minute II [majnju:t] bardzo mały.

miracle [mirekl] cud.

miraculous [mirækjules] cudowny.

mirror [mire] lustro.

misbehave [misbihejw] źle się zachowywać.

misbehaviour (*AM* **misbehavior**) [misbihejwie] złe zachowanie.

mischief [misczif] psoty.

mischievous [miscziwes] 1 psotny. 2 złośliwy.

miserable [mizrebl] 1 nieszczęśliwy. 2 nędzny.

misery [mizeri] 1 nieszczęście. 2 nędza.

misfortune [misfo:czen] pech, nieszczęście.

mislead [misli:d] (II / III **misled** [misled]) zmylić.

misleading [misli:din] zwodniczy.

misled *zob.* **mislead**.

Miss [mis] 1 panna. 2 zwycięczyni (tytuł w konkursie). 3 *Yes, Miss* tak, proszę pani (w szkole).

miss [mis] 1 chybić, nie trafić. 2 spóźnić się na coś (autobus). 3 tęsknić: *I miss you.* Tęsknię za tobą. 4 opuścić (zajęcia).

missile [misajl] pocisk.

mission [miszn] 1 misja. 2 zadanie.

missionary [miszenri] (*l.mn.* **missionaries**) misjonarz.

mist [mist] mgła.

mistake I [mistejk] błąd, pomyłka: *make a mistake* popełnić błąd.

mistake II [mistejk] (II **mistook** [mistuk], III **mistaken** [mistejken]) 1 pomylić. 2 opacznie zrozumieć.

mister [miste] pan: *Hey mister!* Proszę pana!

mistress [mistres] 1 kochanka. 2 właścicielka.

misunderstand [misandestænd] (II / III **misunderstood** [misandestud]) źle zrozumieć.

misunderstanding [misandestændiŋ] nieporozumienie.

misunderstood *zob.* **misunderstand**.

misuse [misju:s] nadużycie.

mix I [miks] 1 mieszanka. 2 remiks, miks (piosenki).

mix II [miks] 1 mieszać, połączyć (składniki). 2 nawiązać znajomość.

mixer [miksе] 1 mikser (kuchenny). 2 mikser (w muzyce).

mixture [miksćze] 1 mieszanina. 2 mikstura.

mix-up [miksap] zamieszanie.

moan I [meun] 1 jęczeć. 2 narzekać.

moan II [meun] 1 jęk. 2 *nieform.* biadolenie.

mob [mob] 1 tłum, *pejor.* motłoch. 2 gang: *the Mob* mafia.

mobile [meubajl] 1 ruchomy. 2 żywy.

mobile (**phone**) [meubajl(feun)] telefon komórkowy, komórka.

mock I [mok] wyśmiać.

mock II [mok] 1 sztuczny. 2 próbny (egzamin).

mockery [mokeri] kpiny.

mode [meud] 1 tryb. 2 sposób.

model I [modl] 1 model, modelka. 2 makieta.

model II [modl] 1 modelować. 2 prezentować.

moderate [moderet] 1 średni. 2 umiarkowany.

modern [modn] 1 nowoczesny. 2 współczesny.

modest [modist] skromny.

modesty [modesti] skromność.

modify [modifaj] (II / III **modified**) modyfikować.

moisture [mojsćze] wilgoć.

mole [meul] 1 pieprzyk. 2 kret.

molehill [meulhil] 1 kretowisko. 2 *make a mountain out of a molehill* robić z igły widły.

moment [meument] 1 chwila, moment. 2 *at the moment* w tej chwili, w tym momencie.

monarch [monek] monarcha.

monastery [monestri] klasztor.

Monday [mandej / mandi] poniedziałek.

money [mani] pieniądze.

mongrel [mangrel] kundel.

monitor I [monite] monitor.

monitor II [monite] 1 kontrolować. 2 monitorować.

monk [maŋk] mnich.

monkey [maŋki] 1 małpa.

monologue (*AM* **monolog**) [monelog] monolog.

monotonous [menotenes] monotonny.

monster [monste] potwór.

month [manθ] miesiąc: *every month* co miesiąc; *last month* w ubiegłym miesiącu.

monument [monjument] pomnik.

mood [mu:d] 1 nastrój: *be in a good (bad) mood* być w dobrym (złym) nastroju. 2 atmosfera (miejsca).

moon [mu:n] księżyc: *new moon* nów; *full moon* pełnia księżyca.

moor [mo:] wrzosowisko.

mop I [mop] mop (do mycia podłóg).

mop II [mop] (II / III **mopped**) myć podłogę mopem.

moral I [morel] **1** morał. **2** *l.mn.* *morals* moralność, zasady.

moral II [morel] moralny.

morality [mæræleti] moralność.

more [mo:] *GRAM* **1** bardziej: *more serious* poważniejszy. **2** więcej: *You must read more.* Musisz więcej czytać. **3** *any more* już nie, nic więcej. **4** *more and more* coraz więcej. **5** *more or less* mniej więcej.

moreover [mo:reuwe] co więcej, w dodatku.

morgue [mo:g] kostnica.

morning [mo:nin] **1** rano: *in the morning* rankiem; *on Sunday morning* w niedzielę rano. **2** *(Good) morning!* Dzień dobry! (mówione przed południem).

mortal I [mo:tl] śmiertelnik.

mortal II [mo:tl] śmiertelny.

mortgage [mo:gidż] hipoteka.

mosque [mosk] meczet.

mosquito [meski:teu] moskit, komar.

moss [mos] mech.

most I [meust] *GRAM* **1** większość: *most of the classes* większość klas. **2** maksimum, wszystko: *the most you can do* wszystko, co możesz zrobić. **3** najwięcej: *You have eaten the most cakes.* Zjadłeś najwięcej ciastek. **4** *most of all* przede wszystkim.

most II [meust] *GRAM* **1** najbardziej: *Sue is the most beautiful girl in the class.* Sue jest najpiękniejszą dziewczyną w klasie. **2** wyjątkowo: *most irritating* wyjątkowo irytujący.

mostly [meustli] **1** głównie. **2** przeważnie.

motel [meutel] motel.

moth [moθ] **1** ćma. **2** mól.

mother [maðe] matka.

motherfucker [maðefake] *wulg.* skurwysyn.

motherhood [maðehud] macierzyństwo.

mother-in-law [maðerinlo:] (*l.mn.* **mothers-in-law**) teściowa.

motion [meuszn] **1** ruch. **2** wniosek.

motive [meutiw] pobudka.

motor [meute] silnik.

motorbike [meutebajk] *BR* motocykl, *nieform.* motor.

motorcycle [meutesajkl] motocykl.

motorway [meutełej] *BR* autostrada.

motto [meuteu] (*l.mn.* **mottoes** *albo* **mottos**) motto.

mould [meuld] pleśń.

mount I [maunt] góra.

mount II [maunt] **1** dosiąść (konia). **2** wspiąć się.

mountain [maunten] góra.

mountaineering [mauntenierin] wspinaczka wysokogórska.

mountainous [mauntenes] górzysty.

mourn [mo:n] opłakiwać.

mourning [mo:nin] żałoba.

mouse [maus] (*l.mn.* **mice** [majs]) 1 mysz. 2 *komp.* mysz: *mouse click* kliknięcie myszą.

mousetrap [maustræp] pułapka na myszy.

moustache [mesta:sz] wąsy.

mouth [mauθ] 1 usta. 2 *nieform.* *keep your mouth shut* nie odzywaj się.

movable [mu:webl] ruchomy, przenośny.

move I [mu:w] 1 ruszać, ruszać się: *Don't move!* Nie ruszaj się! 2 *move house* przeprowadzić się. 3 wzruszyć.

◆ **move in** wprowadzić się.

◆ **move out** wyprowadzić się.

move II [mu:w] 1 ruch: *make a move* zrobić ruch, ruszyć się. 2 posunięcie.

movement [mu:wment] 1 ruch, gest. 2 ruch (organizacja).

movie [mu:wi] *AM* 1 film. 2 *the movies* kino.

mow [meu] (II **mowed** [meud], III **mown** [meun] *albo* **mowed** [meud]) kosić.

mower [meue] kosiarka.

mown *zob.* **mow**.

Mr (*AM* **Mr.**) [miste] pan.

Mrs (*AM* **Mrs.**) [misiz] pani (mężatka).

Ms (*AM* **Ms.**) [miz / mez] pani (stan cywilny obojętny).

much [mać] 1 wiele, dużo: *much bigger* znacznie większy. 2 często, dużo: *We don't watch TV much.* Rzadko oglądamy TV. 3 *too much* za dużo. 4 *not much* nic specjalnego.

mud [mad] błoto.

muddle I [madl] 1 bałagan. 2 zamieszanie.

muddle II [madl] 1 pomieszać. 2 poplątać.

muddy [madi] zabłocony.

mug I [mag] kubek, kufel.

mug II [mag] (II / III **mugged**) obrabować kogoś (w miejscu publicznym).

mugger [mage] bandyta (uliczny).

multilateral [maltilæterel] wielostronny.

multiple [maltipl] wieloraki: *multiple choice test* test wielokrotnego wyboru.

multiplex [maltipleks] *AM* multipleks, kino wieloekranowe.

multiply [maltiplaj] (II / III **multiplied**) pomnożyć, zwielokrotnić.

multitude [maltitju:d] mnóstwo.

mumble [mambl] mamrotać.

mumps [mamps] świnka (choroba).

municipal [mju:nisipl] miejski.

murder I [me:de] morderstwo.

murder II [me:de] zamordować.

murderer [me:dere] morderca.
murmur I [me:me] mruczeć.
murmur II [me:me] pomruk.
muscle [masl] mięsień.
museum [mju:ziem] muzeum.
mushroom [maśrum] **1** grzyb. **2** pieczarka.
music [mju:zik] **1** muzyka. **2** nuty.
musical I [mju:zikl] **1** muzyczny. **2** muzykalny (człowiek). **3** muzyczny (talent).
musical II [mju:zikl] (*też* **musical comedy**) musical, komedia muzyczna.
musician [mju:ziśzn] muzyk.
Muslim I [muzlim] muzułmanin.
Muslim II [muzlim] muzułmański.
mussel [masl] małż.
must [mast] *GRAM* **1** musieć. **2** *must not* nie móc (zakaz): *You mustn't smoke*. Nie wolno ci palić.
mute [mju:t] niemy.
mutineer [mju:tinie] buntownik.
mutiny [mju:tini] bunt.

mutter [mate] mamrotać, mruczeć.
mutton [matn] baranina.
mutual [mju:ćzuel] **1** wzajemny. **2** wspólny.
mutually [mju:ćzueli] **1** wzajemnie. **2** wspólnie.
muzzle [mazl] **1** pysk. **2** kaganiec.
my [maj] mój.
myself [majself / meself] **1** się; siebie, sobie (w odniesieniu do ,,ja"): *I hurt myself*. Uderzyłam się. **2** sam, samodzielnie: *I heard it myself*. Sama to słyszałam. **3** *all by myself* całkiem sam.
mysterious [mistieries] tajemniczy.
mystery [misteri] (*l.mn.* **mysteries**) tajemnica.
mystify [mistifaj] (II / III **mystified**) zadziwić.
myth [miθ] mit.
mythic [miθik] mityczny.
mythical [miθikl] **1** mityczny. **2** wyimaginowany, wymyślony.
mythology [miθoledżi] mitologia.

N [en] czternasta litera alfabetu.

nail I [nejl] **1** gwóźdź. **2** paznokieć: *bite one's nails* obgryzać paznokcie.

nail II [nejl] przybić (gwoździami).

naïve (**naive**) [naji:w] naiwny.

naked [nejkid] **1** nagi. **2** nieosłonięty.

name I [nejm] **1** imię: *What's your name?* Jak masz na imię?, Jak się nazywasz?; *first (Christian) name* imię; *full name* imię i nazwisko. **2** nazwisko. **3** nazwa. **4** reputacja.

name II [nejm] **1** nadać imię. **2** wymieniać.

name day [nejmdej] imieniny.

namely [nejml*i*] mianowicie.

nap [næp] drzemka.

napkin [næpkin] serwetka.

narcotic [na:kotik] narkotyk.

narrator [n*e*rejt*e*] narrator.

narrow I [nær*e*u] wąski, ciasny.

narrow II [nær*e*u] ograniczyć, zawęzić.

narrow-minded [nær*e*umajndid] *pejor.* ograniczony (o poglądach).

nasty [na:st*i*] **1** wstrętny. **2** złośliwy.

nation [nejszn] **1** państwo, kraj. **2** naród.

national [næsznel] **1** krajowy. **2** narodowy. **3** państwowy.

nationality [næszenæl*eti*] (*l.mn.* **nationalities**) narodowość, obywatelstwo.

native I [nejtiw] **1** mieszkaniec. **2** tubylec.

native II [nejtiw] **1** ojczysty. **2** *native speaker* rodzimy użytkownik języka.

NATO [nejt*e*u] *North Atlantic Treaty Organization* NATO.

natural [næcz*r*el] **1** naturalny. **2** normalny.

naturally [næcz*r*el*i*] **1** naturalnie. **2** z natury.

nature [nejcz*e*] **1** przyroda, natura. **2** osobowość. **3** typ, rodzaj.

naughty [no:t*i*] **1** niegrzeczny. **2** nieprzyzwoity.

nausea [no:sij*e* / no:zij*e*] mdłości.

naval [nejwl] morski, marynarski.

navel [nejwl] pępek.

navigate [næwigejt] **1** żeglować. **2** pilotować (statek, samolot). **3** *navigate the Web* surfować, nawigować po sieci (Internet).

navigator [næwigejt*e*] nawigator, pilot.

navy [nejw*i*] marynarka wojenna.

navy blue [nejw*i*blu:] granatowy (kolor).

NBA [enbi:**ej**] *National Basketball Association* Zawodowa Liga Koszykówki.

near I [ni*e*] bliski, niedaleki.

near II [ni*e*] blisko, niedaleko.

nearby [ni*e*baj] niedaleki, pobliski.

nearly [ni*e*l*i*] prawie.

neat [ni:t] staranny, schludny.

necessarily [nese*se*re*l*i / nese*se*re*l*i] koniecznie.

necessary [nese*se*ri] konieczny.

necessity [nese*se*ti] konieczność.

neck [nek] szyja.

necklace [nekl*e*s] naszyjnik.

need I [ni:d] **1** potrzebować. **2** chcieć: *I need a cup of tea.* Mam ochotę na filiżankę herbaty.

need II [ni:d] **1** konieczność, potrzeba: *There's no need to hurry.* Nie ma potrzeby się śpieszyć. **2** trudna sytuacja.

needle [ni:dl] **1** igła, drut. **2** wskazówka. **3** *look for a needle in a haystack* szukać igły w stogu siana.

needless [ni:dl*e*s] niepotrzebny.

negative I [ne*ge*tiw] **1** odpowiedź przecząca. **2** przeczenie.

negative II [ne*ge*tiw] **1** negatywny (o odpowiedzi). **2** przeczący. **3** pesymistyczny.

neglect [niglekt] **1** zaniedbywać. **2** zlekceważyć (potrzeby).

neglected [niglektid] zaniedbany.

negotiation [nige*u*ś*zi*e*j*śzn] negocjacje.

neighbour (*AM* **neighbor**) [nejb*e*] sąsiad.

neighbourhood (*AM* **neighborhood**) [nejb*e*hud] **1** dzielnica. **2** sąsiedztwo.

neither I [najð*e*] **1** *neither... nor* ani... ani: *I can neither read nor speak Italian.* Ja nie potrafię ani czytać, ani mówić po włosku. **2** ani, też nie: *'He is not Polish'.* *'Neither is Ania'.* „On nie jest Polakiem". „Ania też nie".

neither II [najð*e*] żaden (z kilku): *Neither of them smiled.* Żaden z nich (dwóch) nie uśmiechnął się.

nephew [nefju: / newju:] bratanek, siostrzeniec.

nerve [ne:w] **1** nerw. **2** bezczelność.

nervous [ne:w*e*s] zdenerwowany, nerwowy.

nest [nest] gniazdo.

net I [net] **1** sieć, siatka. **2** siatka, bramka (w sporcie). **3** *nieform.* (*też the Net*) Internet.

net II [net] netto, czysty (o dochodach).

netsurfer [nets*e:fe*] surfer po Internecie.

network [netł*e:*k] sieć (TV, radio).

neutral [nju:trel] **1** neutralny. **2** obojętny.

never [newe] nigdy.

new [nju:] **1** nowy. **2** inny. **3** najnowszy. **4** *New Year's Day* Nowy Rok; *New Year's Eve* sylwester.

newcomer [nju:kam*e*] przybysz.

news [nju:z] *l.mn.* **1** wiadomość, wiadomości: *a piece (an item) of news* wiadomość. **2** *the news* serwis informacyjny.

newsagent's [nju:zejdż*e*nts] *BR* kiosk z gazetami.

newspaper [nju:spejp*e*] gazeta.

next I [nekst] **1** następny. **2** przyszły: *next Tuesday* w przyszły wtorek.

next II [nekst] następnie, potem.

NHL [enejcz*e*l] *National Hockey League* Amerykańska Liga Hokeja na Lodzie.

nice [najs] **1** miły. **2** ładny. **3** uprzejmy. **4** *Nice to see you!* Cieszę się, że cię znowu widzę. **5** *Nice to meet you!* Miło mi cię poznać. **6** *Have a nice day!* Udanego dnia!

nicely [najsl*i*] **1** miło. **2** ładnie. **3** grzecznie.

nickname [niknejm] przezwisko.

niece [ni:s] bratanica, siostrzenica.

night [najt] **1** noc: *good night!* dobranoc! **2** wieczór: *on Friday night* w piątek wieczorem.

nightclub [najtklab] klub nocny.

nightingale [najti*ng*ejl] słowik.

nightmare [najtme:] koszmar nocny.

nil [nil] zero (wynik meczu).

nine [najn] **1** dziewięć. **2** dziewiąta (godzina).

nineteen [najnti:n] dziewiętnaście.

nineteenth [najnti:n*θ*] dziewiętnasty.

ninetieth [najnti*e*θ] dziewięćdziesiąty.

ninety [najnt*i*] dziewięćdziesiąt.

ninth [najnθ] dziewiąty.

nipple [nipl] sutek.

no I [n*e*u] **1** żaden: *of no importance* zupełnie nieważny. **2** (w zakazach): *No smoking!* Palenie wzbronione! **3** *No way!* Nie ma mowy!

no II [n*e*u] nie.

nobility [n*e*ubil*e*ti] **1** arystokracja. **2** szlachetność.

noble [n*e*ubl] **1** szlachecki. **2** szlachetny.

nobody (no one) [n*e*ub*e*di (n*e*ułan)] nikt.

nod [nod] (II / III **nodded**) skinąć głową.

noise [nojz] **1** odgłos. **2** hałas.

noiseless [nojzl*e*s] bezgłośny.

noisy [nojz*i*] hałaśliwy.

none [nan] **1** żaden: *none of us* żaden z nas. **2** nic: *none of the cheese* ani trochę sera.

nonsense [nons*e*ns] nonsens.

non-smoker [nonsm*e*uk*e*] niepalący.

non-stop [nonstop] nieprzerwany, bezpośredni.

noon [nu:n] południe: *at 12 noon* o 12 w południe.

no one *zob.* **nobody**.

nor [no:] *zob.* **neither**.

normal [no:m*e*l] normalny.

normally [no:m*e*l*i*] normalnie, zazwyczaj.

north I [no:θ] północ (strona świata): *in the north* na północy.

north II [no:θ] północny.

northern [no:ðen] północny (kraj).

nose [neuz] **1** nos. **2** dziób, przód (samolotu, łodzi).

nostril [nostril] nozdrze.

nosy (nosey) [neuzi] *nieform.* wścibski.

not [not] **1** nie (w przeczeniach): *She isn't (is not) happy.* Ona nie jest szczęśliwa. **2** *not at all* wcale nie, nie ma za co (odpowiedź na podziękowanie).

note I [neut] **1** notatka: *take notes* robić notatki. **2** liścik. **3** przypis. **4** nuta. **5** banknot.

note II [neut] **1** zauważyć. **2** zanotować.

notebook [neutbuk] **1** notes. **2** *komp.* notes elektroniczny.

nothing [naθin] **1** nic: *nothing else* nic więcej. **2** *nothing but* nic innego jak tylko. **3** *for nothing* za darmo.

notice I [neutis] **1** ogłoszenie. **2** wypowiedzenie (pracy).

notice II [neutis] zauważyć.

noticeable [neutisebl] zauważalny.

noticeboard [neutisbo:d] tablica ogłoszeń.

notify [neutifaj] (II / III **notified**) *BR* powiadomić.

notion [neuszn] **1** pogląd. **2** pojęcie: *notion of time* poczucie czasu.

nought [no:t] zero (cyfra).

noun [naun] rzeczownik.

nourish [narisz] odżywiać.

novel [nowl] powieść.

novelist [nowelist] powieściopisarz, powieściopisarka.

novelty [nowelti] (*l.mn.* **novelties**) nowość.

November [newembe] listopad.

now [nau] **1** teraz. **2** zaraz. **3** *by now* do tej pory. **4** *just now* dopiero co.

nowadays [nauedejz] w dzisiejszych czasach.

nowhere [neue:] nigdzie.

nuclear [nju:klie] jądrowy.

nucleus [nju:klies] (*l.mn.* **nuclei** [nju:kliaj]) jądro.

nude [nju:d] nagi.

null [nal] nieważny: *null and void* bez mocy prawnej.

numb [nam] **1** zdrętwiały. **2** otępiały.

number I [nambe] **1** liczba. **2** numer. **3** ilość.

number II [nambe] **1** ponumerować. **2** liczyć.

numeral [nju:merel] **1** cyfra. **2** liczebnik (w językoznawstwie).

numerous [nju:meres] liczny.

nun [nan] siostra zakonna.

nurse [ne:s] pielęgniarka.

nursery [ne:seri] **1** żłobek. **2** pokój dziecinny.

nursery school [ne:serisku:l] przedszkole.

nut [nat] **1** orzech. **2** nakrętka.

nutrition [nju:triszn] odżywianie.

nutritious [nju:triszes] pożywny.

nymph [nimf] nimfa.

O

O [*eu*] piętnasta litera alfabetu.
oak [*euk*] dąb.
oar [o:] wiosło.
oasis [*euejsis*] (*l.mn.* **oases** [*euej-si:z*]) oaza (*też przen.*).
oath [*euθ*] przysięga.
obedience [*ebi:djens*] posłuszeństwo.
obedient [*ebi:djent*] posłuszny.
obey [*ebej*] przestrzegać, zastosować się do czegoś.
obituary [*ebiczueri*] nekrolog.
object I [*obdżikt*] **1** przedmiot. **2** cel. **3** obiekt.
object II [*ebdżekt*] sprzeciwiać się.
objection [*ebdżekszn*] sprzeciw.
objective I [*ebdżektiw*] cel.
objective II [*ebdżektiw*] obiektywny.
obligation [obligejszn] **1** obowiązek. **2** zobowiązanie.
obligatory [*ebligetri*] obowiązkowy.
oblige [*eblajdż*] zobowiązać.
oblong [*oblon*] podłużny.
obscene [*ebsi:n*] obsceniczny.
obscure [*ebskjue*] **1** niejasny. **2** niewyraźny.
observation [obzewejszn] obserwacja.
observe [*ebze:w*] **1** zauważyć. **2** obserwować.

obsession [*ebseszn*] obsesja.
obstacle [*obstekl*] przeszkoda.
obstinate [*obstenet*] zawzięty, uparty.
obstruct [*ebstrakt*] przesłonić.
obtain [*ebtejn*] uzyskać.
obvious [*obwies*] oczywisty.
obviously [*obwiesli*] oczywiście.
occasion [*ekejżn*] **1** okazja. **2** uroczystość. **3** powód.
occasional [*ekejżenl*] **1** sporadyczny. **2** okolicznościowy.
occasionally [*ekejżeneli*] od czasu do czasu, prawie nigdy.
occupation [okjupejszn] **1** zawód, zajęcie. **2** zamieszkanie. **3** okupacja.
occupy [okjupaj] (II / III **occupied**) **1** zajmować. **2** *form.* zamieszkiwać.
occur [*eke:*] (II / III **occurred**) **1** zdarzyć się. **2** przyjść do głowy.
occurrence [*ekarens*] **1** zdarzenie. **2** występowanie.
ocean [*euszn*] ocean.
October [okteube] październik.
octopus [oktepes] (*l.mn.* **octopuses** *albo* **octopus**) ośmiornica.
oculist [okjulist] okulista.
odd [od] **1** dziwny. **2** nieparzysty.
odds [odz] *l.mn.* **1** notowania (giełdowe). **2** szanse.

ode [eud] oda.

odour (*AM* **odor**) [*eu*de] woń.

of [ow / *słabe* ew] **1** z, ze: *There was no child of that marriage.* Z tego małżeństwa nie było dziecka. **2** z, od, na (przyczyna choroby, śmierci): *She died of pneumonia.* Zmarła na zapalenie płuc. **3** (autorstwo): *the book of Shakespeare* książka Szekspira. **4** (o wieku): *a girl of ten* dziewczynka w wieku dziesięciu lat (dziesięcioletnia). **5** z (materiał): *A dress made of silk.* Sukienka z jedwabiu. **6** (zawartość): *a bottle of wine* butelka wina. **7** z, od (w odniesieniu do grupy): *some of us* niektórzy z nas; *a friend of mine* mój znajomy, jeden z moich znajomych.

of course [ewko:s] oczywiście.

off I [of] **1** z, od (z dala od): *two metres off the ground* dwa metry nad ziemią. **2** z (przy opuszczaniu): *He got off the bus.* Wysiadł z autobusu. **3** (nieobecność): *My brother is off school.* Mój brat nie chodzi do szkoły.

off II [of] **1** wyłączony, zakręcony: *The lights are off.* Światła są zgaszone. **2** niepracujący, wolny: *Let's take one day off.* Weźmy jeden dzień wolnego. **3** zepsuty (o jedzeniu). **4** odwołany.

offence [efens] **1** obraza. **2** wykroczenie. **3** ofensywa.

offend [efend] urazić, obrazić (kogoś).

offender [efende] przestępca.

offensive I [efensiw] **1** obraźliwy. **2** ordynarny.

offensive II [efensiw] ofensywa.

offer I [ofe] **1** zaproponować. **2** ofiarować.

offer II [ofe] propozycja, oferta.

office [ofis] **1** biuro. **2** urząd.

officer [ofise] **1** oficer. **2** wyższy urzędnik. **3** funkcjonariusz, policjant.

official I [efiszl] urzędowy, oficjalny.

official II [efiszl] urzędnik.

offline (**off-line**) [oflajn] *komp.* autonomiczny (status rozłączenia z systemem operacyjnym).

offspring [ofsprin] potomek, latorośl.

often [ofn / oftn] często: *how often?* jak często?

oil I [ojl] **1** ropa naftowa, olej napędowy. **2** olej: *olive oil* oliwa z oliwek.

oil II [ojl] naoliwić.

oil painting [ojlpejntin] obraz olejny.

oinment [ojntment] maść.

okay (**OK**) **I** [eukej] **1** w porządku: *It's OK with (by) me.* Nie mam nic przeciwko temu. **2** przyjęty, akceptowany: *it's OK to do sth* można na coś zrobić.

old [euld] **1** stary: *grow old* starzeć się. **2** (podając wiek): *How old are you?* Ile masz lat?; *I'm twenty years old.* Mam dwadzieścia lat.

old-fashioned [euldfæéšznd] staromodny.

olive [oliw] **1** oliwka. **2** drzewo oliwne.

Olympic [elimpik] olimpijski: *Olympic Games* Igrzyska Olimpijskie.

Olympics [elimpiks] olimpiada, igrzyska olimpijskie.

omelette [omlet] omlet.

omission [emišzn] przeoczenie, pominięcie.

omit [emit] (II / III **omitted**) przeoczyć, pominąć.

on I [on] **1** na (położenie): *on the table* na stole. **2** do, w (kierunek): *I got on a wrong bus.* Wsiadłam do złego autobusu. **3** w (czas): *on Sunday* w niedzielę; *on May 2nd* drugiego maja. **4** na temat: *a book on gardening* książka na temat ogrodnictwa. **5** na: *on holiday* na wakacjach. **6** przez, w, na (przy użyciu): *They talked on the phone.* Rozmawiali przez telefon; *on computer* na komputerze; *on TV* w telewizji. **7** o (coś): *I hit my head on the table.* Uderzyłem się w głowę o stół. **8** przy sobie: *have sth on sb* mieć coś przy sobie. **9** *on sth* zaraz po (zrobieniu czegoś).

on II [on] **1** na siebie: *Put your coat on.* Załóż płaszcz. **2** na sobie: *I have my jacket on.* Mam na sobie kurtkę. **3** dalej (kontynuować): *go on* kontynuować. **4** *on and on* bez końca.

on III [on] **1** włączony: *The radio is on.* Radio jest włączone. **2** wyświetlany, wystawiany (w kinie, teatrze): *What is on at the cinema?* Co grają w kinie?

once I [łans] **1** jeden raz: *once a week* raz w tygodniu. **2** pewnego razu: *once upon a time* pewnego razu, dawno dawno temu. **3** *at once* od razu.

once II [łans] kiedy, gdy: *Once she had rested, she felt better.* Kiedy już odpoczęła, zaraz poczuła się lepiej.

one I [łan] **1** jeden. **2** pierwsza (godzina).

one II [łan] **1** każdy, jeden (z grupy): *one of them* jeden z nich. **2** ktokolwiek: *one should see it* powinno się to zobaczyć. **3** ten, ta, to (omijając podmiot): *a blue one* ten niebieski. **4** *one by one* jeden po drugim.

oneself [łanself] się (bezosobowo).

onion [anjen] cebula.

online (**on-line**) [onlajn] *komp.* na bieżąco: *be online* być podłączonym do sieci.

only I [eunli] **1** tylko. **2** po prostu. **3** dopiero: *only last month* dopiero w zeszłym miesiącu.

only II [eunli] jedyny: *only child* jedynak, jedynaczka.

onto (**on to**) [ontu:] na (coś), do (czegoś): *load the software onto the computer* wprowadzić program do komputera.

opaque [*eu*pejk] **1** nieprzejrzysty. **2** mętny.

open I [*eu*pen] **1** otwarty. **2** jawny. **3** szczery. **4** *in the open air* na świeżym powietrzu.

open II [*eu*pen] **1** otworzyć (się). **2** rozpiąć. **3** rozpocząć. **4** być otwartym, czynnym: *The museum opens from 10 am to 4 pm.* Muzeum jest czynne od 10 do 16.

opener [*eu*pne] otwieracz.

opening [*eu*pnin] **1** otwór. **2** polana. **3** początek.

opening hours [*eu*pnin au*ez*] godziny otwarcia.

opera [opr*e*] opera.

operate [op*e*rejt] **1** obsługiwać (maszynę). **2** funkcjonować (o maszynie).

operation [op*e*rej*szn*] **1** działanie. **2** operacja. **3** użytkowanie. **4** obsługa.

operator [op*e*rejt*e*] **1** operator (maszyny). **2** telefonistka.

opinion [*e*pinjen] **1** pogląd. **2** porada. **3** ocena. **4** *in my opinion* moim zdaniem.

opportunity [opet*ju:*neti] (*l.mn.* **opportunities**) **1** okazja. **2** możliwość.

oppose [*e*peu*z*] sprzeciwić się.

opposite I [op*e*zit] **1** przeciwny. **2** przeciwległy.

opposite II [op*e*zit] naprzeciwko.

opposite III [op*e*zit] przeciwieństwo.

opposition [op*e*zi*szn*] **1** sprzeciw. **2** przeciwnik. **3** opozycja.

optician [opti*szn*] optyk.

optimist [optimist] optymista.

optimistic [optimistik] optymistyczny.

option [op*szn*] opcja, wybór.

optional [op*szn*l] nieobowiązkowy.

or [o:] **1** albo, lub: *either... or...* albo... albo... **2** ani: *I can't eat or sleep.* Nie mogę jeść ani spać. **3** czy: *with or without you* z tobą czy bez ciebie.

oral [o:r*e*l] **1** ustny (egzamin). **2** doustny.

orange I [orind*ż*] pomarańcza.

orange II [orind*ż*] pomarańczowy (kolor, smak).

orbit [o:bit] orbita.

orchard [o:*ćz*ed] sad.

orchestra [o:kistr*e*] orkiestra.

orchid [o:kid] orchidea.

ordeal [o:di:l / o:di:l] ciężka próba, męka.

order I [o:d*e*] **1** polecenie. **2** zamówienie. **3** porządek. **4** kolejność: *in alphabetical order* w kolejności alfabetycznej. **5** zlecenie. **6** zakon. **7** *in order to* żeby, w celu. **8** *out of order* nieczynny, zepsuty.

order II [o:d*e*] **1** rozkazywać. **2** zamówić.

ordinary [o:dn*e*ri] **1** zwykły. **2** przeciętny.

organ [o:g*e*n] **1** narząd. **2** organ (organizacja). **3** organy.

organic [o:gænik] organiczny.

organism [o:genizem] organizm.

organization [o:genajzej**ś**zn] 1 organizacja. 2 struktura.

organize [o:genajz] organizować.

organizer [o:genajze] 1 organizator. 2 notes.

orgasm [o:gæzem] orgazm.

oriental [o:rientl] orientalny.

orientation [o:rien**tej**szn] orientacja.

origin [oridżin] pochodzenie, źródło.

original I [erid**ż**enl] 1 pierwotny. 2 oryginalny. 3 autentyczny.

original II [erid**ż**enl] oryginał.

originally [erid**ż**eneli] początkowo, pierwotnie.

originate [erid**ż**inejt] brać początek.

ornament [o:nement] ozdoba.

ornamental [o:nementl] ozdobny.

orphan [o:fn] sierota.

orphanage [o:fenidż] sierociniec.

ostrich [ostricz] struś.

other [a**ð**e] 1 **the other** drugi, następny: *He asked one question and then the other.* Zadał jedno pytanie, a potem drugie. 2 inny, jakiś: *in some film or other* w jakimś filmie. 3 drugi, pozostały: *the other one* ten drugi.

otherwise [a**ð**e**ł**ajz] 1 inaczej: *no man, married or otherwise* żaden mężczyzna, żonaty czy nieżonaty. 2 w przeciwnym razie, w przeciwnym wypadku: *I have to go, otherwise I'll miss my train.* Muszę już iść, bo inaczej ucieknie mi pociąg.

otter [ote] wydra.

ought [o:t] *GRAM* 1 powinno się: *I ought to be grateful* powinnam być wdzięczna. 2 (oczekiwanie): *They ought to be here by now.* Powinni tu już być.

ounce [auns] uncja.

our [au**e**] nasz.

ours [au**e**z] (używany, jeżeli nie występuje po nim rzeczownik) nasz: *Which rooms are ours?* Które pokoje są nasze?

ourselves [au**e**selwz] 1 się, siebie, sobie (w odniesieniu do „my"): *We bought ourselves a new car.* Kupiliśmy sobie nowy samochód. 2 sami: *We saw her ourselves.* My sami ją widzieliśmy.

out [aut] 1 na zewnątrz: *take sth out* wyjąć coś. 2 poza (domem): *walk out* wyjść; *nieform.* *get out!* wynoś się! 3 *be out* być nieobecnym: *They're out.* Nie ma ich (wyszli).

outbreak [autbrejk] wybuch (wojny, epidemii).

outburst [autb**e**:st] wybuch (gniewu).

outcast [autka:st] wyrzutek.

outcome [autkam] wynik.

outdated [autdejtid] przestarzały.

outdoor [autdo:] na wolnym powietrzu.

outer [aut**e**] 1 zewnętrzny. 2 najdalszy.

outfit [autfit] strój.

outgoing [autgeui**n**] otwarty, towarzyski.

outlast [autla:st] przetrwać.

outlaw [autlo:] człowiek wyjęty spod prawa.

outlet [autlet] ujście.

outline I [autlajn] zarys, szkic.

outline II [autlajn] **1** naszkicować. **2** przedstawić w skrócie.

outlook [autluk] **1** perspektywa. **2** pogląd.

outnumber [autnambe] przewyższyć liczebnie.

output [autput] **1** wydajność. **2** komp. dane wyjściowe. **3** wyjście (w technice).

outrageous [autrejdżes] skandaliczny.

outside I [autsajd / autsajd] zewnętrzna strona.

outside II [autsajd] zewnętrzny.

outside III [autsajd] **1** na zewnątrz, na świeżym powietrzu. **2** z zewnątrz.

outsider [autsajde] outsider, człowiek obcy.

outskirts [autske:ts] peryferie.

outstanding [autstændin] wybitny.

outward [autłed] zewnętrzny (wygląd).

oval [euwl] owalny.

ovation [euwejszn] owacja.

oven [awn] piekarnik.

over I [euwe] **1** nad, ponad (położenie, ruch): *a lamp hanging over the desk* lampa wisząca nad biurkiem; *jump over a fence* skoczyć przez płot. **2** po drugiej stronie (ulicy, miasta). **3** ponad, przeszło: *be over 20* mieć ponad 20 lat.

4 przez (za pomocą): *over the phone* przez telefon. **5** przez (okres czasu): *over the weekend* przez weekend.

over II [euwe] zakończony: *be over* skończyć się.

over III [euwe] **1** *left over* pozostały. **2** *over and over again* ciągle.

overall I [euwero:l] **1** fartuch ochronny. **2** kombinezon.

overall II [euwero:l] całkowity.

overcoat [euwekeut] płaszcz.

overcome [euwekam] (II **overcame** [euwekejm], III **overcome** [euwekam]) przezwyciężyć.

overcrowded [euwekraudid] przepełniony, zatłoczony.

overdo [euwedu:] (II **overdid** [euwedid], III **overdone** [euwedan]) **1** przesadzić. **2** gotować za długo.

overdose [euwedeus] przedawkowanie.

overdraft [euwedra:ft] debet (przekroczenie stanu konta).

overdue [euwedju:] **1** opóźniony. **2** zaległy (o rachunkach).

overestimate [euwerestimejt] przeceniać.

overflow [euwefleu] **1** przelać się. **2** być przepełnionym.

overhear [euwehie] (II / III **overheard** [euwehe:d]) podsłuchiwać.

overlook [euweluk] **1** wychodzić na: *The window overlooked the forest.* Okno wychodziło na las. **2** przeoczyć, nie zauważyć.

overpopulation [euwepopjulejśzn] przeludnienie.

overpower [euwepaue] 1 obezwładnić. 2 pokonać.

overreact [euweriækt] reagować zbyt mocno.

overseas [euwesi:z] 1 zagraniczny. 2 międzynarodowy.

oversee [euwesi:] (II **oversaw**, III **overseen**) nadzorować.

overshadow [euweśzædeu] 1 zacienić. 2 górować (nad czymś).

oversimplify [euwesimplifaj] (II / III **oversimplified**) zbytnio uprościć.

oversleep [euwesli:p] (II / III **overslept** [euweslept]) zaspać.

overt [euwe:t] jawny.

overtake [euwetejk] (II **overtook** [euwetuk], III **overtaken** [euwetejkn]) wyprzedzić.

overtime [euwetajm] 1 nadgodziny. 2 dogrywka (w sporcie).

overweight [euwelejt] nadwaga.

overwhelm [euwelelm] 1 zalać. 2 obezwładnić. 3 ogarnąć.

overwork I [euwele:k] przepracowanie.

overwork II [euwele:k] przepracowywać się.

owe [eu] 1 być winnym (pieniądze): *He owes me £20.* On jest mi winien 20 funtów. 2 być winnym czegoś: *I owe you one*. Jestem twoim dłużnikiem (przy podziękowniu za przysługę). 3 zawdzięczać (*sth to sb* coś komuś).

owing [euin] 1 należny. 2 *owing to* z powodu.

owl [aul] sowa.

own I [eun] posiadać.

own II [eun] 1 własny: *my own house* mój własny dom. 2 *on one's own* sam, samodzielnie.

owner [eune] właściciel.

ownership [euneśzip] własność.

ox [oks] (*l.mn.* **oxen** [oksn]) wół.

oxide [oksajd] tlenek.

oxygen [oksidżen] tlen.

oyster [ojste] ostryga.

ozone [euzeun] ozon: *ozone layer* warstwa ozonowa.

ozone-friendly [euzeunfrendli] nieszkodliwy dla warstwy ozonowej.

P

P [pi:] szesnasta litera alfabetu.

p *penny*, *pence* pens.

pace I [pejs] **1** krok (ruch, miara): *keep pace with sb (sth)* dotrzymywać kroku komuś (czemuś). **2** tempo: *set the pace* nadawać tempo.

pace II [pejs] **1** kroczyć: *pace up and down* przechadzać się tam i z powrotem. **2** mierzyć odległość krokami.

pacemaker [pejsmejke] rozrusznik, stymulator serca.

pacific [pesifik] **1** pokojowy. **2** spokojny.

pacify [pæsifaj] (II / III **pacified**) **1** pacyfikować. **2** uspokoić.

pack I [pæk] **1** paczka (papierosów). **2** stado. **3** talia (karty do gry).

pack II [pæk] pakować.

package [pækidż] **1** paczka, pakunek. **2** zestaw: *package tour* wycieczka zorganizowana.

packet [pækit] **1** pakunek, paczka. **2** karton.

pact [pækt] pakt.

pad [pæd] **1** podkładka. **2** blok (papieru). **3** podpaska.

paddle I [pædl] **1** łopatka. **2** wiosło.

paddle II [pædl] **1** wiosłować. **2** brodzić po wodzie.

padlock [pædlok] kłódka.

pagan [pejgen] pogański.

page [pejdż] **1** strona (książki). **2** *komp.* strona (pamięci). **3** goniec, boy (w hotelu).

paid I *zob.* **pay**.

paid II [pejd] płatny.

pain I [pejn] **1** ból. **2** cierpienie.

pain II [pejn] boleć.

painful [pejnfl] **1** bolesny. **2** przykry.

painkiller [pejnkile] środek przeciwbólowy.

painless [pejnles] bezbolesny (*też przen.*).

paint I [pejnt] farba: '*wet paint*' „świeżo malowane" (napis).

paint II [pejnt] **1** malować (pokój). **2** malować (obraz).

painter [pejnte] **1** malarz (artysta). **2** malarz (wnętrza).

painting [pejntin] **1** malarstwo. **2** obraz.

pair [pe:] **1** para: *a pair of socks* para skarpet. **2** para (związek).

palace [pælis] pałac.

pale I [pejl] blednąć.

pale II [pejl] **1** blady. **2** jasny (kolor).

palm [pa:m] **1** dłoń. **2** palma.

palmtop [pa:mtop] *komp.* (*też palmtop computer*) komputer kieszonkowy, palmtop.

pan [pæn] garnek, rondel: *frying pan* patelnia.

pancake [pænkejk] naleśnik.

pane [pejn] szyba.

panic I [pænik] panika.

panic II [pænik] panikować, wywołać panikę.

panorama [pænera:me] panorama.

pant [pænt] sapać.

panther [pænθe] pantera.

pantry [pæntri] spiżarnia.

pants [pænts] *l.mn.* **1** *BR* majtki. **2** *AM* spodnie.

paper I [pejpe] **1** papier: *sheet of paper* kartka papieru; *toilet paper* papier toaletowy. **2** (*też wallpaper*) tapeta. **3** (*też newspaper*) gazeta. **4** artykuł. **5** test (pytania egzaminacyjne). **6** *l.mn.* *papers* dokumenty, papiery.

paper II [pejpe] tapetować (ściany).

paperclip [pejpeklip] spinacz biurowy (do papieru).

paprika [pæprike / pepri:ke] papryka (przyprawa).

parachute I [pæreśzu:t] spadochron.

parachute II [pæreśzu:t] skakać na spadochronie.

parade [perejd] **1** parada. **2** rewia.

paradise [pæredajs] raj.

paradox [pæredoks] paradoks.

paragraph [pæregra:f] paragraf, akapit, ustęp.

parallel I [pærelel] **1** paralela. **2** równoległa (w matematyce). **3** równoleżnik (w geografii).

parallel II [pærelel] równoległy.

paralyse (*AM* **paralyze**) [pærelajz] paraliżować (*też przen.*).

paralysis [perælesis] paraliż (*też przen.*).

parameter [peræmite] parametr.

paraphrase I [pærefrejz] parafrazować.

paraphrase II [pærefrejz] parafraza.

parasite [pæresajt] pasożyt (*też przen.*).

parcel [pa:sl] paczka.

pardon I [pa:dn] wybaczenie: *I beg your pardon* przepraszam bardzo? (nie dosłyszałem); proszę? (niedowierzanie).

pardon II [pa:dn] **1** wybaczyć. **2** *pardon me* przepraszam.

parent [pe:rent] rodzic.

parental [perentl] rodzicielski.

parenthesis [perenθesis] (*l.mn.* **parentheses** [perenθesi:z]) nawias okrągły.

parish [pæriśz] **1** parafia. **2** *BR* gmina.

park I [pa:k] park, ogród: *national park* park narodowy.

park II [pa:k] parkować (pojazd).

parking [pa:kiŋ] **1** parking: *'no parking'* „zakaz parkowania". **2** postój (pojazdów): *parking bay* miejsce do parkowania; *parking meter* parkometr.

parliament [pa:l*e*ment] parlament.

parliamentary [pa:l*e*mentr*i*] parla-mentarny.

parrot [pær*e*t] papuga.

parsley [pa:sl*i*] pietruszka.

part I [pa:t] **1** część: *in part* częścio-wo. **2** udział, rola: *play a part in sth* odegrać rolę w czymś; *take part* brać udział, uczestniczyć. **3** część: *spare parts* części zapaso-we. **4** strona: *on the part of sb* ze strony kogoś.

part II [pa:t] **1** oddzielać (się). **2** roz-stawać się.

partial [pa:sz*l*] **1** częściowy. **2** stron-niczy.

partially [pa:sz*eli*] **1** częściowo. **2** nie-obiektywnie.

participant [pa:t*i*s*i*p*e*nt] uczestnik.

participate [pa:t*i*s*i*pejt] uczestniczyć.

participation [pa:t*i*s*i*p**ej**szn] udział.

participle [pa:t*i*s*i*pl] imiesłów (w ję-zykoznawstwie): *past participle* imiesłów czasu przeszłego (przy-miotnikowy bierny).

particle [pa:t*i*kl] cząstka.

particular I [p*e*t*i*kjul*e*] **1** szczegół. **2** *in particular* szczególnie.

particular II [p*e*t*i*kjul*e*] **1** szczegól-ny. **2** poszczególny.

particularly [p*e*t*i*kjul*eli*] zwłaszcza.

parting [pa:t*i*n] rozstanie (się).

partisan [pa:t*i*zæn / pa:t*i*zæn] par-tyzant.

partition [pa:t*i*szn] rozbiór (państwa).

partly [pa:tl*i*] częściowo.

partner [pa:tn*e*] **1** partner. **2** wspól-nik.

partnership [pa:tn*e*szip] **1** spółka cy-wilna. **2** partnerstwo.

part-time [pa:ttajm] niepełnoetatowy.

party [pa:t*i*] (*l.mn.* **parties**) **1** przyję-cie: *give (throw) a party* urządzić przyjęcie. **2** partia (polityczna). **3** strona, osoba zaangażowana.

pass I [pa:s] **1** przechodzić obok. **2** mijać, omijać (na drodze). **3** upły-wać. **4** zdać (egzamin). **5** podać (do kogoś).

◆ **pass away** umrzeć.

pass II [pa:s] **1** ocena dostateczna, za-liczenie (egzaminu). **2** przepustka.

passage [pæsidż] **1** przejście, prze-jazd. **2** korytarz, przejście. **3** pod-róż (morska, lotnicza).

passenger [pæsindż*e*] pasażer.

passer-by [pa:s*e*baj] (*l.mn.* **passers--by**) przechodzień.

passion [pæszn] **1** namiętność. **2** za-miłowanie.

passive [pæsiw] **1** pasywny. **2** w stro-nie biernej.

passport [pa:spo:t] paszport.

password [pa:sł*e*:d] hasło.

past I [pa:st] *the past* **1** przeszłość. **2** czas przeszły (w językoznaw-stwie): *simple past* czas przeszły prosty.

past II [pa:st] **1** przeszły. **2** ubiegły. **3** dawny.

past III [pa:st] **1** po (godzinie). **2** obok, koło.

pasta [pæste] pasta (makaron, pierożki).

pasture [pa:sćze] pastwisko.

pat [pæt] (II / III **patted**) poklepać.

patch [pæcz] łata.

patent [pætnt / pejtnt] patent.

paternal [pete:nl] ojcowski.

paternity [pete:neti] ojcostwo.

path [pa:θ] ścieżka, dróżka.

pathetic [peθetik] 1 godny współczucia. 2 żałosny.

pathological [pæθelodżikl] patologiczny.

patience [pejśzns] cierpliwość

patient I [pejśznt] pacjent.

patient II [pejśznt] cierpliwy.

patriot [pætriet] patriota.

patriotic [pætriotik] patriotyczny.

patrol I [petreul] patrol.

patrol II [petreul] (II / III **patrolled**) patrolować.

patron [pejtren] 1 patron. 2 stały klient, gość.

patronize [pætrenajz] 1 wspierać. 2 traktować protekcjonalnie.

pattern [pæten] 1 wzór. 2 model.

pause I [po:z] przerwa, pauza.

pause II [po:z] przerwać.

pavement [pejwment] 1 *BR* chodnik. 2 bruk.

paw [po:] łapa.

pawn [po:n] pionek.

pay I [pej] wynagrodzenie.

pay II [pej] (II / III **paid** [pejd]) 1 płacić. 2 przynosić zysk. 3 *pay attention to sth* zwracać uwagę na coś.

◆ **pay** *sth* **back** zwracać pieniądze.

◆ **pay** *sth* **(sb) off** spłacać dług.

◆ **pay up** zwracać pieniądze.

payable [pejebl] płatny: *payable on delivery* płatne przy odbiorze.

payer [peje] płatnik.

payment [pejment] 1 zapłata. 2 wypłata. 3 wpłata.

pc [pi:si:] *personal computer* pecet.

PE [pi:i:] *physical education* wf.

pea [pi:] groch.

peace [pi:s] 1 pokój. 2 ład.

peaceful [pi:sfl] 1 pokojowy. 2 spokojny, cichy (o miejscu).

peach [pi:cz] brzoskwinia.

peacock [pi:kok] paw.

peak [pi:k] szczyt.

peanut [pi:nat] orzech ziemny.

pear [pe:] grusza, gruszka.

pearl [pe:l] perła.

peasant [pezent] chłop, wieśniak.

pebble [pebl] kamyk.

peculiar [pikju:lie] 1 swoisty. 2 szczególny.

pedagogic (pedagogical) [pedegodżik (pedegodżikl)] pedagogiczny.

pedagogue [pedegog] *form.* pedagog.

pedal [pedl] pedał.

pedestrian [pidestrien] pieszy: *pedestrian crossing* przejście dla pieszych.

peek [pi:k] zerkać.

peel I [pi:l] skórka, łupina.

peel II [pi:l] obierać (ze skórki).

peep [pi:p] 1 zerknąć. 2 piszczeć.

pen [pen] pióro: *ballpoint pen* długopis; *felt-tip pen* pisak; *fountain pen* wieczne pióro.

penal [pi:nl] karny.

penalty [penelti] (*l.mn.* **penalties**) kara.

penance [penens] pokuta (religia).

pence *zob.* **penny.**

pencil [pensl] **1** ołówek. **2** (*też coloured pencil*) kredka.

pencil box (**pencil case**) [penslboks (penslkejs)] piórnik.

pencil sharpener [pensl ṡza:pene] temperówka.

penetrate [penitrejt] przenikać.

penguin [pengłin] pingwin.

peninsula [peninsjule] półwysep.

penis [pi:nis] (*l.mn.* **penises** *albo* **penes** [pi:ni:z]) penis.

penitence [penitens] skrucha.

penknife [pennajf] (*l.mn.* **penknives** [pennajwz]) scyzoryk.

penny [peni] (*l.mn.* **pence** [pens] *albo* **pennies**) **1** pens. **2** *przen.* grosz.

pension [penszn] emerytura, renta.

pensioner [penṡzene] emeryt, rencista.

people [pi:pl] **1** (*l.mn.*) ludzie. **2** (*l.mn.* **peoples**) naród.

pepper [pepe] **1** pieprz. **2** papryka (warzywo).

peppermint [pepemint] mięta pieprzowa.

per [pe:] **1** za pomocą. **2** na: *per head* na głowę.

perceive [pesi:w] spostrzegać.

percentage [pesentidż] procent, stosunek procentowy.

perceptible [peseptebl] dostrzegalny, słyszalny.

perception [pesepszn] percepcja, postrzeganie.

percussion [pekaszn] perkusja.

perfect [pe:fikt] **1** doskonały, idealny. **2** zupełny. **3** dokonany, uprzedni (w językoznawstwie).

perfection [pefekszn] perfekcja.

perform [pefo:m] **1** wykonać. **2** zagrać.

performance [pefo:mens] **1** wykonanie. **2** wyniki. **3** przedstawienie.

performer [pefo:me] wykonawca.

perfume [pe:fju:m] perfumy.

perhaps [pehæps] może, być może.

perilous [pereles] niebezpieczny.

period [pieried] **1** okres, cykl: *period of warranty* okres gwarancyjny. **2** okres, epoka. **3** okres, miesiączka. **4** godzina lekcyjna: *2 periods of Polish* dwie godziny polskiego (pod rząd).

periphery [periferi] peryferie (miasta).

perm [pe:rm] trwała (ondulacja).

permanent [pe:menent] trwały, stały.

permanently [pe:menentli] trwale, stale.

permissible [pemisebl] dopuszczalny.

permission [pemiszn] pozwolenie.

permit I [pe:mit] **1** pozwolenie: *residence permit* karta stałego pobytu. **2** przepustka.

permit II [pemit] (II / III **permitted**) pozwalać.

perpendicular [pe:pendikjule] 1 prostopadły. 2 pionowy.

perpetual [pepećzuel] ciągły.

persecute [pe:sikju:t] prześladować.

persevere [pe:siwie] wytrwać (w czymś).

persist [pesist] 1 upierać się. 2 utrzymywać się (o pogodzie).

persistent [pesistent] 1 uporczywy. 2 wytrwały.

person [pe:sn] 1 osoba: *legal person* osoba prawna; *natural person* osoba fizyczna; *in person* osobiście. 2 osoba (w językoznawstwie).

personal [pe:senl] 1 osobisty. 2 *nothing personal!* bez urazy! 3 osobowy (w językoznawstwie).

personality [pe:senæleti] (*l.mn.* **personalities**) osobowość.

personally [pe:seneli] osobiście.

personnel [pe:senel] personel.

perspective [pespektiw] 1 perspektywa (w sztuce). 2 punkt widzenia. 3 perspektywa (przyszłość).

perspiration [pe:spirejszn] pot.

perspire [pespaje] pocić się.

persuade [pesłejd] przekonywać.

perverse [pewe:s] 1 uparty. 2 perwersyjny.

pervert [pe:we:t] zboczeniec.

pessimist [pesimist] pesymista.

pessimistic [pesimistik] pesymistyczny.

pet [pet] ulubieniec, zwierzę (domowe).

petition [petiśzn] 1 prośba. 2 wniosek.

petitioner [petiśzene] wnioskodawca.

petrol [petrel] *BR* benzyna: *petrol station* stacja benzynowa.

phase [fejz] faza, stadium.

pheasant [fezent] bażant.

phenomenon [finominen] (*l.mn.* **phenomena**) 1 zjawisko. 2 fenomen.

philologist [filoledżist] filolog.

philosopher [filosefe] filozof.

philosophy [filosefi] filozofia.

phobia [feubie] fobia.

phone I [feun] telefon: *by phone* przez telefon.

phone II [feun] telefonować.

phone booth [feunbu:θ] kabina telefoniczna.

phonecall [feunko:l] rozmowa telefoniczna.

phonetic [fenetik] fonetyczny (w językoznawstwie).

photo [feuteu] fotografia: *take a photo* zrobić zdjęcie.

photocopy [feuteukopi] fotokopia.

photograph I [feutegra:f] zdjęcie: *take a photograph* zrobić zdjęcie.

photograph II [feutegra:f] fotografować.

photographer [fetogrefe] fotograf.

phrase [frejz] 1 wyrażenie. 2 fraza.

physical [fizikl] 1 fizyczny. 2 cielesny.

physicist [fizisist] fizyk.
physics [fiziks] fizyka.
physiological [fizjelodżikl] fizjologiczny.
physiology [fizjoledżi] fizjologia.
piano [piæneu] fortepian, pianino.
pick [pik] 1 zbierać, zrywać. 2 wybierać.
◆ **pick** *sb (sth)* **out** wybierać.
◆ **pick** *sb (sth)* **up** 1 podnosić. 2 zabierać (pasażera). 3 zbierać.
picnic [piknik] piknik.
picture [pikcze] 1 obraz. 2 zdjęcie: *take a picture* zrobić zdjęcie. 3 film. 4 *l.mn.* **the pictures** kino.
pie [paj] 1 pasztecik. 2 placek, ciasto.
piece [pi:s] 1 część. 2 sztuka, egzemplarz.
pig [pig] świnia.
pigeon [pidżin] gołąb.
piggy [pigi] świnka.
pile [pajl] 1 *nieform.* kupa (duża ilość). 2 stos, sterta.
pilgrim [pilgrim] pielgrzym.
pilgrimage [pilgrimidż] pielgrzymka.
pill [pil] pigułka.
pillow [pileu] poduszka.
pilot I [pajlet] pilot (samolotu).
pilot II [pajlet] pilotować.
pin [pin] szpilka.
pine [pajn] sosna.
pineapple [pajnæpl] ananas.
pink [pink] różowy.
pint [pajnt] pint (*BR* = 0,57 l; *AM* = 0,47 l).

pioneer [pajenie] pionier.
pious [pajes] pobożny.
pipe [pajp] 1 rura. 2 fujarka. 3 fajka.
pipeline [pajplajn] rurociąg.
piracy [pajeresi] piractwo.
pirate [pajeret] pirat.
Pisces [pajsi:z] Ryby (znak zodiaku).
piss [pis] *nieform.* sikać, odlać się.
◆ **piss off!** *wulg.* spieprzaj! spadaj!
◆ **piss** *sb* **off** *nieform.* wkurzać, denerwować kogoś.
pistol [pistl] pistolet.
pit [pit] 1 dół. 2 kopalnia.
pitch [picz] 1 nachylenie. 2 tonacja. 3 smoła.
pitiful [pitifl] 1 budzący litość. 2 nędzny.
pity I [piti] 1 litość, współczucie. 2 żal: *it's a pity (that)* szkoda (że); *what a pity!* jaka szkoda!
pity II [piti] (II / III **pitied**) litować się.
placard [plæka:d] plakat.
place I [plejs] 1 miejsce: *place of birth* miejsce urodzenia. 2 miejscowość. 3 miejsce do siedzenia: *Is this place taken?* Czy to miejsce jest zajęte? 4 *in place of* zamiast. 5 *in the first place* po pierwsze. 6 *take place* wydarzyć się.
place II [plejs] 1 umieścić. 2 kłaść.
plagiarism [plejdżerizem] plagiat.
plague [plejg] 1 plaga. 2 klęska.
plain I [plejn] równina.

plain II [plejn] **1** zwykły. **2** zrozumiały. **3** pospolity (wygląd).

plaintiff [plejntif] powód, strona skarżąca.

plait [plæt] warkocz.

plan I [plæn] **1** plan. **2** mapa (miasta). **3** projekt.

plan II [plæn] (II / III **planned**) **1** planować. **2** projektować.

plane [plejn] **1** płaszczyzna. **2** samolot: *go by plane* lecieć samolotem.

planet [plænit] planeta.

planetary [plænitri] planetarny.

plant I [pla:nt] **1** roślina. **2** fabryka.

plant II [pla:nt] **1** sadzić. **2** umieszczać, zakładać.

plantation [plæntejśzn] plantacja.

plaster I [pla:ste*r*] **1** tynk. **2** gips. **3** plaster.

plaster II [pla:ste*r*] **1** tynkować. **2** gipsować. **3** przykładać plaster.

plastic I [plæstik] tworzywo sztuczne.

plastic II [plæstik] plastyczny.

plate [plejt] **1** talerz. **2** płyta. **3** tabliczka: *licence (number) plate* tablica rejestracyjna.

platform [plætfo:m] **1** peron kolejowy.

platoon [ple*tu:*n] pluton (wojskowy).

plausible [plo:zebl] prawdopodobny.

play I [plej] **1** grać: *play football* grać w piłkę nożną; *play the piano* grać

na fortepianie. **2** bawić się. **3** przesłuchiwać (płytę). **4** *play fair* grać uczciwie, postępować uczciwie.

play II [plej] **1** gra: *play on words* gra słów. **2** zabawa. **3** przedstawienie.

player [pleje*r*] zawodnik.

playful [plejfl] wesoły.

playground [plejgraund] plac zabaw.

playing field [plejinfi:ld] boisko.

playwright [plejrajt] dramaturg.

pleasant [plezent] przyjemny.

please I [pli:z] **1** zadowolić. **2** życzyć sobie: *please yourself* zrób jak chcesz. **3** *(I'm) pleased to meet you.* Miło mi cię (pana, panią) poznać.

please II [pli:z] (nieosobowo) proszę, prosimy: *come in, please* proszę wejść.

pleasure [pleże*r*] **1** przyjemność: *with pleasure* z przyjemnością. **2** rozkosz.

pledge [pledż] **1** zastaw. **2** obietnica.

plentiful [plentifl] obfity.

plenty [plenti] obfitość: *plenty of sth* dużo czegoś.

pliers [plaje*r*z] *l.mn.* szczypce.

plimsoll [plimsel] *BR* tenisówka, trampek.

plot I [plot] **1** parcela: *building plot* działka budowlana. **2** spisek. **3** fabuła.

plot II [plot] (II / III **plotted**) spiskować.

plough (*AM* **plow**) **I** [plau] pług.

plough (*AM* **plow**) **II** [plau] orać.

plug I [plag] **1** zatyczka. **2** wtyczka.

plug II [plag] (II / III **plugged**) zatykać.

◆ **plug** *sth* **in** podłączyć (do prądu).

plum [plam] śliwka.

plumber [pla*me*] hydraulik.

plump [plamp] zaokrąglony.

plunder [pla*nde*] plądrować.

plunge [plandż] zatopić, zagłębić.

plural I [plu*erel*] liczba mnoga (w językoznawstwie).

plural II [plu*erel*] w liczbie mnogiej.

plus I [plas] **1** plus (znak). **2** zaleta.

plus II [plas] plus, dodać.

plywood [plajłud] sklejka.

pm [pi:em] *post meridiem* po południu: *at 3 pm* o 3 po południu.

pneumonia [nju:m*eu*ni*e*] zapalenie płuc.

poach [p*eu*cz] kłusować.

poacher [p*eu*cz*e*] kłusownik.

pocket [pokit] kieszeń: *pocket dictionary* słownik kieszonkowy.

pocket knife [pokitnajf] (*l.mn.* **pocket knives** [pokitnajwz]) scyzoryk.

pocket money [pokit man*i*] kieszonkowe.

poem [p*eu*im] wiersz.

poet [p*eu*it] poeta.

poetic [p*eueu*tik] poetycki, poetyczny.

poetry [p*eu*itr*i*] poezja.

point I [pojnt] **1** koniuszek. **2** przecinek (w zapisie liczby). **3** miejsce,

punkt: *point of view* punkt widzenia. **4** sens: *there is no point in doing sth* nie ma sensu robienie czegoś. **5** *see the point* zrozumieć (o co chodzi).

point II [pojnt] **1** ostrzyć. **2** wskazywać.

pointed [pojntid] **1** uszczypliwy. **2** spiczasty.

pointer [pojnt*e*] wskazówka (przyrządu).

pointless [pojntl*es*] bezcelowy.

poison I [pojz*en*] trucizna (*też przen.*).

poison II [pojzn] otruć.

poisonous [pojz*enes*] trujący.

poker [p*eu*k*e*] **1** pogrzebacz. **2** poker.

polar [p*eu*l*e*] polarny.

Pole [p*eu*l] Polak.

pole [p*eu*l] **1** biegun. **2** słup.

police [p*e*li:s] policja: *police constable* posterunkowy; *police station* posterunek policji.

policeman [p*e*li:smen] (*l.mn.* **policemen**) policjant.

policy [pol*esi*] **1** polityka: *foreign policy* polityka zagraniczna. **2** taktyka, strategia. **3** polisa (ubezpieczeniowa).

Polish [p*eu*liś] polski.

polish I [poliś] **1** połysk. **2** pasta: *shoe polish* pasta do butów.

polish II [poliś] pastować, polerować.

polite [p*e*lajt] grzeczny.

politeness [p*e*lajtn*es*] grzeczność.

political [pe*l*itikl] polityczny.
politician [poli*t*iśzn] polityk.
politics [politiks] polityka.
pollute [pe*l*u:t] zanieczyszczać (środowisko).
pollution [pe*l*u:śzn] zanieczyszczenie (środowiska).
pompous [pom*p*es] pompatyczny.
pond [pond] staw.
pontoon [pontu:n] ponton.
pony [p*eu*ni] kucyk.
pool [pu:1] **1** basen: *swimming pool* basen pływacki. **2** kałuża.
poor [po: / pu*e*] **1** biedny. **2** kiepski (wynik).
pop I [pop] popularny (muzyka).
pop II [pop] **1** trzask. **2** *BR nieform.* napój gazowany. **3** *nieform.* pop (muzyka).
popcorn [popko:n] prażona kukurydza.
pope [p*eu*p] papież.
poppy [pop*i*] mak.
popular [popjul*e*] popularny.
popularity [popjul*æ*r*e*ti] popularność.
populate [popjulejt] zaludniać.
population [popjulej*ś*zn] ludność, zaludnienie.
porcelain [po:*s*elin] porcelana.
pore [po:] por (na skórze).
pork [po:k] wieprzowina.
pornographic [po:n*e*græfik] pornograficzny.
porridge [poridż] owsianka.
port [po:t] port.

portable [po:tebl] przenośny.
porter [po:t*e*] **1** bagażowy. **2** portier.
portion [po:śzn] część, fragment.
portrait [po:tret] portret.
portray [po:tr*ej*] **1** portretować. **2** przedstawiać.
pose I [p*eu*z] **1** pozować. **2** powodować, zadawać. **3** *pose as sb* udawać kogoś, pozować na kogoś.
pose II [p*eu*z] poza.
position [pe*z*iśzn] **1** położenie. **2** stanowisko. **3** sytuacja.
positive [pozitiw] **1** pozytywny. **2** optymistyczny.
possess [p*e*zes] posiadać.
possession [pe*z*eśzn] **1** posiadanie. **2** *l.mn.* *possessions* mienie, dobytek.
possibility [posibil*e*ti] (*l.mn.* **possibilities**) **1** możliwość. **2** prawdopodobieństwo.
possible [posibl] możliwy, prawdopodobny.
post I [p*eu*st] **1** poczta: *post office* urząd pocztowy. **2** stanowisko.
post II [p*eu*st] wysyłać pocztą: *post a letter* wysłać list.
postcard [p*eu*stka:d] kartka pocztowa.
postcode [p*eu*stk*eu*d] *BR* kod pocztowy.
poster [p*eu*st*e*] plakat.
postgraduate [p*eu*stgrædżu*e*t] magistrant, doktorant.
postman [p*eu*stm*e*n] (*l.mn.* **postmen**) listonosz.

postpone [pespeun] *form.* przełożyć
(w czasie).
postulate I [postjulejt] postulować.
postulate II [postjulet] założenie.
pot [pot] **1** garnek. **2** dzbanek. **3** doniczka.
potato [petejteu] ziemniak.
potential I [petenszl] potencjał.
potential II [petenszl] potencjalny.
pottery [poteri] garncarstwo.
poultry [peultri] drób.
pound [paund] **1** funt (0,45 kg).
2 funt (jednostka monetarna).
pour [po:] lać.
poverty [poweti] ubóstwo.
powder I [paude] proszek, puder.
powder II [paude] **1** proszkować,
rozdrabniać na proszek. **2** pudrować.
power [paue] **1** moc. **2** siła. **3** władza. **4** pełnomocnictwo.
powerful [pauefl] silny, potężny.
power station [pauestejszn] elektrownia.
practical [præktikl] **1** praktyczny.
2 rzeczywisty.
practically [præktikli] **1** praktycz-
nie. **2** niemal.
practice [præktis] **1** praktyka. **2** zwyczaj. **3** ćwiczenie, wprawa.
practise (*AM* **practice**) [præktis] **1** stosować w praktyce. **2** ćwiczyć (się).
praise I [prejz] pochwała.
praise II [prejz] chwalić.
pram [præm] *BR* wózek dziecięcy
(głęboki).

prawn [pro:n] krewetka.
pray [prej] modlić się.
prayer [pre:] modlitwa.
preach [pri:ćz] **1** wygłaszać kazanie. **2** *pejor.* prawić kazania.
preacher [pri:ćze] kaznodzieja.
precaution [prikoszn] **1** zabezpieczenie. **2** *l.mn.* **precautions** środki ostrożności.
precede [prisi:d] poprzedzić.
preceding [prisi:din] poprzedzający.
precious [preszes] drogocenny.
precise [prisajs] dokładny.
precisely [prisajsli] dokładnie.
predator [predete] drapieżnik.
predecessor [pri:disese] poprzed-
nik.
predict [pridikt] przewidzieć.
preface [prefis] przedmowa.
prefer [prife:] (II / III **preferred**)
woleć (*sth to sth* coś od czegoś).
pregnant [pregnent] w ciąży.
prejudice [predżudis] uprzedzenie.
preparation [preperejszn] przygotowanie.
prepare [pripe:] przygotowywać.
prescribe [priskrajb] przepisać (lekarstwo).
prescription [priskripśzn] recepta.
presence [prezns] obecność.
present I [preznt] **1** prezent. **2** *the*
present teraźniejszość.
present II [prizent] **1** przedstawiać.
2 podarować.
present III [preznt] **1** aktualny, teraźniejszy. **2** obecny (gdzieś).

presentation [prezen**tej**śzn] **1** za-
prezentowanie. **2** demonstracja.

preservation [prezewe**j**śzn] ochrona.

preserve [pri*ze*:w] zachować, chronić.

preside [pri**zaj**d] przewodniczyć.

president [**prezid**ent] **1** prezydent.
2 *AM* przewodniczący, prezes.

press I [pres] **1** *the press* prasa. **2** maszyna drukarska.

press II [pres] **1** nacisnąć. **2** tłoczyć.

pressure [**preśz**e] ciśnienie.

pretend [pri**tend**] udawać.

pretty [pri**t***i*] ładny.

prevent [pri**went**] zapobiegać.

prevention [pri**wen**śzn] zapobieganie.

previous [**pri**:wies] **1** poprzedni. **2**
wcześniejszy.

prey [prej] zdobycz: *bird of prey*
ptak drapieżny.

price [prajs] cena.

priceless [**prajs**les] bezcenny.

price list [**prajs**lest] cennik.

pride [prajd] duma.

priest [pri:st] ksiądz.

primary [**prajm***eri*] **1** zasadniczy.
2 podstawowy.

prime [prajm] **1** pierwszy. **2** zasadniczy.

prince [prins] książę.

princess [prin**ses**] księżniczka.

principal I [**prins**ipl] główny.

principal II [**prins**ipl] **1** dyrektor
(szkoły). **2** mocodawca. **3** kierownik (wydziału).

principle [**prins**ipl] zasada, reguła.

print I [print] **1** druk. **2** czcionka.
3 odbitka (fotografia).

print II [print] **1** drukować. **2** opublikować.

printer [**print***e*] *komp.* drukarka.

prison [**priz**n] więzienie.

prisoner [**priz***ne*] więzień.

private [**praj**wet] **1** prywatny. **2** osobisty. **3** tajny.

privilege [**priwil***idż*] przywilej.

privileged [**priwil***idż*] **1** uprzywilejowany. **2** mający zaszczyt.

prize [prajz] nagroda.

probable [**prob***e*bl] prawdopodobny.

probably [**prob***e*bl*i*] prawdopodobnie.

problem [**problem**] **1** problem. **2** *nieform.* **No problem!** Nie ma spra-
wy!

procedure [pr*e*si:dże] **1** metoda. **2**
komp. procedura.

process [**preu**ses] proces.

produce I [pre**dju**:s] **1** produkować.
2 powodować.

produce II [prodju:s] produkty, produkcja.

producer [pre**dju**:se] producent.

product [**prod**akt] produkt.

production [pre**dak**śzn] produkcja.

profession [pre**feś**zn] zawód.

professional I [pre**feś**zenl] zawodowiec, profesjonalista.

professional II [pre**feś**zenl] zawodowy.

professor [pre**fese**] profesor.

proficiency [prefiśznsi] biegłość.

profit I [profit] **1** korzyść. **2** zysk.

profit II [profit] korzystać.

profitable [profitebl] opłacalny, dochodowy, rentowny.

program I [preugræm] *komp.* program.

program II [preugræm] (II / III **programmed**) *komp.* programować.

programme (*AM* program) [preugræm] program (radio, TV).

progress [preugres] postęp.

prohibit [prehibit] zabraniać.

project I [prodżekt].

project II [predżekt] projektować.

prolong [prelon] przedłużać.

promise I [promis] obietnica.

promise II [promis] obiecywać.

promote [premeut] **1** popierać. **2** awansować.

promotion [premeuśzn] **1** promowanie. **2** awans.

pronounce [prenauns] **1** ogłaszać (wyrok). **2** wymówić (dźwięk).

pronunciation [prenansiejśzn] wymowa (dźwięki mowy).

proof I [pru:f] dowód.

proof II [pru:f] uodpornić.

proof III [pru:f] odporny.

proper [prope] właściwy.

property [propeti] (*l.mn.* **properties**) własność.

prophecy (*AM* prophesy) [profesi] (*l.mn.* **prophecies**) przepowiednia.

prophet [profit] prorok.

proportional [prepo:śzenl] proporcjonalny.

proposal [prepeuzl] **1** propozycja. **2** oświadczyny.

propose [prepeuz] **1** proponować. **2** oświadczyć się (*to sb* komuś).

prose [preuz] proza.

protect [pretekt] chronić.

protection [pretekśzn] ochrona.

protective [pretektiw] ochronny.

protein [preuti:n] proteina, białko.

protest I [preutest] protest.

protest II [pretest] protestować.

protocol [preutekol] protokół.

proton [preuton] proton.

proud [praud] dumny (*of sth* z czegoś).

prove [pru:w] udowodnić.

proverb [prowe:b] przysłowie.

provide [prewajd] dostarczać.

provided [prewajdid] (*też provided that*) pod warunkiem, że...

providence [prowidens] opatrzność.

provincial [prewinszl] prowincjonalny.

provoke [preweuk] prowokować.

pseudonym [sju:denim] pseudonim.

psyche [sajki] psychika.

psychic (**psychical**) [sajkik (sajkikl)] psychiczny.

psychological [sajkelodżikl] psychologiczny.

psychologist [sajkoledżist] psycholog.

psychology [sajkoledżi] psychologia.

pub [pab] *nieform.* bar, piwiarnia.

public I [pablik] publiczność.

public II [pablik] publiczny.

publication [pablik**ej**szn] publikacja.
publicity [pablis**e**ti] rozgłos.
publish [pablisz] wydawać (książki), publikować.
publisher [pablisz**e**] wydawca.
pudding [pudi*n*] budyń.
puddle [padl] kałuża.
pull [pul] ciągnąć.
♦ **pull** *sth* **down** zburzyć coś (budynek).
♦ **pull over** zjeżdżać na bok drogi.
pulse [pals] puls.
pump I [pamp] pompa.
pump II [pamp] pompować.
pumpkin [pampkin] dynia.
punch [pancz] dziurkować.
punctual [pa*n*kcz**u**el] punktualny.
punctuation [pa*n*kczu**ej**szn] interpunkcja.
punish [panisz] karać.
punishment [paniszment] kara.
pupil [pju:pl] **1** uczeń. **2** źrenica (oka).
puppet [papit] marionetka (*też przen.*).
puppy [pap*i*] (*l.mn.* **puppies**) szczeniak.
purchase I [pe:czes] *form.* kupować.
purchase II [pe:czes] *form.* kupno.
pure [pjue] czysty.
purely [pju**e**li] zupełnie, czysto.
purple [pe:pl] fioletowy.
purpose [pe:pes] cel.

purposeful [pe:pesfl] celowy.
purse [pe:s] portmonetka, *BR* portfel.
pursue [pesju:] **1** ścigać. **2** kontynuować.
pus [pas] ropa (z rany).
push [pusz] **1** popychać. **2** wywierać presję.
pussy [pus*i*] **1** kotek. **2** *wulg.* cipa.
put [put] (II / III **put** [put]) **1** kłaść. **2** wyrazić (słowami). **3** dodać, dołożyć.
♦ **put** *sth* **down** *BR* notować coś.
♦ **put** *sth* **off** odkładać na później.
♦ **put** *sth* **on 1** wkładać (ubranie). **2** włączać (urządzenie).
♦ **put out** gasić (ogień, papierosa).
♦ **put** *sb (sth)* **through** połączyć (telefonicznie).
♦ **put together** zestawiać.
♦ **put up with** *sb (sth)* znosić, tolerować kogoś (coś), pogodzić się z kimś (czymś).
putrid [pju:trid] zgniły.
puzzle [pazl] **1** zagadka. **2** układanka.
pygmy (**pigmy**) [pigm*i*] Pigmej.
pyjamas (*AM* **pajamas**) [pedża:mez] *l.mn.* piżama.
pyramid [piremid] piramida.
python [paj**θ**en] pyton.

Q

Q [kju:] siedemnasta litera alfabetu.

quake [kłejk] drżeć.

qualification [kłolifikejszn] kwalifikacje.

qualified [kłolifajd] **1** wykwalifikowany. **2** upoważniony.

qualify [kłolifaj] (II / III **qualified**) **1** kwalifikować. **2** upoważniać.

quality [kłoleti] **1** jakość: *good quality* dobra jakość. **2** właściwość.

quantity [kłonteti] ilość.

quarrel I [kłorel] sprzeczka.

quarrel II [kłorel] (II / III *BR* **quarrelled**, *AM* **quarreled**) pokłócić się.

quarry [kłori] kamieniołom.

quarter [kło:te] **1** ćwierć. **2** kwadrans: *quarter to seven* za kwadrans siódma. **3** kwartał (3 miesiące). **4** dzielnica.

quartet [kło:tet] kwartet.

queen [kłi:n] **1** królowa. **2** królowa (w szachach), dama (w kartach).

quench [kłencz] **1** ugasić (pragnienie). **2** zaspokoić (żądzę).

quest [kłest] poszukiwanie.

question I [kłesćzen] **1** pytanie. **2** kwestia.

question II [kłesćzen] **1** przesłuchać. **2** odpytywać (ucznia). **3** zakwestionować.

questionable [kłesćzenebl] wątpliwy.

question mark [kłesćzen ma:k] znak zapytania.

questionnaire [kłesćzene:] kwestionariusz.

queue [kju:] *BR* kolejka: *jump a queue* wepchnąć się do kolejki.

quick [kłik] **1** szybki. **2** bystry.

quickly [kłikli] szybko.

quiet I [kłajet] **1** cisza: *quiet please!* proszę o ciszę! **2** spokój: *peace and quiet* cisza i spokój.

quiet II [kłajet] **1** cichy: *be quiet!* ucisz się! **2** dyskretny.

quilt [kłilt] **1** *BR* kołdra. **2** narzuta.

quit [kłit] (II / III **quitted** [kłitid] *albo* **quit** [kłit]) **1** rzucić (palenie). **2** porzucić. **3** *komp.* wyjść z programu.

quite [kłajt] **1** całkowicie. **2** zdecydowanie. **3** dosyć, dość, całkiem.

quiz [kłiz] (*l.mn.* **quizzes**) quiz.

quotation [kłeutejszn] **1** cytat. **2** notowanie na giełdzie.

quotation marks [kłeutejszn ma:ks] cudzysłów.

quote I [kłeut] cytat.

quote II [kłeut] cytować.

quotient [kłeusznt] iloraz: *inteligence quotient* iloraz inteligencji.

R

R [a:] szesnasta litera alfabetu.
rabbit [ræbit] królik.
race I [rejs] 1 rasa: *human race* ród ludzki. 2 wyścig.
race II [rejs] ścigać się.
racehorse [rejsho:s] koń wyścigowy.
racial [rejszl] rasowy.
racism [rejsizem] rasizm.
racist I [rejsist] rasista.
racist II [rejsist] rasistowski.
rack [ræk] 1 wieszak. 2 półka.
racket [rækit] rakieta (w tenisie), rakietka (w tenisie stołowym).
radar [rejda:] radar.
radiation [rejdiejszn] promieniowanie.
radiator [rejdiejte] grzejnik.
radical I [rædikl] radykalny.
radical II [rædikl] radykał.
radio [rejdieu] radio: *on the radio* w radiu.
radio station [rejdieu stejszn] 1 radiostacja. 2 stacja radiowa.
radish [rædisz] rzodkiewka.
radius [rejdies] (*l.mn.* **radii** [rejdiaj] *albo* **radiuses**) promień (w matematyce).
raft [ra:ft] tratwa.
rag [ræg] szmata.
rage I [rejdż] wściekłość.

rage II [rejdż] 1 wściekać się. 2 wpaść w szał. 3 szaleć (wiatr). 4 *nieform.* zabalować.
raid [rejd] 1 napad. 2 nalot.
raider [rejde] 1 napastnik. 2 komandos.
rail [rejl] szyna.
railing [rejlin] poręcz, balustrada.
railway [rejlłej] 1 kolej. 2 (*też railway line*) linia kolejowa.
railway carriage [rejlłej kæridż] *BR* wagon kolejowy.
railway station [rejlłej stejszn] stacja kolejowa, dworzec kolejowy.
rain I [rejn] deszcz.
rain II [rejn] padać (o deszczu): *It's raining hard.* Pada mocno.
rainbow [rejnbeu] tęcza.
raincoat [rejnkeut] płaszcz przeciwdeszczowy.
rainforest [rejnforist] las deszczowy.
rainy [rejni] deszczowy.
raise [rejz] 1 podnosić. 2 podnieść (zarobki). 3 wychowywać.
raisin [rejzn] rodzynek, rodzynka.
rake I [rejk] grabie.
rake II [rejk] grabić.
rally [ræli] (*l.mn.* **rallies**) rajd (samochodowy).

RAM *Random Access Memory* pamięć RAM.

Ram [ræm] Baran (znak zodiaku).

ram [ræm] baran.

ramp [ræmp] pochylnia.

ran *zob.* **run**.

ranch [ra:ncz] ranczo.

random [rænd*e*m] **1** przypadkowy. **2** *at random* przypadkowo.

rang *zob.* **ring**.

range [rejndż] **1** asortyment: *a wide range of sth* szeroki wybór czegoś. **2** wachlarz. **3** zakres.

rank [ræ*n*k] **1** rząd, szereg. **2** ranga.

ransom [ræns*e*m] okup.

rap I [ræp] (II / III **rapped**) **1** zastukać. **2** rapować (muzyka).

rap II [ræp] **1** stukanie. **2** (*też* **rap music**) rap.

rape I [rejp] **1** gwałt. **2** rzepak.

rape II [rejp] zgwałcić.

rapid [ræpid] szybki.

rapidity [r*e*pid*e*ti] szybkość.

rare [re:] **1** rzadki. **2** rozrzedzony.

rarely [re:li] rzadko.

rash [ræsz] wysypka.

raspberry [ra:zb*e*ri] (*l.mn.* **raspberries**) malina.

rat [ræt] szczur.

rate [rejt] **1** szybkość. **2** wielkość. **3** wskaźnik: *rate of exchange* kurs wymiany.

rather [ra:ð*e*] **1** raczej. **2** *rather than* raczej niż, a nie: *I'd like to take the blue one rather than the red one.* Wezmę raczej niebieski, a nie

czerwony. **3** *I would (I'd) rather do sth*. Wolałbym zrobić coś.

ratio [rejsz]eju] stosunek.

ration [ræszn] przydział.

rational [ræsz*e*nl] rozumny.

rattle [rætl] **1** brzęknąć. **2** grzechotać.

rattlesnake [rætlsnejk] grzechotnik.

ravage [ræwidż] pustoszyć.

raven [rejwn] kruk.

ravine [r*e*wi:n] wąwóz.

raw [ro:] **1** surowy (o jedzeniu, materiale). **2** nieobrobiony.

ray [rej] promień (słońca).

razor [rejz*e*] brzytwa, maszynka do golenia.

razor blade [rejz*e*blejd] żyletka.

RE [a:ri:] *Religious Education* religia.

reach I [ri:cz] **1** dotrzeć: *reach London* dojechać do Londynu. **2** osiągnąć. **3** *reach out* wyciągnąć ręce (po coś).

reach II [ri:cz] zasięg (ręki, wpływów).

react [riækt] reagować.

reaction [riækszn] reakcja.

read [ri:d] (II / III **read** [red]) **1** czytać. **2** (*też* **read out**) odczytać. **3** *BR* studiować.

reader [ri:d*e*] **1** czytelnik. **2** recenzent.

readily [redi*l*i] **1** chętnie, z ochotą. **2** łatwo, szybko.

reading [ri:di*n*] czytanie.

reading room [ri:di*n*ru:m] czytelnia.

ready [red*i*] gotowy: *get ready* przygotować się.

ready-made [red*i*mejd] gotowy (ubranie).

real [ri*e*l] 1 rzeczywisty. 2 prawdziwy.

realist [ri:*e*list] realista.

reality [ri*æ*let*i*] 1 rzeczywistość. 2 *in reality* w rzeczywistości, tak naprawdę.

realization [ri*e*lajzej*ś*zn] realizacja.

realize [ri*e*lajz] 1 realizować. 2 uświadomić sobie: *realize that...* uświadomić sobie, że...

really [ri*e*l*i*] 1 naprawdę. 2 faktycznie.

realm [relm] *liter.* królestwo.

rear I [ri*e*] 1 hodować. 2 wychowywać.

rear II [ri*e*] tylny.

rearrange [ri:*e*rejndż] 1 poprawić. 2 przesunąć.

reason I [ri:zn] 1 przyczyna. 2 rozum.

reason II [ri:zn] 1 przekonywać. 2 stwierdzić.

reasonable [ri:zn*e*bl] 1 rozsądny. 2 sensowny. 3 umiarkowany.

reasoning [ri:zn*i*n] rozumowanie.

reassure [ri:*e*śzo:] zapewnić.

rebel I [rebl] buntownik.

rebel II [ribel] (II / III **rebelled**) buntować się.

rebellion [ribelj*e*n] bunt.

rebuild [ri:bild] (II / III **rebuilt** [ri:bilt]) 1 odbudować. 2 przebudować.

recall I [ri:ko:l] 1 pamięć. 2 *komp.* przywołanie.

recall II [ri:**ko:l**] 1 ponownie wezwać. 2 przypomnieć sobie.

receipt [risi:t] 1 odbiór. 2 paragon.

receive [risi:w] 1 otrzymać. 2 przyjmować (gości).

receiver [risi:w*e*] 1 odbiorca. 2 słuchawka: *pick up (put down) a receiver* podnieść (odłożyć) słuchawkę.

recent [ri:sent] niedawny, ostatni.

recently [ri:sentl*i*] ostatnio.

reception [risep*ś*zn] 1 powitanie. 2 przyjęcie (na cześć kogoś). 3 (*też reception desk*) recepcja.

receptionist [risep*ś*znist] recepcjonista.

recipe [res*e*p*i*] 1 przepis (kulinarny). 2 *przen.* recepta.

reciprocal [risiprekl] wzajemny.

reciprocity [resipros*e*t*i*] wzajemność.

recital [risajtl] recital.

recite [risajt] recytować.

reckless [rekl*e*s] lekkomyślny, brawurowy.

recognition [rek*e*gni*ś*zn] 1 identyfikacja. 2 uznanie.

recognize [rek*e*gnajz] 1 rozpoznawać. 2 uznawać.

recollect [rek*e*lekt] przypominać sobie.

recollection [rek*e*lek*ś*zn] 1 pamiętanie. 2 wspomnienie.

recommend [rek*e*mend] 1 rekomendować. 2 zalecić.

recommendation [rekemende**je**jszn]
1 rekomendacja. 2 zalecenie.

reconcile [rek**e**nsajl] pojednać (się).

reconstruct [ri:k**e**nstrakt] 1 odbudować. 2 odtworzyć.

reconstruction [ri:k**e**nstra**k**szn] 1 odbudowa. 2 rekonstrukcja.

record I [re**ko**:d] 1 zapis. 2 (*też l.mn. records*) akta. 3 płyta gramofonowa. 4 rekord: *beat (break) a record* pobić rekord; *set a record* ustanowić rekord.

record II [ri**ko**:d] 1 zapisać. 2 nagrać.

recorder [ri**ko**:d*e*] urządzenie nagrywające: *cassette recorder* magnetofon kasetowy; *tape recorder* magnetofon (szpulowy).

recover [rik**a**w*e*] 1 wrócić do zdrowia, do siebie: *recover from flu* wyleczyć się z grypy. 2 odzyskać.

recreate [ri:k**ri**ejt] odtworzyć.

recreation [rekri**e**jszn] wypoczynek.

rectangle [rekt**æ**ngl] prostokąt.

recurrent [rik**a**rent] powracający.

recycle [ri:**sa**jkl] przetworzyć.

recycling [ri:**sa**jklin] recykling.

red I [red] 1 czerwony. 2 *be caught red-handed* zostać przyłapanym na gorącym uczynku.

red II [red] czerwień.

redcurrant [redk**a**rent] czerwona porzeczka.

redemption [rid**e**mpszn] odkupienie (w religii).

redial [ri:**da**jel] ponownie wybrać numer (telefonu).

reduce [ridju:s] zredukować.

reduction [rid**a**kszn] 1 redukcja. 2 obniżka (cen).

redundant [rid**a**ndent] 1 zbędny. 2 zwolniony.

reed [ri:d] trzcina.

reef [ri:f] rafa.

reel [ri:l] zwój.

refer [rif**e**:] (II / III **referred**) 1 odnosić się. 2 nawiązać do czegoś. 3 zwracać się.

referee [refe**ri**:] arbiter, sędzia.

reference [re**fr**ens] 1 powoływanie się. 2 *l.mn.* **references** referencje. 3 *reference book* informator. 4 *form.* **with reference to** w związku z... (w listach).

refill [ri:f**i**l] napełnić (się) ponownie.

refine [rif**a**jn] 1 oczyszczać. 2 dopracować.

reflect [riflekt] 1 odbijać się (o świetle). 2 odzwierciedlać. 3 zastanowić się.

reflection [rifl**e**kszn] 1 odbicie (obrazu). 2 odzwierciedlenie. 3 refleksja.

reflective [rifl**e**ktiw] 1 odbijający. 2 refleksyjny, zamyślony.

reflector [rifl**e**kt*e*] 1 światło odblaskowe. 2 reflektor.

reflex [**ri**:fleks] odruch.

reform I [rif**o**:m] reformować.

reform II [rif**o**:m] reforma.

refrain [rifrejn] refren.
refresh [rifreš] odświeżyć.
refrigerator [rifridżerejte] **1** lodówka, chłodziarka. **2** chłodnia.
refuge [refju:dż] schronienie.
refugee [refjudżi:] uchodźca.
refund I [ri:fand] refundacja.
refund II [ri:fand] refundować.
refusal [rifju:zl] odmowa.
refuse I [rifju:z] odmówić.
refuse II [refju:s] *BR* śmieci.
refuse bin [refju:zbin] *BR* pojemnik
na śmieci.
regain [rigejn] odzyskać.
regard I [riga:d] **1** wzgląd. **2** odnie-
sienie: *with (in) regard to sth*
w związku z czymś. **3** poważanie.
4 *l.mn.* *regards* wyrazy szacunku
(w liście): *with (best) regards* po-
zdrawiam.
regard II [riga:d] dotyczyć: *as re-*
gards jeśli chodzi o...
regenerate [ridżenerejt] **1** odtworzyć. **2** zregenerować się.
regime (régime) [rejżi:m / reżi:m]
reżim.
region [ri:dżen] region.
regional [ri:dżenl] regionalny.
register I [redżiste] rejestr.
register II [redżiste] rejestrować.
registration [redżistrejšzn] **1** rejestracja. **2** zgłoszenie.
registry office [redżistri ofis] urząd
stanu cywilnego.
regret I [rigret] (II / III **regretted**)
żałować.

regret II [rigret] **1** żal. **2** *form. l.mn.*
regrets przeprosiny.
regular [regjule] **1** regularny. **2** zwyczajny.
regularity [regjulæreti] regularność.
regulate [regjulejt] regulować.
regulation [regjulejšzn] przepis, re-
gulacja prawna.
rehearsal [rihe:sl] próba (w teatrze).
reign [rejn] panować, rządzić.
reinforce [ri:info:s] **1** wzmocnić. **2**
umocnić (uczucie).
reject [ridżekt] odrzucić.
relate [rilejt] opowiadać.
relation [rilejšzn] **1** relacja. **2** związek.
relationship [rilejšznšzip] **1** stosunki. **2** pokrewieństwo. **3** związek
(stały).
relative I [reletiw] krewny.
relative II [reletiw] względny.
relativity [reletiweti] względność.
relax [rilæks] rozluźnić (się).
release I [rili:s] **1** uwolnienie. **2** wejście filmu na ekrany.
release II [rili:s] **1** uwolnić. **2** rozpowszechniać.
relevant [relewent] **1** istotny. **2** odpowiedni.
reliability [rilajebileti] niezawodność.
reliable [rilajebl] niezawodny, solidny.
relief [rili:f] **1** ulga. **2** wsparcie.
relieve [rili:w] **1** ulżyć. **2** zwolnić
(z pracy).

religion [rilidżen] religia.

religious [rilidżes] religijny.

reluctance [rilaktens] niechęć.

reluctant [rilaktent] niechętny.

rely [rilaj] (II / III **relied**)

◆ **rely on (upon)** *sb (sth)* polegać na kimś (czymś).

remain [rimejn] **1** pozostać. **2** pozostawać (w jakimś stanie).

remains [rimejnz] *l.mn.* resztki, pozostałości.

remark [rima:k] **1** zwrócić uwagę. **2** zauważyć.

remarkable [rima:kebl] niezwykły.

remedy [remedi] (*l.mn.* **remedies**) lekarstwo.

remember [rimembe] **1** pamiętać. **2** nie zapomnieć.

remind [rimajnd] **1** przypominać, przypomnieć (*sb about sth* komuś o czymś). **2** przypominać (*sb of sb, sth* komuś kogoś, coś).

remorse [rimo:s] wyrzuty sumienia, skrucha.

remote [rimeut] **1** odległy. **2** oddalony.

remote control [rimeut kentreul] pilot (do telewizora).

removal [rimu:wl] **1** usunięcie. **2** przeprowadzka.

remove [rimu:w] **1** usuwać. **2** zdjąć.

renaissance [rinejsens] **1** *the Renaissance* Odrodzenie, Renesans. **2** odrodzenie, renesans (czegoś).

render [rende] **1** okazać. **2** przedstawić (w sztuce).

renew [rinju:] odnawiać.

renovate [renewejt] wyremontować.

renovation [renewejśzn] remont.

rent I [rent] **1** czynsz. **2** *for rent* do wynajęcia.

rent II [rent] wynająć (mieszkanie), wypożyczyć (samochód).

reorganize [ri:o:genajz] zreorganizować.

rep [rep] *nieform.* przedstawiciel, agent.

repaid *zob.* **repay**.

repair I [ripe:] naprawa.

repair II [ripe:] naprawić.

repay [ripej] (II / III **repaid** [ripejd]) **1** spłacać. **2** odwdzięczyć się.

repayment [ripejment] spłata.

repeat [ripi:t] powtórzyć.

repel [ripel] (II / III **repelled**) budzić odrazę.

repent [ripent] żałować.

repentance [ripentens] żal.

repertoire [repetła:] repertuar.

repetition [repetiśzn] powtórzenie.

replace [riplejs] **1** odłożyć. **2** zastąpić. **3** wymienić.

replacement [riplejsment] **1** zastępstwo. **2** wymiana.

replay [ri:plej] powtórka.

reply I [riplaj] (*l.mn.* **replies**) odpowiedź.

reply II [riplaj] (II / III **replied**) odpowiedzieć.

report I [ripo:t] **1** raport. **2** świadectwo (szkolne).

report II [ripo:t] 1 poinformować. 2 zawiadomić.

reporter [riporte] reporter.

represent [reprizent] 1 reprezentować. 2 stanowić.

representative [reprizentetiw] przedstawiciel.

repress [ripres] stłumić (np. uśmiech).

reprimand [reprima:nd] udzielić nagany.

reproach [ripreucz] wyrzut.

reproduce [ri:predju:s] 1 odtworzyć. 2 rozmnożyć.

reproduction [ri:predakszn] 1 reprodukcja. 2 rozmnażanie.

reptile [reptajl] gad.

republic [ripablik] republika: *the Republic of Poland* Rzeczpospolita Polska.

republican [ripabliken] republikański.

repulsion [ripalszn] wstręt.

reputation [repjutejszn] reputacja.

request [riklest] prośba.

require [riklaje] wymagać (czegoś).

requirement [riklajement] wymaganie.

rescue I [reskju:] 1 ratunek. 2 akcja ratownicza.

rescue II [reskju:] 1 ocalić. 2 przyjść z pomocą.

research I [rise:cz / ri:se:cz] 1 badania (nad czymś). 2 wywiad (środowiskowy).

research II [rise:cz] 1 zbierać materiały. 2 badać.

researcher [rise:cze] badacz.

resemblance [rizemblens] podobieństwo.

resemble [rizembl] przypominać.

resent [rizent] żywić urazę.

reservation [rezewejszn] 1 zastrzeżenie. 2 rezerwacja: *make a reservation* zarezerwować.

reserve I [rize:w] 1 zapas. 2 powściągliwość.

reserve II [rize:w] 1 zatrzymać na zapas. 2 zarezerwować.

reserved [rize:wd] zarezerwowany.

reset [ri:set] (II / III **reset** [ri:set]) 1 nastawić (zegarek). 2 *komp.* ponownie uruchomić.

reside [rizajd] mieszkać.

residence [rezidens] 1 *place of residence* miejsce zamieszkania. 2 rezydencja.

resident [rezident] mieszkaniec.

resign [rizajn] rezygnować.

resignation [rezignejszn] rezygnacja.

resin [rezin] żywica.

resist [rizist] 1 stawiać opór. 2 sprzeciwić się.

resistance [rizistens] 1 opór. 2 sprzeciw. 3 wytrzymałość.

resistant [rizistent] wytrzymały.

resource [riso:s / rizo:s] 1 *l.mn. resources* zasoby. 2 sposób.

resourceful [riso:sfl / rizo:sfl] zaradny.

respect I [rispekt] 1 respekt. 2 wzgląd.

respect II [rispekt] 1 szanować. 2 respektować.

respectable [rispektebl] szanowany.
respectful [rispektfl] pełen szacunku.
respiration [respirejśzn] oddychanie.
response [rispons] **1** odpowiedź. **2** odzew.
responsibility [responsebileti] (*l.mn.* **responsibilities**) **1** obowiązek. **2** odpowiedzialność.
responsible [responsebl] odpowiedzialny (*for sth* za coś).
rest I [rest] **1** odpoczynek. **2** *the rest* reszta.
rest II [rest] odpoczywać.
restaurant [resteront] restauracja (lokal).
restless [restles] niespokojny.
restore [risto:] **1** przywrócić. **2** odrestaurować.
restrain [ristrejn] **1** powstrzymać (*sb from doing sth* kogoś przed zrobieniem czegoś). **2** *restrain oneself* powstrzymać się.
restrict [ristrikt] ograniczyć.
result I [rizalt] **1** skutek. **2** wynik.
result II [rizalt] wynikać: *result from sth* wynikać z czegoś; *result in sth* doprowadzić do czegoś.
resurrection [rezerekśzn] *the Resurrection* Zmartwychwstanie (w religii).
retail [ri:tejl] handel detaliczny.
retain [ritejn] **1** zachować (w pamięci). **2** utrzymywać (zwyczaj).
retire [ritaje] **1** wycofać się (z interesu). **2** przejść na emeryturę.
retirement [ritajement] emerytura.

retreat I [ritri:t] odwrót.
retreat II [ritri:t] wycofać (się).
retrieve [ritri:w] **1** odzyskać. **2** *komp.* wyszukiwać (dane).
retrospective [retreuspektiw] retrospektywny.
return I [rite:n] **1** wrócić. **2** zwrócić. **3** odesłać: *'return to sender'* „zwrot do nadawcy". **4** *Many happy returns of the day!* Wszystkiego najlepszego w dniu urodzin!
return II [rite:n] **1** powrót. **2** nawrót (o pogodzie). **3** *in return* w zamian. **4** bilet powrotny.
reveal [riwi:l] **1** odkryć. **2** wyjawić.
revenge I [riwendż] **1** zemsta. **2** rewanż.
revenge II [riwendż] **1** pomścić (krzywdę). **2** *revenge oneself* zemścić się.
reverse I [riwe:s] **1** odwrotność. **2** rewers (monety). **3** bieg wsteczny.
reverse II [riwe:s] **1** odwrócić. **2** cofać (samochodem).
reverse III [riwe:s] **1** odwrotny. **2** przeciwny. **3** wsteczny.
review I [riwju:] **1** przegląd. **2** recenzja.
review II [riwju:] **1** dokonać przeglądu. **2** zrecenzować.
revise [riwajz] **1** rewidować (opinię). **2** *BR* powtarzać (przed egzaminem).
revision [riwiżn] **1** zmiana. **2** powtórka (przed egzaminem).
revival [riwajwl] **1** ożywienie (w handlu). **2** odrodzenie.
revive [riwajw] **1** przywrócić. **2** odnawiać (się).

revolution [rewelu:szn] **1** rewolucja. **2** obrót.

revolutionary I [rewelu:szeneri] rewolucjonista.

revolutionary II [rewelu:szeneri] rewolucyjny.

revolve [riwolw] obracać (się).

revolver [riwolwe] rewolwer.

reward I [riło:d] nagroda.

reward II [riło:d] nagrodzić.

rewind [ri:łajnd] (II / III **rewound** [ri:łaund]) cofnąć (kasetę).

rewrite [ri:rajt] (II **rewrote** [ri:reut], III **rewritten** [ri:ritn]) **1** przerobić. **2** przepisać.

rheumatism [ru:metizem] reumatyzm.

rhomboid [rombojd] równoległobok.

rhombus [rombes] romb.

rhubarb [ru:ba:b] rabarbar.

rhyme [rajm] **1** wiersz. **2** rym.

rhythm [riðem] rytm.

rib [rib] żebro.

ribbon [riben] wstążka.

rice [rajs] ryż.

rich [ricz] **1** bogaty. **2** wysokokaloryczny.

rid [rid] *get rid of sth* pozbyć się czegoś.

ridden *zob.* **ride.**

riddle [ridl] **1** zagadka. **2** tajemnica.

ride I [rajd] (II **rode** [reud], III **ridden** [ridn]) jechać: *ride a bike* jechać na rowerze.

ride II [rajd] przejażdżka: *go for a ride* udać się na przejażdżkę.

rider [rajde] jeździec.

ridicule [ridikju:l] wyśmiać.

ridiculous [ridikjules] śmieszny.

rifle [rajfl] karabin, strzelba.

right I [rajt] **1** dobry. **2** prawostronny. **3** właściwy. **4** *be right* mieć rację: *You're right.* Masz rację.

right II [rajt] **1** wprost. **2** dobrze: *do sth right* zrobić coś dobrze. **3** na prawo: *turn right* skręć w prawo. **4** *right now* natychmiast.

right III [rajt] **1** racja. **2** uprawnienie, prawo: *human rights* prawa człowieka. **3** prawa strona.

right-handed [rajthændid] praworęczny.

rigid [ridżid] sztywny.

rim [rim] brzeg, krawędź.

ring I [rin] **1** pierścionek: *wedding ring* obrączka ślubna. **2** kółko.

ring II [rin] (II **rang** [ræn], III **rung** [ran]) **1** dzwonić (dzwonkiem). **2** telefonować: *ring sb* dzwonić do kogoś. **3** dźwięczeć.

◆ **ring** *sb* **up** dzwonić do kogoś.

rink [rink] lodowisko.

rinse I [rins] płukanie.

rinse II [rins] płukać.

riot [rajet] zamieszki.

rip [rip] (II / III **ripped**) rozdzierać.

ripe [rajp] dojrzały.

ripen [rajpen] dojrzeć.

rise I [rajz] (II **rose** [reuz], III **risen** [rizn]) **1** wschodzić (o słońcu). **2** podnieść się. **3** wstać (z łóżka).

rise II [rajz] **1** wzrost. **2** (*też pay rise*) podwyżka.

risen *zob.* **rise I**.

risk I [risk] ryzyko: *be at risk of sth* być zagrożonym czymś; *at one's own risk* na własne ryzyko; *take a risk* podjąć ryzyko.

risk II [risk] ryzykować.

risky [r*i*sk*i*] ryzykowny.

rite [rajt] rytuał.

ritual [r*i*czuel] rytuał.

rival I [**raj**wl] rywal.

rival II [**raj**wl] (II / III **rivalled**) dorównywać komuś (czemuś).

rivalry [**raj**wlr*i*] rywalizacja.

river [r*i*we] rzeka: *up (down) river* w górę (w dół) rzeki.

road [reud] 1 droga: *road sign* znak drogowy. 2 ulica.

roar I [ro:] ryczeć.

roar II [ro:] ryk.

roast I [reust] pieczeń.

roast II [reust] 1 piec. 2 prażyć (kawę).

rob [rob] (II / III **robbed**) okraść.

robber [robe] złodziej.

robbery [rober*i*] (*l.mn.* **robberies**) rabunek.

robot [r*eu*bot] robot.

robust [reub*a*st] 1 zdrowy. 2 rubaszny.

rock I [rok] 1 skała. 2 głaz, kamień. 3 (*też rock music*) rock (muzyka). 4 *on the rocks* z lodem (np. whisky).

rock II [rok] kołysać (się).

rocket [rok*i*t] rakieta.

rocking chair [rok*i*ncze:] fotel bujany.

rocky [rok*i*] skalisty.

rod [rod] 1 pręt. 2 wędka.

rode *zob.* **ride**.

roe deer [r*eu*die] sarna.

role [r*eu*l] rola (w sztuce).

roll I [r*eu*l] 1 rolka. 2 bułka.

roll II [r*eu*l] 1 toczyć (się). 2 zwinąć.

roller blind [r*eu*leblajnd] roleta.

roller coaster [r*eu*le k*eu*ste] kolejka górska (w wesołym miasteczku).

roller skate [r*eu*leskejt] wrotka.

ROM *read-only memory* ROM.

Roman Catholic [r*eu*men kæθelik] rzymskokatolicki.

romance [r*eu*mæns] 1 romans (z kimś). 2 romans (książka).

romantic [r*eu*mæntik] romantyczny.

roof [ru:f] dach.

room [ru:m] 1 pokój: *'rooms to let'* „pokoje do wynajęcia". 2 wolna przestrzeń.

root I [ru:t] 1 korzeń. 2 źródło (sprawy). 3 pierwiastek (w matematyce).

root II [ru:t] 1 zakorzenić (się). 2 grzebać, przegrzebać.

rope [reup] sznur.

rosary [r*eu*zer*i*] różaniec.

rose I *zob.* **rise**.

rose II [reuz] 1 róża. 2 kolor różowy.

rot [rot] (II / III **rotted**) 1 gnić. 2 popsuć.

rotate [r*eu*tejt] 1 obracać. 2 zamienić (się).

rotten [rotn] 1 zgniły. 2 zepsuty.

rough [raf] 1 chropowaty. 2 nieobrobiony. 3 brutalny. 4 nieokrzesany.

roulette [ru:let] ruletka.

round I [raund] 1 runda. 2 kolejka.

round II [raund] 1 okrągły. 2 zaokrąglony.

round III [raund] 1 *all round* wszędzie naokoło. 2 *round the corner* za rogiem. 3 *the other way round* odwrotnie.

roundabout [raundɘbaut] 1 *BR* karuzela. 2 rondo.

route [ru:t] 1 trasa. 2 szlak.

routine [ru:ti:n] 1 procedura. 2 rutyna.

row I [reu] 1 szereg: *in a row* rzędem. 2 *three times in a row* trzy razy pod rząd.

row II [rau] kłótnia.

row III [reu] wiosłować.

royal [rojel] królewski.

rub [rab] (II / III *rubbed*) 1 pocierać. 2 masować.

rubber [rabe] 1 guma. 2 gumka do mazania. 3 *l.mn. rubbers* kalosze.

rubbish [rabiš] 1 śmieci. 2 *nieform.* bzdura.

rubble [rabl] gruz.

rucksack [raksæk] plecak.

rude [ru:d] niegrzeczny.

ruffle [rafl] zmarszczyć, pognieść.

rug [rag] dywanik.

ruin I [ru:in] 1 ruina. 2 upadek.

ruin II [ru:in] 1 zrujnować. 2 zepsuć.

rule I [ru:l] 1 reguła, zasada. 2 panowanie.

rule II [ru:l] rządzić.

ruler [ru:le] 1 władca. 2 linijka.

rumble [rambl] 1 turkotać, burczeć. 2 *BR* przejrzeć (kogoś, coś).

rumour (*AM* **rumor**) [ru:me] plotka.

run [ran] (II **ran** [ræn], III **run** [ran]) 1 biegać, biec. 2 *nieform.* uciekać. 3 prowadzić (np. sklep).

◆ **run across** *sb (sth)* spotkać przypadkowo kogoś (coś).

◆ **run away** uciekać.

◆ **run** *sb (sth)* **down** 1 przejechać kogoś (coś). 2 wyczerpać się (o baterii).

◆ **run into** *sb (sth)* wjechać, wpaść na kogoś (coś).

◆ **run out of** *sth* kończyć się.

runaway [ranɘłej] uciekinier, zbieg.

rung *zob.* **ring**.

runner [rane] 1 biegacz. 2 płoza.

rupture [rapče] 1 zerwanie (stosunków). 2 pęknięcie (w medycynie).

rural [ruerel] wiejski.

rush I [raš] 1 pęd. 2 pośpiech: *in a rush* w pośpiechu, szybko.

rush II [raš] 1 pędzić. 2 śpieszyć się.

rush hour [rašaue] godziny szczytu.

Russian [rašn] 1 rosyjski. 2 Rosjanin.

rust I [rast] rdza.

rust II [rast] rdzewieć.

rustle [rasl] szeleścić.

rusty [rasti] zardzewiały.

ruthless [ru:θlis] bezlitosny.

rye [raj] żyto.

S

S [es] dziewiętnasta litera alfabetu.

sabotage [sæbəta:ż] sabotaż.

sack [sæk] **1** worek. **2** *nieform.* zwolnienie: *give sb the sack* wyrzucić kogoś z pracy.

sacrament [sækrəment] sakrament.

sacred [sejkrid] święty.

sacrifice I [sækrifajs] **1** ofiara. **2** poświęcenie (się).

sacrifice II [sækrifajs] **1** *przen.* poświęcać (się). **2** składać w ofierze.

sad [sæd] **1** smutny. **2** przykry.

saddle [sædl] siodło.

sadism [sejdizem] sadyzm.

sadist [sejdist] sadysta.

sadness [sædnes] smutek.

safe I [sejf] sejf.

safe II [sejf] **1** bezpieczny. **2** spokojny: *Have a safe journey!* Szczęśliwej podróży!

safety [sejfti] bezpieczeństwo.

safety belt [sejftibelt] pas bezpieczeństwa.

safety pin [sejftipin] agrafka.

Sagittarius [sædżite:ries] Strzelec (znak zodiaku).

said *zob.* **say**.

sail I [sejl] żagiel.

sail II [sejl] pływać, żeglować.

sailor [sejle] marynarz, żeglarz.

saint [sejnt] święty.

sake [sejk] **1** *for the sake of* w celu, dla. **2** *for your own sake* dla twojego własnego dobra.

salad [sæled] **1** sałatka. **2** sałata.

salary [sæleri] pensja.

sale [sejl] **1** sprzedaż: *for sale* na sprzedaż. **2** (*BR też the sales*) wyprzedaż.

salesman [sejlzmen] (*l.mn.* **salesmen**) **1** sprzedawca. **2** akwizytor.

saliva [selajwe] ślina.

salmon [sæmen] (*l.mn.* **salmon**) łosoś.

salon [sælon] salon.

saloon [selu:n] **1** sedan. **2** bar, knajpa.

salt I [so:lt] sól.

salt II [so:lt] solić.

salt cellar [so:ltsele] solniczka.

salt mine [so:ltmajn] kopalnia soli.

salty [so:lti] słony.

salvation [sælwejszn] **1** zbawienie. **2** ratunek.

same I [sejm] **1** *the same* ten sam: *at the same time* w tym samym czasie. **2** to samo: *I'll have the same.* Wezmę to samo. (zamówienie); *the same to you!* nawzajem! (dziękując, życząc).

same II [sejm] tak samo.

sample [sa:mpl] próbka (krwi).

sanatorium [sænetoːriem] (*l.mn.* **sanatoriums** *albo* **sanatoria**) sanatorium.

sand [sænd] piasek.

sandal [sændl] sandał.

sand dune [sænddjuːn] wydma.

sandpaper [sændpejpe] papier ścierny.

sandpit [sændpit] piaskownica.

sandwich [sænłidż] kanapka.

sandy [sændi] piaszczysty.

sane [sejn] rozsądny.

sang *zob.* **sing**.

sanitary [sænetri] **1** sanitarny. **2** higieniczny.

sanitary towel [sænetri tauel] *BR* podpaska higieniczna.

sank *zob.* **sink**.

sarcastic [sa:kæstik] sarkastyczny.

sardine [sa:diːn] sardynka.

sat *zob.* **sit**.

satanic [setænik] satanistyczny.

satellite [sætelajt] satelita.

satellite dish [sætelajt diśż] antena satelitarna.

satin [sætin] satyna.

satisfaction [sætisfækszn] **1** zadowolenie. **2** spełnienie.

satisfactory [sætisfækteri] zadowalający.

satisfied [sætisfajd] zadowolony.

satisfy [sætisfaj] (II / III **satisfied**) zadowolić.

satisfying [sætisfajin] zadowalający.

saturate [sæćzerejt] **1** przemoczyć. **2** nasycić.

Saturday [sætedej / sætedi] sobota.

sauce [so:s] sos.

saucepan [so:spen] rondel.

saucer [so:se] spodek.

sausage [sosidż] kiełbasa.

savage [sæwidż] brutalny.

save [sejw] **1** uratować. **2** oszczędzać (pieniądze). **3** *komp.* zapisać.

saving [sejwin] **1** oszczędzanie. **2** *l.mn.* **savings** oszczędności.

saw I [so:] piła.

saw II *zob.* **see**.

saw III [so:] (II **sawed** [so:d], III **sawn** [so:n]) piłować.

say [sej] (II / III **said** [sed]) powiedzieć.

scald I [sko:ld] oparzenie.

scald II [sko:ld] poparzyć.

scale [skejl] **1** skala. **2** gama (w muzyce). **3** *l.mn.* **scales** waga (urządzenie).

scalpel [skælpel] skalpel.

scan [skæn] (II / III **scanned**) **1** przeglądać. **2** skanować.

scandal [skændl] skandal.

scar [ska:] blizna.

scarce [ske:s] **1** rzadki. **2** niewystarczający.

scarcely [ske:sli] zaledwie.

scare I [ske:] strach.

scare II [ske:] straszyć.

◆ **scare sb (sth) away (off)** odstraszyć kogoś (coś).

scared [ske:d] wystraszony.

scarf [ska:f] (*l.mn.* **scarves** [ska:-wz]) szal.

scarlet [ska:lit] szkarłat, purpura.

scarlet fever [ska:lit fi:we] szkarlatyna, płonica.

scatter [skæt*e*] rozproszyć.

scene [si:n] **1** scena. **2** miejsce.

scenery [si:ner*i*] **1** sceneria. **2** scenografia.

scent [sent] **1** zapach. **2** perfumy.

sceptical (*AM* **skeptical**) [skeptikl] sceptyczny.

schedule [szedju:l] harmonogram, rozkład: *ahead of schedule* przed czasem; *behind schedule* po czasie.

scheme [ski:m] projekt.

scholarship [skoleszip] stypendium.

school [sku:l] **1** szkoła: *at school* w szkole; *go to school (attend school)* chodzić do szkoły. **2** ławica (ryb).

schoolboy [sku:lboj] uczeń.

schoolgirl [sku:lge:l] uczennica.

science [saj*e*ns] **1** nauka. **2** nauka ścisła.

science fiction [saj*e*ns fikszn] fantastyka naukowa.

scientific [saj*e*ntifik] naukowy.

scientist [saj*e*ntist] naukowiec.

scissors [si*z*ez] nożyczki.

scope [skeup] **1** możliwość. **2** zakres.

score I [sko:] wynik.

score II [sko:] osiągać wynik.

scorn [sko:n] gardzić.

Scorpio [sko:pieu] Skorpion (znak zodiaku).

scorpion [sko:pien] skorpion.

scrap [skræp] skrawek.

scratch [skræcz] **1** zadrapanie. **2** rysa.

scream I [skri:m] krzyk.

scream II [skri:m] krzyczeć.

screen [skri:n] **1** ekran. **2** parawan.

screenplay [skri:nplej] scenariusz filmowy.

screen saver [skri:nsejw*e*] *komp.* wygaszacz ekranu.

screw I [skru:] **1** wkręcić (śrubę). **2** oszukać (kogoś).

◆ **screw** *sth* **up** *nieform.* zepsuć, schrzanić coś (np. plan).

screw II [skru:] śruba.

screwdriver [skru:drajw*e*] śrubokręt.

script [skript] scenariusz.

scroll [skreul] *komp.* przewinąć tekst.

scrub [skrab] peeling.

scruple [skru:pl] skrupuł.

scrupulous [skru:pjule*s*] **1** skrupulatny. **2** sumienny.

scrutiny [skru:tin*i*] **1** analiza. **2** nadzór.

sculptor [skalpt*e*] rzeźbiarz.

sculpture I [skalpcz*e*] **1** rzeźba. **2** rzeźbiarstwo.

sculpture II [skalpcz*e*] rzeźbić.

scythe [sajð] kosa.

sea [si:] morze: *by the sea* nad morzem; *by sea* morzem, statkiem (podróżować).

seafood [si:fu:d] owoce morza.

seagull [si:gal] mewa.

seal I [si:l] **1** foka. **2** pieczęć. **3** plomba.

seal II [si:l] **1** opieczętować. **2** zalakować.

sea level [si:lewl] poziom morza: *above (below) sea level* ponad poziomem (poniżej poziomu) morza.

seam [si:m] **1** szew. **2** łączenie.

search I [se:cz] szukać.

search II [se:cz] poszukiwanie.

seasick [si:sik] *be (feel) seasick* cierpieć na chorobę morską.

seasickness [si:siknis] choroba morska.

seaside [si:sajd] wybrzeże: *go to the seaside* pojechać nad morze.

season [si:zn] pora roku.

seasonal [si:zenl] sezonowy.

seat [si:t] **1** siedzenie, miejsce. **2** siodełko.

seatbelt [si:tbelt] pas bezpieczeństwa.

second I [sekend] sekunda.

second II [sekend] drugi.

secondary school [sekendri sku:l] szkoła średnia.

second-hand [sekendhænd] z drugiej ręki.

second name [sekendnejm] **1** nazwisko. **2** drugie imię.

secret I [si:krit] sekret.

secret II [si:krit] tajny.

secretary [sekretri] (*l.mn.* **secretaries**) sekretarz, sekretarka.

section [sekszn] **1** odcinek. **2** dział. **3** paragraf (dokumentu).

sector [sekte] strefa.

secure I [sikjue] **1** zapewnić. **2** zabezpieczyć.

secure II [sikjue] **1** pewny. **2** bezpieczny.

security [sikjuereti] **1** bezpieczeństwo. **2** zabezpieczenie.

seduce [sidju:s] **1** uwieść. **2** kusić (do złego).

see [si:] (II **saw** [so:], III **seen** [si:n]) **1** widzieć. **2** obejrzeć. **3** spotkać się z kimś. **4** *nieform. See you (later)!* Na razie!

♦ **see through** *sb (sth)* przejrzeć kogoś (coś).

♦ **see to** *sth* dopilnować czegoś.

seed [si:d] nasienie.

seek [si:k] (II / III **sought** [so:t]) szukać.

seem [si:m] zdawać się, wydawać się.

seen *zob.* **see**.

segment [segment] **1** sektor. **2** cząstka.

seize [si:z] **1** schwytać. **2** przejąć (o policji).

seldom [seldem] rzadko.

select [silekt] wybierać.

selection [silekszn] wybór.

self [self] (*l.mn.* **selves**) własne „ja", ego.

self-assured [selfeszo:d] pewny siebie.

self-confident [selfkonfident] pewny siebie.

self-conscious [selfkonszes] nieśmiały.

self-defence [selfdifens] samoobrona.

selfish [selfisz] egoistyczny.

self-service [selfse:wis] samoobsługa.

sell [sel] (II / III **sold** [seuld]) sprzedawać.

◆ **sell out** wyprzedawać.

seller [sele] sprzedawca, sprzedawczyni.

semester [simeste] semestr.

semi-detached [semiditæczt] *semi-detached house* dwurodzinny dom.

seminar [semina:] seminarium (szkolenie).

seminary [semineri] seminarium duchowne.

senate [senet] senat.

send [send] (II / III **sent** [sent]) wysyłać.

◆ **send for** *sb (sth)* posyłać po kogoś (coś): *The headmaster has sent for you two.* Dyrektor wzywa was dwóch.

sender [sende] nadawca.

senior I [si:nje] **1** osoba starsza. **2** senior (w sporcie).

senior II [si:nje] **1** starszy (wiekiem). **2** wyższy (rangą).

sensation [sensejszn] **1** uczucie. **2** wrażenie. **3** *a sensation* sensacja.

sense I [sens] **1** zmysł. **2** wyczucie. **3** znaczenie.

sense II [sens] **1** wyczuć. **2** wykryć.

sensibility [sensibileti] **1** wrażliwość. **2** podatność.

sensible [sensibl] **1** rozsądny. **2** praktyczny.

sensitive [sensitiw] **1** wrażliwy. **2** przeczulony.

sensual [senszuel] zmysłowy.

sent *zob.* **send**.

sentence I [sentens] **1** wyrok. **2** zdanie (w językoznawstwie).

sentence II [sentens] skazywać (*to sth* na coś).

sentiment [sentiment] sentyment.

sentimental [sentimentl] sentymentalny.

separate I [seperejt] **1** rozdzielić. **2** odróżnić.

separate II [seperet] oddzielny.

separator [seperejte] oddzielacz, separator.

September [septembe] wrzesień.

sequence [si:kłens] **1** ciąg. **2** kolejność.

serenade [serenejd] serenada.

sergeant [sa:dżent] sierżant.

serial [sieriel] serial.

series [sieri:z] (*l.mn.* series) **1** seria. **2** serial.

serious [sieries] **1** poważny. **2** ciężki (stan).

seriously [sieriesli] **1** poważnie. **2** bardzo.

sermon [se:men] kazanie.

serpent [se:pent] wąż.

serum [sierem] surowica.

servant [se:went] służący.

serve [se:w] **1** służyć. **2** obsługiwać. **3** podawać (jedzenie). **4** serwować (w sporcie).

server [se:we] **1** serwujący. **2** *komp.* serwer.

service [se:wis] **1** służba. **2** usługa. **3** nabożeństwo.

session [seśzn] obrady.

set I [set] (II / III **set** [set]) **1** umieścić. **2** ustalić (datę). **3** nastawić. **4** zachodzić (o słońcu).
◆ **set out** wyruszyć (w podróż).
◆ **set** *sth* **up 1** wznosić. **2** zakładać (firmę).

set II [set] **1** zestaw. **2** odbiornik: *TV set* telewizor.

settee [seti:] kanapa.

settle [setl] **1** usadowić. **2** uspokoić. **3** załatwić (sprawy).
◆ **settle down 1** osiedlić się. **2** uspokoić się.

settlement [setlment] **1** porozumienie. **2** umowa.

settler [setle] osadnik (mieszkaniec).

seven [sewn] **1** siedem. **2** siódma (godzina).

seventeen [sewenti:n] siedemnaście.

seventeenth [sewenti:nθ] siedemnasty.

seventh [sewenθ] siódmy.

seventieth [sewentieθ] siedemdziesiąty.

seventy [sewenti] **1** siedemdziesiąt. **2** *the seventies* lata siedemdziesiąte.

several [sewrel] kilka, kilku.

severe [siwie] **1** poważny, zły (o chorobie). **2** surowy (człowiek).

sew [seu] (II **sewed** [seud], III **sewn** [seun] *albo* **sewed** [seud]) uszyć.

sewage [su:idż / sju:idż] ścieki.

sewer [su:e / sju:e] kanał ściekowy.

sewing machine [seuin meśzi:n] maszyna do szycia.

sewn *zob.* **sew.**

sex [seks] **1** płeć. **2** stosunek płciowy.

sexual [sekśzuel] płciowy, seksualny.

sexy [seksi] *nieform.* erotyczny, seksowny.

SF *zob.* **science fiction.**

shade [szejd] **1** cień. **2** odcień.

shadow [szædeu] cień.

shake I [szejk] (II **shook** [szu:k], III **shaken** [szejkn]) **1** trząść (się): *'shake before use'* „przed użyciem wstrząsnąć". **2** *shake hands with sb* uścisnąć sobie ręce.

shake II [szejk] **1** potrząśnięcie. **2** *(też milkshake)* koktajl mleczny.

shaken *zob.* **shake I.**

shaker [szejke] **1** solniczka. **2** pieprzniczka. **3** shaker (do koktajli).

shall [szæl / *słabe* szel] *GRAM* **1** (w czasie przyszłym): *We shall see.* Zobaczymy. **2** (w propozycjach): *Shall we go to the cinema?* Może pójdziemy do kina?

shallow [szæleu] płytki.

shame [szejm] **1** wstyd, hańba. **2** szkoda: *What a shame!* Jaka szkoda!

shampoo [szæmpu:] szampon.

shape I [szejp] **1** kształt. **2** forma.

shape II [szejp] kształtować.

shapeless [szejples] bezkształtny.

share I [sze:] **1** udział. **2** akcja.

share II [sze:] dzielić (się).

shark [sza:k] rekin.

sharp I [sza:p] **1** ostry. **2** spiczasty. **3** cięty (język).

sharp II [sza:p] **1** ostro. **2** punktualnie: *at 10 o'clock sharp* punktualnie o 10.

shatter [szæte] roztrzaskać.

shave [szejw] golić (się).

shaver [szejwe] maszynka do golenia.

shaving foam [szejwin feum] pianka do golenia.

shawl [szo:l] szal.

she [szi:] ona.

shed I [szed] szopa, buda.

shed II [szed] (II / III **shed** [szed]) **1** zrzucać, gubić (sierść). **2** *shed tears* ronić łzy. **3** *shed one's blood* przelewać krew.

sheep [szi:p] (*l.mn.* **sheep**) owca.

sheer [szie] czysty.

sheet [szi:t] **1** kartka. **2** prześcieradło.

shelf [szelf] (*l.mn.* **shelves** [szelwz]) półka.

shell [szel] muszla.

shelter I [szelte] schronienie.

shelter II [szelte] chronić (się).

shepherd [szeped] pasterz.

shield [szi:ld] tarcza.

shift [szift] **1** przesunięcie. **2** zmiana.

shine I [szajn] połysk.

shine II [szajn] (II / III **shone** [szon]) **1** świecić. **2** wypolerować.

ship [szip] statek, okręt.

shipyard [szipja:d] stocznia.

shirt [sze:t] koszula.

shit [szit] *wulg.* **1** gówno. **2** *nieform. bullshit* brednie.

shit-hot [szithot] *wulg.* zajebisty.

shiver [sziwe] drżeć.

shoal [szeul] ławica.

shock I [szok] **1** wstrząs. **2** szok. **3** porażenie (prądem).

shock II [szok] zaszokować.

shocking [szokin] szokujący, skandaliczny, wstrząsający.

shoe [szu:] but: *a pair of shoes* para butów.

shoelace [szu:lejs] sznurowadło.

shoemaker [szu:mejke] szewc.

shone *zob.* **shine**.

shoot I [szu:t] pęd rośliny.

shoot II [szu:t] (II / III **shot** [szot]) strzelić.

shop I [szop] sklep.

shop II [szop] (II / III **shopped**) robić zakupy.

shop-assistant [szopesistent] *BR* ekspedient, sprzedawca.

shopping [szopin] zakupy: *do (some) shopping* zrobić zakupy.

shore [szo:] brzeg.

short [szo:t] **1** krótki. **2** niski (człowiek).

shortage [szo:tidż] niedobór.

shortcut [szo:tkat] skrót.

shorten [szo:tn] skracać.

shortly [szo:tli] **1** wkrótce. **2** krótko.

shorts [szo:ts] **1** szorty. **2** AM bokserki.

short-sighted [szo:tsajtid] **1** be short-sighted być krótkowidzem. **2** krótkowzroczny.

short story [szo:tstori] opowiadanie.

shot I [szot] **1** strzał. **2** uderzenie. **3** zdjęcie.

shot II zob. shoot.

should [szud / słabe szed] GRAM **1** powinien, powinna: He should smoke less. Powinien mniej palić. **2** (w zwrotach grzecznościowych): I should like a drink. Chętnie bym się czegoś napił.

shoulder [szeulde] ramię, bark.

shout I [szaut] okrzyk.

shout II [szaut] krzyczeć.

shovel [szawl] łopata, szufla.

show I [szeu] **1** przedstawienie. **2** wystawa. **3** pokaz.

show II [szeu] (II **showed** [szeud], III **shown** [szeun]) **1** pokazać. **2** okazywać. **3** show sb the way wskazać komuś drogę.

◆ **show off** popisywać się.

◆ **show sb round (around)** oprowadzać kogoś.

◆ **show up** pokazać się, pojawić się.

show business [szeubiznes] przemysł rozrywkowy.

shower [szaue] **1** prysznic: have (take) a shower wziąć prysznic. **2** przelotny deszcz.

showroom [szeuru:m] salon wystawowy.

shrank zob. shrink.

shriek I [szri:k] wrzask.

shriek II [szri:k] wrzeszczeć.

shrimp [szrimp] krewetka.

shrink [szrink] (II **shrank** [szrænk], III **shrunk** [szrank]) kurczyć się.

shrub [szrab] krzew.

shrunk zob. shrink.

shuffle [szafl] **1** przestawić. **2** tasować (karty).

shut [szat] (II / III **shut** [szat]) **1** zamknąć. **2** nieform. shut your mouth (trap, face)! zamknij się!, zamknij gębę!

◆ **shut up** nieform. zamknąć się, uciszyć się.

shy [szaj] nieśmiały.

sibling [siblin] brat, siostra: siblings rodzeństwo.

sick [sik] **1** chory. **2** be sick wymiotować; feel sick mieć mdłości. **3** niesmaczny (żart). **4** nieform. be sick and tired of sb (sth) mieć kogoś (czegoś) po dziurki w nosie (powyżej uszu).

sickle [sikl] sierp.

sickness [siknes] choroba.

side [sajd] **1** bok: 'this side up' „góra" (na paczce). **2** strona (ubrania). **3** strona (w sporcie).

side effect [sajd ifekt] efekt uboczny.

siege [si:dż] oblężenie.

sieve [siw] sito.

sigh [saj] wzdychać.

sight [sajt] **1** wzrok. **2** *at first sight* na pierwszy rzut oka, od pierwszego wejrzenia. **3** widok.

sightseeing [sajtsi:iŋ] zwiedzanie.

sign I [sajn] **1** znak. **2** szyld. **3** gest.

sign II [sajn] **1** podpisać. **2** dać znak.

◆ **sign in** zameldować się (w hotelu).

◆ **sign out** wymeldować się (z hotelu).

signal I [signel] sygnał.

signal II [signel] dawać sygnały.

signature [signécze] podpis.

significant [signifikent] **1** znaczący. **2** doniosły.

silence [sajlens] **1** cisza: *silence please!* proszę o ciszę! **2** milczenie.

silent [sajlent] **1** cichy. **2** małomówny.

silk [silk] jedwab.

silly [sili] niemądry.

silver [silwe] **1** srebro. **2** srebrny.

similar [simile] podobny.

similarity [similæreti] (*l.mn.* **similarities**) podobieństwo.

simple [simpl] **1** łatwy, prosty. **2** prosty (styl, człowiek).

simplify [simplifaj] (II / III **simplified**) uprościć.

simply [simpli] **1** prosto. **2** zwyczajnie. **3** po prostu.

simulate [simjulejt] symulować.

sin I [sin] grzech.

sin II [sin] (II / III **sinned**) grzeszyć.

since I [sins] od (tego czasu): *We've been here since June.* Jesteśmy tu od czerwca.

since II [sins] **1** odkąd. **2** ponieważ: *Since it was cold I stayed at home.* Ponieważ było zimno, zostałem w domu.

sincere [sinsie] szczery.

sincerely [sinsieli] **1** szczerze. **2** *yours sincerely* z poważaniem (w liście).

sing [sin] (II **sang** [sæn], III **sung** [san]) śpiewać.

singer [sine] śpiewak, piosenkarz.

single I [singl] **1** (tylko) jeden. **2** pojedynczy (pokój). **3** stanu wolnego (o osobie).

single II [singl] **1** bilet w jedną stronę. **2** pokój jednoosobowy. **3** singel (płyta).

singular [singjule] pojedynczy, w liczbie pojedynczej (w językoznawstwie).

sink I [sink] zlewozmywak.

sink II [sink] (II **sank** [sænk], III **sunk** [sank]) **1** zatopić. **2** zatonąć, utonąć (o statku, przedmiocie).

sinner [sine] grzesznik.

sip [sip] (II / III **sipped**) sączyć (małymi łykami).

sir [se:] **1** pan: *Can I help you, sir?* Czy mogę panu pomóc?; *Yes, sir.* Tak, proszę pana. **2** (angielski tytuł szlachecki): *Sir Sean Connery.*

siren [sajeren] **1** syrena (sygnał). **2** syrena (w mitologii).

sister [sist*e*] siostra.

sister-in-law [sisterinlo:] (*l.mn.* **sisters-in-law**) szwagierka; bratowa.

sit [sit] (II / III **sat** [sæt]) **1** siedzieć. **2** zdawać (egzamin).

◆ **sit down** usiąść.

site [sajt] **1** teren. **2** położenie. **3** *komp.* witryna (internetowa).

situate [sić*z*uejt] umieścić.

situation [sić*z*uej*ś*zn] **1** sytuacja. **2** położenie (budynku).

six [siks] **1** sześć. **2** szósta (godzina).

sixteen [siksti:n] szesnaście.

sixteenth [siksti:nθ] szesnasty.

sixth [siksθ] szósty.

sixtieth [sikstie*θ*] sześćdziesiąty.

sixty [sikst*i*] **1** sześćdziesiąt. **2** *the sixties* lata sześćdziesiąte.

size [sajz] **1** rozmiar. **2** wielkość.

skate I [skejt] **1** łyżwa. **2** wrotka.

skate II [skejt] jeździć na łyżwach, wrotkach.

skateboard [skejtbo:d] deskorolka.

skater [skejt*e*] **1** łyżwiarz. **2** wrotkarz.

skating rink [skejti*n* ri*n*k] lodowisko.

skeleton [skelit*e*n] szkielet.

sketch [skećz] szkic.

ski I [ski:] narta.

ski II [ski:] jeździć na nartach.

skid I [skid] poślizg.

skid II [skid] (II / III **skidded**) wpaść w poślizg.

skier [ski:*e*] narciarz.

skiing [ski:i*n*] narciarstwo.

skilful (*AM* **skillful**) [skilfl] zręczny.

ski-lift [ski:lift] wyciąg narciarski.

skill [skil] **1** biegłość. **2** umiejętność.

skilled [skild] **1** wykwalifikowany. **2** zręczny.

skin [skin] **1** skóra. **2** łupina (owocu).

skip [skip] (II / III **skipped**) **1** skakać (przez skakankę). **2** opuścić (zajęcia, fragment książki).

skipping rope [skipi*n* r*e*up] skakanka.

skirt [ske:t] spódnica.

skull [skal] czaszka.

skunk [ska*n*k] skunks.

sky [skaj] niebo.

skyscraper [skajskrejp*e*] drapacz chmur.

slam [slæm] (II / III **slammed**) trzaskać (drzwiami).

slander [sla:nd*e*] oszczerstwo.

slang [slæ*n*] slang.

slap I [slæp] klepnięcie.

slap II [slæp] (II / III **slapped**) klepnąć.

slaughter [slo:t*e*] **1** ubój. **2** masakra.

slave [slejw] niewolnik.

slavery [slejw*e*ri] niewolnictwo.

sledge I [sledż] sanie, *BR* sanki.

sledge II [sledż] jechać saniami, na sankach.

sleep I [sli:p] (II / III **slept** [slept]) spać.

sleep II [sli:p] sen.

sleeping bag [sli:piŋ bæg] śpiwór.

sleepless [sli:pləs] bezsenny.

sleepy [sli:pi] śpiący, senny.

sleeve [sli:w] 1 rękaw (ubrania). 2 okładka (płyty).

sleigh I [slej] sanie.

sleigh II [slej] jechać saniami.

slender [slende] smukły.

slept zob. **sleep**.

slice I [slajs] kromka, plaster.

slice II [slajs] pokroić w plastry (kromki).

slide [slajd] 1 zjeżdżalnia. 2 ślizgawka. 3 przeźrocze.

slight [slajt] 1 nieznaczny. 2 błahy.

slightly [slajtli] nieznacznie.

slim [slim] szczupły: *get slim* zeszczupleć.

sling [sliŋ] 1 proca. 2 temblak.

slip I [slip] (II / III **slipped**) poślizgnąć się.

slip II [slip] pomyłka, gafa: *a slip of the tongue* przejęzyczenie.

slipper [slipe] pantofel.

slippery [sliperi] 1 śliski. 2 niepewny.

slope [sleup] 1 nachylenie. 2 stok.

slot [slot] rowek.

slow I [sleu] zwalniać.

slow II [sleu] powolny.

slowly [sleuli] powoli.

sly [slaj] przebiegły.

smack [smæk] 1 dać klapsa. 2 cmokać.

small [smo:l] 1 mały, niewielki. 2 podły.

smart [sma:t] 1 wytworny. 2 bystry.

smash [smæsz] roztrzaskać.

smear [smie] usmarować.

smell I [smel] 1 zapach. 2 węch.

smell II [smel] (II / III BR **smelt** [smelt] albo AM **smelled** [smeld]) 1 wąchać. 2 pachnieć.

smelt zob. **smell**.

smile I [smajl] uśmiech.

smile II [smajl] uśmiechać się.

smith [smiθ] kowal.

smoke I [smeuk] dym.

smoke II [smeuk] 1 palić (papierosy). 2 wędzić.

smoker [smeuke] 1 palacz (tytoniu). 2 wagon dla palących.

smooth I [smu:ð] wygładzić.

smooth II [smu:ð] 1 gładki. 2 miękki.

smudge [smadż] plama.

smuggle [smagl] przemycać.

smuggler [smagle] przemytnik.

snack [snæk] przekąska.

snail [snejl] ślimak.

snake [snejk] wąż.

snarl [sna:l] warczeć.

sneak [sni:k] podkraść się.

sneer [snie] drwić.

sneeze [sni:z] kichać.

sniff [snif] 1 pociągać nosem. 2 wąchać.

sniper [snajpe] snajper.

snore [sno:] chrapać.

snout [snaut] pysk.

snow I [sneu] śnieg.

snow II [sneu] padać (o śniegu): *It's snowing.* Pada śnieg.

snowball [sneubo:l] śnieżka.

snowflake [sneuflejk] płatek śniegu.

snowman [sneumæn] (*l.mn.* **snowmen**) bałwan (śniegowy).

snowstorm [sneusto:m] śnieżyca.

so I [seu] 1 tak, taki: *He is so smart.* On jest taki bystry. 2 *so long!* na razie!. 3 *so so* taki sobie.

so II [seu] 1 więc, zatem. 2 *so that* aby: *Take an umbrella so that you don't get wet.* Weź parasol, aby nie zmoknąć.

soak [seuk] 1 przemoknąć. 2 namoczyć.

soap [seup] mydło.

sob [sob] (II / III **sobbed**) szlochać.

sober [seube] trzeźwy.

soccer [soke] piłka nożna.

sociable [seuszebl] towarzyski.

social [seuszl] 1 towarzyski. 2 społeczny.

socialism [seuszelizem] socjalizm.

socialist I [seuszelist] socjalistyczny.

socialist II [seuszelist] socjalista.

society [sesajeti] 1 społeczeństwo. 2 społeczność. 3 stowarzyszenie.

sociology [seusjoledżi] socjologia.

sock [sok] skarpetka.

socket [sokit] gniazdko, kontakt (elektryczny).

soda [seude] 1 soda. 2 woda sodowa.

sofa [seufe] kanapa.

soft [soft] 1 miękki. 2 delikatny. 3 łagodny.

software [softłe:] *komp.* oprogramowanie.

soil [sojl] 1 gleba. 2 ziemia.

solar [seule] słoneczny: *solar energy* energia słoneczna; *the solar system* Układ Słoneczny.

sold *zob.* **sell**.

soldier [seuldże] żołnierz.

sole I [seul] 1 podeszwa (stopy, buta). 2 sola (ryba).

sole II [seul] jeden, jedyny.

solemn [solem] 1 poważny. 2 dostojny.

solicitor [selisite] *BR* notariusz, adwokat.

solid I [solid] 1 ciało stałe. 2 bryła.

solid II [solid] 1 stały. 2 mocny.

solidarity [solidæreti] solidarność.

solitary [soletrí] 1 samotny. 2 osamotniony.

solitude [solitju:d] samotność.

soluble [soljubl] rozpuszczalny.

solution [selu:szn] 1 rozwiązanie (kwestii). 2 roztwór.

solve [solw] rozwiązać (problem).

some [sam] *GRAM* 1 trochę (przy rzeczownikach niepoliczalnych), kilka (przy policzalnych): *some money* trochę pieniędzy; *some eggs* kilka jajek. 2 niektórzy, niektóre: *some children* niektóre dzieci. 3 jakiś, pewien.

somebody [sambedi] ktoś: *Somebody came to see you.* Ktoś przyszedł do ciebie.

somehow [samhau] jakoś.

someone [samłan] ktoś.

something [samθin] coś: *There's something wrong.* Coś jest nie tak.

sometimes [samtajmz] czasem.

somewhat [samłot] nieco.

somewhere [samłe:] gdzieś.

son [san] syn: *the only son* jedynak.

song [son] piosenka.

sonic [sonik] dźwiękowy.

son-in-law [saninlo:] (*l.mn.* **sons-in-law**) zięć.

soon [su:n] **1** wkrótce. **2** szybko. **3** *See you soon!* Do zobaczenia!

soothe [su:ð] uspokoić, złagodzić.

sophisticated [sefistikejtid] wyrafinowany, finezyjny.

sore [so:] obolały: *I have a sore throat.* Boli mnie gardło.

sorrow [soreu] smutek.

sorry [sori] **1** *be sorry* przepraszać: *I'm sorry* przepraszam. **2** *be (feel) sorry for sb* współczuć komuś.

sort I [so:t] rodzaj, gatunek.

sort II [so:t] sortować.

sought *zob.* **seek**.

soul [seul] **1** dusza. **2** (*też* **soul music**) soul (muzyka).

sound I [saund] **1** dźwięk. **2** odgłos.

sound II [saund] **1** dźwięczeć. **2** brzmieć: *That sounds interesting.* To brzmi interesująco.

sound III [saund] **1** zdrowy. **2** rozsądny.

soundtrack [saundtræk] ścieżka dźwiękowa (filmu).

soup [su:p] zupa.

sour [saue] kwaśny.

source [so:s] **1** źródło. **2** przyczyna.

south I [sauθ] południe (kierunek).

south II [sauθ] południowy (o wietrze).

south III [sauθ] na południu, na południe.

south-east [sauθi:st] południowy wschód.

southerly [saðeli] południowy (wiatr, kierunek).

southern [saðen] południowy (np. kraj).

south-west [sauθłest] południowy zachód.

souvenir [su:wenie] pamiątka.

souvenir shop [su:wenie szop] sklep z pamiątkami.

sow [seu] (II **sowed** [seud], III **sown** [seun]) siać.

soya [soje] soja.

spa [spa:] uzdrowisko.

space [spejs] **1** miejsce. **2** spacja (w druku). **3** teren, przestrzeń.

spacecraft [spejskra:ft] statek kosmiczny.

spaceship [spejsszip] statek kosmiczny.

space shuttle [spejsszatl] wahadłowiec.

spacious [spejszes] obszerny.

spade [spejd] **1** łopata. **2** pik, wino (w kartach).

Spanish [spænisz] hiszpański.

Spaniard [spænied] Hiszpan.

spanner [spæne] klucz (maszynowy).

spare I [spe:] **1** poświęcić. **2** darować.

spare II [spe:] **1** zapasowy: *spare key (tyre)* zapasowy klucz (koło). **2** niezajęty: *spare time* wolny czas.

spare part [spe:pa:t] część zapasowa.

sparkle I [spa:kl] iskra.

sparkle II [spa:kl] **1** skrzyć się. **2** musować (wino).

sparrow [spæreu] wróbel.

spat *zob.* **spit**.

spawn [spo:n] ikra.

speak [spi:k] (II **spoke** [speuk], III **spoken** [speuken]) **1** mówić: *speak of (about) sth* mówić o czymś. **2** mówić po (w jakimś języku): *speak English* mówić po angielsku; *Do you speak German?* Czy mówisz po niemiecku?
◆ **speak up** mówić głośniej.

speaker [spi:ke] **1** mówca. **2** głośnik.

spear [spie] włócznia.

spearmint [spiemint] mięta ogrodowa.

special [speszl] **1** specjalny, szczególny. **2** celowy.

specialist [speszelist] specjalista.

specialize [speszelajz] specjalizować się.

species [spi:szi:z] (*l.mn.* **species**) gatunek (w biologii).

specific [spesifik] **1** konkretny. **2** dokładny.

specify [spesifaj] (II / III **specified**) określić.

speck [spek] plamka.

speckle [spekl] cętka.

speculate [spekjulejt] spekulować.

sped *zob.* **speed II**.

speech [spi:cz] **1** przemówienie. **2** mowa, język.

speed I [spi:d] szybkość.

speed II [spi:d] (II / III **sped** [sped]) przyśpieszyć.

spell I [spel] **1** zaklęcie: *cast a spell* rzucić czar. **2** okres (pogody).

spell II [spel] (II / III **spelt** [spelt]) **1** literować: *Can you spell your name?* Czy możesz przeliterować swoje nazwisko? **2** pisać ortograficznie.

spelt *zob.* **spell**.

spend [spend] (II / III **spent** [spent]) **1** wydawać (pieniądze). **2** spędzać (czas).

spent *zob.* **spend**.

sperm [spe:m] sperma.

sphere [sfie] **1** kula. **2** sfera.

spice [spajs] przyprawa.

spicy [spajsi] pikantny.

spider [spajde] pająk.

spill [spil] (II **spilt** [spilt], III **spilt** [spilt] *albo* **spilled** [spild]) **1** rozlać. **2** rozsypać.

spin [spin] (II **span** [spæn], III **spun** [span]) wirować.

spinach [spinidż] szpinak.

spine [spajn] kręgosłup.

spinster [spinste] stara panna.

spiral [spaj*erel*] spirala.

spirit [spirit] **1** duch. **2** dusza. **3** nastrój.

spiritual [spirićzuel] duchowy.

spit [spit] (II / III **spat** [spæt]) splunąć.

splash [splæsz] chlapać.

splendid [splendid] wspaniały.

split [split] (II / III **split** [split]) **1** rozłupać. **2** podzielić.

spoil [spoil] (II / III **spoiled** [spoild] *albo BR* **spoilt** [spojlt]) **1** zepsuć. **2** rozpieścić (dziecko).

spoilt *zob.* **spoil.**

spoke *zob.* **speak.**

sponge [spandż] gąbka.

sponsor [sponse*r*] sponsor.

spontaneous [spontejni*es*] spontaniczny.

spoon [spu:n] łyżka.

spoonful [spu:nful] (*l.mn.* **spoonfuls** *albo* **spoonsful**) łyżka (miara objętości).

sport [spo:t] sport.

spot I [spot] **1** plama. **2** miejsce.

spot II [spot] (II / III **spotted**) **1** poplamić. **2** zauważyć.

sprain [sprejn] zwichnąć.

spray I [sprej] **1** mgiełka. **2** rozpylacz.

spray II [sprej] rozpylić.

spread [spred] (II / III **spread** [spred]) **1** rozkładać. **2** rozprzestrzeniać się. **3** rozpowszechnić.

spring I [spri*n*] **1** wiosna. **2** sprężyna.

spring II [spri*n*] (II **sprang** [spræ*n*], III **sprung** [spra*n*]) przeskoczyć.

sprout [spraut] kiełek.

spruce [spru:s] świerk.

sprung *zob.* **spring.**

spun *zob.* **spin.**

spy I [spaj] (*l.mn.* **spies**) szpieg.

spy II [spaj] (II / III **spied**) szpiegować.

square I [skłe:] **1** plac: *main square* główny rynek. **2** kwadrat (figura). **3** kwadrat (druga potęga).

square II [skłe:] **1** kwadratowy (kształt). **2** kwadratowy (do drugiej potęgi).

squash [skłosz] zgnieść.

squeeze [skłi:z] ściskać.

squirrel [skłire*l*] wiewiórka.

St. *Street* ul. (ulica).

stab [stæb] (II / III **stabbed**) dźgnąć, pchnąć nożem.

stability [st*e*bil*e*ti] stabilność, stałość.

stable I [stejbl] stajnia.

stable II [stejbl] stabilny.

stadium [stejdiem] (*l.mn.* **stadiums** *albo* **stadia** [stejdi*e*]) stadion.

staff I [sta:f] **1** personel. **2** (*też teaching staff*) ciało pedagogiczne.

staff II [sta:f] zatrudniać pracowników.

stage [stejdż] **1** etap. **2** scena.

stain I [stejn] **1** plama. **2** skaza.

stain II [stejn] **1** plamić. **2** barwić.

stainless [stejnl*es*] nierdzewny.

stairs [ste:z] *l.mn.* schody.

staircase [ste:kejs] schody, klatka schodowa.

stake [stejk] **1** kołek. **2** stawka.

stale [stejl] czerstwy, nieświeży.

stall [sto:l] stragan.

stallion [stæljen] ogier.

stammer [stæme] jąkać się.

stamp [stæmp] **1** znaczek pocztowy. **2** kupon. **3** pieczęć.

stand I [stænd] **1** stojak. **2** stoisko.

stand II [stænd] (II / III **stood** [stu:d]) **1** stać. **2** postawić. **3** *can't stand* nie móc znieść: *I can't stand you snoring.* Nie znoszę, kiedy chrapiesz.

♦ **stand back** cofnąć się.

♦ **stand by 1** być w gotowości. **2** trwać przy czymś.

♦ **stand up** wstać.

standard I [stænded] **1** poziom. **2** norma, standard.

standard II [stænded] standardowy.

standby [stændbaj] **1** zastępca. **2** stan pogotowia.

stapler [stejple] zszywacz biurowy.

star I [sta:] gwiazda, gwiazdka.

star II [sta:] (II / III **starred**) grać główną rolę: *a film starring Brad Pitt* film z Bradem Pittem w roli głównej.

stare [ste:t] wpatrywać się.

start I [sta:t] początek.

start II [sta:t] **1** zacząć. **2** uruchomić.

starter [sta:te] przystawka.

startle [sta:tl] **1** zaskoczyć. **2** wystraszyć.

starvation [sta:wejszn] głód, śmierć głodowa.

starve [sta:w] **1** głodować. **2** głodzić.

state I [stejt] **1** stan: *in a good (bad) state* w dobrym (złym) stanie. **2** państwo (kraj). **3** stan (jednostka administracyjna).

state II [stejt] **1** stwierdzić. **2** określić.

statement [stejtment] **1** stwierdzenie. **2** oświadczenie.

statesman [stejtsmen] (*l.mn.* **statesmen**) mąż stanu.

station [stejszn] **1** stacja. **2** komisariat. **3** baza (wojskowa). **4** *petrol station* stacja benzynowa.

stationary [stejszenri] nieruchomy.

stationery [stejszenri] materiały piśmienne, biurowe.

stationery shop [stejszenri szop] *BR* sklep papierniczy.

statistical [stetistikl] statystyczny.

statistics [stetistiks] statystyka.

statue [stæczu:] posąg, statua.

status [stejtes] status.

stay I [stej] **1** zostać. **2** zamieszkać, przenocować.

♦ **stay away** trzymać się z daleka.

stay II [stej] pobyt.

steady [stedi] **1** miarowy. **2** solidny.

steak [stejk] stek.

steal [sti:l] (II **stole** [steul], III **stolen** [steulen]) kraść.

steam [sti:m] para (wodna).

steel [sti:l] stal.

steep [sti:p] stromy.

steer [stie] kierować.

stem [stem] łodyga.

step I [step] **1** krok. **2** środek. **3** stopień.

step II [step] (II / III **stepped**) nadepnąć.

◆ **step aside** odsunąć się na bok.

◆ **step back** cofnąć się.

stepfather [stepfa:ðe] ojczym.

stepmother [stepmaðe] macocha.

sterile [sterajl] sterylny.

steward [stju:ed] steward.

stewardess [stju:edes] stewardesa.

stick I [stik] **1** pręt, kij. **2** laska.

stick II [stik] (II / III **stuck** [stak]) wbić.

◆ **stick around** zostać w pobliżu.

sticker [stike] naklejka.

sticky [stiki] lepki.

stiff [stif] sztywny.

stiletto [stileteu] sztylet.

still I [stil] **1** wciąż. **2** jeszcze. **3** jednak. **4** nieruchomo.

still II [stil] **1** spokojny. **2** nieruchomy.

stimulate [stimjulejt] pobudzać.

stimulus [stimjules] (l.mn. **stimuli** [stimjulaj]) bodziec.

sting I [stin] żądło.

sting II [stin] (II / III **stung** [stan]) użądlić.

stink [stink] (II **stank** [stænk], III **stunk** [stank]) śmierdzieć.

stir [ste:] (II / III **stirred**) mieszać.

stitch [stićż] szew.

stock [stok] **1** towar. **2** zapas. **3** l.mn. *stocks* akcje, obligacje.

stock exchange [stokiksćzejndż] *the Stock Exchange* giełda papierów wartościowych.

stocking [stokin] pończocha.

stomach [stamek] żołądek.

stone [steun] **1** kamień. **2** pestka.

stood *zob.* **stand**.

stool [stu:l] stołek.

stop I [stop] **1** przerwa. **2** przystanek.

stop II [stop] (II / III **stopped**) **1** zatrzymać. **2** przerwać. **3** powstrzymać.

store I [sto:] **1** zapas. **2** magazyn. **3** (duży) sklep.

store II [sto:] **1** magazynować. **2** *komp.* zapamiętać.

storey (*AM* **story**) [sto:ri] piętro.

stories *zob.* **story**.

stork [sto:k] bocian.

storm [sto:m] burza (*też przen.*).

stormy [sto:mi] **1** burzowy. **2** burzliwy.

story [sto:ri] (*l.mn.* **stories**) **1** historia. **2** opowiadanie. **3** *AM* piętro.

stove [steuv] kuchenka.

str *BR street* ul. (ulica).

straight I [strejt] **1** prosty. **2** szczery. **3** *nieform.* heteroseksualny.

straight II [strejt] **1** prosto. **2** bezpośrednio.

strait [strejt] cieśnina.

strange [strejndż] **1** dziwny. **2** obcy.

stranger [strejndże] **1** nieznajomy. **2** obcy.

strangle [strængl] dusić.

strategy [strætedżi] strategia.

stratum [stra:tem] (*l.mn.* **strata** [stra:te]) warstwa.

straw [stro:] **1** źdźbło. **2** słomka (do picia).

strawberry [stro:beri] (*l.mn.* **strawberries**) truskawka.

stream [stri:m] **1** nurt. **2** strumień.

street [stri:t] ulica: *in a street* (*AM on a street*) na ulicy; *My address is 13 Downing Street.* Mieszkam przy Downing Street 13.

street lamp [stri:tlæmp] latarnia uliczna.

strength [strenθ] **1** siła. **2** moc.

strengthen [strenθn] wzmocnić, umocnić.

strenuous [strenjues] żmudny.

stress I [stres] **1** napięcie. **2** akcent.

stress II [stres] podkreślać.

stretch [strećz] **1** rozciągać się. **2** wyprostować.

strict [strikt] **1** srogi, surowy. **2** dokładny.

strike I [strajk] **1** strajk. **2** uderzenie.

strike II [strajk] (II / III **struck** [strak]) uderzyć.

string [strin] **1** sznurek. **2** struna.

stripe [strajp] pasek (wzór).

strive [strajw] (II **strove** [streuw] *albo* **strived** [strajwd], III **striven** [striwn] *form.* zmagać się.

stroke I [streuk] **1** cios. **2** styl (pływacki).

stroke II [streuk] głaskać.

stroll [streul] spacer.

strong [stron] **1** silny. **2** intensywny.

strove *zob.* **strive**.

struck *zob.* **strike**.

structure [strakćze] **1** budowa. **2** konstrukcja.

struggle I [stragl] **1** walka. **2** wysiłek.

struggle II [stragl] walczyć.

stubborn [staben] uparty.

stuck I [stak] zablokowany.

stuck II *zob.* **stick II**.

student [stju:dent] **1** student. **2** uczeń.

studio [stju:dieu] (*l.mn.* **studios**) **1** pracownia artystyczna. **2** studio.

study I [stadi] (II / III **studied**) **1** studiować, uczyć się. **2** analizować.

study II [stadi] (*l.mn.* **studies**) **1** nauka. **2** badania. **3** *l.mn.* **studies** studia. **4** pracownia.

stuff I [staf] **1** coś (określonej jakości): *What's that stuff in that green bottle?* Co to jest (to coś) w tej zielonej butelce? **2** rzeczy (nieokreślone): *all that stuff* wszystkie te rzeczy.

stuff II [staf] **1** napełniać. **2** wypychać (zwierzęta).

stumble [stambl] potknąć się.

stung *zob.* **sting**.

stuntman [stantmen] (*l.mn.* **stuntmen**) kaskader.

stupid [stju:pid] głupi.

stupidity [stju:pideti] głupota.

stutter [state] jąkać się.

sty [staj] (*l.mn.* **sties**) chlew.

style [stajl] **1** styl (w sztuce). **2** sposób bycia.

stylish [stajlisz] stylowy.

subconscious I [sabkonszes] podświadomy.

subconscious II [sabkonszes] podświadomość.

subdue [sebdju:] **1** podporządkować. **2** pohamować.

subgroup [sabgru:p] podgrupa.

subject I [sabdżikt] **1** temat (rozmowy). **2** poddany (króla). **3** przedmiot (szkolny).

subject II [sabdżikt] **1** *subject to* podlegający. **2** podatny.

submarine [sabmeri:n] łódź podwodna.

submerge [sebme:dż] zanurzyć.

submit [sebmit] (II / III **submitted**) **1** poddać się. **2** przedkładać (dokument).

subordinate [sebo:dinet] **1** podwładny. **2** podrzędny.

subscribe [sebskrajb] **1** wpłacić. **2** zaprenumerować.

subscriber [sebskrajbe] **1** prenumerator. **2** abonent.

subsequent [sabsikłent] *form.* kolejny.

substance [sabstens] **1** substancja. **2** istota.

substantial [sebstænszl] **1** istotny. **2** pokaźny.

substitute I [sabstitju:t] **1** namiastka. **2** zastępca.

substitute II [sabstitju:t] zastępować.

subtle [satl] subtelny.

subtract [sebtrækt] odejmować (*sth from sth* coś od czegoś).

subtraction [sebtrækszn] odejmowanie.

suburb [sabe:b] dzielnica podmiejska: *l.mn.* **suburbs** przedmieścia.

subway [sabłej] **1** *BR* przejście podziemne. **2** *AM* metro.

succeed [seksi:d] **1** osiągnąć sukces: *succeed in doing sth* zrobić coś z powodzeniem. **2** następować (po).

success [sekses] sukces.

successful [seksesfl] **1** udany. **2** odnoszący sukcesy.

succession [sekseszn] dziedziczenie.

successor [seksese] następca.

such [sacz] **1** taki: *such a situation* taka sytuacja. **2** podobny: *there's no such thing* nie ma czegoś takiego. **3** *such as* taki jak.

suck [sak] **1** ssać. **2** *wulg. It sucks!* To jest do bani!

sucker [sake] *nieform.* frajer.

suction [sakszn] ssanie.

sudden [sadn] nagły.

suddenly [sadnli] nagle.

sue [su: / sju:] zaskarżyć.

suede [słejd] zamsz.

suffer [safe] **1** cierpieć. **2** ponieść (stratę).

◆ **suffer from** *sth* cierpieć (chorować) na coś.

suffering [saf*erin*] cierpienia.

suffice [se*fa*js] wystarczać.

sufficient [se*fi*sznt] wystarczający.

suffocate [saf*e*kejt] dusić się.

sugar [szug*e*] **1** cukier. **2** *nieform.* złotko.

sugar cane [szug*e*kejn] trzcina cukrowa.

suggest [sed*ż*est] sugerować.

suggestion [sed*że*séczen] propozycja.

suicide [su:isajd] samobójstwo.

suit I [su:t / sju:t] **1** garnitur, kostium. **2** rozprawa.

suit II [su:t / sju:t] **1** pasować (komuś), być odpowiednim, dogodnym (dla kogoś). **2** pasować (o ubraniu).

suitable [su:t*e*bl / sju:t*e*bl] odpowiedni.

suitcase [su:ttkejs / sju:tkejs] walizka.

suite [słi:t] **1** komplet (mebli). **2** apartament.

sulphur (*AM* **sulfur**) [salf*e*] siarka.

sum I [sam] **1** suma (pieniędzy). **2** suma (w matematyce).

sum II [sam] (II / III **summed**)
   ◆ **sum** *sth* **up** podsumować: *To sum up...* Podsumowując...

summarize [sam*e*rajz] streścić.

summary [sam*e*ri] (*l.mn.* **summaries**) streszczenie.

summer [sam*e*] lato.

summit [samit] **1** szczyt (górski). **2** spotkanie na szczycie.

summon [sam*e*n] **1** wezwać. **2** zwoływać (konferencję).

sun [san] słońce.

sunbathe [sanbejð] opalać się.

Sunday [sandej / sand*i*] niedziela.

sunflower [sanflaw*e*] słonecznik.

sunk *zob.* **sink**.

sunny [san*i*] słoneczny.

sunrise [sanrajz] wschód słońca.

sunset [sanset] zachód słońca.

sunshine [sanszajn] światło słoneczne.

suntan [sant*æ*n] opalenizna.

suntanned [sant*æ*nd] opalony.

superb [su:p*e:*b / sju:p*e:*b] wspaniały.

superficial [su:p*e*fiszl / sju:p*e*fiszl] **1** powierzchowny. **2** płytki.

superior I [su:p*i*erie / sju:p*i*erie] przełożony.

superior II [su:p*i*erie / sju:p*i*erie] **1** wybitny. **2** wyższy rangą. **3** lepszy.

superlative [su:p*e:*letiw / sju:p*e:*letiw] stopień najwyższy (przymiotnika).

supermarket [su:p*e*ma:kit / sju:p*e*ma:kit] supermarket.

supernatural [su:p*e*næéczer*e*l / sju:p*e*næéczer*e*l] nadprzyrodzony.

supersonic [su:p*e*sonik / sju:p*e*sonik] ponaddźwiękowy.

superstition [su:p*e*stiszn / sju:p*e*stiszn] przesąd.

superstitious [su:p*e*stisz*e*s / sju:p*e*stisz*e*s] przesądny.

supervise [su:p*e*wajz / sju:p*e*wajz] nadzorować.

supervision [su:pewiżn / sju:pewiżn] nadzór.

supervisor [su:pewajze / sju:pewajze] 1 nadzorca. 2 promotor (na uniwersytecie).

supper [sape] kolacja.

supplementary [saplimentri] dodatkowy.

supply I [seplaj] 1 dostawa. 2 *l.mn. supplies* zapasy.

supply II [seplaj] (II / III **supplied**) dostarczyć.

support I [sepo:t] 1 poparcie. 2 wsparcie.

support II [sepo:t] 1 podpierać. 2 popierać.

supporter [sepo:te] 1 kibic. 2 zwolennik.

suppose [sepeuz] 1 przypuszczać. 2 zakładać: *let's suppose that...* załóżmy, że... 3 *be supposed to do sth* oczekiwać od kogoś, że coś zrobi: *You're supposed to plead guilty.* Powinieneś się przyznać do winy.

suppress [sepres] stłumić.

supremacy [su:premesi / sju:premesi] 1 zwierzchnictwo. 2 przewaga.

sure I [šzo:] 1 pewny: *Are you sure?* Jesteś pewien? 2 niezawodny.

sure II [šzo:] *nieform.* na pewno, pewnie: *'You're staying?' 'Sure!'* „Zostajesz?" „(No) pewnie!"

surf [se:f] 1 surfować. 2 *komp. surf the Internet* surfować po Internecie.

surface [se:fis] powierzchnia.

surfboard [se:fbo:d] deska surfingowa.

surgeon [se:dżen] chirurg.

surgery [se:dżeri] 1 operacja. 2 *BR* gabinet (lekarski).

surname [se:nejm] nazwisko.

surplus [se:ples] nadwyżka.

surprise I [seprajz] niespodzianka.

surprise II [seprajz] zaskoczyć.

surprised [seprajzd] zaskoczony.

surrender I [serende] kapitulacja.

surrender II [serende] poddać (się).

surround [seraund] otaczać.

surroundings [seraundinz] *l.mn.* otoczenie.

survey I [se:wej] badać.

survey II [se:wej] 1 sondaż. 2 oględziny.

survival [sewajwl] przetrwanie.

survive [sewajw] przetrwać.

susceptible [seseptebl] wrażliwy, podatny.

suspect I [saspekt] podejrzany (osoba).

suspect II [sespekt] podejrzewać.

suspend [sespend] zawiesić.

suspicion [sespiszn] podejrzenie.

suspicious [sespiszes] podejrzliwy.

sustain [sestejn] utrzymywać.

swallow I [słoleu] 1 jaskółka. 2 łyk.

swallow II [słoleu] połknąć.

swam *zob.* swim.

swamp [słomp] bagno.

swan [słon] łabędź.

swarm [sło:m] rój (owadów).

swear [słe:] (II **swore** [sło:], III **sworn** [sło:n]) **1** przysiąc. **2** przekląć.

sweat I [słet] pot.

sweat II [słet] pocić się.

sweater [słete] sweter.

sweep [słi:p] (II / III **swept** [słept]) zamiatać.

sweet I [słi:t] **1** słodki. **2** uroczy.

sweet II [słi:t] BR cukierek.

swell [słel] (II **swelled** [słeld], III **swollen** [słeulen]) puchnąć.

swelling [słelin] opuchlizna.

swept zob. **sweep**.

swift [słift] szybki.

swim [słim] (II **swam** [słæm], III **swum** [słam]) pływać.

swimmer [słime] pływak.

swimming pool [słiminpu:l] basen pływacki.

swimming trunks [słimintranks] l.mn. kąpielówki.

swing I [słin] (II / III **swung** [słan]) kołysać.

swing II [słin] **1** huśtawka. **2** swing (muzyka).

switch I [słićz] **1** zmiana. **2** włącznik, wyłącznik, kontakt.

switch II [słićz] **1** zmienić. **2** komp. *switch to sth* przełączyć się na coś.

◆ **switch** *sth* **off** wyłączyć coś.

◆ **switch** *sth* **on** włączyć coś.

swollen zob. **swell**.

sword [so:d] miecz, szabla.

swore zob. **swear**.

sworn I zob. **swear**.

sworn II [sło:n] **1** zaprzysięgły, wierny. **2** złożony pod przysięgą.

swum zob. **swim**.

swung zob. **swing I**.

syllable [silebl] sylaba.

syllabus [silebes] (l.mn. **syllabuses** albo **syllabi** [silebaj]) program nauczania.

symbiosis [simbajeusis] symbioza.

symbol [simbel] symbol.

symbolize [simbelajz] symbolizować.

symmetric [simetrik] symetryczny.

sympathetic [simpeθetik] **1** pełen współczucia. **2** życzliwy.

sympathize [simpeθajz] **1** współczuć. **2** sympatyzować.

sympathy [simpeθi] **1** współczucie. **2** poparcie.

symphony [simfeni] (l.mn. **symphonies**) symfonia.

symptom [simptem] **1** objaw. **2** przejaw.

synagogue [sinegog] synagoga.

synchronize [sinkrenajz] synchronizować.

syncretism [sinkretizem] synkretyzm.

synonym [sinenim] synonim.

synthetic [sinθetik] **1** syntetyczny. **2** sztuczny.

syringe [sirindż] strzykawka.

syrup [sirep] syrop.

system [sistem] **1** system. **2** ustrój.

systematic [sistemætik] systematyczny.

systematically [sistemætikli] systematycznie.

T

T [ti:] dwudziesta litera alfabetu.

table [tejbl] **1** stół. **2** tabela.

tablecloth [tejblkloθ] obrus.

tablespoon [tejblspu:n]. **1** łyżka stołowa. **2** (*też* **tablespoonful**) łyżka stołowa (miara objętości).

tablet [tæblit] tabletka.

taboo [tebu:] tabu.

tacit [tæsit] milczący.

tack [tæk] przybić.

tackle [tækl] zająć się (sprawą).

tact [tækt] takt.

tactful [tæktfl] taktowny.

tactic [tæktik] **1** taktyka. **2** *tactics* taktyka (wojskowa).

tactless [tæktlis] nietaktowny.

tag [tæg] **1** metka. **2** *komp.* znacznik (etykieta lub indeks).

tail [tejl] ogon.

tailor [tejle] krawiec.

tails [tejlz] *l.mn.* reszka (monety).

take [tejk] (II **took** [tu:k], III **taken** [tejkn]) **1** brać, przyjmować. **2** zrobić (coś): *take a shower* wziąć prysznic. **3** kupić, wziąć: *I'll take this shirt.* Poproszę tę bluzkę. **4** zajmować (czas): *take time* zabierać czas. **5** *take a bus* pojechać autobusem; *take a plane* polecieć samolotem.

◆ **take** *sth* **down** zapisywać.

◆ **take off** wystartować (o samolocie).

◆ **take over** przejąć (obowiązki).

taken *zob.* **take**.

tale [tejl] **1** bajka. **2** opowiadanie.

talent [tælent] talent.

talented [tælentid] utalentowany.

talk I [to:k] **1** mówić. **2** rozmawiać.

◆ **talk** *sth* **over** przedyskutować.

talk II [to:k] **1** rozmowa. **2** *l.mn.* *talks* rozmowy (w polityce).

talkative [to:ketiw] rozmowny.

tall [to:l] wysoki: *How tall are you?* Ile masz wzrostu?; *I'm 6 feet tall.* Mam sześć stóp (ok. 183 cm) wzrostu.

tame I [tejm] **1** oswoić. **2** poskromić.

tame II [tejm] **1** oswojony. **2** uległy.

tamer [tejme] poskramiacz.

tan [tæn] (*też* **suntan**) opalenizna.

tangerine [tændżeri:n] mandarynka.

tangle [tængl] zaplątać (się).

tango [tængeu] tango.

tank I [tænk] **1** zbiornik. **2** czołg.

tank II [tænk]

◆ **tank up** tankować.

tap I [tæp] zawór.

tap II [tæp] (II / III **tapped**) pukać.

tape I [tejp] **1** taśma (do nagrywania). **2** kaseta.

tape II [tejp] nagrywać.

tar [ta:] smoła.

target [ta:git] **1** cel (dążeń). **2** obiekt ataku.

tartan [ta:tn] tartan, szkocka krata (wzór).

task [ta:sk] zadanie (do wykonania).

taskbar [ta:skba:] *komp.* pasek zadań.

taste I [tejst] **1** smak. **2** gust.

taste II [tejst] **1** poczuć smak (czegoś). **2** mieć smak. **3** skosztować.

tasteful [tejstfl] gustowny.

tasteless [tejstles] **1** bez smaku. **2** niegustowny.

tasty [tejsti] smaczny, smakowity.

tattoo [tetu:] tatuaż.

taught *zob.* **teach**.

Taurus [to:res] Byk (znak zodiaku).

tax [tæks] podatek: *income tax* podatek dochodowy; *value-added tax* podatek od wartości dodanej (VAT).

tax-free [tæksfri:] wolny od podatku.

taxi [tæksi] taksówka: *take a taxi* wziąć taksówkę, pojechać taksówką.

taxi driver [tæksi drajwe] taksówkarz.

tea [ti:] **1** herbata. **2** filiżanka herbaty: *three teas please* poproszę trzy herbaty.

teach [ti:ćz] (II / III **taught** [to:t]) **1** uczyć: *teach sb how to do sth* nauczyć kogoś robić coś. **2** nauczać, uczyć (zawodowo): *teach geography* uczyć geografii.

teacher [ti:ćze] nauczyciel.

team [ti:m] zespół, drużyna.

teapot [ti:pot] czajniczek do herbaty.

tear I [tie] łza.

tear II [te:] rozerwanie, rozdarcie.

tear III [te:] (II **tore** [to:], III **torn** [to:n]) rozedrzeć (się), rozerwać (się).

teardrop [tiedrop] łza.

tease [ti:z] drażnić.

teaspoon [ti:spu:n] łyżeczka do herbaty.

teaspoonful [ti:spu:nful] łyżeczka (miara objętości).

teat [ti:t] **1** sutek. **2** *BR* smoczek (na butelkę).

technical [teknikl] techniczny.

technician [tekniśzn] technik.

technique [tekni:k] **1** metoda (wykonania). **2** technika (umiejętność).

technology [teknoledżi] (*l.mn.* **technologies**) **1** technika (nauka). **2** technologia.

tedious [ti:djes] nużący.

teen [ti:n] dla nastolatków, młodzieżowy.

teenager [ti:nejdże] nastolatek.

teeth *zob.* **tooth**.

telegram [teligræm] telegram, depesza.

telegraph [teligra:f] telegraf.

telephone I [telifeun] telefon: *on (over) the telephone* przez telefon; *answer the telephone* odebrać telefon.

telephone II [telifeun] *form.* telefonować.

telephone answering machine [telifeun **a:**nser**in** me**ši:**n] sekretarka automatyczna.

telephone box (*AM* **telephone booth**) [telifeun boks (telifeun bu:ð)] budka telefoniczna, kabina telefoniczna.

telephone call [telifeun**tape** ko:l] rozmowa telefoniczna.

telephone directory [telifeun dajrekt*eri* / telifeun direkt*eri*] książka telefoniczna.

television [teliwiżn / teliwiżn] telewizja: *on television* w telewizji; *watch television* oglądać telewizję.

television set [teliwiżnset] telewizor.

tell [tel] (II / III **told** [teuld]) **1** mówić. **2** opowiedzieć. **3** *tell sb to do sth* polecić komuś, coś zrobić. **4** wskazać: *tell the time* podać czas.

telly [tel*i*] *BR nieform.* telewizja.

temper [tempe*r*] **1** nastrój. **2** temperament. **3** *lose one's temper* wpaść w złość, stracić panowanie nad sobą.

temperature [tempre*će*] temperatura.

tempest [tempist] *liter.* burza.

temple [templ] **1** świątynia. **2** skroń.

temporary [tempr*eri*] tymczasowy.

tempt [tempt] **1** namawiać. **2** kusić.

temptation [tempte**jszn**] **1** kuszenie. **2** pokusa.

ten [ten] **1** dziesięć. **2** dziesiąta (godzina).

tenant [ten*ent*] najemca, lokator.

tendency [tend*ensi*] tendencja, zwyczaj (robienia czegoś).

tender I [tend*e*] oferta przetargowa.

tender II [tend*e*] czuły, delikatny.

tenement [ten*ement*] (*też* **tenement** *BR block*, **building**, *AM house*) kamienica czynszowa.

tennis [tenis] tenis.

tennis court [tenisko:t] kort tenisowy.

tense I [tens] czas (w językoznawstwie).

tense II [tens] **1** spięty. **2** naprężony.

tension [tenšzn] **1** napięcie. **2** naprężenie.

tent [tent] namiot.

tenth [tenθ] dziesiąty.

term [te*:*m] **1** okres. **2** semestr. **3** termin. **4** *l.mn.* **terms** warunki.

terminal I [te*:*minl] terminal: *air terminal* terminal lotniczy.

terminal II [te*:*minl] śmiertelny, nieuleczalny.

terminate [te*:*minejt] zakończyć (się).

terminology [te*:*minol*edži*] terminologia.

terrace [ter*es*] taras.

terrible [ter*e*bl] **1** okropny. **2** beznadziejny (w czymś).

terrific [terifik] **1** niesamowity, straszliwy. **2** wspaniały.

terrified [terifajd] przerażony.

terrify [terifaj] (II / III **terrified**) przerazić.

territory [teretri] (*l.mn.* **territories**) terytorium.

terror [tere] przerażenie.

terrorism [tererizem] terroryzm.

terrorist [tererist] terrorysta.

terrorize [tererajz] terroryzować, zastraszyć.

test I [test] próba, test.

test II [test] **1** sprawdzić. **2** testować.

testament [testement] **1** testament. **2** świadectwo.

testify [testifaj] (II / III **testified**) **1** świadczyć. **2** zeznawać.

testimony [testimeni] (*l.mn.* **testimonies**) **1** zeznanie. **2** świadectwo.

text [tekst] tekst.

textbook [tekstbu:k] podręcznik.

than [ðæn / *słabe* ðen] **1** niż: *She is taller than me.* Ona jest wyższa niż ja.; *He took more than he could carry.* Wziął więcej, niż mógł unieść. **2** a już, jak: *No sooner had she left than I fell asleep.* Ledwo wyszła, jak zasnąłem.

thank [θæŋk] dziękować, podziękować: *thank you* dziękuję.

thankful [θæŋkfl] wdzięczny.

thanks [θæŋks] **1** podziękowania. **2** *thanks to sb (sth)* dzięki komuś (czemuś).

that I [ðæt / *słabe* ðet] (*l.mn.* **those** [ðeuz]) **1** ten, ta, to: *What's that?* Co to jest?; *Who's that?* Kto to jest (Kto mówi)? **2** tamten, tamta, tamto (o osobie lub rzeczy oddalonej): *I prefer this to that.* Wolę ten od tamtego. **3** który, która, które; jaki, jaka, jakie: *the book that I read* książka, którą przeczytałem.

that II [ðæt / *słabe* ðet] **1** że: *She said that she would come.* Powiedziała, że przyjdzie. **2** żeby, aby: *so that* tak aby.

thaw I [θɔ:] odwilż.

thaw II [θɔ:] roztopić (się).

the I [ðe], przed samogłoskami [ði / *mocne* ði:] *GRAM* **1** (przed rzeczownikiem w liczbie pojedynczej wymienionym po raz drugi w rozmowie bądź tekście): *It's a table. The table is brown.* To jest stół. Stół jest brązowy. **2** (przed rzeczownikiem oznaczającym konkretną rzecz; jeżeli wiadomo, o którą rzecz chodzi): *Where's the toilet?* Gdzie jest toaleta? **3** ten, ta, to: *I've seen the girl before.* Już gdzieś widziałem tę dziewczynę. **4** (przed nazwiskami rodzin): *The Turners* Turnerowie. **5** (przed nazwami rodzajowymi, uogólniającymi): *The computer is here for good.* Komputery już zagościły tu na dobre. **6** (przed określeniami lat): *the sixties* lata sześćdziesiąte. **7** (przed liczebnikami porządkowymi w datach): *the fifth of May (May the 5th)* piąty maja. **8** (przed przymiotnikami w stopniu najwyższym): *the best* najlepszy. **9** (przed przymiotnikami określającymi grupy, w użyciu rzeczownikowym): *the poor* biedni.

the II [ðe], przed samogłoskami [ði / *mocne* ði:] **the... the...** im... tym...: *the sooner the better* im szybciej, tym lepiej; *The more you eat, the fatter you get.* Im więcej jesz, tym stajesz się grubszy.

theatre (*AM* **theater**) [θiete] **1** teatr. **2** *AM* kino.

theatrical [θiætrikl] teatralny.

theft [θeft] kradzież.

their [ðe:] ich (swój): *I took their bags.* Wziąłem ich torby.; *Has everyone got their bag?* Czy wszyscy mają swoje torby?

theirs [ðe:z] (używany, jeżeli nie występuje po nim rzeczownik) ich: *Which car is theirs?* Który samochód jest ich?

them [ðem / *słabe* ðem] (*forma zależna* **they**) ich, je, im: *for them* dla nich; *with them* z nimi; *I see them.* Widzę ich (je).

themselves [ðemselwz] **1** się, siebie, sobie (w odniesieniu do „oni, one"): *The kids washed themselves.* Dzieciaki umyły się. **2** (oni) sami, osobiście: *They heard it themselves.* Sami (same) to słyszeli (słyszały). **3** *all by themselves*

całkiem sami. **4** *for themselves* (oni sami) dla siebie.

then [ðen] **1** wtedy, wówczas: *Then I heard her.* Wtedy ją usłyszałem. **2** następnie: *And then what?* I co dalej? **3** w takim razie: *Then why didn't you tell her?* Więc dlaczego jej nie powiedziałeś? **4** *but then* ale z drugiej strony. **5** a więc, a zatem: *Till Monday then.* A więc do poniedziałku.

theoretic (**theoretical**) [θieretik (θieretikl)] teoretyczny.

theory [θieri] (*l.mn.* **theories**) teoria.

therapy [θerepi] (*l.mn.* **therapies**) terapia.

there I [ðe:] **1** tam: *over there* tam dalej; *Sit (stop) there.* Usiądź (zatrzymaj się) tam. **2** oto (na widok kogoś lub czegoś): *There's a taxi coming.* Nadjeżdża taksówka.

there II [ðe:] *there is* jest, *there are* są: *There is some wine left.* Zostało trochę wina.

therefore [ðe:fo:] *form.* dlatego, zatem.

thermal [θe:ml] cieplny.

thermometer [θemomite] termometr.

these *zob.* **this**.

thesis [θi:sis] (*l.mn.* **theses** [θi:si:z]) **1** praca naukowa. **2** teza (w twierdzeniu).

they [ðej] oni, one.

thick I [θik] **1** gruby (o książce). **2** gęsty (o włosach). **3** ochrypły (głos).

thick II [θik] grubo, gęsto.

thief [θi:f] (*l.mn.* **thieves** [θi:wz]) złodziej.

thigh [θaj] udo.

thin [θin] **1** cienki. **2** rzadki. **3** chudy.

thing [θi*n*] **1** rzecz, przedmiot. **2** coś: *What's that thing?* Co to jest? **3** sprawa.

think [θi*n*k] (II / III **thought** [θo:t]) **1** myśleć: *think about (of) sth* pomyśleć o czymś. **2** sądzić: *I think so.* Myślę, że tak.
◆ **think** *sth* **over** przemyśleć coś.
◆ **think** *sth* **up** wymyślić coś.

third I [θe:d] trzeci.

third II [θe:d] trzecia część.

thirst [θe:st] **1** pragnienie (o piciu). **2** *przen.* żądza (wiedzy).

thirsty [θe:sti] **1** spragniony. **2** *przen.* żądny (wiedzy).

thirteen [θe:ti:n] trzynaście.

thirteenth [θe:ti:nθ] trzynasty.

thirtieth [θe:tieθ] trzydziesty.

thirty [θe:ti] **1** trzydzieści. **2** *the thirties* lata trzydzieste.

this [ðis] (*l.mn.* **these** [ði:z]) **1** to: *What is this?* Co to jest?; *This is Kate.* To jest Kate. **2** ten, ta, to (o osobach lub przedmiotach znajdujących się blisko): *this guy* ten facet. **3** *this way* tędy. **4** *this week (month)* w tym tygodniu (miesiącu).

thorn [θo:n] cierń.

thorough [θare] **1** drobiazgowy. **2** skrupulatny.

thoroughly [θareli] **1** gruntownie. **2** zupełnie.

those *zob.* **that**.

though I [ðeu] **1** chociaż: *He hasn't come even though he said he would.* Nie przyszedł, mimo że obiecał. **2** jednak: *I think they know him, though I can't be sure.* Wydaje mi się, że oni go znają, chociaż nie mam pewności.

though II [ðeu] niemniej jednak.

thought I *zob.* **think**.

thought II [θo:t] **1** myśl. **2** zastanowienie.

thoughtless [θo:tles] bezmyślny.

thousand [θauznd] tysiąc: *three thousand* trzy tysiące.

thrash [θræsz] *nieform. BR* **1** balanga. **2** thrash (muzyka).

thread [θred] **1** nitka. **2** wątek (opowiadania).

threat [θret] **1** pogróżka. **2** zagrożenie.

threaten [θretn] **1** grozić (komuś). **2** zagrażać.

three [θri:] **1** trzy. **2** trzecia (godzina).

threshold [θreszeuld / θreszheuld] **1** próg. **2** *przen.* próg (bólu).

threw *zob.* **throw**.

thrifty [θrifti] oszczędny.

thrill I [θril] dreszcz (emocji).

thrill II [θril] ekscytować.

thriller [θrile] dreszczowiec (film).

throat [θreut] gardło: *a sore throat* ból gardła.

throne [θreun] tron.

through I [θru:] **1** przez (coś), na wylot. **2** przez (coś): *go through the town* jechać przez miasto; *look through the window* patrzeć przez okno. **3** za pośrednictwem (kogoś, czegoś): *I met her through my friend.* Poznałem ją przez mojego przyjaciela.

through II [θru:] **1** skończony. **2** *be through (with sb, sth)* skończyć (z kimś, czymś).

through III [θru:] całkowicie.

throughout [θru:aut] **1** w całym, na całym: *throughout Poland* w całej Polsce. **2** przez cały: *throughout May* przez cały maj.

throw I [θreu] rzut.

throw II [θreu] (II **threw** [θru:], III **thrown** [θreun]) rzucać.
◆ **throw** *sth* **away** wyrzucić coś.
◆ **throw** *sth* **out** usunąć coś.
◆ **throw up** zwymiotować.

thrown *zob.* **throw**.

thumb [θam] kciuk.

thumbtack [θamtæk] pinezka.

thunder [θande] grzmot, huk.

thunderbolt [θandebeult] piorun.

Thursday [θe:zdej / θe:zdi] czwartek.

thus [θas] *form.* **1** w ten sposób. **2** tak więc.

tick [tik] tykać.
◆ **tick** *sb (sth)* **off** *BR* zaznaczyć coś (na liście).

ticket [tikit] bilet.

tickle [tikl] łaskotać.

tide [tajd] **1** pływ (przypływ, odpływ). **2** przypływ (emocji).

tidy I [tajdi] **1** czysty. **2** ładny.

tidy II [tajdi] (II / III **tidied**) (*też tidy up*) posprzątać.

tie I [taj] **1** wiązadło. **2** (*też necktie*) krawat.

tie II [taj] wiązać.
◆ **tie** *sb (sth)* **up** związać kogoś (coś).

tiger [tajge] tygrys.

tight I [tajt] **1** szczelny. **2** ciasny.

tight II [tajt] **1** szczelnie. **2** ciasno.

tights [tajts] rajstopy.

tile [tajl] **1** dachówka. **2** płytka.

till [til] *zob.* **until**.

timber [timbe] drewno (budowlane).

time I [tajm] **1** czas. **2** okres, pora: *any time* kiedykolwiek; *at the same time* jednocześnie; *in time* w samą porę. **3** godzina: *What time is it?* lub *What's the time?* Która godzina? **4** *have a good time* dobrze się bawić. **5** *on time* punktualnie. **6** raz: *every time* za każdym razem; *many times* wiele razy; *four times a month* cztery razy w miesiącu; *from time to time* od czasu do czasu.

time II [tajm] **1** ustalać termin. **2** zmierzyć czas (komuś, czegoś).

timetable [tajmtejbl] **1** rozkład zajęć. **2** rozkład jazdy.

timid [timid] nieśmiały.

tin [tin] **1** cyna. **2** *BR* puszka.

tin opener [tineupne] *BR* otwieracz do puszek.

tint [tint] **1** odcień. **2** kolor pastelowy.

tiny [tajni] malutki.

tip I [tip] **1** napiwek. **2** rada. **3** czubek, koniuszek.

tip II [tip] (II / III **tipped**) dać napiwek.

tiptoe [tipteu] chodzić na palcach.

tire I *zob.* **tyre**.

tire II [taje] zmęczyć (się).

tired [tajed] **1** zmęczony. **2** znużony.

tiresome [tajesem] męczący (irytujący).

tiring [tajerin] męczący.

tissue [tiszu:] **1** tkanka. **2** chusteczka higieniczna.

title [tajtl] **1** tytuł (książki). **2** tytuł (naukowy). **3** tytuł prawny.

titled [tajtld] zatytułowany.

TM *trademark* znak firmowy.

to I [te], przed samogłoską [tu / *mocne* tu:] **1** do (kogoś, czegoś). **2** do, w (kierunek): *go to school* iść (chodzić) do szkoły. **3** do (górna granica): *count to 10* liczyć do 10. **4** (komuś, dla kogoś): *Give it to me!* Daj mi to! **5** dla, w stosunku do: *be nice to sb* być miłym dla kogoś. **6** za (przy określaniu godziny): *ten to six* za dziesięć (minut) szósta.

to II [te], przed samogłoską [tu / *mocne* tu:] **1** (wyraz nieprzetłu-

maczalny, stawiany przed bezokolicznikiem): *to be or not to be* być albo nie być. **2** aby, żeby: *do sth to impress sb* zrobić coś, aby zrobić wrażenie na kimś.

toad [teud] ropucha.

toast I [teust] **1** tost. **2** toast.

toast II [teust] **1** opiekać. **2** wznosić toast.

tobacco [tebækeu] tytoń.

today [tedej] dzisiaj, dziś.

toe [teu] palec u nogi.

together [tegeðe] razem.

toilet [tojlet] **1** sedes. **2** toaleta, ubikacja.

toilet paper [tojlet pejpe] papier toaletowy.

told *zob.* **tell**.

tolerance [tolerens] **1** tolerancja. **2** odporność.

tolerant [tolerent] **1** tolerancyjny. **2** odporny.

tolerate [tolerejt] **1** tolerować. **2** znosić.

toll [teul] opłata (drogowa).

tomato [tema:teu] pomidor.

tomb [tu:m] grobowiec.

tombstone [tu:msteun] nagrobek.

tomorrow [temoreu] jutro: *the day after tomorrow* pojutrze.

ton [tan] tona.

tone [teun] **1** brzmienie. **2** ton.

tongs [tonz] szczypce.

tongue [tan] **1** język (część ciała). **2** język (mowa): *mother (native) tongue* język ojczysty. **3** *a slip of* *the tongue* przejęzyczenie. **4 have sth on the tip of one's tongue** mieć coś na końcu języka.

tonic [tonik] **1** tonik (napój). **2** tonik (kosmetyk).

tonight I [tenajt] dzisiejszy wieczór.

tonight II [tenajt] dziś wieczorem, dziś w nocy.

too [tu:] **1** za, zbyt: *too big* za duży; *too much* za dużo; *too little* za mało. **2** także, też: *'I love you' 'I love you too'.* „Kocham cię". „Ja też cię kocham".

took *zob.* **take.**

tool [tu:l] **1** narzędzie. **2** instrument.

tooth [tu:θ] (*l.mn.* **teeth** [ti:θ]) ząb.

toothache [tu:θejk] ból zęba.

toothbrush [tu:θbrasz] szczoteczka do zębów.

toothpaste [tu:θpejst] pasta do zębów.

top I [top] **1** wierzchołek. **2** top, góra (ubrania).

top II [top] **1** górny: *top floor* najwyższe piętro. **2** najlepszy: *top football player* najlepszy piłkarz.

topic [topik] temat (rozmowy, lekcji).

topical [topikl] aktualny.

torch [to:cz] **1** znicz. **2** latarka.

tore *zob.* **tear.**

torn *zob.* **tear.**

tortoise [to:tes] żółw (lądowy).

tortuous [to:czues] **1** kręty. **2** zawiły, pokrętny.

torture I [to:cze] tortury.

torture II [to:cze] torturować.

toss [tos] podrzucić.

total I [teutl] suma.

total II [teutl] (II / III **totalled**) zsumować.

total III [teutl] całkowity.

touch I [tacz] **1** dotknąć. **2** wzruszyć.

touch II [tacz] **1** dotyk (zmysł). **2** kontakt: *get in touch with sb* nawiązać kontakt z kimś.

tough [taf] **1** bezwzględny. **2** surowy. **3** trudny (o decyzji).

tour I [tue / to:] **1** wycieczka. **2** zwiedzanie. **3** tournée.

tour II [tue / to:] *go touring* zwiedzać.

tour guide [tuegajd / to:gajd] przewodnik.

tourism [tuerizem / to:rizem] turystyka.

tourist [tuerist / to:rist] turysta, turystka.

tournament [to:nement] turniej.

tow [teu] holować.

towards (**toward**) [teło:dz (teło:d)] **1** w kierunku. **2** względem: *be friendly towards sb* zachowywać się przyjaźnie wobec kogoś.

towel [tauel] ręcznik.

tower [taue] wieża.

town [taun] miasto, miasteczko.

town hall [taunho:l] ratusz.

toy I [toj] zabawka.

toy II [toj]

◆ **toy with sth** bawić się czymś.

trace I [trejs] **1** ślad. **2** odrobina (ironii).

trace II [trejs] odnaleźć.

track I [træk] **1** ślad. **2** droga. **3** tor (kolejowy).

track II [træk] **1** tropić. **2** śledzić.

trade I [trejd] **1** handel. **2** branża.

trade II [trejd] **1** handlować. **2** sprzedawać.

trademark [trejdma:k] **1** znak towarowy (zastrzeżony). **2** znak fabryczny.

tradition [trediśzn] tradycja.

traditional [trediśzenl] tradycyjny.

traffic [træfik] ruch (np. uliczny).

traffic jam [træfikdżæm] korek (uliczny).

tragedy [trædżedi] (*l.mn.* **tragedies**) tragedia.

tragic [trædżik] tragiczny.

trail [trejl] **1** wlec. **2** tropić.

trailer [trejle] przyczepa.

train I [trejn] pociąg: *by train* pociągiem.

train II [trejn] **1** szkolić (się). **2** trenować.

trainee [trejni:] praktykant.

trainer [trejne] **1** instruktor, trener. **2** *BR* but sportowy.

training [trejnin] **1** szkolenie. **2** trening.

traitor [trejte] zdrajca.

tram [træm] tramwaj.

tramp [træmp] **1** wędrówka. **2** włóczęga.

tranquillity [trænkłileti] spokój.

transaction [trænzækśzn] transakcja.

transcription [trænskripśzn] **1** transkrypcja (fonetyczna). **2** nagranie.

transfer I [trænsfe:] **1** transfer. **2** przeniesienie.

transfer II [trænsfe:] (II / III **transferred**) **1** przenieść. **2** przelewać.

transform [trænsfo:m] **1** odmienić. **2** przekształcić.

transformation [trænsfemejśzn] **1** zmiana. **2** przekształcenie.

transistor [trænziste] tranzystor.

transit [trænzit] tranzyt, przewóz.

translate [trænzlejt] tłumaczyć: *translate sth from Polish into English* przetłumaczyć coś z języka polskiego na angielski.

translation [trænzlejśzn] tłumaczenie.

translator [trænzlejte] **1** tłumacz. **2** *komp.* translator.

transmission [trænzmiśzn] **1** przekazywanie. **2** transmisja.

transmit [trænzmit] (II / III **transmitted**) **1** przekazywać. **2** transmitować.

transparent [trænspærent] przezroczysty.

transplant I [trænspla:nt / trænsplænt] przeszczep.

transplant II [trænspla:nt / trænsplænt] **1** przesadzać. **2** przeszczepiać.

transport I [trænspo:t] transport.

transport II [trænspo:t] przewozić.

transportable [trænspo:tebl] przenośny, przewoźny.

transporter [trænspo:te] transporto-
wiec.

trap [træp] pułapka.

trash [træsz] **1** *nieform.* chłam.
2 *pejor.* bzdury.

travel I [træwl] podróż.

travel II [træwl] (II / III **travelled**)
podróżować.

travel agency [træwl ejdżensi] biuro podróży.

tray [trej] taca.

treacherous [treczeres] zdradliwy,
zdradziecki.

tread [tred] (II **trod** [trod], III **trodden** [trodn]) stąpać.

treason [tri:zn] zdrada.

treasure I [treże] skarb.

treasure II [treże] przechowywać (pie-
czołowicie), cenić, pielęgnować.

treasurer [treżere] skarbnik.

treat [tri:t] **1** traktować. **2** leczyć.
3 fundować. **4** poddawać działa-
niu, traktować (np. kwasem).

treatment [tri:tment] **1** traktowanie.
2 leczenie.

treaty [tri:ti] (*l.mn.* **treaties**) **1** traktat. **2** umowa.

tree [tri:] drzewo.

tremble [trembl] drżeć, dygotać.

tremendous [trimendes] **1** potężny.
2 wspaniały.

trend [trend] **1** tendencja. **2** moda.

trendy [trendi] modny.

trespass [trespes] wtargnąć.

trial [trajel] **1** próba. **2** rozprawa sądowa.

triangle [trajængl] trójkąt.

tribe [trajb] plemię.

trick I [trik] **1** podstęp. **2** sztuczka.

trick II [trik] **1** oszukiwać. **2** płatać
figle.

trickle [trikl] cieknąć.

tricky [triki] podstępny.

tried *zob.* **try I**.

trillion [trilien] **1** *BR* trylion. **2** *AM*
bilion.

trip [trip] wycieczka.

triumph I [trajamf] triumf.

triumph II [trajamf] triumfować.

trivial [triwiel] **1** banalny, trywialny. **2** błahy.

trod *zob.* **tread**.

trodden *zob.* **tread**.

trolley [troli] **1** *BR* wózek (w sklepie). **2** *AM* tramwaj. **3** trolejbus.

troop [tru:p] **1** oddział. **2** *l.mn.* **troops**
wojska.

tropic [tropik] **1** zwrotnik: *the Tropic of Cancer (Capricorn)* zwrot-
nik Raka (Koziorożca). **2** *l.mn.* *the
tropics* tropiki.

tropical [tropikl] tropikalny.

trouble I [trabl] **1** kłopot. **2** fatyga.

trouble II [trabl] **1** martwić. **2** fatygować. **3** *I'm sorry to trouble you.*
Przepraszam, że przeszkadzam.

troublesome [trablsem] kłopotliwy.

trousers [trauzez] spodnie.

truck [trak] **1** wagon towarowy. **2**
ciężarówka.

true [tru:] **1** prawdziwy. **2** rzeczywisty. **3** wierny.

truly [tru:l*i*] **1** naprawdę. **2** szczerze.

trump [tramp] atu (w kartach).

trumpet [trampit] trąbka.

trunk [tra*n*k] **1** pień (drzewa). **2** tułów. **3** trąba (słonia).

trust I [trast] **1** zaufanie. **2** trust (w ekonomii).

trust II [trast] **1** ufać. **2** polegać na kimś.

trustworthy [trast*l*e:ð*i*] godny zaufania.

truth [tru:θ] *the truth* prawda.

truthful [tru:θfl] **1** prawdomówny. **2** prawdziwy (o zdaniu).

try I [traj] (II / III **tried**) **1** próbować. **2** wypróbować. **3** skosztować.

◆ **try** *sth* **on** przymierzyć coś (ubranie).

try II [traj] (*l.mn.* **tries**) próba.

tsar (**tzar**) [za:] car.

T-shirt [ti:*s*ze:t] koszulka bawełniana.

tube [tju:b] **1** rura. **2** tubka. **3** *BR nieform.* metro.

tuck [tak] wsunąć.

Tuesday [tju:zdej / tju:zd*i*] wtorek.

tuition [tju:i*sz*n] nauka.

tulip [tju:lip] tulipan.

tumble [tambl] przewrócić się.

tummy [tam*i*] brzuszek.

tumour (*AM* **tumor**) [tju:m*e*] guz (nowotwór).

tune I [tju:n] melodia.

tune II [tju:n] **1** nastroić. **2** *stay tuned!* zostańcie (państwo) z nami!

tunnel [tanl] tunel.

turkey [te:k*i*] indyk.

turn I [te:n] **1** obrócić, przekręcić: *turn the key* przekręcić klucz; *turn the page* przewrócić stronę. **2** odwracać (się). **3** zwracać się (z czymś). **4** przemieniać. **5** skręcić: *turn right* skręcić w prawo.

◆ **turn around** odwrócić się.

◆ **turn** *sth* **down 1** ściszyć coś. **2** odrzucić coś (prośbę).

◆ **turn** *sth* **off** wyłączyć coś.

◆ **turn** *sth* **on** włączyć coś.

◆ **turn out** okazać się: *it turned out that* okazało się, że...

◆ **turn up 1** przybyć. **2** *turn sth up* zwiększyć (głośność).

turn II [te:n] **1** obrót. **2** zwrot, punkt zwrotny. **3** skręt, zakręt: *sharp turn* ostry zakręt. **4** kolej, kolejka, kolejność: *it's my turn* moja kolej; *miss a turn* stracić kolejkę; *by turns* na zmianę; *in turns* kolejno; *in turn* z kolei, po kolei; *out of turn* poza kolejnością. **5** *one good turn deserves another* przysługa za przysługę.

turner [te:n*e*] tokarz. ,

turning [te:n*i*n] **1** przecznica, zakręt: *take a turning* skręcić. **2** tokarstwo.

turning point [te:n*i*npojnt] punkt zwrotny.

turnip [te:nip] rzepa.

turnout [te:naut] **1** frekwencja. **2** porządki. **3** *nieform.* wygląd.

turnover [te:neuwe] obrót (towarowy).

turn signal [te:n signel] kierunkowskaz.

turnstile [te:nstajl] bramka obrotowa, kołowrót (w przejściu).

turquoise [te:kłojz] turkus.

turtle [te:tl] żółw (wodny).

tusk [task] kieł (słonia).

tutor [tju:te] **1** nauczyciel (prywatny), korepetytor. **2** *BR* opiekun naukowy (na uczelni). **3** *BR* wychowawca (klasy).

tweezers [tłi:zez] pęseta, pinceta.

twelfth [tłelfθ] dwunasty.

twelve [tłelw] **1** dwanaście. **2** dwunasta (godzina).

twentieth [tłentieθ] dwudziesty.

twenty [tłenti] **1** dwadzieścia. **2** *the twenties* lata dwudzieste.

twice [tłajs] dwa razy: *twice a week* dwa razy w tygodniu.

twig [tłig] gałązka.

twilight [tłajlajt] zmierzch.

twin [tłin] bliźniak.

twinkle [tłinkl] migotać, błyszczeć, skrzyć się.

Twins [tłinz] *l.mn. the Twins* Bliźnięta (znak zodiaku).

twist I [tłist] **1** skręt. **2** ostry zakręt. **3** twist (taniec).

twist II [tłist] **1** przekręcić. **2** skręcić (nogę). **3** wykrzywić (twarz).

twitter [tłite] świergotać.

two [tu:] **1** dwa. **2** druga (godzina).

two-dimensional [tu:dajmenśznel] dwuwymiarowy.

two-edged [tu:edżd] **1** obosieczny (nóż). **2** dwuznaczny.

two-faced [tu:fejst] dwulicowy, obłudny.

twofold [tu:feuld] **1** dwukrotny. **2** podwójny.

two-way [tu:łej] **1** dwukierunkowy (o ulicy). **2** dwustronny (o wymianie)

type I [tajp] **1** typ. **2** czcionka.

type II [tajp] pisać na maszynie, komputerze.

typewriter [tajprajte] maszyna do pisania.

typical [tipikl] typowy (*of sb, sth* dla kogoś, czegoś).

tyranny [tireni] tyrania.

tyrant [tajerent] tyran.

tyre (*AM* tire) [taje] **1** opona. **2** *flat tyre* kapeć (przebita opona).

tzar *zob.* **tsar**.

U

U [ju:] dwudziesta pierwsza litera alfabetu.

udder [ad*e*] wymiona.

UFO [**ju:**f*e*u / ju:*e*f*e*u] *unidentified flying object* UFO.

ugly [agl*i*] brzydki.

ulcer [als*e*] wrzód.

ultimate [altim*e*t] **1** najwyższy. **2** ostateczny.

ultraviolet [altr*e*w**aj***e*l*e*t] ultrafioletowy.

umbilicus [ambilik*e*s / ambil**aj**k*e*s] (*l.mn.* **umbilici** [amb**i**lisaj]) *form.* pępek.

umbrella [ambr**e**l*e*] parasol.

umpire [**a**mp*e*j*e*] sędzia (w sporcie).

UN [ju:en] *United Nations* ONZ.

unable [an**ej**bl] *be unable to do sth* **1** nie być w stanie czegoś zrobić. **2** nie umieć (czegoś zrobić).

unacceptable [an*e*ks**e**pt*e*bl] nie do przyjęcia.

unaccomplished [an*e*k**a**mplíszt] nieukończony.

unaccustomed [an*e*k**a**st*e*md] nieprzyzwyczajony.

unambiguous [an**a**mb**i**gju*e*s] jednoznaczny.

unanimous [ju:n**æ**nim*e*s] jednomyślny.

unapt [an**æ**pt] nieodpowiedni.

unashamed [an*e***sze**jmd] bezwstydny.

unauthorised [ano:θ**e**rajzd] nielegalny, bezprawny.

unavailable [an*e*w**ej**l*e*bl] nieosiągalny.

unavoidable [an*e*w**oj**d*e*bl] nieunikniony.

unaware [an*e***e**:] *be unaware of sth* **1** nie wiedzieć o czymś. **2** nie zdawać sobie sprawy z czegoś.

unbearable [anb**e**:r*e*bl] nieznośny.

unbelievable [anbili:w*e*bl] niewiarygodny.

unborn [anb**o**:n] nienarodzony.

unbutton [anbatn] rozpiąć.

uncertain [ans**e**:tn] **1** niepewny (czegoś). **2** niepewny (niewiadomy).

uncivil [ans**i**wl] nieuprzejmy.

uncivilized [ans**i**wilajzd] **1** nieludzki. **2** prymitywny.

uncle [a*n*kl] wujek.

unclear [ankli*e*] **1** niejasny (powód). **2** niewyraźny (głos).

uncomfortable [ank**a**mft*e*bl] niewygodny.

uncommon [ank**o**m*e*n] **1** niezwykły. **2** rzadki.

uncompromising [ank**o**mpr**e**majzi*n*] bezkompromisowy.

unconditional [ankendiśzenl] bezwarunkowy.

unconscious I [ankonśzes] **1** nieprzytomny. **2** nieświadomy.

unconscious II [ankonśzes] nieświadomość (podświadomość).

unconsciously [ankonśzesli] nieświadomie.

uncountable [ankauntebl] niepoliczalny (w językoznawstwie).

undecided [andisajdid] niezdecydowany (człowiek).

undefined [andifajnd] nieokreślony.

undeniable [andinajebl] niezaprzeczalny.

under I [ande] **1** pod: *under the table* pod stołem. **2** poniżej: *people under 40* ludzie poniżej 40 lat. **3** pod (wpływ): *under suspicion* podejrzany.

under II [ande] **1** mniej: *10 years and under* 10 lat i mniej. **2** poniżej (w tekście).

underdone [andedan] **1** niedogotowany, niedopieczony. **2** *BR* lekko krwisty (stek).

underestimate [anderestimejt] nie doceniać.

undergo [andegeu] (II **underwent** [andełent], III **undergone** [andegon]) **1** zaznawać. **2** doświadczyć.

underground I [andegraund] podziemny.

underground II [andegraund] pod ziemią.

underground III [andegraund] **1** *BR* metro. **2** *the underground* podziemie. **3** sztuka niezależna, underground.

underline [andelajn] **1** podkreślić (w tekście). **2** zaakcentować.

undermine [andemajn] podkopać, podważyć (autorytet).

underneath [andeni:θ] pod, poniżej.

understand [andestænd] (II / III **understood** [andestud]) **1** rozumieć. **2** sądzić.

understandable [andestændebl] zrozumiały.

understanding [andestændin] wyrozumiały.

understood *zob.* **understand**.

undertake [andetejk] (II **undertook** [andetuk], III **undertaken** [andetejkn]) **1** podejmować się (czegoś). **2** zobowiązać się (do czegoś).

underwear [andełe:] bielizna.

underwent *zob.* **undergo**.

undeserved [undize:wd] niezasłużony.

undid *zob.* **undo**.

undo [andu:] (II **undid** [andid], III **undone** [andan]) rozwiązać, rozpiąć.

undone *zob.* **undo**.

undress [andres] rozbierać.

unease [ani:z] **1** niepokój. **2** zamieszki.

uneasy [ani:zi] niespokojny.

uneducated [anedżukejtid] niewykształcony.

unemployed [animplojd] bezrobotny.

unemployment [animplojment] bezrobocie.

unequal [ani:kłel] nierówny.

unerring [ane:rin] niezawodny.

uneven [ani:wn] nierówny.

unexpected [anikspektid] niespodziewany.

unexplored [aniksplo:d] niezbadany.

unfailing [anfejlin] niezawodny.

unfair [anfe:] 1 niesprawiedliwy. 2 nieuczciwy.

unfaithful [anfejθfl] niewierny, nielojalny.

unfamiliar [anfemilje] 1 nieznany (komuś). 2 nieobeznany.

unfasten [anfa:sn] rozpiąć, rozwiązać.

unfavourable (*AM* **unfavorable**) [anfejwerebl] niekorzystny.

unfit [anfit] 1 nieodpowiedni. 2 niezdolny do czegoś.

unfold [anfeuld] 1 rozwinąć. 2 odsłonić.

unforgettable [anfegetebl] niezapomniany.

unforgivable [anfegiwebl] niewybaczalny.

unforgotten [anfegotn] niezapomniany.

unfortunate [anfo:ćzenet] 1 pechowy. 2 niefortunny.

unfortunately [anfo:ćzenetli] niestety.

unfulfilled [anfulfild] niespełniony.

ungrateful [angrejtfl] niewdzięczny.

unguarded [anga:did] niestrzeżony.

unhappy [anhæpi] 1 nieszczęśliwy. 2 niezadowolony.

unhealthy [anhelθi] niezdrowy.

unicorn [ju:niko:n] jednorożec.

unidentified [anajdentifajd] niezidentyfikowany.

uniform I [ju:nifo:m] mundur.

uniform II [ju:nifo:m] jednakowy.

unintelligible [anintelidżebl] niezrozumiały.

uninterested [anintrestid] obojętny (*in sth* na coś), niezainteresowany (czymś).

uninterrupted [aninteraptid] nieprzerwany.

union [ju:nien] 1 unia. 2 związek.

unique [ju:ni:k] wyjątkowy.

unisex [ju:niseks] uniseksualny.

unit [ju:nit] 1 jednostka. 2 segment.

unite [junajt] zjednoczyć.

united [junajtid] zjednoczony.

unity [ju:neti] 1 jedność. 2 wspólnota.

universal [ju:niwe:sl] 1 powszechny. 2 wszechstronny.

universe [ju:niwe:s] wszechświat.

university [ju:niwe:seti] uniwersytet.

unjust [andżast] niesprawiedliwy.

unjustified [andżastifajd] nieuzasadniony.

unkind [ankajnd] niemiły, nieuprzejmy.

unknown [annˈeun] nieznany.

unlawful [anloːfl] nielegalny.

unleaded [anˈledid] bezołowiowy.

unless [enˈles] jeśli nie, chyba że: *She won't come unless you invite her.* Nie przyjdzie, chyba że ją zaprosisz.

unlike I [anlajk] niepodobny do.

unlike II [anlajk] w odróżnieniu od: *unlike me* w przeciwieństwie do mnie.

unlikely [anlajkli] **1** mało prawdopodobny. **2** nieprawdopodobny.

unlimited [anlimitid] nieograniczony.

unload [anˈleud] rozładować.

unlock [anlok] otworzyć (kluczem).

unlucky [anlaki] pechowy.

unnatural [annˈæczrel] nienaturalny.

unnecessary [annˈeseseri] niepotrzebny.

unoccupied [anokjupajd] niezamieszkany.

unpack [anpæk] rozpakowywać (się).

unpleasant [anpleznt] nieprzyjemny.

unplug [anplag] wyłączyć z sieci.

unplugged [anplagd] akustyczny (koncert).

unpopular [anpopjule] niepopularny.

unprecedented [anpresidentid] bezprecedensowy.

unpredictable [anpridiktebl] nieprzewidywalny.

unqualified [ankłolifajd] niewykwalifikowany.

unreal [anriel] nierealny.

unreasonable [anriːznebl] **1** niedorzeczny. **2** wygórowany.

unrecognizable [anrekegnajzebl] nie do poznania.

unrelated [anrilejtid] **1** niezwiązany. **2** niespokrewniony.

unreliable [anrilajebl] zawodny.

unroll [anreul] rozwinąć.

unscrew [anskruː] odkręcić.

unscrupulous [anskruːpjules] pozbawiony skrupułów.

unstable [anstejbl] niestabilny.

unsteady [anstedi] **1** niepewny. **2** nierówny (puls).

unstrap [anstræp] (II / III **unstrapped**) odpiąć (pas).

unsuccessful [anseksesfl] nieudany.

unsuitable [ansuːtebl / ansjuːtebl] nieodpowiedni.

unthinkable [anθinkebl] nie do pomyślenia.

untidy [antajdi] niechlujny.

untie [antaj] rozwiązać.

until (**till**) **I** [entil] do: *until Monday* do poniedziałku.

until (**till**) **II** [entil] do, aż do, dopóki nie: *stir it until smooth* mieszaj aż do (uzyskania) gładkiej masy.

untrue [antruː] **1** nieprawdziwy. **2** niewierny.

unusual [anjuːżel] niezwykły.

unusually [anjuːżeli] nadzwyczajnie.

unwelcome [anłelkem] niechciany.

unwilling [anlilin] niechętny.

unwise [anłajz] niemądry, nierozsądny.

unworthy [anłe:ði] niegodny.

unwrap [anræp] (II / III **unwrapped**) rozpakować.

up I [ap] **1** w górze. **2** wzwyż.

up II [ap] **1** *What's up?* Co się dzieje? **2** *be up* być na nogach. **3** skończony: *Time's up!* Kończymy!

up III [ap] w kierunku, wzdłuż: *up the stairs* na górze.

upbringing [apbri*nin*] wychowanie.

update [apdejt] aktualizować.

upkeep [apki:p] utrzymanie.

upper [ap*e*] górny.

upright [aprajt] pionowy.

uprising [aprajzi*n*] powstanie (przeciw komuś, czemuś).

upset I [apset] (II / III **upset** [apset]) **1** przewrócić. **2** zmartwić, zdenerwować.

upset II [apset] zmartwiony, zdenerwowany.

upstairs I [apste:z] góra, piętro.

upstairs II [apste:z] na piętrze: *go upstairs* iść na górę.

upward [apł*e*d] idący do góry.

upwards [apłedz] ku górze.

urban [*e*:ben] miejski.

urge [*e*:dż] nalegać (*sb to do sth* na kogoś, żeby coś zrobił).

urgent [*e*:dżent] pilny, naglący.

us [as] (*forma zależna* **we**) nam, nas, nami: *He gave it to us.* Dał to nam.; *She likes us.* Ona nas lubi.

usage [ju:sidż / ju:zidż] użycie.

use I [ju:s] **1** użycie. **2** zastosowanie.

use II [ju:z] **1** użyć. **2** *pejor.* wykorzystać.

◆ **use** *sth* **up** zużyć coś.

used [ju:zd] używany.

used to [ju:sttu / ju:ste] *GRAM* **1** mieć dawniej zwyczaj: *I used to smoke.* Dawniej paliłem. **2** *be used to (doing) sth* być przyzwyczajonym do (robienia) czegoś. **3** *get used to (doing) sth* przyzwyczaić się do (robienia) czegoś.

useful [ju:sfl] użyteczny.

useless [ju:slis] **1** bezużyteczny. **2** beznadziejny.

user [ju:z*e*] użytkownik.

usual [ju:ż*e*l / ju:żuel] zwykły.

usually [ju:żel*i* / ju:żuel*i*] zazwyczaj.

usurp [ju:z*e*:p] uzurpować sobie.

utilities [ju:tiletiz] *l.mn. AM* usługi komunalne, media (elektryczność, gaz itp.).

utilize [ju:telajz] spożytkować.

utmost [atm*e*ust] **1** najdalszy. **2** największy.

Utopian [ju:t*e*upien] utopijny.

utter [at*e*] całkowity.

utterly [atel*i*] całkowicie.

V [wi:] dwudziesta druga litera alfabetu.

vacancy [wejkensi] (*l.mn.* **vacancies**) 1 wolny pokój. 2 wolny etat.

vacant [wejkent] 1 wolny, pusty (o siedzeniu). 2 wakujący (etat).

vacation [wekejšzn] 1 wakacje (szkolne). 2 *AM* urlop.

vaccination [wæksinejšzn] szczepienie.

vaccine [wæksi:n] szczepionka.

vacuum I [wækjuem] 1 próżnia. 2 (*też* **vacuum cleaner**) odkurzacz.

vacuum II [wækjuem] (*też* **vacuum-clean**) odkurzać.

vacuum cleaner [wækjuem kli:ne] odkurzacz.

vague [wejg] 1 niewyraźny. 2 niejasny.

vain [wejn] 1 próżny, zadufany w sobie. 2 daremny. 3 *in vain* na próżno.

valid [wælid] 1 ważny. 2 prawomocny.

validity [welideti] ważność, prawomocność.

valley [wæli] dolina.

valuable [wæljuebl] 1 cenny. 2 nieoceniony (o informacji).

valuables [wæljueblz] *l.mn.* kosztowności.

valuation [wæljuejšzn] wycena.

value I [wælju:] 1 wartość. 2 znaczenie.

value II [wælju:] 1 wycenić. 2 cenić (sobie).

valve [wælw] zawór.

vampire [wæmpaje] wampir.

van [wæn] 1 furgonetka. 2 *BR* wagon.

vandal [wændl] wandal.

vanish [wæniš] zniknąć.

vanity [wæneti] próżność.

vaporize [wejperajz] parować.

vapour (*AM* **vapor**) [wejpe] para.

variability [we:riebileti] zmienność.

variable [we:riebl] zmienny.

variant I [we:rient] wariant, wersja.

variant II [we:rient] inny, odmienny.

variation [we:riejšzn] 1 zmiany. 2 odmiana.

variety [werajeti] 1 różnorodność. 2 bogactwo.

various [we:rjes] rozmaity.

varnish I [wa:niš] lakier.

varnish II [wa:niš] lakierować.

vary [we:ri] (II / III **varied**) 1 zmieniać. 2 różnić się.

vase [wa:z] wazon, flakon.

vast [wa:st] ogromny.

VCR *video cassette recorder* kamera video.

veal [wi:l] cielęcina.

vector [wekte] wektor.

vegetable [wedżtebl] warzywo.

vegetarian [wedżete:rien] wegetarianin.

vegetate [wedżitejt] **1** wegetować. **2** rosnąć.

vehicle [wiekl] pojazd.

veil [wejl] welon.

vein [wejn] żyła.

velvet I [welwit] aksamit.

velvet II [welwit] aksamitny.

vengeance [wendżens] zemsta.

venom [wenem] jad.

ventilate [wentilejt] przewietrzyć.

venture I [wencze] **1** śmiałe przedsięwzięcie. **2** próba.

venture II [wencze] zaryzykować.

veranda (verandah) [werænde] weranda.

verb [we:b] czasownik.

verbal [we:bl] **1** ustny. **2** werbalny (atak).

verdict [we:dikt] wyrok.

verge [we:dż] **1** *BR* skraj. **2** *przen.* próg.

verification [werifike**j**śzn] potwierdzenie.

verify [werifaj] (II / III **verified**) **1** potwierdzić. **2** weryfikować.

verse [we:s] **1** poezja. **2** wiersz.

version [we:śzn] wersja.

versus [we:ses] **1** przeciwko (komuś, czemuś). **2** a (coś), w porównaniu do (czegoś).

vertical I [we:tikl] *the vertical* pion.

vertical II [we:tikl] pionowy.

very I [weri] **1** bardzo: *I'm very sorry.* Jest mi bardzo przykro.; *Thank you very much.* Bardzo dziękuję. **2** (funkcja wzmacniająca): *the very best* (zdecydowanie) najlepszy.

very II [weri] **1** właśnie ten. **2** sam: *at the very beginning* na samym początku.

vessel [wesl] **1** statek. **2** naczynie.

vest I [west] **1** podkoszulek. **2** koszulka sportowa.

vest II [west] nadać (uprawnienia), udzielić (pełnomocnictwa).

vet [wet] **1** weterynarz. **2** *AM* weteran.

veteran [weteren] weteran.

veterinarian [weterine:rien] *AM* weterynarz.

via [waje] **1** przez (coś): *I flew via Paris.* Leciałem przez Paryż. **2** za pośrednictwem.

vibrate [wajbrejt] wprowadzić w drganie.

vibration [wajbrejśzn] drganie.

vice [wajs] **1** wada, defekt. **2** przestępstwo, występek. **3** imadło.

vice-president [wajsprezident] **1** wiceprezydent. **2** wiceprezes.

vicinity [wisineti] sąsiedztwo, pobliże.

vicious [wiśzes] **1** zły. **2** złośliwy.

victim [wiktim] ofiara.

victory [wikteri] (*l.mn.* **victories**) zwycięstwo.

video [widieu] 1 (*też video record-er*) magnetowid. 2 kaseta wideo. 3 (*też video film*) wideo (film).

video camera [widieukæmere] kamera wideo.

videotape [widieutejp] kaseta wideo.

view [wju:] 1 widok. 2 zasięg wzroku. 3 ocena, opinia: *from my point of view* z mojego punktu widzenia.

viewer [wju:e] telewidz, widz.

vigilant [widżilent] czujny.

vigorous [wigeres] pełen wigoru.

vigour (*AM vigor*) [wige] wigor.

village [wilidż] miasteczko, wieś.

villain [wilen] drań.

vindicate [windikejt] 1 potwierdzić słuszność. 2 rewindykować.

vine [wajn] winorośl.

vinegar [winige] ocet.

vineyard [winjed] winnica.

violate [wajelejt] 1 naruszyć (prawo). 2 sprofanować.

violation [wajelejszn] 1 naruszenie (prawa). 2 profanacja. 3 wykroczenie.

violence [wajelens] 1 przemoc. 2 gwałtowność (uczuć).

violent [wajelent] 1 agresywny. 2 gwałtowny.

violet I [wajelet] 1 fiołek. 2 fiolet.

violet II [wajelet] fiołkowy.

violin [wajelin] skrzypce.

VIP [wi:ajpi:] *very important person* VIP.

viper [wajpe] żmija.

virgin I [we:dżin] dziewica, *nieform.* prawiczek.

virgin II [we:dżin] 1 dziewiczy. 2 nieskalany.

Virgo [we:geu] Panna (znak zodiaku).

virtual [we:czuel] 1 rzeczywisty. 2 *komp.* wirtualny.

virtual reality [we:czuel riæleti] rzeczywistość wirtualna.

virtue [we:czu:] 1 cnota. 2 zaleta.

virtuous [we:czues] prawy.

virus [wajeres] wirus.

visa [wi:ze] wiza.

visibility [wizebileti] widoczność.

visible [wizebl] widoczny.

vision [wiżn] 1 wzrok. 2 wizja. 3 obraz (telewizyjny).

visit I [wizit] 1 wizyta. 2 pobyt.

visit II [wizit] 1 złożyć wizytę. 2 zwiedzić.

visiting card [wizitin ka:d] wizytówka.

visitor [wizite] gość, zwiedzający.

visual [wiżuel] wizualny.

vital [wajtl] 1 podstawowy. 2 niezbędny do życia.

vitamin [witemin] witamina.

vivid [wiwid] 1 jaskrawy (kolor). 2 barwny (język).

vocabulary [wekæbjuleri] 1 słownictwo. 2 słowniczek.

vocal I [weukl] wokal.

vocal II [weukl] głosowy.

vodka [wodke] wódka.

vogue [weug] moda.

voice [wojs] głos.

void [wojd] nieważny (czek).

volcano [wolkejneu] (*l.mn.* **volca-noes** *albo* **volcanos**) wulkan.

volleyball [wolibo:l] siatkówka (sport).

volt [weult] wolt (jednostka).

voltage [weultidż] napięcie (elektryczne).

volume [wolju:m] 1 wolumin. 2 wielkość. 3 głośność (sprzętu elektronicznego).

volume control [wolju:m kentreul] regulator głosu.

voluntary [wolentrɪ] dobrowolny.

volunteer I [wolentie] ochotnik.

volunteer II [wolentie] zgłosić się na ochotnika.

vomit [womit] wymiotować.

vote I [weut] głosować (*for sth* za czymś; *against sth* przeciwko czemuś).

vote II [weut] 1 głos (oddany). 2 głosowanie, wybory.

voucher [waucze] 1 kupon. 2 kwit.

vow I [wau] śluby.

vow II [wau] ślubować.

vowel [wauel] samogłoska (w językoznawstwie).

voyage [wojidż] podróż morska.

vulgar [walge] 1 prostacki. 2 wulgarny.

vulnerable [walnerebl] 1 narażony (*to sth* na coś). 2 bezbronny.

vulture [walcze] sęp (*też przen.*).

W [**da**blju:] dwudziesta trzecia litera alfabetu.

wafer [**łej**f*e*] wafel.

wag [łæg] (II / III **wagged**) merdać (ogonem).

wage (**wages**) [**łej**dż (**łej**dżiz)] zarobek, pensja.

wagon [**łæg**e*n*] **1** wóz. **2** wagon.

waist [łejst] talia, pas.

waistcoat [**łej**stk*e*ut] kamizelka.

wait [łejt] czekać.

waiter [**łej**t*e*] kelner.

waiting room [**łej**t*i*nrum] poczekalnia.

waitress [**łej**tris] kelnerka.

wake [łejk] (II **woke** [łeuk], III **woken** [**łeu**k*e*n]) (też *wake up*) budzić (się).

walk I [ło:k] **1** chodzić. **2** spacerować.

◆ **walk away** odejść.

walk II [ło:k] **1** spacer: *go for a walk* iść na spacer. **2** chód.

wall [ło:l] **1** mur. **2** ściana.

wallet [**ło**lit] portfel.

wallpaper [**ło:**lpejp*e*] tapeta.

walnut [**ło:**lnat] orzech włoski.

waltz [ło:ls] walc.

wand [łond] różdżka.

wander [**ło**nd*e*] włóczyć się.

wanderer [**ło**nd*ere*] wędrowiec.

want [łont] **1** chcieć. **2** potrzebować.

wanted [**ło**ntid] poszukiwany.

war [ło:] wojna.

ward [ło:d] oddział (w szpitalu).

wardrobe [**ło:**dreub] szafa.

warehouse [**łe:**haus] magazyn.

warlike [**ło:**lajk] **1** wojowniczy. **2** bojowy.

warm I [ło:m] **1** ciepły. **2** serdeczny.

warm II [ło:m] *the warm* ciepło.

warm III [ło:m] podgrzać.

◆ **warm up** zrobić sobie rozgrzewkę, rozgrzać się.

warmth [ło:mθ] ciepło.

warn [ło:n] ostrzec.

warning [**ło:**ni*n*] ostrzeżenie.

warrant I [**ło**r*e*nt] nakaz.

warrant II [**ło**r*e*nt] ręczyć.

warrior [**ło:**ri*e*] wojownik.

warship [**ło:**szip] okręt wojenny.

wary [**łe:**r*i*] **1** czujny. **2** ostrożny.

was *zob.* **be**.

wash [łosz] **1** myć. **2** prać.

◆ **wash up** umyć naczynia.

washing [**ło**szi*n*] **1** pranie. **2** mycie.

washing machine [**ło**szi*n* m*e***szi:**n] pralka.

washing powder [**ło**szi*n* p**au**d*e*] proszek do prania.

washing-up [łoszinap] zmywanie naczyń.

washing-up liquid [łoszinap liklid] płyn do mycia naczyń.

wasp [łosp] osa.

waste I [łejst] **1** odpady. **2** marnowanie.

waste II [łejst] marnować.

wasteful [łejstfl] rozrzutny.

waste paper basket [łejstpejpe baskit] kosz na śmieci.

watch I [łocz] zegarek (na rękę).

watch II [łocz] **1** oglądać: *watch TV* oglądać telewizję. **2** obserwować. **3** uważać (na coś).

♦ **watch out** uważać.

watchful [łoczfl] czujny.

watchmaker [łoczmejke] zegarmistrz.

water I [ło:te] woda.

water II [ło:te] podlewać.

Water Bearer [ło:te be:re] Wodnik (znak zodiaku).

waterfall [ło:tefo:l] wodospad.

watermelon [ło:temelen] arbuz.

waterproof I [ło:tepru:f] płaszcz nieprzemakalny.

waterproof II [ło:tepru:f] wodoodporny.

water-ski [ło:teski:] jeździć na nartach wodnych.

wave I [łejw] fala.

wave II [łejw] **1** powiewać. **2** machać.

wavy [łejwi] falujący.

wax I [łæks] wosk.

wax II [łæks] woskować.

way [łej] **1** droga. **2** kierunek: *show sb the way* pokazać komuś kierunek. **3** sposób. **4** *by the way* nawiasem mówiąc.

WC *water closet* WC.

we [łi:] my.

weak [łi:k] **1** słaby. **2** kiepski.

weaken [łi:ken] osłabić.

weakness [łi:knes] słabość.

wealth [łelθ] **1** bogactwo. **2** obfitość.

wealthy [łelθi] bogaty.

weapon [łepen] broń.

wear [łe:] (II **wore** [ło:], III **worn** [ło:n]) **1** nosić (ubranie). **2** zakładać, nosić: *wear glasses* nosić okulary. **3** zużywać się.

♦ **wear away** wytrzeć się, zatrzeć.

♦ **wear out** znosić się, zużyć się.

weary [łieri] **1** zmęczony. **2** nużący.

weather [łeðe] pogoda: *weather forecast* prognoza pogody.

weave [łi:w] (II **wove** [łeuw], III **woven** [łeuwn] *albo* II / III **weaved** [łi:wd]) tkać.

web [łeb] **1** (*też spider's web*) pajęczyna. **2** *komp.* sieć.

wedding [łedin] ślub.

Wednesday [łenzdej / łenzdi] środa.

weed [łi:d] **1** chwast. **2** *l.mn.* wodorosty.

week [łi:k] tydzień.

weekday [łi:kdej] dzień powszedni.

weekend [łi:kend] koniec tygodnia.

weekly I [łi:kli] tygodniowy.

weekly II [łi:kl*i*] co tydzień.
weekly III [łi:kl*i*] tygodnik.
weep [łi:p] (II / III **wept** [łept]) płakać.
weigh [łej] ważyć.
weight [łejt] waga, ciężar.
weird [ł*i*ed] dziwaczny.
welcome I [łelk*e*m] serdeczne powitanie.
welcome II [łelk*e*m] z radością witać.
welcome III [łelk*e*m] **1** mile widziany. **2** upragniony. **3** *you're welcome!* proszę bardzo! (odpowiedź na podziękowanie).
welcome IV [łelk*e*m] witaj!, witajcie!, serdecznie witamy!
weld [łeld] spawać.
welfare [łelfe:] **1** dobro. **2** opieka społeczna.
well I [łel] **1** dobrze: *very well* bardzo dobrze; *well done!* brawo! **2** odpowiednio. **3** *as well* także. **4** *as well as* jak również. **5** *feel (be) well* dobrze się czuć.
well II [łel] więc, zatem.
well III [łel] studnia.
well-behaved [łelbihejwd] dobrze wychowany.
well-built [łelbilt] dobrze zbudowany.
well-educated [łeledjukejtid] wykształcony.
wellington [łelint*e*n] kalosz.
well-known [łelne*u*n] **1** słynny. **2** znany.

well-off [łelof] zamożny.
well-to-do [łeltedu:] *the well-to-do* dobrze sytuowani.
went *zob.* **go**.
wept *zob.* **weep**.
west I [łest] **1** zachód. **2** *the West* Zachód (kraje).
west II [łest] zachodni.
west III [łest] *west (of)* na zachód (od).
western I [łesten] western (film).
western II [łesten] zachodni.
westward [łestłed] zachodni.
westward II (**westwards**) [łestłed (łestłedz)] na zachód.
wet I [łet] **1** mokry. **2** deszczowy.
wet II [łet] (II / III **wetted** *albo* **wet**) zmoczyć (się).
whale [łejl] wieloryb.
what [łot] **1** co: *What's that?* Co to jest? **2** jaki: *What colour is it?* Jakiego to jest koloru? **3** *What about...?* A może by...?, A co z...? **4** *what for?* po co?, do czego?
whatever [łotewe] cokolwiek.
wheat [łi:t] pszenica.
wheel [łi:l] koło.
wheelbarrow [łi:lbæreu] taczka.
wheelchair [łi:lcze:] wózek inwalidzki.
when [łen] **1** kiedy. **2** wtedy gdy: *She's happy when she's free.* Jest szczęśliwa, kiedy jest wolna.
whenever [łenewe] kiedykolwiek.
where [łe:] gdzie, dokąd: *Where's my pen?* Gdzie jest moje pióro?

whereas [łe:ræz] podczas gdy.

wherever [łe:rewe] gdziekolwiek.

whether [łeðe] czy: *I wonder whether you like it.* Ciekawe, czy to lubisz.

which [łić] który: *which book?* która książka?

whichever [łićewe] którykolwiek.

while I [łajl] chwila: *a while ago* chwilę temu.

while II [łajl] podczas gdy: *John arrived while we were having breakfast.* John przyjechał, gdy jedliśmy śniadanie.

whim [łim] kaprys.

whip I [łip] bat.

whip II [łip] (II / III **whipped**) chłostać.

whirlpool [łe:lpu:l] wir wodny.

whiskers [łiskez] *l.mn.* 1 wąsy (kota). 2 bokobrody.

whisper I [łispe] 1 szept. 2 plotka.

whisper II [łispe] szeptać.

whistle I [łisl] 1 gwizd. 2 gwizdek.

whistle II [łisl] gwizdać.

white I [łajt] biały.

white II [łajt] 1 biel. 2 białko (oka).

who [hu:] 1 kto: *Who is it?* Kto to jest? 2 który: *the man who is a doctor* człowiek, który jest lekarzem.

whoever [hu:ewe] ktokolwiek.

whole I [heul] całość.

whole II [heul] cały.

wholemeal [heulmi:l] razowy.

wholesale [heulsejl] hurtowy.

whom [hu:m] 1 kogo, komu, kim: *To whom did you give it?* Komu to dałeś? 2 którego, któremu, którym: *a friend with whom I shared a room* kolega, z którym dzieliłem pokój.

whore [ho:] *nieform. pejor.* dziwka.

whose [hu:z] 1 który: *That's the man whose wife was killed.* To mężczyzna, którego żonę zamordowano. 2 czyj: *Whose is this coat?* Czyj jest ten płaszcz?

why [łaj] dlaczego.

wicked [łikid] niegodziwy.

wide I [łajd] *też przen.* szeroki.

wide II [łajd] szeroko.

widely [łajdli] szeroko.

widen [łajdn] poszerzyć.

widespread [łajdspred] rozpowszechniony.

widow [łideu] wdowa.

widower [łideue] wdowiec.

width [łidθ] szerokość.

wife [łajf] (*l.mn.* **wives** [łajwz]) żona.

wig [łig] peruka.

wild [łajld] 1 dziki. 2 gwałtowny.

wilderness [łildenes] pustkowie.

will I [łil] 1 wola (charakter). 2 chęć. 3 ostatnia wola.

will II [łil] *GRAM* 1 (tworzy czas przyszły): *I will pay* zapłacę. 2 (przy wyrażaniu chęci): *She won't go.* Ona nie pójdzie. 3 (w prośbach, poleceniach): *Will you...?* Czy możesz...?

willing [łiliŋ] chętny.

willow [łileu] wierzba.

win [łin] (II / III **won** [łan]) **1** zwyciężyć. **2** wygrać.

wind I [łind] wiatr.

wind II [łajnd] (II / III **wound** [łaund]) **1** nawinąć, przewinąć. **2** nakręcić (zegar).

◆ **wind** *sth* **up** zakończyć coś.

windmill [łindmil] wiatrak.

window [łindeu] okno.

window sill [łindeusil] parapet.

windsurfing [łindse:fiŋ] windsurfing.

windy [łindi] wietrzny.

wine [łajn] wino.

wing [łiŋ] skrzydło.

wink [łink] mrugnąć.

winner [łine] zwycięzca.

winter [łinte] zima.

wipe [łajp] zetrzeć.

wire [łaje] drut.

wisdom [łizdem] mądrość.

wise [łajz] mądry.

wish I [łisz] **1** pragnienie. **2** życzenie.

wish II [łisz] **1** pragnąć. **2** życzyć (komuś): *We wish you a Merry Christmas.* Życzymy ci Wesołych Świąt. **3** *I wish you were here.* Szkoda, że cię tu nie ma (chciałbym, abyś tu był).

witch [łicz] czarownica.

witchcraft [łiczkra:ft] czary.

with [łið / łiθ] **1** z: *dance with me* zatańcz ze mną. **2** za pomocą: *eat* *sth with a knife and a fork* jeść coś nożem i widelcem.

withdraw [łiðdro: / łiθdro:] (II **withdrew** [łiðdru: / łiθdru:], III **withdrawn** [łiðdro:n / łiθdro:n]) wycofać (się).

wither [łiðe] usychać.

within I [łiðin] **1** w ciągu (o czasie). **2** w obrębie (granic).

within II [łiðin] wewnątrz.

without [łiðaut] **1** bez: *without you* bez ciebie. **2** nie (robiąc czegoś): *without asking* nie pytając.

witness I [łitnes] świadek.

witness II [łitnes] świadczyć, być świadkiem.

witty [łiti] dowcipny.

wizard [łized] czarnoksiężnik.

woke *zob.* **wake**.

wolf [łulf] (*l.mn.* **wolves** [łulwz]) wilk.

woman [łumen] (*l.mn.* **women** [łimin]) kobieta.

wonder I [łande] cud.

wonder II [łande] **1** dziwić się. **2** zastanawiać się.

wonderful [łandefl] cudowny.

wood [łud] **1** drewno. **2** las.

wooden [łudn] drewniany.

woodpecker [łudpeke] dzięcioł.

wool [łul] wełna.

word [łe:d] **1** słowo, wyraz. **2** *l.mn.* *words* tekst (piosenki).

word processor [łe:dpreusese] *komp.* procesor tekstów.

wore *zob.* **wear**.

work I [łe:k] **1** praca: *get to work* wziąć się do pracy. **2** zajęcie. **3** dzieło.

work II [łe:k] **1** pracować. **2** działać (o sprzęcie).

workbook [łe:kbuk] **1** zeszyt. **2** zeszyt ćwiczeń.

worker [łe:ke] pracownik.

workman [łe:kmen] (*l.mn.* **workmen**) robotnik.

workshop [łe:kśzop] warsztat.

world [łe:ld] świat.

worldwide [łe:ldłajd] ogólnoświatowy.

worm [łe:m] robak.

worn *zob.* **wear**.

worried [łarid] zmartwiony.

worry [łari] (II / III **worried**) **1** martwić się: *Don't worry!* Nie martw się! **2** niepokoić.

worse I [łe:s] gorszy.

worse II [łe:s] gorzej.

worship [łe:śzip] (II / III **worshipped**) **1** czcić. **2** uwielbiać.

worst I [łe:st] najgorszy.

worst II [łe:st] najgorzej.

worth I [łe:θ] **1** *be worth* być wartym (czegoś, sumy pieniędzy). **2** *it's worth doing sth* warto coś zrobić.

worth II [łe:θ] wartość.

would [łud] *GRAM* **1** (czynności przyszłe w czasie przeszłym): *She said she would come.* Powiedzia-

ła, że przyjdzie. **2** (tryb przypuszczający): *It would be foolish.* To byłoby głupie. **3** (w prośbach, propozycjach): *Would you like...?* Czy miałbyś ochotę...?

would-be [łu:dbi:] **1** niedoszły. **2** potencjalny.

wound I *zob.* **wind**.

wound II [łu:nd] rana.

wound III [łu:nd] zranić.

wounded [łu:ndid] ranny.

wove *zob.* **weave**.

woven *zob.* **weave**.

wrap [ræp] (II / III **wrapped**) **1** owinąć. **2** zapakować.

wreath [ri:θ] wieniec.

wreck [rek] wrak (*też przen.*).

wrestle [resl] walczyć w zapasach.

wrestling [reslin] zapasy (sport).

wretched [reczid] nędzny.

wring [rin] (II / III **wrung** [ran]) wykręcić (pranie).

wrinkle [rinkl] zmarszczka.

wrist [rist] nadgarstek.

write [rajt] (II **wrote** [reut], III **written** [ritn]) pisać.

◆ **write** *sth* **down** zanotować coś.

writer [rajte] pisarz, pisarka.

written [ritn] pisemny.

wrong I [ron] **1** zły. **2** błędny. **3** nie w porządku. **4** *You're wrong.* Mylisz się.

wrong II [ron] źle.

wrote *zob.* **write**.

X [eks] dwudziesta czwarta litera alfabetu.

X-certificate [eksset̄ifikᵉt] *BR* dozwolony od 18 lat (film).

xenophobia [zenᵉfᵉubiᵉ] ksenofobia.

xenophobic [zenᵉfᵉubik] ksenofobiczny.

xerox (**Xerox**) [ziᵉroks] **1** kserograf, kserokopiarka. **2** kserokopia, ksero.

XL *extra-large* rozmiar XL.

Xmas [eksmᵉs] *nieform. Christmas* Boże Narodzenie

X-rated [eksrejtid] (dozwolony) od lat 18 (film).

X-ray [eksrej] zdjęcie rentgenowskie.

Y [łaj] dwudziesta piąta litera alfabetu.

yacht [jot] jacht.

yacht club [jotklab] jachtklub.

yard [ja:d] **1** jard (0,9144 m). **2** podwórko.

yawn [jo:n] ziewać.

year [ji*e* / je:] **1** rok. **2** lata (przy określaniu wieku): *He is 15 years old.* On ma 15 lat.

yeast [ji:st] drożdże.

yell [jel] krzyczeć, wrzeszczeć.

yellow [jel*eu*] żółty.

yes [jes] tak.

yesterday [jest*e*dej / jest*e*di] wczoraj.

yet [jet] **1** a mimo to: *He was shot, and yet he still managed to escape.* Został postrzelony, a mimo to udało mu się uciec. **2** jeszcze nie: *He hasn't arrived yet.* On jeszcze nie przyjechał. **3** już: *Has she arrived yet?* Czy ona już jest (przyjechała)?

yoghurt (**yogurt**, **yoghourt**) [jog*e*t] jogurt: *natural yoghurt* jogurt naturalny.

yolk [j*euk*] żółtko.

you [je / ju / *mocne* ju:] **1** ty, ciebie, tobie; *form.* pan, pani. **2** wy, was, wam; *form.* panie, panowie, państwo.

young [ja*n*] *the young* młodzi, młodzież.

your [je: / *mocne* jo:] **1** twój, twoja, twoje; *form.* pański, pani. **2** wasz, wasza, wasze, wasi; *form.* państwa.

yours [jo:z] (jeżeli nie występuje po nim rzeczownik) **1** twój, twoja, twoje; *form.* pański, pani: *Is it yours?* Czy to twoje? **2** wasz, wasza, wasze, wasi; *form.* państwa: *Our shirts are blue and yours are red.* Nasze koszule są niebieskie, a wasze czerwone. **3** *Yours faithfully (sincerely)* z poważaniem (w listach).

yourself [jeself] (*l.mn.* **yourselves** [jeselwz]) **1** się, siebie, sobie (w odniesieniu do ciebie, pana, pani): *Don't hurt yourself!* Nie zrań się!; *Go with Ann and buy yourselves some ice cream.* Idź z Anną i kupcie sobie lody. **2** (ty, pan, pani) sam, sama, osobiście: *Did you do it yourself?* Czy zrobiłeś to sam?

youth [ju:θ] **1** młodość. **2** młodzież. **3** nastolatek, młokos.

yummy [jam*i*] *nieform.* mniam, mniam!

yuppie [jap*i*] *nieform. pejor.* młody biznesmen, japiszon.

Z

Z [zed] dwudziesta szósta litera alfabetu.

zeal [zi:l] entuzjazm.

zealous [zel*es*] zagorzały.

zebra [zebr*e* / **zi:**br*e*] zebra (zwierzę).

zebra crossing [zebr*e* kr*o*si*n* / **zi:**br*e* kr*o*si*n*] przejście dla pieszych.

zenith [zeni*θ*] **1** zenit. **2** *przen.* apogeum.

zero [zi*e*r*eu*] zero.

zest [zest] radość.

zip [zip] (II / III **zipped**) **1** *zip sth open* odpiąć coś (zamkiem błyska-

wicznym). **2** *zip sth shut* zapiąć coś (zamkiem błyskawicznym). **3** *komp.* dokonać kompresji.

zip fastener [zipfa:sn*e*] zamek błyskawiczny, suwak.

zit [zit] *nieform.* pryszcz.

zodiac [z*eu*diæk] zodiak: *the signs of the zodiac* znaki zodiaku.

zone [z*eu*n] strefa.

zoo [zu:] zoo.

zoological [z*eu*el*o*dżikl] zoologiczny.

zoology [z*eu*el*o*dżi] zoologia.

zoom [zu:m] zoom (w aparacie fotograficznym).

MINIROZMÓWKI
ANGIELSKO-POLSKIE

1. PRZEDSTAWIAMY SIEBIE

How do you do? My name is John Smith. *Nazywam się John Smith.*
[haudjud**u** majne**j**miz ...]
Odpowiadamy:
I'm Jane. How do you do! *Jestem Jane. Miło mi.*
[ajm ... haudjud**u**]
"How do you do" *jest formułą grzecznościową. Odpowiadamy również* "How do
you do". *Jest to odpowiednik polskiego* "Miło mi".

How do you do? I'm Jennifer Rush. *Jestem Jennifer Rush.*
[haudjud**u** ajm ...]
Odpowiadamy:
Pleased to meet you. *Miło mi panią poznać.*
[pli:zd te**mi**:tju]

Hello! My name is Sean Clark. *Cześć! Nazywam się Sean Clark.*
[hel**eu** majne**j**miz ...]
Odpowiadamy:
Hello! Nice to meet you! I'm Justin Gamble. *Cześć! Miło cię poznać.*
[hel**eu**] [najste**mi**:tju] [ajm]... *Jestem Justin Gamble.*

Hi! I'm Brad Pitt. *Cześć! Jestem Brad Pitt.*
[haj ajm ...]
Odpowiadamy:
Hi! / Hello! Nice / Pleased to meet you. *Cześć! Miło cię poznać.*
[haj / hel**eu**] [najs/pli:zdte**mi**:tju]

2. PRZEDSTAWIAMY KOGOŚ

George, this is Brenda. Brenda, this is George. *George, to jest Brenda.*
[... ðisiz ... ðisiz...] *Brenda, to jest George.*

Mary, I'd like you to meet Ann. *Mary, chcę, żebyś poznała Ann.*
[... ajdl**a**jk jute**mi**:t ...]

I'd like to introduce Professor Gibson
of the University of Illinois.
[ajdlajk teintredju:s ...]

*Chciałbym przedstawić Profesora
Gibsona z uniwersytetu Illinois.*

3. WITAMY SIĘ

Good morning.
[gudmo:nin]
Odpowiadamy:
Good morning.
[gudmo:nin]

Dzień dobry. (tylko do południa)

Dzień dobry.

Good afternoon.
[guda:ftenu:n]
Odpowiadamy:
Good afternoon.
[guda:ftenu:n]

*Dzień dobry. (tylko od południa do
wieczora czyli 12.00 - ok. 18.00)*

Dzień dobry.

Good evening.
[gudi:wnin]
Odpowiadamy:
Good evening.
[gudi:wnin]

Dobry wieczór.

Dobry wieczór.

Hello!
[heleu]
Odpowiadamy:
Hello!
[heleu]

Cześć!

Cześć!

Hi!
[haj]
Odpowiadamy:
Hi! / Hello!
[haj / heleu]

Cześć!

Cześć!

Good to see you.
[gudtesi:ju]
Odpowiadamy:
Nice to see you, too.
[najstesi:ju tu:]

Miło cię widzieć!

Ciebie również.

4. ŻEGNAMY SIĘ

Goodbye.	*Do widzenia.*
[gudb**aj**]	
Odpowiadamy:	
Goodbye.	*Do widzenia.*
[gudb**aj**]	

Goodnight.	*Dobranoc.*
[gudn**aj**t]	
Odpowiadamy:	
Goodnight.	*Dobranoc.*
[gudn**aj**t]	

Bye!	*Pa!*
[baj]	
Odpowiadamy:	
Bye! / Bye-bye!	*Pa!*
[baj] / [bajb**aj**]	

See you soon.	*Do zobaczenia wkrótce.*
[si:j*e*s**u**:n]	

See you later.	*Do zobaczenia później.*
[si:j*e*l**ej**t*e*]	

I must be off.	*Muszę lecieć.*
[ajm**a**st bi:**of**]	

5. PYTAMY O SAMOPOCZUCIE

How are you?	*Jak się masz?*
[hau**a**:j*e*]	
Odpowiadamy:	
I'm fine / all right / OK, and you?	*Świetnie. / W porządku, a ty?*
[ajmf**aj**n / o:lr**aj**t / *e*uk**ej**] [*e*nd**ju**]	

How are things with you?	*Jak leci? / Co słychać?*
[hau**a:** ðin*z*łið**ju**]	
Odpowiadamy:	
So-so.	*Tak sobie.*
[s*e*us*e*u]	

OK, thanks.
[eukej θænks]

Dzięki, w porządku.

6. PYTAMY O ZDROWIE

Are you all right?
[a:ju o:lrajt]
Odpowiadamy:
Yes, I'm all right, thank you.
[jes ajmo:lrajt θænkju]

Dobrze się czujesz? /
Wszystko w porządku?

Tak, czuję się dobrze, dziękuję.

How are you today?
[haua:ju tedej]
Odpowiadamy:
I'm not very well I'm afraid.
[ajmnot weritel ajmefrejd]

Jak się dzisiaj czujesz?

Niestety, nie czuję się najlepiej.

Are you feeling better?
[a:jufi:lin bete]
Odpowiadamy:
I'm much better, thanks.
[ajm maćzbete θænks]

Czy czujesz się lepiej?

Czuję się o wiele lepiej, dziękuję.

7. POZDROWIENIA I ŻYCZENIA

All the best.
[o:l ðebest]
Odpowiadamy:
Thank you (very much).
[ðænkju (werimać)]

Wszystkiego najlepszego.

Dziękuję (bardzo).

Happy birthday!
[hæpi be:θdej]
Odpowiadamy:
Thanks a lot. / Thank you very much.
[θænks elot] / [θænkju werimać]

Wszystkiego najlepszego
z okazji urodzin.

Wielkie dzięki. / Bardzo dziękuję.

Happy anniversary!
[hæpi æniwe:seri]

Wszystkiego najlepszego
z okazji rocznicy!

Good luck.
[gudlak]

Powodzenia.

Odpowiadamy:
Thanks.   *Dzięki.*
[θænks]

Enjoy yourself. / Have a good time.   *Baw się dobrze.*
[indżoj jo:self] / [hewegudtajm]

A Merry Christmas to you. / Merry Christmas!   *Wesołych Świąt!* (*Boże Narodzenie*)
[e meri krismes teju] / [meri krismes]
Odpowiadamy:
Thank you, the same to you! / Thank you.   *Dziękuję, nawzajem.*
And Merry Christmas to you too!
[θænkju ðesejm teju] / [θænkju
end meri krismes tejutu:]

A Happy New Year!   *Szczęśliwego Nowego Roku!*
[e hæpi nju: je:]
Odpowiadamy:
The same to you, too. /   *Nawzajem!*
And a Happy New Year to you, too.
[ðesejm tejutu:] / [end e hæpi nju: je: tejutu:]

Happy Easter!   *Wesołych Świąt!* (*Wielkanoc*)
[hæpi i:ste]
Odpowiadamy:
The same to you, too. /   *Nawzajem!*
And a Happy Easter to you, too.
[ðesejm tejutu:] / [end e hæpi i:ste tejutu:]

8. ZWRACAMY NA SIEBIE UWAGĘ

Excuse me!   *Przepraszam!*
[ikskju:zmi]
Odpowiadamy:
Yes?   *Tak?*
[jes]

Excuse me. Could you tell me where the railway   *Przepraszam, czy może mi pan (pani)*
station is, please?   *powiedzieć, gdzie jest dworzec?*
[ikskju:zmi] [kudje telmi łe: ðerejłłej
stejszn iz pli:z]

Excuse me. Are you Doctor Gibson?	*Przepraszam, doktor Gibson?*
[ikskju:zmi] [a:ju]...	

9. PRZERYWAMY NA CHWILĘ (rozmowę)

Excuse me a moment.	*Przepraszam na moment.*
[ikskju:zmi e meument]	
Odpowiadamy:	
That's perfectly all right.	*Nic nie szkodzi. / Bardzo proszę.*
[ðets pe:fiktli o:lrajt]	

Excuse me, I'll be right back.	*Przepraszam, zaraz wracam.*
[ikskju:zmi ajlbi rajtbæk]	

10. DZIĘKUJEMY

Thank you very much.	*Bardzo dziękuję.*
[θænkju werimaćz]	
Odpowiadamy:	
Don't mention it.	*Drobiazg.*
[deunt mensznit]	

Thank you very much indeed.	*Serdecznie dziękuję.*
[θænkju werimaćz indi:d]	
Odpowiadamy:	
You're welcome.	*Proszę.*
[jo:łelkem]	

I'm very grateful for your help.	*Jestem bardzo wdzięczny za pomoc.*
[ajm weri grejtfl fejo:help]	
Odpowiadamy:	
I'm glad I was able to help.	*Cieszę się, że mogłem pomóc.*
[ajmglæd ajłezejbl tehelp]	

11. PRZEPRASZAMY

Oh, I'm sorry.	*Och, przepraszam.*
[eu ajmsori]	
Odpowiadamy:	
That's quite all right.	*Nic nie szkodzi.*
[ðets kłajto:lrajt]	

I'm very sorry.   *Bardzo przepraszam.*
[ajm weri sori]
Odpowiadamy:
It really doesn't matter at all.   *Naprawdę nic się nie stało.*
[it rijeli dazntmæte reto:l]

I'm terribly sorry.   *Strasznie przepraszam.*
[ajm teribli sori]
Odpowiadamy:
Not at all.   *Nic nie szkodzi.*
[noteto:l]

Sorry I'm late.   *Przepraszam za spóźnienie.*
[sori ajmlejt]
Odpowiadamy:
That's all right.   *W porządku.*
[ðets o:lrajt]

12. GRATULUJEMY

Congratulations!   *Moje gratulacje!*
[kengræćzulejśznz]
Odpowiadamy:
Thank you!   *Dziękuję!*
[θænkju]

Let me congratulate you on your promotion.   *Proszę mi pozwolić pogratulować*
[letmi kengræćzulejt ju onjo: premeuśzn]   *panu (pani) awansu.*
Odpowiadamy:
Thank you very much!   *Bardzo dziękuję!*
[θænkju werimaćz]

13. REAGUJEMY NA WIADOMOŚCI

We are getting married.   *Pobieramy się!*
[łi a: getin mærid]
Odpowiadamy:
That's wonderful news!   *To wspaniała wiadomość!*
[ðets łandefl nju:z]

I've failed the exam.   *Nie zdałem egzaminu.*
[ajwfejld ði igzæm]
Odpowiadamy:
I'm very sorry to hear that.   *Przykro mi.*
[ajm weri sori tehijeðæt]

My mum is having an operation next Tuesday.   *Moja mama ma w przyszły wtorek*
[majmam iz hæwin en operejszn nekst tjuzdi]   *operację.*
Odpowiadamy:
Oh, dear, I'm awfully sorry.   *O, strasznie mi przykro.*
[eu die ajm o:fli sori]

14. PROSIMY O POWTÓRZENIE (gdy nie dosłyszymy)

Pardon? / I beg you pardon? / I'm sorry?   *Słucham?*
[pa:dn] / [ajbeg jo:pa:dn] / [ajm sori]

Sorry, what did you say?   *Słucham? Co pan powiedział*
[sori łotdid jesej]   *(pani powiedziała)?*

Could you repeat the name, please?   *Czy mógłby pan (mogłaby pani)*
[kudje ripi:t ðenejm pli:z]   *powtórzyć to nazwisko (tę nazwę)?*

I'm sorry, would you mind repeating that   *Przepraszam, czy mógłby pan*
again, please?   *(mogłaby pani) to powtórzyć?*
[ajmsori łudjemajnd ripi:tin ðet egejn pli:z]

15. PYTAMY O POZWOLENIE

Can I use the phone, please?   *Czy mogę skorzystać z telefonu?*
[kenaju:z ðefeun pli:z]
Odpowiadamy:
Yes, of course.   *Tak, oczywiście.*
[jes ewko:s]

Do you mind if I smoke?   *Czy będzie pan miał (pani miała)*
[dejemajnd ifajsmeuk]   *coś przeciwko temu, że zapalę?*
Odpowiadamy:
No, of course not. Please do.   *Nie, oczywiście, że nie.*
[neu ewko:snot pli:zdu]   *Proszę bardzo.*
Sorry, I'm afraid it's impossible.   *Przykro mi, ale tak.*
[sori ajmefrejd itsimposibl]

16. PROPONUJEMY

Will you have a cup of tea?   *Napijesz się herbaty?*
[łiljehæw ekap ełti:]
Odpowiadamy:
Yes, please.   *Tak, proszę.*
[jes pli:z]
No, thanks.   *Nie, dziękuję.*
[neu θænks]

Would you like something to drink?   *Czy masz ochotę na coś do picia?*
[łudjelajk samθin tedrink]

What can I get you?   *Co ci mogę podać?*
[łotkænaj getju]

Shall I help you?   *Pomóc ci (panu / pani)?*
[śzælaj helpju]
Odpowiadamy:
Thank you, that's very kind of you.   *Dziękuję, to miło z twojej strony.*
[θænkju ðetsweri kajndewju]

17. PYTAMY O INFORMACJĘ / DROGĘ

Excuse me, do you know where the   *Przepraszam, gdzie jest basen?*
swimming pool is?
[ikskju:zmi dejeneu łe: ðesłiminpuliz]
Odpowiadamy:
I'm afraid / I'm sorry. I don't know.   *Niestety (Przykro mi) nie wiem.*
[ajmefrejd (ajm sori) aj deuntneu]

Can you tell me...?   *Czy może mi pan (pani)*
[kenjetelmi...]   *powiedzieć...?*

Excuse me, where is the station?   *Przepraszam, gdzie jest stacja?*
[ikskju:zmi łe:riz ðestejśzn]

Excuse me, how do I get to the hotel?   *Przepraszam, jak się dostać do*
[ikskju:zmi hau duajgette ðeheutel]   *hotelu?*

Where is the post office, please?   *Gdzie jest poczta?*
[łe:riz ðe peustofis pli:z]

Could you tell me the way to the nearest police station?
[kudje telmi θełej teðenierist peli:sstejśzn]

Czy mógłby mi pan (mogłaby mi pani) powiedzieć, gdzie jest najbliższy posterunek policji?

18. PYTAMY O GODZINĘ

What time is it? / What's the time?
[łottajm izit / łotsðetajm]

Która jest godzina?

It's eight (o'clock).
[its ejteklok]

Jest (godzina) ósma.

It's eight pm.
[its ejtpi:em]

Jest dwudziesta (ósma wieczorem).

It's quarter past six.
[its kło:te pa:stsiks]

Jest kwadrans po szóstej.

It's ten past seven.
[its ten pa:stisewn]

Jest dziesięć po siódmej.

It's quarter to four.
[its kło:te tefo:]

Jest za kwadrans czwarta.

It's five to nine.
[its fajw tenajn]

Jest za pięć dziewiąta.

It's half past three.
[its ha:fpa:stθri:]

Jest wpół do czwartej.

19. W SKLEPIE

Can I help you?
[kenaj helpju]

Czym mogę (pani / panu) służyć?

I'd like to buy...
[ajdlajk tebaj ...]

Chciałbym (Chciałabym) kupić...

I'm just looking round.
[ajmdżast lukin raund]

Tylko się rozglądam.

Could you show me...?
[kudje szeumi ...]

Czy może mi pan (pani)
pokazać...?

How much is this postcard?
[haumać izðis peustka:d]

Ile kosztuje ta pocztówka?

How much are these shoes?
[haumać a:ði:z szu:z]

Ile kosztują te buty?

What size is it?
[łotsajz izit]

Jaki to jest rozmiar?

I need a larger / smaller size.
[ajni:d ela:dże / smo:le sajz]

Potrzebuję większego /
mniejszego rozmiaru.

Could I see that one, please?
[kudajsi: ðætłan pli:z]

Czy mogę obejrzeć tamten (tamtą)?

May I try it on?
[mejaj trajiton]

Czy mogę to przymierzyć?

Do you accept credit cards?
[deju eksept kreditka:dz]

Czy przyjmujecie (państwo) karty
kredytowe?

Can I pay by cheque?
[kenajpej bajczek]

Czy mogę zapłacić czekiem?

20. W BANKU

Do you cash travellers' cheques?
[dejukaész træwelez czeks]

Czy można (u państwa) zrealizować
czeki podróżne?

I want to change pounds into dollars.
[ajłont teczejndż paundz intedolez]

Chciałbym wymienić funty na
dolary.

How much do I get for a pound?
[haumać duajget ferepaund]

Ile dostanę za funt?

What is the rate of exchange?
[łotiz ðerejt ewiksczejndż]

Jaki jest kurs wymiany?

I want to open a bank account.
[ajłont te eupen ebænkekaunt]

Chciałbym otworzyć rachunek.

21. NA STACJI KOLEJOWEJ

Where is the ticket office, please?
[łe:riz ðe tikitofis pli:z]

Gdzie jest kasa (biletowa)?

Where is the left luggage office?
[łe:riz ðeleftlagidżofis]

Gdzie jest przechowalnia bagażu?

a first class ticket / a second class ticket to...
[efe:stkla:s tikit / e sekendkla:s tikit tu ...]

bilet pierwszej klasy /
bilet drugiej klasy do ...

a single (ticket)
[e singl (tikit)]

bilet w jedną stronę

a second class single to...
[e sekendkla:s singl tu ...]

bilet drugiej klasy w jedną stronę do...

a return ticket
[erite:n tikit]

bilet powrotny

How much is the first class ticket to...?
[haumaćziz ðe fe:stkla:s tikit tu ...]

Ile kosztuje bilet pierwszej klasy
do...?

I want to reserve two seats.
[ajłont terize:w tusi:ts]

Chciałbym zarezerwować dwie
miejscówki.

When is the next train to...?
[łeniz ðenekst trejn tu ...]

Kiedy jest następny pociąg do...?

What time does the train for... leave?
[łottajm dasðetrejn fe ... li:w]

O której godzinie odjeżdża pociąg
do...?

Which platform does the train for... leave from?
[łićz plætfo:m dasðetrejn fe ... li:wfrom]

Z którego peronu odjeżdża pociąg
do...?

What time does the train get to...?
[łottajm dasðetrejn gette ...]

O której godzinie ten pociąg
dojeżdża do...?

22. W RESTAURACJI

I'd like to book a table.
[ajdlajk tebuk etejbl]

Chciałbym zarezerwować stolik.

I've reserved a table.
[ajw rize:wd etejbl]

Zarezerwowałem stolik.

May I see the menu?
[mejajsi: ðemenju:]

Czy mogę prosić kartę (menu)?

What is the speciality of the restaurant?
[łotiz ðespeśziæleti ewðerestront]

Jaka jest specjalność (tej) restauracji?

May I have..., please?
[mejajhæw ... pli:z]

Czy mogę prosić / Czy dostanę...?

I'd like (we'd like) to order now.
[ajdlajk (łidlajk) teo:denau]

Chciałbym (Chcielibyśmy) już złożyć zamówienie.

The bill, please.
[ðebil pli:z]

Proszę o rachunek.

Do you take credit cards?
[dejetejk kreditka:dz]

Czy można płacić kartą kredytową?

Does the bill include the service?
[dasðebil inklu:d ðese:wis]

Czy obsługa jest wliczona do rachunku?

CZĘŚĆ
POLSKO-ANGIELSKA

a 1 and: *a jednak* and yet; *Napiję się soku, a ty?* I'll have a glass of juice, and you? **2** (*alternatywa lub propozycja*) what about, how about: *Nie możemy się spotkać w piątek. A w sobotę?* So we can't meet on Friday. What about (How about) Saturday? **3** oh!, ah!: *A! To ty!* Oh (Ah), it's you!

abażur lampshade.

abdykować abdicate.

abonament season ticket, subscription.

abonent subscriber.

aborcja abortion.

absolutnie absolutely, definitely: (*Ona*) *wierzyła mu absolutnie.* She trusted him absolutely.

absolutny absolute, definite.

absolwent graduate.

abstrakcja 1 abstract. **2** (*pojęcie*) abstraction.

abstrakcyjny abstract.

abstynent teetotaller, abstainer.

absurd absurdity, nonsense.

absurdalny absurd.

aby to, in order to: *Poprosiłam go, aby mnie podwiózł.* I asked him to give me a lift.

adapter record player.

adaptować się adapt, adjust: *Oczy szybko adaptują się do ciemności.* Eyes quickly adapt (adjust) themselves to the dark.

adidasy trainers.

administracja 1 (*szpitala*) administration, management. **2** (*państwowa*) administration. **3** (*przedsiębiorstwa*) management.

administracyjny administrative.

administrator administrator.

adopcja adoption.

adoptować adopt.

adres address: *adres domowy* home address; *adres do pracy* business address; *komp. adres internetowy* internet address; *komp. adres poczty elektronicznej* e-mail address; *Pod jakim adresem ona mieszka?* What address does she live at?

adresat addressee.

adwokat (*zawód*) lawyer, barrister, (*BR niższe sądy*) solicitor.

aerobik aerobics.

aerodynamiczny aerodynamic.

aerozol aerosol.

afera 1 (*wydarzenie*) event, incident. **2** (*wbrew prawu*) scandal.

afisz poster.

agencja agency: *agencja reklamowa* advertising agency; *agencja turystyczna* travel agency.

agent agent.

agrafka safety-pin.

agresja aggression.

agrest gooseberry.

agresywny aggressive.

akademia 1 (*instytucja*) academy. 2 (*uroczystość*) festive celebration.

akademicki academic: *rok akademicki* academic year; *dom akademicki* students' hostel, hall of residence.

akcent 1 (*sposób mówienia*) accent: *Oni mówią z obcym akcentem.* They speak with a foreign accent. 2 (*sylaba*) accent, stress.

akceptacja acceptance.

akceptować 1 accept (*coś* sth). 2 (*wyrazić zgodę*) agree (*coś* with sth), approve (*coś* of sth).

akcja 1 (*w książce*) action, plot, story: *Akcja rozgrywała się w wielkim mieście.* The action took place in a big city. 2 (*działanie*) action: *akcja ratunkowa* rescue action. 3 (*w ekonomii*) share, (*l.mn. akcje*) stock.

akr (*4047 m²*) acre.

aksamit velvet.

aksamitny 1 (*materiał*) velvet. 2 (*głos*) velvety.

akt 1 (*czyn*) act, deed. 2 (*część utworu*) act. 3 (*nagie ciało w sztuce*) nude. 4 (*dokument*) document,

certificate: *akt urodzenia* birth certificate; *akt małżeństwa* marriage certificate; *akt zgonu* death certificate.

aktor actor.

aktorka actress.

aktualizacja updating: *komp. aktualizacja danych* data updating.

aktualnie currently, at present.

aktualny current.

aktywność activity.

aktywny active.

akumulator battery: *naładować akumulator* charge a battery; *rozładować akumulator* discharge a battery.

akurat 1 (*dokładnie*) exactly: *To jest akurat to słowo, którego użyłem.* This is exactly the word I used. 2 (*w danym momencie*) just: *On akurat wyszedł.* He has just left.

akustyczny acoustic.

akwarela watercolour.

akwarium aquarium.

akwizycja canvassing.

akwizytor canvasser.

alarm alarm: *podnieść alarm* raise the alarm; *fałszywy alarm* false alarm; *alarm pożarowy* fire alarm.

alarmować alarm.

albo 1 or: *„być albo nie być"* 'to be or not to be'; *albo też* or else; *Pomów z nią albo przestań narzekać.* Talk to her, or else stop complaining. 2 *albo..., albo...* either... or...: *Możesz pojechać albo pociągiem,* *albo samochodem.* You can go either by train or by car.

album album.

ale 1 (*lecz*) but. **2** (*a jednak*) yet, but. **3** (*jednakże*) however, but.

aleja 1 (w *ogrodzie*) alley. **2** (*ulica*) avenue.

alergia allergy (*na coś* to sth).

alfabet alphabet.

alfabetyczny alphabetical.

alga alga.

algebra algebra.

alibi alibi.

aligator alligator.

alimenty alimony.

alkohol 1 (w *chemii*) alcohol. **2** (*napój*) alcohol, spirits.

alkoholik alcoholic.

alkoholowy alcoholic: *napoje alkoholowe* alcoholic drinks, spirits.

alpinista mountaineer, alpinist.

alternatywa alternative.

alternatywny alternative.

aluminium aluminium.

aluzja allusion (*do czegoś* to sth), hint (*do czegoś* about sth).

amator 1 (*nieprofesjonalista*) amateur. **2** (*zwolennik*) lover, fan.

ambasada embassy.

ambasador ambassador.

ambicja ambition.

ambitny ambitious.

ambulans ambulance.

ambulatorium out-patients' clinic.

amen amen.

amerykański American.

amnestia amnesty.

amortyzacja 1 (w *ekonomii*) amortization. **2** (*wstrząsów*) shock absorption.

amunicja ammunition, *l.mn.* munitions.

analfabeta illiterate.

analityk analyst.

analiza analysis.

analizować analyse (*AM* analyze).

analogia analogy.

analogiczny analogous.

ananas pineapple.

anarchia anarchy.

anatomia anatomy.

aneks (*do książki*) appendix, (*do dokumentu*) annex (*BR też* annexe).

anemia anaemia.

anemiczny anaemic.

angażować (*do pracy*) engage, hire, employ.

angielski English: *język angielski* English, the English language; *mówić po angielsku* speak English.

angina throat infection, tonsilitis.

Anglik Englishman, English: *Anglicy* the English.

ani 1 not even, not a: *ani razu* not even once; *ani trochę* not a bit; *ani śladu* not a trace. **2** *ani..., ani...* neither... nor...

animacja animation.

animowany animated.

anioł angel.

ankieta questionnaire.

anonimowy anonymous.

antena aerial, antenna: *antena telewizyjna* TV aerial; *antena satelitarna* satellite dish.

antologia anthology.

antybiotyk antibiotic.

antyczny 1 (*starożytny*) ancient, antique. **2** (*zabytkowy*) antique.

antyk 1 (*przedmiot*) antique. **2** (*mebel antyczny*) piece of antique furniture. **3** (*starożytność*) antiquity.

antykoncepcja contraception.

antykoncepcyjny contraceptive: *środek antykoncepcyjny* contraceptive.

antyseptyczny antiseptic.

anulować annul, cancel.

aparat apparatus, device: *aparat fotograficzny* camera; *aparat telefoniczny* telephone set.

apartament 1 (*w hotelu*) suite. **2** (*mieszkanie*) flat, apartment.

apatyczny apathetic.

apelacja appeal.

apetyczny appetizing.

apetyt appetite.

aplikacja (*program komp.*) application.

aprobować approve (*coś* of sth), consent (*coś* to sth).

apteczka 1 (*pierwszej pomocy*) first aid kit. **2** (*szafka*) medicine cabinet.

apteka chemist's (shop), *AM* drugstore, pharmacy.

arabski 1 (*o państwie*) Arab. **2** (*o języku*) Arabic. **3** (*o cyfrach*) Arabic. **4** (*w nazwach geograficznych*) Arabian.

arbuz watermelon.

archeolog archaeologist.

archeologia archaeology.

architekt architect.

architektura architecture.

archiwum archives (*tylko l.mn.*).

arcybiskup archbishop.

arcydzieło masterpiece.

areszt 1 (*pozbawienie wolności*) arrest, custody. **2** (*pomieszczenie*) prison.

aresztować arrest, detain.

argument argument.

armata cannon.

armia army.

aromat aroma.

artykuł 1 (*w gazecie*) article. **2** (*przedmiot*) article, (*towar*) commodity: *artykuły* goods; *artykuły gospodarstwa domowego* household goods; *artykuły piśmienne* stationery; *artykuły spożywcze* groceries.

artyleria artillery.

artysta artist.

artystka artist.

artystyczny artistic.

arystokracja aristocracy.

arystokrata aristocrat.

arystokratyczny aristocratic.

arytmetyczny arithmetic, arithmetical.

arytmetyka arithmetic.

as 1 (*karta*) ace: *as pik* ace of spades. **2** *przen.* ace.

aseptyczny aseptic, sterile.

asortyment assortment, stock.

aspiryna aspirin.

astma asthma.

astrologia astrology.

astronauta astronaut.

astronomia astronomy.

astronomiczny astronomical.

asystent assistant.

asystentka assistant.

atak 1 (*napad*) attack, assault. **2** (*w sporcie*) attack, offensive. **3** (*atak choroby*) attack, fit: *atak serca* heart attack.

atakować attack, assault.

ateista atheist.

atest certificate.

atlas atlas.

atletyka (*lekka atletyka*) athletics.

atłas satin.

atmosfera 1 (*w geografii*) atmosphere. **2** (*nastrój*) atmosphere, mood, spirit.

atomowy atomic, nuclear.

atrakcyjny attractive.

atrament ink: *pisać atramentem* write in ink.

aukcja auction.

aula hall.

autentyczny authentic, genuine, real.

auto car.

autobiografia autobiography.

autobus bus: *jechać autobusem* go by bus.

autograf autograph.

autokar coach.

automat 1 (*robot*) automaton. **2** (*do napojów, do gier*) slot machine. **3** (*telefon*) public telephone.

automatyczny automatic: *sekretarka automatyczna* answerphone, answering machine.

autonomia autonomy.

autonomiczny autonomous.

autoportret self-portrait.

autor author.

autorka author.

autorytet authority.

autostop hitchhiking.

autostopowicz hitchhiker.

autostrada *BR* motorway, *AM* expressway.

awangarda avant-garde.

awangardowy avant-garde.

awans promotion.

awantura row.

awaria breakdown, failure.

awaryjny emergency: *wyjście awaryjne* emergency exit.

azbest asbestos.

azot nitrogen.

azyl asylum, political asylum.

aż 1 (*o czasie*) *aż do teraz* till now, until now, up to now. **2** (*o przestrzeni*) *aż do tego miejsca* up to here. **3** (*o ilości*) *aż nadto* more than enough; *aż 5 tysięcy* as many as five thousand.

B

baba 1 (*kobieta*) female. **2** *pejor.* (*wieśniaczka*) peasant woman. **3** (*ciasto*) cake.

babcia grandmother.

bachor *nieform.* brat.

baczki whiskers.

baczny watchful, attentive.

bać się be afraid, fear, dread: *On boi się, że straci pracę.* He's afraid of losing his job.; *Ona boi się wyjść z domu.* She's afraid to go out.; *Boimy się o ich bezpieczeństwo.* We fear for their safety.

badacz 1 (*np. odkrywca*) explorer. **2** (*naukowiec*) scientist, research worker.

badać 1 (*odkrywać*) explore. **2** (*naukowo*) do research, investigate, study. **3** (*medycyna*) examine: *badać pacjenta* examine a patient.

badanie 1 (*kontrola*) investigation. **2** (*naukowe*) research. **3** (*lekarskie*) examination.

badminton badminton.

bagaż luggage, baggage: *przechowalnia bagażu* left-luggage office; *bagaż ręczny* hand luggage.

bagażnik 1 (*w samochodzie*) boot, AM trunk. **2** (*dachowy*) roof-rack.

bagażowy I (*osoba*) porter.

bagażowy II (*o bagażu*) luggage: *wagon bagażowy* luggage van.

bagno bog, (*moczar*) marsh, (*trzęsawisko*) swamp.

bajka 1 fairy tale. **2** (*przen., w literaturze*) fable.

bajt *komp.* byte.

bak 1 (*pojemnik*) tank. **2** *l.mn.* **baki** (*bokobrody*) whiskers.

bakteria bacterium.

bal 1 (*zabawa*) ball: *bal przebierańców (kostiumowy)* fancy dress ball. **2** (*drzewa*) log.

balansować balance.

balet ballet.

balkon balcony.

balon balloon.

balsam (*też przen.*) balm, balsam.

balustrada rail, balustrade.

bałagan mess, disorder: *robić bałagan* make a mess, mess up.

bałwan snowman.

bambus bamboo.

banalny banal, trivial.

banan banana.

banda 1 (*przestępcza*) gang, band. **2** *nieform.* (*przyjaciół*) bunch, company.

bandaż bandage.

bandera flag.

bandyta bandit.

bank bank: *oddział (filia) banku* branch bank; *wpłacać do banku* pay into the bank; *podjąć pieniądze z banku* draw money out of the bank.

bankier banker.

banknot bank note, note, *AM* bill.

bankomat automatic teller machine.

bankowy bank: *konto bankowe* bank account; *kredyt bankowy* bank credit; *przelew bankowy* bank transfer.

bankructwo bankruptcy.

bankrut bankrupt.

bankrutować go bankrupt.

bar bar: *bar samoobsługowy* self-service bar; *bar szybkiej obsługi* fast food restaurant.

baran 1 ram. 2 *Baran* (*znak zodiaku*) Aries.

bardziej more: *tym bardziej* all the more; *coraz bardziej* more and more; *im bardziej..., tym bardziej* the more... the more: *Im bardziej go kocham, tym bardziej tęsknię za nim.* The more I love him, the more I miss him.

bardzo 1 (*z przymiotnikiem, przysłówkiem*) very, (*z czasownikiem*) very much: *To jest bardzo dobry film.* It's a very good film.; *Dziękuję bardzo.* Thank you very much.; *On bardzo mi się podoba.* I like him very much. 2 *Proszę bardzo.* (*przyzwolenie*) By all

means. 3 *za bardzo* too much: *Nie można kochać za bardzo.* You can't love too much. 4 *nie za bardzo* hardly, not quite: *„Wiesz, o co mi chodzi?" „Nie za bardzo".* 'Do you know what I mean?' 'Not quite.'

bariera barrier.

barierka rail, railing.

bark shoulder.

barman barman, *AM* bartender.

barmanka barmaid.

barwny 1 (*kolorowy*) coloured (*AM* colored). 2 (*o żywych kolorach*) colourful (*AM* colorful). 3 *przen.* vivid, colourful: *barwny opis* vivid description.

basen swimming pool.

bat whip.

bateria battery, (*w zegarkach elektronicznych*) cell.

baton bar: *baton czekoladowy* chocolate bar.

bawełna cotton.

bawełniany cotton.

bawić 1 (*kogoś*) amuse, entertain. 2 (*dziecko*) baby-sit.

bawić się 1 (*spędzać przyjemnie czas*) have a good time, enjoy oneself: *Baw się dobrze!* Have a good time! 2 (*bawić się w coś z kimś*) play: *bawić się w żołnierzy* play soldiers.

baza 1 (*podstawa*) base. 2 (*wojskowa*) base. 3 *komp.* *baza danych* database.

bazylika basilica.

bąk (*owad*) bumblebee.

beczka barrel.

befsztyk beefsteak, steak: *befsztyk z polędwicy* sirloin steak; *befsztyk dobrze wysmażony* well-done steak; *befsztyk średnio wysmażony* medium steak; *befsztyk niedosmażony* rare steak.

bekon bacon: *plasterek bekonu* bacon rasher; *jajka na bekonie* bacon and eggs.

belka beam.

benzyna petrol, *AM* gas, gasoline: *benzyna bezołowiowa* unleaded petrol.

bestia beast.

bestseler bestseller.

beton concrete.

betonowy concrete: *betonowa dżungla* concrete jungle.

bez I 1 (*kogoś, czegoś*) without (sb, sth): *beze mnie* without me. **2** *bez celu* aimlessly. **3** *bez końca* endlessly. **4** *bez grosza* penniless. **5** *bez wahania* without hesitation. **6** *bez wątpienia* undoubtedly, doubtless. **7** *bez względu na* regardless of.

bez II (*roślina*) lilac.

bezalkoholowy non-alcoholic: *napój bezalkoholowy* soft drink.

bezbarwny 1 (*też przen.*) colourless (*AM* colorless). **2** *przen.* (*nijaki*) dull.

bezbłędny faultless.

bezbolesny painless.

bezbronny 1 (*człowiek*) defenceless. **2** (*narażony na coś*) vulnerable (*wobec czegoś* to sth).

bezcelowy aimless, pointless.

bezcenny priceless, invaluable: *bezcenny obraz* priceless picture; *bezcenna rada* invaluable piece of advice.

bezcłowy duty-free.

bezczelność insolence, (*zuchwałość*) impudence, (*tupet*) cheek.

bezczelny insolent, (*zuchwały*) impudent, cheeky.

bezczynność idleness.

bezczynny idle.

bezdomny I (*pozbawiony domu*) homeless.

bezdomny II (*człowiek*) homeless.

bezgłośny soundless.

bezgraniczny limitless, boundless.

bezgrzeszny sinless.

bezimienny anonymous.

bezkarny unpunished.

bezkompromisowy uncompromising.

bezkonfliktowy peaceful, peace-loving.

bezkonkurencyjny unrivalled.

bezkrytyczny uncritical.

bezlitosny merciless, pitiless.

bezludny uninhabited: *bezludna wyspa* desert island, uninhabited island.

bezmyślność thoughtlessness, (*lekkomyślność*) carelessness.

bezmyślny (*o osobie*) unthinking, thoughtless, (*lekkomyślny*) careless.

beznadziejny hopeless.

bezowocny fruitless, (*daremny*) futile.

bezpieczeństwo safety, security: *środki bezpieczeństwa* security measures; *pas bezpieczeństwa* safety belt.

bezpiecznik fuse.

bezpieczny safe, secure.

bezpłatny free: *„wstęp bezpłatny"* 'admission free'.

bezpłodny 1 (*o potomstwie*) infertile. **2** (*bezproduktywny*) fruitless.

bezpośredni direct, immediate: *pociąg bezpośredni* direct train; *samolot bezpośredni* direct flight.

bezpośrednio directly, immediately: *bezpośrednio odpowiedzialny za coś* directly responsible for sth; *bezpośrednio zagrożony* immediately at risk; *bezpośrednio przed (po) czymś* immediately before (after) sth.

bezpotomny heirless.

bezprawny 1 (*czyn*) illegal. **2** (*areszt*) unlawful.

bezradny helpless.

bezrobocie unemployment.

bezrobotny unemployed.

bezsenność insomnia, sleeplessness.

bezsenny sleepless.

bezsens nonsense, absurdity.

bezsensowny nonsensical, absurd.

bezsilny 1 (*bezradny*) helpless. **2** (*bez siły*) powerless (*wobec czegoś* against sth).

bezskutecznie (*na próżno*) in vain, (*nadaremnie*) vainly: *Bezskutecznie próbowałam z nim porozmawiać.* I tried in vain (vainly) to talk to him.

bezskuteczny vain, (*o metodzie*) ineffective, futile.

bezsporny (*uczciwość*) unquestionable, (*fakt*) indisputable.

bezstronny impartial, unbiased.

bezterminowy (*kontrakt*) open-ended, of unlimited duration.

beztroski (*niefrasobliwy*) unconcerned, light-hearted, (*uśmiech*) carefree.

bezustanny incessant, (*ciągły*) continual.

bezużyteczny useless.

bezwartościowy (*waluta*, *obietnica*) worthless, (*pieniądz*, *ideał*) valueless.

bezwarunkowy unconditional.

bezwładny inert.

bezwonny odourless.

bezwstydny shameless.

bezwzględnie 1 (*surowo*) ruthlessly. **2** (*bezwarunkowo*) absolutely. **3** (*koniecznie*) necessarily.

bezwzględny 1 (*surowy*) ruthless. **2** (*bezwarunkowy*) absolute.

bezzwłocznie immediately.

beżowy beige.

bęben drum.

białaczka leukaemia (*AM* leukemia).

białko 1 (*proteina*) protein. **2 białko jajka** white of an egg. **3 białko czyichś oczu** white of sb's eyes.

biały 1 white: *biała kawa* white coffee. **2 ser biały** (*twaróg*) cottage cheese.

Biblia the Bible.

bibliografia bibliography.

biblioteka library.

bicie 1 (*kijem*) beating. **2** (*uderzenie*) beat: *bicie serca* heartbeat.

bić 1 (*uderzać czymś*) beat, strike. **2** (*drgać*) beat: *Moje serce jeszcze bije.* My heart is still beating. **3** (*godzinę*) strike: *Zegar właśnie wybił piątą.* The clock has just struck five. **4** *bić w dzwony* peal (ring) the bells. **5** *bić brawo* clap one's hands (applaude). **6** *bić na alarm* sound the alarm. **7** (*kogoś, za karę*) beat. **8** (*pokonać*) beat: *Pobili nas w hokeja.* They beat us at hockey. **9** *bić rekord* break (beat) a record.

bić się fight (*z kimś* against sb): *Przestańcie się bić!* Do stop fighting!

biec 1 run: *biec szybko* run fast; *biec do domu* run home. **2** (*położenie*) run: *Droga biegnie równolegle do lasu.* The road runs parallel to the forest. **3** (*o czasie, wydarzeniach*) pass.

bieda (*ubóstwo*) poverty, (*niedostatek*) want, (*nędza*) distress: *żyć w biedzie* live in poverty.

biedak 1 (*cierpiący biedę*) poor man. **2** *przen.* (*biedactwo*) poor creature, poor thing.

biedny 1 (*cierpiący biedę*) poor: *Ona jest tak biedna, że nie stać jej na telewizor.* She is so poor that she can't afford a TV set. **2** (*nieszczęśliwy*) poor, miserable: *Biedna dziewczynka!* Poor little girl!

biedronka ladybird.

bieg 1 (*ruch*) run. **2** (*sportowy*) run, race: *bieg na 100 m przez płotki* the 100 metres hurdles. **3** (*wydarzeń, czasu*) course: *z biegiem czasu* in the course of time. **4** (*w samochodzie*) gear.

biegać run.

bieganie running, (*dla kondycji*) jogging.

biegle (*płynnie*) fluently: *mówić biegle po angielsku* speak English fluently.

biegłość 1 fluency, proficiency. **2** (*wprawa*) skill.

biegły I (*rzeczoznawca*) expert, specialist.

biegły II (*w czymś*) fluent, skilled, proficient.

biegun 1 pole: *biegun północny (południowy)* the North (South) Pole. **2** *fotel na biegunach* rocking chair.

biegunka diarrhoea.

bielizna 1 (*osobista*) underwear, (*damska*) lingerie. **2** (*pościelowa*) linen, bed linen.

bierny 1 (*bezwolny*) passive. **2** (*w językoznawstwie*) **strona bierna** passive voice.

bierzmowanie confirmation.

bieżący 1 (*aktualny*) current, topical. **2** (*płynący*) running: **bieżąca woda** running water.

bilans balance.

bilard billiards.

bilet ticket: **bilet w jedną stronę** single ticket; **bilet powrotny** return ticket; **bilet okresowy** (*np. miesięczny*) season ticket; **bilet ulgowy** half-price ticket.

biodro hip.

biografia biography.

biologia biology.

bis encore: **zagrać na bis** play an encore.

biskup bishop.

bit *komp.* bit.

bitwa battle: **toczyć bitwę** fight a battle; **pole bitwy** battlefield; **bitwa morska** naval battle; **bitwa o...** battle for (over)...

bity *bita droga* beaten track.

biurko desk, writing desk: **siedzieć przy biurku** sit at a desk.

biuro office: **biuro podróży** travel agency; **biuro paszportowe** passport office; **biuro rzeczy znalezionych** lost property office; **pracować w biurze** work in an office.

biurokracja bureaucracy.

biust 1 (*piersi*) bust, breasts. **2** (*popiersie*) bust.

biustonosz bra, *przest.* brassière.

biwak camp, bivouac.

biznes business: **prowadzić biznes** run a business.

biznesmen businessman.

biżuteria jewellery.

blacha 1 (*arkusz*) sheet metal, (*cynowa*) tin plate. **3** (*materiał*) tin.

blady pale, (*twarz, cera*) wan.

blask 1 (*jasność*) brightness, (*też przen.*) radiance, (*diamentu*) brilliance. **2** (*świetność*) glamour.

blaszany tin.

blednąć pale, go (grow, turn) pale.

blef bluff.

blefować bluff.

bliski 1 (*w czasie, przestrzeni*) near: **bliska odległość** near (short) distance; **bliska przyszłość** near future; *Gdzie jest najbliższy przystanek autobusowy?* Where is the nearest bus stop? **2** (*o relacjach, podobieństwie*) close: **bliski krewny** close relative; **bliski przyjaciel** close friend.

blisko 1 (*w czasie, przestrzeni*) close, closely, near: **blisko położony** nearby; *Nie podchodź zbyt blisko do tego psa.* Don't come too close to this dog.; *Mieszkam tu blisko.* I live near here.; *Jej biuro znajduje się bardzo blisko stadionu.* Her office is very near to the stadium.

2 (*o relacjach, podobieństwie*) close, closely: *Ona i jej córka były zawsze bardzo blisko (z sobą).* She and her daughter have always been very close.; *To kosztuje blisko milion.* It costs close to a million.

blizna scar.

bliźniak 1 twin: *brat bliźniak* twin brother. **2** (*dom*) semi-detached house.

bliźnięta 1 twins. **2** *Bliźnięta* (*znak zodiaku*) Gemini.

blok 1 (*bryła*) block. **2** (*budynek*) block: *blok mieszkalny* block of flats. **3** (*dla więźniów*) barrack. **4** (*kartki*) pad: *blok rysunkowy* drawing pad. **5** (*związek państw*) bloc.

blokada blockade.

blokować block.

blond blond.

blondyn blond.

blondynka blonde.

blues blues.

bluza blouson: *bluza dresowa* sweatshirt.

bluzka blouse.

błagać beg, implore: *błagać kogoś o wybaczenie* beg (implore) sb's forgiveness.

błahy trivial, (*nieistotny*) trifling.

błąd mistake, (*sport*) fault, (*gramatyczny, obliczeniowy*) error: *błąd ortograficzny* spelling mistake; *błąd drukarski* misprint (printer's error); *błąd w obliczeniach* error

in the calculations; *błąd komputera* computer fault; *komp. komunikat o błędzie* error message; *korygować błąd* correct a mistake; *popełnić błąd* make a mistake (an error); *To był duży błąd, że poszliśmy tam.* It was a big mistake to go there.; *Jej wypracowanie było pełne błędów.* Her essay was full of mistakes (errors).

błądzić 1 (*mylić się*) err: *Błądzić jest rzeczą ludzką.* To err is human. **2** (*błąkać się*) wander.

błędny 1 (*mylny*) erroneous, wrong, false, (*niepoprawny*) incorrect: *błędne przekonanie* erroneous belief. **2** *błędne koło* vicious circle, catch-22 situation.

błękit sky-blue.

błękitny sky-blue.

błogosławić bless.

błogosławieństwo blessing.

błona 1 membrane. **2** (*fotograficzna*) film.

błotnisty muddy.

błoto mud.

błysk (*świateł*) flash, *przen.* glitter, (*w oku*) sparkle.

błyskać flash, glitter, sparkle.

błyskawica (*l.mn.*) lightning, (*l.poj.*) a flash of lightning.

błyskawiczny 1 (*o potrawie*) instant. **2** (*szybki*) swift. **3** *zamek błyskawiczny* zip fastener.

błyskotliwy brilliant.

błysnąć *zob.* błyskać.

błyszczący shiny, brilliant.

błyszczeć (*świecić się*) sparkle, (*włosy*) shine, glitter.

bo 1 (*ponieważ*) because, for, as: *Musiałam iść, bo miałam randkę o piątej.* I had to go because (for, as) I had a date at 5. **2** (*bo inaczej, albo*) or, or else: *Pospiesz się, bo spóźnisz się na autobus.* Hurry up or else you'll miss the bus.

bochenek loaf: *bochenek chleba* loaf of bread.

bocian stork.

boczek bacon.

boczny side.

bodziec 1 (*podnieta*) stimulus. **2** (*ekonomia, elektryczność*) impulse.

bogacić się get rich, grow rich.

bogactwo 1 (*majątek*) wealth, riches: *Zaczynał od zera, a dorobił się bogactwa.* He went from rugs to riches. **2** *bogactwa naturalne* natural resources. **3** (*różnorodność*) variety.

bogaty 1 (*majętny*) rich, wealthy. **2** (*obfitujący*) rich (*w coś* in sth): *Grapefruity są bogate w witaminę C.* Grapefruits are rich in vitamin C.

bogini goddess.

bohater hero.

bohaterka heroine.

bohaterski heroic.

bohaterstwo heroism.

boisko (*sportowe*) playing field.

bojowy combat.

bok 1 (*strona ciała*) side: *Szłam powoli u jego boku.* I walked slowly by his side.; *Bolało mnie w prawym boku.* I had a pain in my right side. **2** (*w matematyce*) side. **3** *zarabiać na boku* make money on the side.

boks 1 (*sport*) boxing. **2** (*pomieszczenie w stajni*) horse-box.

bokser 1 (*pięściarz*) boxer. **2** (*pies*) boxer.

bolący (*też przen.*) painful, aching, sore.

boleć ache, hurt: *Boli mnie głowa (ząb).* I have a headache (toothache).; *Boli mnie gardło.* I have a sore throat.; *Co panią boli?* What hurts you?

bolesny painful.

bomba bomb.

bombardować 1 (*z samolotu*) bomb. **2** *przen.* (*propozycjami*) bombard.

bombonierka chocolate-box.

bombowiec bomber.

borować drill.

borówka whortleberry, *AM* blueberry.

borsuk badger.

boski divine.

bosman boatswain.

boso barefoot.

bosy barefoot.

botaniczny botanical.

botanika botany.

bożek idol.

boży 1 God's, divine. **2** *Boże Narodzenie* Christmas, *nieform.* Xmas. **3** *Boże Ciało* Corpus Christi.

bożyszcze idol.

bóbr beaver.

Bóg 1 God. **2** *(mój) Boże!* Oh, (my) God!, Oh, Lord! **3** *dzięki Bogu!* (*chwała Bogu!*) Thank God!, Thank Goodness!, Thank Heavens! **4** *nie daj Boże!* (*niech Bóg broni!*) God forbid! **5** *Kto rano wstaje, temu Pan Bóg daje.* The early bird catches the worm.

bójka fight.

ból pain, ache: *ból gardła* sore throat; *ból głowy* headache; *ból krzyża* backache; *ból zęba* toothache; *ból żołądka* stomach ache.

brać take: *brać coś ręką* take sth with the hand; *brać coś do ręki* take sth into one's hand; *brać kogoś za rękę* take sb's hand, take sb by the hand; *brać kąpiel* take a bath; *brać odpowiedzialność za coś* take responsibility for sth; *brać coś pod uwagę* take sth into consideration; *brać udział w czymś* take part in sth; *brać kogoś za kogoś (coś)* take sb for sb (sth).

brak I 1 lack, want, (*niedobór*) shortage, (*niedostatek*) scarcity: *brak żywności* shortage of food; *z braku czasu* for lack of time; *odczuwać brak czegoś* lack sth, feel the want of sth. **2** (*wada*) fault, defect.

brak II (*brakuje*): *Brak mi ciebie.* I miss you.; *Brak im pieniędzy.* They lack (are short of) money.; *Brak jednej torby.* One bag is missing.

brakować 1 be short of, want: *Niczego jej nie brakuje.* She's lacking (for) nothing.; *Zaczyna nam brakować wody.* We are getting short of water.; *Brakuje mi jeszcze 200 funtów.* I'm still £200 short. **2** (*odczuwać tęsknotę*) miss: *Brakuje mi ciebie.* I miss you. **3** *Tego by jeszcze brakowało!* That would be the last straw!

brama gate.

bramka (*w sporcie*) goal: *strzelić bramkę* score a goal.

bramkarz 1 (*w sporcie*) goalkeeper. **2** (*ochroniarz*) bouncer.

bransoleta bracelet.

branża branch.

brat brother: *brat przyrodni* stepbrother, half-brother.

bratanek nephew.

bratanica niece.

braterstwo brotherhood.

bratowa sister-in-law.

brawo 1 (*oklaski*) applause: *bić brawo* applaud. **2** (*okrzyk pochwały*) Bravo!, Well done!

brązowy 1 (*z brązu*) bronze. **2** (*kolor*) brown.

brednia nonsense, rubbish: *Opowiadasz brednie.* You are talking nonsense (rubbish).

brew brow, eyebrow.

broda 1 (*dolna część twarzy*) chin. 2 (*zarost*) beard.

brodaty bearded.

bronić 1 (*działać w obronie*) defend, protect. 2 (*w sądzie*) plead, defend. 3 (*zabraniać*) forbid.

broń weapon, arms.

broszka brooch.

broszura brochure.

browar brewery.

brud dirt.

brudny dirty.

brudzić dirty, (*też przen.*) soil, (*plamić*) stain.

bruk pavement, cobbles.

brunet dark-haired man.

brunetka brunette.

brutalny brutal.

brutto gross: *cena brutto* gross price; *waga brutto* gross weight.

brydż bridge.

brygada 1 (*robocza*) gang. 2 (*w policji*) squad.

brylant diamond.

bryła 1 (*skały, lodu*) block, (*gruda*) lump. 2 (*geometryczna*) solid.

brytyjski British.

brzask dawn.

brzeg 1 (*jeziora*) shore, (*morza*) coast: *płynąć do brzegu* swim to the shore. 2 (*rzeki*) bank, riverside. 3 (*przepaści*) edge. 4 (*naczynia*) brim.

brzęczeć (*o szkle, metalu*) clink, (*metal*) jingle.

brzmieć sound: *To brzmi nieźle!* It sounds good!; *To brzmi interesująco.* It sounds interesting.

brzmienie sound.

brzoskwinia peach.

brzuch stomach, *form.* abdomen.

brzydki ugly.

brzydzić się abhor, (*nie znosić*) loathe.

brzytwa razor.

buda 1 (*niewielki budynek*) shack, (*szopa*) shed. 2 (*stragan*) stall. 3 (*psia*) kennel.

budka 1 (*telefoniczna*) telephone box (*AM* telephone booth), (*kabina*) call box. 2 (*suflera*) prompt box. 3 (*kiosk*) newsstand.

budowa 1 (*budowanie*) building, construction: *plac budowy* building site; *w budowie* under construction. 2 (*struktura*) structure, build.

budować build, construct: *budować dom* build a house.

budowla building, structure.

budownictwo building, building trade, construction.

budynek building, house.

budyń pudding.

budzić 1 (*ze snu*) wake (up), awake, waken. 2 (*zazdrość, zaufanie*) arouse, inspire.

budzić się wake (up).

budzik alarm clock.

budżet budget.

bufet 1 (*w barze*) bar. 2 (*na dworcu*) refreshment room, buffet. 3 (*stołówka w pracy*) canteen.

bujny 1 (*o roślinności*) luxuriant. **2** (*żywy*) vivid: *bujna wyobraźnia* vivid imagination.

bukiet (*kwiatów*) bunch (of flowers), bouquet.

bulwar boulevard.

bułka 1 roll, bread roll. **2 bułka tarta** bread crumbs.

bunt mutiny, rebellion.

buntować się mutiny, rebel.

buntownik mutineer, rebel.

burak 1 beetroot. **2** (*burak cukrowy*) beet.

burdel *nieform.* brothel.

burmistrz mayor.

bursztyn amber.

burza 1 storm, *liter.* tempest. **2 burza w szklance wody** a storm in a teacup.

burzyć 1 (*niszczyć budowlę*) demolish, pull down. **2** (*porządek*) shatter.

burżuazja bourgeoisie.

burżuazyjny bourgeois.

busz (the) bush.

but shoe, (*z wysokimi cholewkami*) boot: *but narciarski* ski boot; *but sportowy* trainer; *pasta do butów* shoe polish.

butelka bottle.

by *zob.* **żeby**, **aby**.

bycie being: *sposób bycia* manner.

być 1 be (*cz.ter.: l.poj. – 1 os.* am, *2 os.* are, *3 os.* is; *l.mn.* are): *„być albo nie być"* 'to be, or not to be'. **2** (*w zwrotach nieosobowych*): *Jest późno.* It is late.; *Jest dla cie-*

bie wiadomość. There is a message for you. **3** (*strona bierna*): *Książka jest dobrze zatytułowana.* The book is well titled. **4** (*czas zaprzeszły*): *Powinienem był ją odwiedzić.* I should have visited her. **5 bądź co bądź** however, all the same. **6 gdzie bądź** anywhere. **7 być oczkiem w głowie** be the apple of sb's eye. **8 być na czysto** be in the black. **9 być pod czyimś pantoflem** be under sb's thumb. **10 być w kropce** be at a loss. **11 niech tak będzie** let it be. **12 co ma być, to będzie** what will be, will be.

być może maybe, perhaps, may be.

bydło cattle.

byk 1 bull. **2 Byk** (*znak zodiaku*) Taurus.

były former, ex-: *moja była żona* my ex-wife, my former wife.

bystry 1 (*szybki*) rapid, swift. **2** (*wzrok*) sharp, keen. **3** (*umysł*) keen, sharp.

byt 1 (*istnienie*) existence: *zapewnić komuś byt* provide for sb; *walka o byt* struggle for survival. **2** (*w filozofii*) entity, being.

bywać 1 (*częsta obecność*) frequent, attend. **2** (*odwiedzać kogoś*) visit. **3** (*zdarzać się*) happen, occur: *Często tak bywa.* It often happens. **4** (*czasownik posiłkowy*) be, used to be: *Bywało, że grywał z nami w piłkę po szkole.* He used to play football with us after school.

bzdura nonsense, rubbish.

C

cal inch.

całkiem 1 (*dość*) quite, fairly, rather: *Ona jest całkiem miła.* She is quite nice.; *Jest całkiem ciepło jak na zimę.* It's rather warm for winter. **2** (*całkowicie*) quite, entirely: *Jestem całkiem zaskoczony.* I'm entirely surprised.; *Całkiem się zgadzam.* I quite agree.

całkować integrate.

całkowicie absolutely, completely, quite: *Całkowicie się z Tobą zgadzam.* I entirely (absolutely) agree with you.; *Całkowicie rozumiemy waszą sytuację.* We quite understand your situation.; *Całkowicie zapomniałam o jej urodzinach.* I've completely forgotten about her birthday.

całkowity 1 absolute, complete, total: *całkowita bzdura* utter nonsense; *całkowita cisza* absolute (total) silence. **2** *liczba całkowita* (*w matematyce*) integer.

całość whole, entirety: *jako całość* as a whole.

całować kiss: *pocałować kogoś na pożegnanie* kiss sb goodbye; *Pocałowała mnie w usta.* She kissed me on the lips.

całus kiss.

cały all, entire, whole: *cały dzień* all day; *cały miesiąc* all month; *cały rok* all year; *cały czas* all the time; *Całe miasto wiedziało o tym.* The entire town knew about it.; *Wypił całą butelkę.* He drank the whole bottle.; *Cała ubrana była na czerwono.* She was dressed all in red.

camping campsite, camping site.

campingowy camping: *przyczepa campingowa* caravan, *AM* trailer.

car tsar, tzar.

cążki pliers.

cebula onion.

cecha 1 feature, quality, (*charakterystyczna*) characteristic, trait: *cecha charakteru* personality trait; *cecha pozytywna* good feature; *cecha negatywna* bad feature; *On ma wiele dobrych cech.* He has many good qualities. **2** (*marka*) mark, brand.

cechować 1 (*charakteryzować*) characterize, be characteristic of: *Wszystkie jego wiersze cechuje prostota słowa.* All his poems are characterized by simplicity of words. **2** (*znaczyć*) mark, brand.

cegła brick.

cel 1 (*obiekt*) target: *mierzyć do celu* aim at a target; *trafić do celu* hit a target; *nie trafić do celu* miss a target. **2** (*efekt planowanego działania*) aim, goal, purpose: *cel przyjazdu* purpose of visit; *osiągnąć cel w życiu* reach one's aim in life.

cela cell.

celnik customs officer.

celny 1 (*trafny*) accurate, apt: *celny tytuł* apt title. **2** (*o cle*) customs: *opłata celna* customs duty.

celować 1 aim, take aim: *celować do tarczy* take aim at the target. **2** *celować w czymś* excel at sth.

celowo purposely, on purpose, (*rozmyślnie*) deliberately.

cement cement.

cementować cement.

cena 1 price: *cena netto* net price; *cena brutto* gross price; *rozsądna cena* reasonable price; *Jaka jest cena tego samochodu?* What's the price of this car?; *Sprzedałem ten samochód za dobrą cenę.* I sold the car for (at) a good price. **2** *za każdą cenę* at any price; *za wszelką cenę* at any price, at all costs.

cenić value, esteem, appreciate: *Zawsze ceniłem jego rady.* I have always valued his advice.; *Cenię sobie dobre jedzenie.* I appreciate good food.

ceniony esteemed, appreciated.

cennik price-list.

cenny 1 (*informacja*) valuable. **2** (*kosztowności*) precious.

cent cent.

centrala 1 (*główne biuro*) headquarters. **2** (*telefoniczna*) exchange, telephone exchange: *„Centrala? Chciałabym zamówić rozmowę z Krakowem".* 'Operator? I'd like to put a call through to Cracow'.

centralny central: *centralne ogrzewanie* central heating.

centrum centre (*AM* center): *centrum miasta* city centre; *centrum handlowe* shopping centre.

centymetr 1 centimetre (*AM* centimeter). **2** (*miara krawiecka*) tape measure.

cenzura 1 (*kontrola*) censorship. **2** (*świadectwo*) school report.

cenzurować censor.

cera skin, complexion.

ceramiczny ceramic, earthenware.

ceramika pottery.

cerata oilcloth.

ceremonia ceremony.

certyfikat certificate.

cesarski imperial.

cesarstwo empire.

cesarz emperor.

cętka spot, speckle.

chandra dejection, despondency.

chaos chaos, (*zamęt*) confusion.

chaotyczny chaotic.

charakter 1 (*cechy psychiczne*) character: *kształtować czyjś charakter* form sb's character. **2** (*natura*) character.

charakterystyczny characteristic, typical (*dla kogoś, czegoś* of sb, sth): *cecha charakterystyczna* characteristic; *Takie zachowanie było dla niej charakterystyczne.* Such behaviour was characteristic (typical) of her.

charakterystyka characterization.

charakteryzować 1 (*opisywać cechy*) characterize. **2** (*cechować*) be characterized by: *Jego pracę charakteryzuje precyzja.* His work is characterized by precision.

charytatywny charitable: *działalność charytatywna* charity work; *koncert na cele charytatywne* charity concert.

chata hut, (*domek*) cottage.

chcieć want: *Czy chcesz zostać w domu?* Do you want to stay at home?; *Nie chcę, żeby ode mnie odpisywał na teście.* I don't want him to copy my test.; *Chciałbym pójść z Tobą.* I would like to go with you.; *Chciałbym, żeby mi pomogła.* I'd like her to help me.; *Czy chciałbyś napić się kawy?* Would you like some coffee?

chciwość greed.

chciwy greedy.

chemia chemistry.

chemiczny chemical.

chęć 1 (*ochota*) inclination, fancy: *mieć chęć* feel like (fancy); *Mam*

chęć na drinka. I feel like having a drink. **2** (*zamiar*) intention. **3** (*pragnienie*) desire.

chętnie willingly, with pleasure: *"Napijesz się herbaty?" "Dziękuję, chętnie".* 'Will you have a cup of tea?' 'Thank you, with pleasure'.

chętny willing, eager: *Oni są chętni do pracy.* They are willing (eager) to work.

chiński Chinese.

chirurg surgeon.

chirurgia surgery.

chirurgiczny surgical: *oddział chirurgiczny* surgical ward.

chlapać splash.

chleb bread: *bochenek chleba* loaf of bread; *kromka chleba* slice of bread; *chleb z masłem* bread and butter; *chleb ciemny* brown bread; *chleb razowy* wholemeal bread.

chlubić się take pride (*czymś* in sth), boast (*czymś* about sth), glory (*czymś* in sth).

chłodnia freezer.

chłodnica (*samochód*) radiator.

chłodno 1 cool: *Jest chłodno.* It's cool.; *Jest mi chłodno.* I feel chilly. **2** (*ozięble*) coolly: *Przywitał mnie chłodno.* He gave me a cool welcome.

chłodny cool.

chłodzić cool, chill.

chłonny 1 (*pochłaniający*) absorbent. **2** (*umysł*) receptive.

chłop 1 (*wieśniak*) peasant. **2** *nieform.* (*mężczyzna*) man, guy.

chłopiec boy, *nieform.* lad.

chłód 1 (*zimno*) cold, coldness, chill. **2** (*oziębłość*) coolness, coldness.

chmura cloud.

chmurzyć się cloud over.

chociaż (**choć**) **1** (*mimo że*) although, though, even though: *Chociaż czekałem długo, nie udało mi się z nią zobaczyć.* Although (Even though, Though) I waited for a long time, I didn't manage to see her. **2** (*przynajmniej*) at least: *Mogliście chociaż zadzwonić!* You could at least have phoned!

choć *zob.* **chociaż**.

choćby 1 (*tryb warunkowy*) even if: *Nie powiem ci, choćbyś mnie błagał.* I won't tell you even if you begged me (even if you were to beg me). **2** (*nawet*) even: *Kupmy dom, choćby mały.* Let's buy a house, even a small one.

chodnik 1 (*trotuar*) pavement, *AM* sidewalk. **2** (*dywanik*) carpet.

chodzić 1 (*poruszać się*) walk, go: *Chodź tutaj!* Come here!; *chodzić na spacer* go for a walk. **2** (*uczęszczać*) attend, go: *chodzić do szkoły* go to school, attend school. **3** *nieform.* (*spotykać się*) *chodzić z kimś* go out with sb: *Oni chodzą ze sobą od dwóch miesięcy.* They've been going out together for two months. **4** (*o mechanizmie*) go: *Mój zegarek nie chodzi.* My watch doesn't go. **5** (*o pojeździe*)

run: *Pociąg chodzi co godzinę.* The train runs every hour. **6** (*mieć znaczenie*): *Chodzi o to, że...* The problem is that...; *O co chodzi?* What's the matter?; *O co ci chodzi?* What do you mean?

choinka (*świąteczna*) Christmas tree.

chomik hamster.

chorągiew banner, flag.

choroba 1 illness, disease: *śmiertelna choroba* fatal illness; *choroba zakaźna* infectious disease; *choroba serca* heart disease; *choroba umysłowa* mental illness; *choroba lokomocyjna* travel-sickness; *choroba morska* sea-sickness. **2** *w zdrowiu i w chorobie* in sickness and in health.

chorować 1 (*ogólnie*) be ill. **2** (*na coś*) suffer (**na coś** from sth).

chory ill, sick: *poważnie chory* seriously ill; *Ona jest chora od tygodnia.* She's been ill for a week.

chować 1 (*ukrywać*) hide, conceal. **2** (*przechowywać*) keep. **3** (*wychowywać*) bring up: *chować dzieci* bring up children. **4** (*hodować*) keep: *chować zwierzęta domowe* keep pets. **5** (*do grobu*) bury.

chować się hide.

chód (*sposób chodzenia*) walk.

chór choir.

chrapać snore.

chrapnąć *zob.* **chrapać**.

chronić 1 protect (**przed czymś** from sth), preserve (**przed czymś** from sth), (*dać schronienie*) shelter (*przed czymś* from sth): *chronić od zimna* protect against (from) the cold.

chronić się shelter (*przed czymś* from sth).

chronologiczny chronological.

chropowaty rough.

chrupać crunch.

chrupka crisp.

chrupki (*kruchy*) crisp, crispy, (*chrupiący*) crunchy.

chrypka hoarseness: *Mam chrypkę.* I'm hoarse.

Chrystus Christ: *Jezus Chrystus* Jesus Christ.

chrzan horseradish.

chrząkać 1 (*o człowieku*) clear (one's) throat. **2** (*o świni*) grunt.

chrząknąć *zob.* **chrząkać.**

chrząszcz beetle.

chrzcić christen, baptize: *Dziecko ochrzczono imieniem Mateusz.* The child was christened (baptized) Mathew.

chrzciny christening.

chrzest 1 (*w religii*) baptism, christening. **2** *przen.* **chrzest bojowy** baptism of fire.

chrzestny baptismal: *ojciec chrzestny* godfather; *matka chrzestna* godmother.

chrześcijanin Christian.

chrześcijański Christian.

chrześcijaństwo 1 (*wiara*) Christianity. **2** (*świat chrześcijański*) Christendom.

chrześniaczka goddaughter, godchild.

chrześniak godson, godchild.

chudnąć slim down, lose weight: *Schudła dziesięć kilogramów w zeszłym roku.* She lost ten kilograms in weight last year.

chudy thin, lean.

chuj *wulg.* **1** (*penis*) dick, prick. **2** (*o człowieku*) wanker.

chuligan hooligan.

chusta kerchief, scarf.

chustka 1 (*do nosa*) handkerchief. **2** (*na głowę*) kerchief.

chwalić praise: *Rodzice nigdy go nie chwalili.* His parents have never praised him.

chwalić się boast (*czymś* about sth).

chwała glory.

chwast weed.

chwiać shake, (*kołysać*) sway.

chwiać się sway, totter.

chwiejny shaky, unstable.

chwila moment, instant: *w tej chwili* this very moment, at the moment; *w ostatniej chwili* at the last moment; *za chwilę* in a moment, in an instant; *przed chwilą* a moment ago; *Proszę chwilę poczekać.* One moment, please.

chwilowy momentary, temporary.

chwycić *zob.* **chwytać.**

chwyt 1 (*ujęcie*) grasp, hold. **2** (*sposób*) trick: *stary wypróbowany chwyt* old trick.

chwytać seize, catch, grasp.

chyba 1 probably, may be: *On chyba śpi głęboko.* He may be fast asleep.; *Chyba tak.* Yes, probably.; *Chyba nie.* Probably not. **2** *chyba że* unless: *Nie przyjdę, chyba że mnie przeprosisz.* I won't come unless you apologize to me.

chybiać miss: *Kiedy strzeliłem po raz pierwszy, chybiłem.* When I shot for the first time, I missed.

chybić *zob.* **chybiać.**

chylić (*ciało*) incline, bow, (*zgiąć*) bend: *Pochyl głowę.* Bend your head.

chytry cunning, sly.

ciało 1 (*organizm*) body: *ciało ludzkie* human body. **2** (*tkanka mięsna*) flesh: *nabierać ciała* put on flesh. **3** (*zwłoki*) body, corpse. **4** (*w fizyce*) body. **5** (*personel*) staff: *ciało pedagogiczne* teaching staff. **6** *Boże Ciało* Corpus Christi.

ciasny 1 (*o ubraniu*) tight. **2** (*o pomieszczeniu*) cramped.

ciastko biscuit, *AM* cookie.

ciasto biscuit, pastry.

ciąć cut: *ciąć coś na kawałki* cut sth into pieces.

ciąg 1 (*trwanie*) course, duration. **2** *w ciągu* (*podczas*) during, in the course of: *w ciągu dnia* during the day; *w ciągu czyjegoś życia* in the course of one's life. **3** (*w matematyce*) sequence. **4** *ciąg dalszy* continuation: *„ciąg dalszy nastąpi"* 'to be continued'. **5** *w dalszym cią-*

gu (*wciąż*) still: *Oni w dalszym ciągu chodzą ze sobą.* They still go out together.

ciągle constantly, continually, (*jeszcze*) still: *Ona ciągle dzwoni do mnie.* She is continually phoning me.

ciągłość continuity.

ciągły (*stały*) constant, continual, (*nieprzerwany*) continuous: *czas ciągły* continuous tense.

ciągnąć pull, draw.

ciągnąć się 1 (*w czasie*) continue, drag on: *Dyskusja ciągnęła się godzinami.* The discussion continued for hours. **2** (*w przestrzeni*) stretch, continue: *Pola ciągnęły się kilometrami.* Fields stretched for miles.

ciągnik tractor.

ciąża pregnancy: *być w ciąży* be pregnant.

cicho 1 (*bezgłośnie*) noiselessly, silently: *Cicho!* Silence!, Hush! **2** (*niegłośno*) softly, gently: *mówić cicho* speak softly, speak in a low voice. **3** (*spokojnie*) quietly.

cichy 1 (*słabo słyszalny*) low, soft. **2** (*pogrążony w ciszy*) silent, quiet. **3** (*człowiek*) quiet, gentle. **4** (*dyskretny*) quiet.

ciec 1 (*sączyć się*) drip, ooze. **2** (*przeciekać*) leak: *Kran w kuchni ciekinie.* The tap in the kitchen is leaking.

ciecz liquid.

ciekawość 1 curiosity. **2** *Ciekawość to pierwszy stopień do piekła.* Curiosity killed the cat.

ciekawski nosy, prying, inquisitive, curious.

ciekawy 1 (*interesujący*) interesting. **2** (*dociekliwy*) curious, inquisitive.

cieknąć *zob.* **ciec.**

cielę *zob.* **cielak.**

cielęcina veal.

ciemnieć darken.

ciemno dark: *Tu jest ciemno.* It's dark in here.

ciemność darkness, dark: *w ciemności* in the dark.

ciemny dark.

cienki 1 (*niegruby*) thin: *cienkie włosy* thin hair. **2** (*rzadki*) *cienkie wino* thin wine. **3** (*o głosie*) high.

cienko thin, thinly.

cień 1 shade, (*też przen.*) shadow. **2** *bez cienia wątpliwości* without (beyond) a shadow of a doubt.

cieplny thermal.

ciepło I (*rzeczownik*) warmth.

ciepło II (*przysłówek*) **1** warm: *Jest ciepło.* It's warm. **2** (*ubrać, przywitać*) warmly.

ciepły warm.

cierń thorn.

cierpieć 1 suffer (*na coś* from sth): *cierpieć z powodu bólu głowy* suffer from headaches. **2** *nie cierpieć* (*nie znosić*) hate: *Nie cierpię szpinaku!* I hate spinach!

cierpienie suffering, pain.

cierpki 1 (*smak*) tart. **2** *przen.* (*słowa*) acrid, (*mina*) sour.

cierpliwość patience.

cierpliwy patient.

cierpnąć 1 (*być przestraszonym*) creep. **2** (*drętwieć*) go numb.

cieszyć (*sprawiać radość*) delight.

cieszyć się be glad, be happy.

cieśla carpenter.

cieśnina strait (*zwykle w l.mn.* straits): *Cieśnina Gibraltarska* the Straits of Gibraltar.

cięcie cut.

cięty 1 (*kwiat*) cut. **2** (*dowcip*) biting.

ciężar 1 (*waga*) weight. **2** (*ciężki przedmiot*) weight, load: *podnoszenie ciężarów* weight-lifting.

ciężarówka lorry, *AM* truck.

ciężki 1 (*fizycznie*) heavy. **2** (*trudny*) hard, heavy: *ciężka praca* hard work. **3** (*poważny*) serious: *ciężka choroba* serious illness.

ciężko 1 heavily, hard: *ciężko pracować* work hard. **2** (*poważnie*) seriously: *ciężko ranny* seriously wounded.

ciocia aunt, auntie.

cios blow.

ciotka aunt.

ciskać throw, hurl.

cisnąć 1 *zob.* **ciskać.** **2** (*o butach*) pinch.

cisza (*brak hałasu*) silence: *Proszę o ciszę!* Silence, please!

ciśnienie pressure.

cło duty, customs duty: *podlegający cłu* dutiable; *wolny od cła* duty-free.

cmentarz cemetery, graveyard.

co 1 (*zaimek pytający*) what: *Co robisz?* What are you doing? **2** (*zaimek względny*) what, which: *To, co powiedział, było bardzo ciekawe.* What he said was very interesting. **3** *Co za...!* What (a)...!: *Co za piękny koń!* What a beautiful horse! **4** *co do* (*odnośnie*): *co do tamtego listu* with regard to that letter; *co do mnie* as far as I am concerned. **5** *co do* (*dokładnie*): *co do grosza* to the last penny; *co do minuty* on the dot. **6** *dopiero co* just now.

codziennie every day, daily.

codzienny everyday, daily: *gazeta codzienna* daily newspaper.

cofać 1 (*ruch*) back, put back: *cofać samochód* back (reverse) a car; *cofać zegar* put back the clock. **2** (*odwoływać*) withdraw: *cofać wojska* withdraw troops.

cofać się go back, draw back.

cofnąć *zob.* **cofać**.

cofnąć się *zob.* **cofać się**.

coraz *coraz gorszy* worse and worse; *coraz lepszy* better and better; *coraz nudniejszy* more and more boring.

coroczny yearly, annual.

coś something, (*w pytaniach, przeczeniach*) anything: *Powiedz mi coś, czego nie wiem.* Tell me something I don't know.; *Czy jest coś, czego nie wiesz?* Is there anything you don't know?

córka daughter.

cuchnąć stink.

cud miracle, wonder.

cudowny 1 (*wspaniały*) wonderful, marvellous, fantastic, terrific. **2** (*związany z cudami*) miraculous.

cudzołóstwo adultery.

cudzoziemiec foreigner.

cudzoziemski foreign.

cudzy someone else's.

cudzysłów *BR* inverted commas, quotation marks.

cukier sugar.

cukierek sweet, *AM* candy.

cukiernia confectioner's (shop).

cyfra digit, numeral: *cyfry arabskie* Arabic numerals; *cyfry rzymskie* Roman numerals.

cyfrowy digital.

Cygan gypsy.

cygański gypsy.

cygaro cigar.

cykl cycle.

cykliczny cyclic, cyclical.

cyniczny cynical.

cynik cynic.

cynizm cynicism.

cyrk circus.

cyrkiel (a pair of) compasses.

cytat quotation.

cytować quote.

cytrusowy citrus: *owoce cytrusowe* citrus fruit.

cytryna lemon.
cywil civilian.
cywilizacja civilization.
cywilizowany civilized.
cywilny 1 civilian. **2** *urząd stanu cywilnego* registry office.
czajnik kettle: *nastawić czajnik* put the kettle on.
czapka cap.
czarno 1 black. **2** *pracować na czarno* work illegally. **3** *czarno na białym* in black and white.
czarnoksiężnik wizard.
czarny 1 (*kolor*) black: *czarna kawa* black coffee. **2** (*pesymistyczny*) dark, gloomy. **3** (*brudny*) dirty, black. **4** *czarny charakter* villain. **5** *czarna porzeczka* blackcurrant. **6** *czarny rynek* black market.
czarodziej magician.
czarodziejski magic, magical.
czarownica witch.
czarter (*lot*) charter flight.
czarterowy charter.
czas 1 time: *czas uniwersalny* Greenwich Mean Time. **2** *w tym samym czasie* at the same time. **3** *cały czas* all the time. **4** *z czasem* in time: *Ona z czasem zapomni.* She'll forget in time. **5** *od czasu do czasu* from time to time. **6** *najwyższy czas* it's high time, it's about time: *Najwyższy czas, żebyśmy skończyli zajęcia.* It's high time we finished our classes. **7** *ostatnimi czasy* recently. **8** *tracić czas*

waste time. **9** *nadrobić stracony czas* make up for the lost time. **10** (*w gramatyce*) tense: *czas teraźniejszy* the present tense; *czas przeszły* the past tense; *czas przyszły* the future tense.
czasami sometimes.
czasem *zob.* **czasami**.
czasochłonny time-consuming.
czasopismo magazine.
czasownik verb.
czaszka scull.
cząsteczka particle.
czcić 1 (*oddawać cześć*) worship. **2** (*obchodzić*) celebrate.
czcionka type.
czek cheque (*AM* check): *zrealizować czek* cash a cheque; *wypisać czek* write out a cheque; *płacić gotówką lub czekiem* pay in cash or by cheque.
czekać wait, expect: *czekać na kogoś (coś)* wait for sb (sth); *Czekaj na swoją kolej.* Wait your turn.; *Czekam na gości.* I'm expecting some guests.
czekolada chocolate.
czekoladowy chocolate.
czemu 1 (*dlaczego*) why. **2** *zob.* **co**.
czereśnia cherry.
czerstwy 1 (*chleb*) stale. **2** (*zdrowy*) hale.
czerwiec June: *siódmego czerwca* on June 7th.
czerwony red.
czesać comb.

czesać się comb (one's hair).

cześć 1 (*głęboki szacunek*) honour (*AM* honor). **2** (*honor*) honour (*AM* honor). **3** (*pozdrowienie*) *nieform.* hi!, hello!, *BR* hallo! **4** (*na pożegnanie*) cheerio!

często often.

częstotliwość frequency.

częstować offer.

częstować się help oneself: *Częstuj się!* Help yourself!; *Poczęstuj się pizzą.* Help yourself to a pizza.

częsty frequent.

częściowo partly.

częściowy partial.

część part.

czkawka hiccough(s), hiccup(s).

człon element, segment.

członek 1 (*grupy*) member. **2** (*kończyna*) limb. **3** (*penis*) penis.

człowiek 1 (*istota ludzka*) man. **2** (*mężczyzna*) man. **3** (*nieosobowo*) one, you.

czołg tank.

czołgać się crawl.

czoło 1 (*część twarzy*) forehead. **2** (*przednia część*) head.

czosnek garlic.

czółno canoe.

czterdziesty 1 fortieth: *cztedziesty szósty* forty-sixth. **2** *lata czterdzieste* the forties.

czterdzieści forty.

czternasty 1 fourteenth. **2** *jest czternasta (godzina)* it's two pm; *o czternastej (godzinie)* at two pm.

3 *czternastego maja* (*coś się stało*) on May 14th. **4** *strona czternasta* page fourteen.

czternaście fourteen.

cztery four.

czterysta four hundred.

czubek 1 tip, top. **2** *nieform. pejor.* (*głupek*) jack-ass.

czuć 1 (*odczuwać*) feel. **2** (*zapach*) smell: *Czuję perfumy.* I can smell some perfume. **3** (*wyczuwać*) sense, feel.

czuć się feel, be: (*w chorobie*) *Jak się dzisiaj czujesz?* How are you feeling today?; (*samopoczucie*) *„Jak się czujesz?" „Świetnie, dziękuję."* 'How are you?' 'I'm fine, thanks'.

czuły 1 (*tkliwy*) tender. **2** (*wrażliwy*) sensitive.

czuwać 1 (*być czujnym*) keep watch. **2** (*nie spać*) stay up.

czwartek Thursday: *w czwartek* on Thursday; *w następny (ubiegły) czwartek* next (last) Thursday.

czwarty 1 fourth. **2** *jest czwarta (godzina)* it's four (o'clock); *o czwartej (godzinie)* at four. **3** *czwartego maja* (*coś się stało*) on May 4th. **4** *strona czwarta* page four.

czy 1 (*w pytaniach bezpośrednich*): *Czy ta suknia ci się podoba?* Do you like this dress?; *Czy masz psa?* Have you got a dog?; *Czy on umie pływać?* Can he swim? **2** (*w zdaniach zależnych*) if, whether: *czy* *ci się to podoba, czy nie* whether you like it or not; *Zapytaj go, czy pożyczy mi pieniądze.* Ask him if he'll lend me some money. **3** (*wyrażanie alternatywy*) or: *Tak czy nie?* Yes or no?; *Kawa czy herbata?* Tea or coffee?

czyj whose: *Czyje jest to czasopismo?* Whose magazine is this?

czyli 1 (*inaczej mówiąc*) or, that is (to say), i.e.

czym (*w wyrażeniach*) what: *O czym ty mówisz?* What are you talking about?; *Czym mogę panu (pani) służyć?* What can I do for you?, (*w sklepie*) Can I help you?

czyn act, deed.

czynić do.

czynnik factor.

czynność activity.

czynny 1 active. **2** (*o sklepie*) open. **3** (*w gramatyce*) **strona czynna** active voice.

czynsz rent.

czystość (*schludność*) cleanliness, (*porządek*) tidiness.

czysty 1 (*wolny od zanieczyszczeń*) clean, clear: *czysta woda* pure water. **2** (*posprzątany*) neat. **3** *przen. czyste sumienie* clear conscience. **4** *czysty zysk* net profit. **5** (*oczywisty*) sheer, pure: *czysty przypadek* sheer chance.

czyścić clean, cleanse, (*szczotką*) brush: *czyścić buty* clean one's shoes; *czyścić chemicznie* dryclean.

czytać read.

czytelnia reading-room.

czytelnik reader.

czytelny readable, legible.

Ć

ćma moth.

ćpun *nieform.* junkie.

ćwiartka quarter.

ćwiczenie exercise, practice.

ćwiczyć exercise, practise (*AM* practice): *Ćwiczę (fizycznie) dwa razy w tygodniu.* I exercise twice a week.; *On ćwiczy na skrzypcach.* He is practising (on) the violin.

ćwierć quarter, one fourth.

ćwierkać chirp.

ćwierknąć *zob.* **ćwierkać.**

D

dach roof.

dachówka tile.

dać *zob.* **dawać**.

dać się *zob.* **dawać się**.

dal 1 distance: *w dali* in the distance. **2** *z dala od domu* far from home.

dalej 1 farther, further: *Nie mogę już iść dalej.* I can't go any farther (further). **2** *i tak dalej* and so on; *i tak dalej, i tak dalej* and so on, and so forth.

daleki far, distant, remote: *daleki kraj* far (far-off) country; *w dalekiej przyszłości* in the remote (distant) future; *Linda jest moją daleką kuzynką.* Linda is a distant cousin of mine.

daleko far, far away: *Czy to daleko stąd?* Is it far from here?

dalekowidz far-sighted (person).

dalszy 1 further: *dalsze plany* further plans. **2** *ciąg dalszy nastąpi* to be continued.

dama 1 lady. **2** (*w kartach, szachach*) queen.

damski lady's, ladies': *damski zegarek* lady's watch; *fryzjer damski* ladies' hairdresser; *toaleta damska* the Ladies; *Gdzie jest damska toaleta?* Where is the Ladies, please?

dane data: *analiza danych* data analysis; *komp.* *baza danych* database; *przetwarzanie danych* data processing; *przesyłanie danych* data transmission.

danie dish, course.

dar gift, present.

daremnie vainly, in vain.

daremny vain, futile.

darmo (*bezpłatnie*) free, gratis, free of charge.

darować 1 (*w prezencie*) give, present. **2** (*przebaczać*) forgive.

data date: *data urodzenia* date of birth.

dawać 1 (*przekazywać*) give: *Dałam dziecku lizak.* I gave a lollipop to the child., I gave the child a lollipop. **2** *nieform.* (*płacić*) give. **3** (*pozwalać*) let. **4** (*dawać coś do zrobienia*) have (get) sth done: *Musimy dać samochód do naprawy.* We must have our car repaired. **5** *dawać przykład* set an example.

dawać się 1 (*pozwolić się pokonać*) give in. **2** (*być możliwym*): *Nic nie da się zrobić.* Nothing can be done.

dawca donor.

dawka dose.

dawkować dose.

dawniej 1 (*poprzednio*) formerly. **2** (*o stanie należącym wyłącznie do przeszłości*) used to (do sth): *Dawniej paliłem bardzo dużo (papierosów).* I used to smoke a lot.

dawno 1 *dawno temu* long ago: *Skończyłem tę książkę dawno temu.* I finished the book long ago. **2** *od dawna* for a long time: *Nie widziałem cię od dawna.* I haven't seen you for a long time.; *od bardzo dawna* nieform. for ages. **3** *dawno, dawno temu...* once upon a time...

dawny 1 (*stary*) ancient, old. **2** (*były*) former: *dawny prezydent USA* the former President of the USA.

dąb oak.

dążyć aspire.

dbać 1 (*obchodzić kogoś*) care: *dbać o kogoś (coś)* care about sb (sth); *Nie dbam o pieniądze.* I don't care about money. **2** (*troszczyć się*) care for, take care of, look after: *Oni bardzo dbają o swoje dzieci.* They take great care of their children.

debata debate.

debatować debate.

debiut debut.

decydować decide.

decydujący decisive.

decyzja decision: *powziąć decyzję* make a decision, decide.

dedukować deduce.

dedykować dedicate.

defekt defect.

defensywa defensive.

deficyt deficit.

definicja definition.

definitywny definite.

dekada decade.

deklaracja declaration.

deklarować declare.

dekoracyjny decorative.

dekorować 1 decorate. **2** (*wystawę w sklepie*) dress. **3** (*potrawę*) garnish.

delegacja 1 (*reprezentanci*) delegation. **2** (*podróż służbowa*) business trip.

delfin dolphin.

delikatny delicate, subtle.

demagogiczny demagogic.

demokracja democracy.

demokrata democrat.

demokratyczny democratic.

demon demon.

demoniczny demonic.

demonstracja demonstration.

demonstrować 1 (*protestować*) demonstrate. **2** (*pokazywać*) demonstrate.

demoralizacja depravity.

denerwować 1 (*niepokoić*) upset. **2** (*drażnić*) irritate, annoy.

denerwować się be nervous, be upset: *Nie denerwuj się.* Don't get upset.

dentysta dentist.

dentystyczny dental, dentist's: *gabinet dentystyczny* dentist's surgery.

departament department.

depozyt deposit: *oddać coś do depozytu* deposit sth.

depresja depression.

deptać tread, (*też przen.*) trample.

deser dessert, sweet.

deska board, plank: *deska do krojenia chleba* breadboard; *deska surfingowa* surfboard.

deskorolka skateboard.

destrukcja destruction.

deszcz rain: *Pada deszcz.* It is raining.

deszczowy rainy: *deszczowy dzień* rainy day.

detal 1 (*szczegół*) detail. **2** (*w handlu*) retail.

detektyw detective.

detektywistyczny detective.

dewizy foreign currency.

dezerter deserter.

dezodorant deodorant.

dezynfekcja disinfection.

dezynfekować disinfect.

diabeł 1 devil. **2** *Skąd u (do) diabła mam wiedzieć?* How the devil should I know?

diagnoza diagnosis.

diagram chart, diagram.

dialekt dialect.

dialog dialogue.

diament diamond.

didżej (DJ) disc jockey, disk jockey, deejay.

dieta diet.

DJ zob. **didżej**.

dla for, to: *książka dla dzieci* book for children.; *Co mogę dla ciebie (was) zrobić?* What can I do for you?; *To jest dla mnie za trudne.* It's too difficult for me.; *Bądź dla niej miły.* Be nice to her.

dlaczego why: *Dlaczego się tak spieszysz?* Why are you in such a hurry?; *Oto dlaczego wyjechała z miasta.* That's why she left the town.

dlatego therefore, that's why: *Wiedziałeś! I dlatego się uśmiechałeś!* You knew! That's why you were smiling!

dłoń palm, hand: *uścisnąć komuś dłoń* shake sb's hand.

dług debt: *spłacić swoje długi* pay off one's debts.

długi long: *Jak długie są letnie wakacje w Polsce?* How long are the summer holidays in Poland?; *od dłuższego czasu* for a long time.

długo long: *tak długo jak* as long as..., so long as...; *To nie potrwa długo.* This won't take long.

długopis ballpoint (pen).

długość 1 length: *Mój pokój ma pięć metrów długości.* My room is five metres in length. **2** *długość geograficzna* longitude.

długoterminowy long-term.

dłużej longer: *Nie mogę dłużej tego znieść.* I can't stand it any longer.

dłużny owing: *Jestem ci dłużny 40 funtów.* I owe you £40.

dłuższy *zob.* **długi**.

dmuchać 1 blow. **2** *nieform.* **dmuchać nos** blow one's nose.

dmuchnąć *zob.* **dmuchać**.

dno bottom.

do 1 (*o kierunku*) to, into, for: *chodzić do szkoły (pracy)* go to school (work); *Czy to jest pociąg do Londynu?* Is this the train to London? **2** (*o czasie*) to, till, until, by: *od czasu do czasu* from time to time; *Muzeum jest czynne od wtorku do piątku.* The museum is open Tuesday to Friday. **3** (*o granicy*) to, as far as: *liczyć do dziesięciu* count to ten. **4** (*cel*) for, to: *maszynka do krojenia chleba* machine for slicing bread; *Do czego to służy?* What is it used for? **5** (*wyrażające stosunek*) to, towards, for: *podejście kogoś do sprawy* sb's attitude to (towards) a problem.

doba twenty-four hours, day and night.

dobranoc goodnight.

dobro 1 good: *dobro i zło* good and evil; *dla twojego dobra* for your own good. **2** *l.mn.* **dobra** (*towary*) goods.

dobrobyt prosperity.

dobroczynny charitable: *instytucja dobroczynna* charitable institution.

dobroć goodness, kindness.

dobrowolny voluntary.

dobry 1 good: *dobre zachowanie* good conduct; *być dobrym z matematyki* be good at mathematics. **2** *dzień dobry* good morning (*przed południem*), good afternoon (*po południu*); *dobry wieczór* good evening.

dobrze 1 well: *Ona dobrze tańczy.* She can dance well. **2** *czuć się dobrze* feel well. **3** *dobrze komuś życzyć* wish sb well. **4** (*zgoda*) *Dobrze.* Very well., All right.

doceniać 1 appreciate: *Doceniam waszą pomoc.* I appreciate your help. **2** *nie doceniać* underestimate.

docenić *zob.* **doceniać**.

dochodowy 1 (*zyskowny*) profitable. **2** *podatek dochodowy* income tax.

dochodzenie inquiry (enquiry), investigation.

dochodzić 1 (*docierać*) reach, get. **2** (*osiągnąć*) reach: *dochodzić do władzy* come to power. **3** (*o godzinie*): *Dochodzi jedenasta.* It's getting on for eleven. **4** (*upominać się*) claim: *dochodzić praw własności czegoś* claim ownership of sth.

dochód 1 (*zarobki*) income. **2** (*zysk*) profit. **3** (*państwowy*) revenue.

docierać 1 (*dostać się*) reach: *Dotarłam do Birmingham przed szóstą rano.* I reached Birmingham by 6 am.; *Wiadomość dotarła do mnie w sobotę.* The news reached me on Saturday. **2** (*zrozumieć*) *docierać do kogoś* get across.

doczekać się wait: *Nie mogę się doczekać.* I can hardly wait.

dodać *zob.* **dodawać.**

dodatek 1 supplement. **2** addition: *w dodatku*, *na dodatek* in addition (to sth).

dodatkowy additional, extra.

dodatni positive.

dodawać add: *Jeśli dodasz pięć do siedmiu, otrzymasz dwanaście.* If you add five and seven, you get twelve.

dodawanie addition.

dodzwaniać się reach, get through: *Nie mogę się do nich dodzwonić.* I can't reach them on the phone., I can't get through to them.

dodzwonić się *zob.* **dodzwaniać się.**

doganiać catch up with (*kogoś* sb).

dogodny convenient.

dogonić *zob.* **doganiać.**

doić milk.

dojazd access, approach.

dojechać *zob.* **dojeżdżać.**

dojeżdżać 1 (*zbliżać się*) approach: *Dojeżdżaliśmy do Warszawy.* We were approaching Warsaw. **2** (*docierać*) reach, arrive: *Dojechaliśmy do Wenecji w środę.* We reached Venice (arrived in Venice) on Wednesday. **3** (*do pracy z innej miejscowości*) commute.

dojrzałość 1 (*o człowieku*) maturity. **2** (*o owocu, też przen.*) ripeness.

dojrzały 1 (*człowiek, ser*) mature. **2** (*owoc*) ripe.

dojrzeć *zob.* **dojrzewać.**

dojrzewać mature, ripen.

dojrzewanie (*płciowe u człowieka*) puberty.

dojść *zob.* **dochodzić.**

dokańczać finish (up), complete: *Dokończmy tę pizzę.* Let's finish up the pizza.; *Kiedy sala gimnastyczna będzie dokończona?* When will the gym be completed?

dokąd 1 (*o miejscu*) where (to): *Dokąd idziesz?* Where are you going? **2** (*o czasie*) how long: *Dokąd mam tu żyć*? How long am I supposed to live here?

dokładnie 1 (*starannie*) carefully, thoroughly. **2** (*ściśle*) exactly: *Która jest dokładnie godzina?* What's the time exactly?

dokładność 1 (*staranność*) care, thoroughness. **2** (*ścisłość*) exactitude.

dokładny 1 (*staranny*) careful: *dokładna analiza* thorough analysis. **2** (*ścisły*) exact.

dokoła (**dookoła**) round, around: *siedzieć dookoła stołu* sit round the table.

dokończyć *zob.* **dokańczać.**

doktor doctor: *doktor medycyny* doctor of medicine (MD).

dokuczać 1 (*drażnić*) tease: *Przestań dokuczać temu psu!* Stop teasing that dog! **2** (*o bólu*) trouble.

dokument document.

dolar dollar.

dolewać pour: *Czy dolać ci jeszcze kawy?* Shall I pour you some more coffee?

dolina valley.

dolny lower.

dołączać 1 join: *Czy mogę do was dołączyć?* May I join you? 2 (*załączyć*) enclose: *Dołączam czek na sto funtów.* I enclose a cheque for one hundred pounds.

dołożyć *zob.* **dokładać**.

dom 1 (*budynek*) house, building: *zbudować dom* build a house. 2 (*gdzie się mieszka*) home: *być w domu* be at home; *iść do domu* go home; *odprowadzić kogoś do domu* see sb home. 3 *Czuj się jak u siebie w domu.* Make yourself at home. 4 (*ognisko domowe*) home: *tęsknić za domem* be homesick. 5 *z domu* (*nazwisko panieńskie kobiety*) née: *Jessica Parker, z domu Newton* Jessica Parker, née Newton.

domagać się demand, claim: *domagać się podwyżki* demand pay rise.

domowy domestic, home: *adres domowy* home address; *pomoc domowa* domestic help; *praca domowa* (*szkolna*) homework; *prace domowe* housework.

domysł conjecture, guess.

domyślać się conjecture, guess.

domyślić się *zob.* **domyślać się**.

doniczka flowerpot.

donosić 1 (*informować*) report, inform. 2 (*na policję*) report.

dookoła *zob.* **dokoła**.

dopasować *zob.* **dopasowywać**.

dopasowywać fit, adjust, adapt, (*kolorem*) match.

dopełnienie (*w językoznawstwie*) object.

dopędzać catch up with.

dopędzić *zob.* **dopędzać**.

dopiero 1 (*zaledwie*) only. 2 *dopiero co* only just: *Dopiero co wróciłem.* I've only just got back. 3 (*nie prędzej niż*) not until, not till: *Skończymy pracę dopiero w czwartek.* We won't finish the work until Thursday.

dopilnować *zob.* **dopilnowywać**.

dopilnowywać see to: *Dopilnuj, żeby dzieci umyły zęby.* See to it that the children clean their teeth.

dopisać *zob.* **dopisywać**.

dopisek postscript.

dopisywać (*do tekstu*) add.

dopłacać pay extra.

dopłacić *zob.* **dopłacać**.

dopłata extra charge.

dopływ (*rzeki*) tributary.

dopóki 1 as long as: *Dopóki żyję, nie zostawię cię.* As long as I live, I won't leave you. 2 (*dopóty*) till, until: *Nie otwieraj oczu, dopóki ci nie powiem.* Don't open your eyes until I tell you.

dopóty *zob.* **dopóki**.

doprowadzać lead, bring: *doprowadzić kogoś do rozpaczy* drive sb to despair; *Ta muzyka doprowadza mnie do szału.* The music is driving me mad.

dopuszczać let, allow, permit: *dopuścić do czegoś* let sth happen; *Nie mogę do tego dopuścić.* I can't let it happen.

dopuszczalny admissible, permissible: *prędkość dopuszczalna* speed limit.

dopuścić *zob.* **dopuszczać**.

doradca adviser.

doradzać advise.

dorastać 1 (*o wieku*) grow up. **2** *przen.* equal. **3** *nie dorastać komuś do pięt* be no match for sb.

doraźny temporary.

doręczać deliver.

doręczyć *zob.* **doręczać**.

dorobek 1 (*pracy twórczej*) work. **2** (*mienie*) property.

dorosły I (*osoba*) grown up, adult: *tylko dla dorosłych* for adults only.

dorosły II grown-up.

dorosnąć *zob.* **dorastać**.

dorównać *zob.* **dorównywać**.

dorównywać equal, come up to.

doskonale perfectly.

doskonalić improve, perfect.

doskonałość perfection.

doskonały perfect, excellent.

dosłownie literally.

dosłowny literal.

dostać *zob.* **dostawać**.

dostać się *zob.* **dostawać się**.

dostarczać 1 (*do domu*) deliver. **2** (*zaopatrywać*) provide. **3** (*być źródłem*) give.

dostarczyć *zob.* **dostarczać**.

dostatecznie sufficiently, enough.

dostateczny satisfactory.

dostawa delivery.

dostawać get, receive.

dostawać się get.

dostawca supplier.

dostęp access.

dostępny 1 (*uchwytny*) accessible. **2** (*łatwy*) easy.

dostojny dignified.

dostosować *zob.* **dostosowywać**.

dostosować się *zob.* **dostosowywać się**.

dostosowywać adapt, adjust.

dostosowywać się adapt (oneself), adjust.

dostrzec *zob.* **dostrzegać**.

dostrzegać perceive, notice.

dostrzegalny perceptible, noticeable.

dosyć (dość) 1 (*wystarczająco*) enough, sufficient, sufficiently: *Czy masz dosyć pieniędzy, żeby kupić taki dom?* Have you got enough money to buy such a house? **2** (*stosunkowo*) quite, rather: *Ben śpiewa dość dobrze.* Ben sings quite well. **3** *Mam (tego) dość!* I've had enough!

dość *zob.* **dosyć**.

doświadczać experience.

doświadczalny 1 experimental. **2** *przen.* **królik doświadczalny** guinea pig.

doświadczenie 1 (*eksperyment*) experiment: *przeprowadzać doświadczenia* perform (carry out) experiments. **2** (*życiowe*) experience.

doświadczony experienced.

doświadczyć *zob.* **doświadczać**.

dotąd 1 (*do tego miejsca*) up to here. **2** (*do tej chwili*) so far, till now: *Jak dotąd, zaginieni pasażerowie nie zostali odnalezieni.* The missing passengers haven't been found so far.

dotkliwy 1 (*srogi*) severe. **2** (*brak*) acute.

dotknąć *zob.* **dotykać**.

dotknięcie touch.

dotknięty 1 (*urażony*) offended. **2** (*plagą*) afflicted.

dotować subsidize.

dotrzeć *zob.* **docierać**.

dotrzymać *zob.* **dotrzymywać**.

dotrzymywać keep: *dotrzymać obietnicy* keep a promise.

dotychczas so far.

dotyczyć concern, regard: *To ciebie nie dotyczy.* It doesn't concern you.

dotyk touch.

dotykać touch, feel: *Uprasza się, aby zwiedzający nie dotykali eksponatów.* Visitors are requested not to touch the exhibits.

doustny oral.

dowcip 1 (*żart*) joke: *powiedzieć dowcip* tell a joke. **2** (*cecha charakteru*) wit.

dowcipny witty.

dowiadywać się 1 (*pytać*) inquire, enquire. **2** (*otrzymać informację*) learn, find out : *Dowiedziałam się, że wyjechała z kraju.* I learned that she had left the country.; *Czy dowiedziałeś się, o której przyjeżdża autobus?* Have you found out what time the bus arrives?

dowiedzieć się *zob.* **dowiadywać się**.

dowieść *zob.* **dowodzić**.

dowlec się *zob.* **wlec się**.

dowodzić 1 (*udowodnić*) prove. **2** (*kierować*) command.

dowolny any, whichever: *dowolny dzień w przyszłym tygodniu* any day next week.

dowód 1 proof, evidence. **2** *dowód osobisty* identity card. **3** *dowód wpłaty* receipt.

dowódca commander.

dowództwo command.

doznać *zob.* **doznawać**.

doznawać experience, suffer.

dozorca caretaker, *AM* janitor.

dozór 1 supervision. **2** (*policyjny*) surveillance.

dożywotni life: *skazać kogoś na dożywotnie więzienie* sentence sb to life imprisonment.

dół 1 (*zagłębienie*) hole. **2** (*dolna część*) bottom, foot: *podpisać się na dole strony* sign one's name at the bottom (foot) of the page. **3** (*parter*) downstairs. **4** (*kierunek*) down: *schodzić w dół* go down.

drabina ladder.
dramat 1 (*w teatrze*) drama. **2** (*nieszczęście*) tragedy.
dramatyczny dramatic.
drapacz chmur skyscraper.
drapać scratch.
drapieżnik predator.
drapnąć *zob.* **drapać**.
drażliwy 1 (*o temacie*) delicate, touchy. **2** (*o człowieku*) irritable.
drażnić 1 (*podrażniać*) irritate. **2** (*irytować*) irritate. **3** (*dokuczać*) tease.
drążyć 1 (*tunel*) bore. **2** (*temat*) dwell on, dwell upon.
dres tracksuit.
dreszcz shiver, thrill.
dreszczowiec thriller.
drewniany wooden.
drewno wood.
dręczyć torment.
drętwieć go numb, stiffen.
drętwy 1 numb. **2** *nieform.* (*nudny*) dull.
drgać vibrate.
drganie vibration.
drgnąć *zob.* **drgać**.
drobiazg trifle.
drobne (*pieniądze*) small change.
drobnoustrój germ.
drobny 1 (*o rozmiarze*) small, fine. **2** (*delikatny*) small. **3** (*o skali*) small.
droga 1 (*szlak komunikacyjny*) way, road: *droga główna* main (major) road; *droga drugorzędna* minor

road; *skrzyżowanie dróg* crossroads. **2** (*odległość*) way: *pytać się o drogę* ask the way; *zgubić drogę* lose the (one's) way; *całą drogę* all the way; *po (w) drodze* on one's way. **3** (*sposób działania*) way.
drogi 1 (*kosztowny*) expensive, dear. **2** (*sercu*) dear: *Wnuczka jest jej bardzo droga.* Her granddaughter is very dear to her.
drogo expensively.
drogocenny precious.
drogowskaz signpost.
drogowy road: *znaki drogowe* road signs; *przepisy drogowe* traffic regulations; *roboty drogowe* road works.
drożdżówka bun.
drożeć get more expensive.
drób poultry.
drugi 1 (*w kolejności*) second: *drugi czerwca* June 2nd (June the second), 2nd June (the second of June); *drugiego czerwca* on June 2nd; *druga godzina* two o'clock; *o drugiej (godzinie)* at two (o'clock); *druga strona* (*w książce*) page 2 (page two). **2** (*jeden z dwóch*) other: *co drugi dzień* every other day; *po drugiej stronie ulicy* on the other side of the street; *z drugiej strony* on the other hand; *On ma dwóch braci, jeden jest dentystą, a drugi inżynierem.* He has two brothers – one is a dentist, and the other is an engineer.

druk 1 (*formularz*) form, application form: **wypełnić druk** fill in the form. **2** (*o czcionce*) print. **3** (*proces*) print: **wydać drukiem** publish.

drukarka *komp.* printer.

drukarnia printing house.

drukować print.

drut wire.

drużyna team.

drwal woodcutter.

drwić sneer.

drwina sneer.

drzeć 1 (*rwać*) tear. **2** (*zużywać*) wear (out).

drzemać nap.

drzemka nap.

drzewo 1 (*roślina*) tree. **2** (*materiał*) wood.

drzwi door: **otworzyć drzwi** open the door; **zamknąć drzwi** shut the door; **zamknąć drzwi na klucz** lock the door.

drżeć tremble.

duch ghost, spirit.

duchowieństwo clergy.

duchowy 1 (*o duchu*) spiritual. **2** (*o umyśle*) intellectual.

duet duet.

duma pride.

dumny proud.

dupa *wulg.* arse, *AM* ass.

dupek *wulg. BR* arsehole.

duplikat duplicate, copy.

dureń *nieform. pejor.* dumbo.

durszlak strainer.

dusić 1 (*kogoś*) strangle. **2** (*bez powietrza*) suffocate. **3** (*gotować*) stew.

dusić się stifle, suffocate.

dusza soul.

dużo 1 (*o rzeczownikach policzalnych*) many, a lot of, a large number of: *dużo zabawek* a lot of toys; *dużo osób* many people. **2** (*o rzeczownikach niepoliczalnych*) much, a lot of, lots of: *Mam dużo pieniędzy.* I've got a lot of (lots of) money.; *Nie mamy dużo pieniędzy.* We haven't got much money. **3** (*ze stopniem wyższym przymiotnika i przysłówka*) much: *dużo lepiej (lepszy)* much better; *dużo tańszy* much cheaper; *dużo ciekawiej (ciekawszy)* much more interesting.

duży big, large.

dwa two.

dwadzieścia twenty.

dwanaście twelve.

dworzec railway station.

dwójka 1 (*liczba*) two. **2** (*para*) couple.

dwór 1 (*posiadłość ziemiańska*) manor. **2** (*królewski*) court. **3** (*pod gołym niebem*) outdoors.

dwudziesty 1 twentieth: *dwudziesty szósty* twenty-sixth. **2** *jest dwudziesta (godzina)* it's eight pm; *o dwudziestej (godzinie)* at eight pm. **3** *dwudziestego maja* (*coś się stało*) on May 20th. **4** *strona dwudziesta* page twenty. **5** *lata dwudzieste* the twenties.

dwunasty 1 twelfth. **2** *jest dwuna-sta (godzina)* it's twelve (o'clock); *o dwunastej (godzinie)* at twelve. **3** *dwunastego maja (coś się sta-ło)* on May 12th. **4** *strona dwu-nasta* page twelve.

dwuosobowy *pokój dwuosobowy* double room.

dwuznaczny ambiguous.

dydaktyczny didactic.

dygotać shake.

dyktando dictation.

dyktator dictator.

dyktatura dictatorship.

dyktować dictate.

dym smoke.

dymić smoke.

dymisja dismissal: *podać się do dy-misji* resign.

dynamicznie dynamically.

dynamiczny dynamic.

dynamit dynamite.

dynastia dynasty.

dynia pumpkin.

dyplom diploma.

dyplomacja 1 (*zręczność*) diplomacy. **2** (*instytucje*) diplomatic service.

dyplomata diplomat.

dyplomatyczny 1 (*zręczny*) diplomat-ic. **2** (*instytucjonalny*) diplomatic.

dyplomowany qualified, certified.

dyrekcja management.

dyrektor 1 (*naczelny*) director, manag-ing director. **2** (*zarządca*) manager. **3** (*szkoły*) headmaster, *AM* principal.

dyrygent conductor.

dyrygować conduct.

dyscyplina 1 (*karność*) discipline. **2** (*nauki*) branch.

dysk 1 (*w medycynie*) disc (*AM* disk). **2** (*w sporcie*) discus: *rzut dyskiem* the discus. **3** *komp.* disk: *twardy dysk* hard disk; *stacja (na-pęd) dysków* disk drive.

dyskietka floppy (disk): *kopiować na dyskietkę* copy onto a disk.

dyskoteka discotheque, disco.

dyskretny discreet.

dyskryminacja discrimination.

dyskryminować discriminate.

dyskusja discussion.

dyskutować discuss.

dyskwalifikacja disqualification.

dyskwalifikować disqualify.

dysponować dispose of.

dyspozycja 1 (*możliwość*) disposal. **2** (*zarządzenie*) order.

dystans distance.

dystyngowany distinguished.

dyszeć gasp.

dywan carpet.

dywanik rug.

dywersja sabotage.

dyżur duty.

dyżurować be on duty.

dzban jug.

dziać się happen, occur, go on: *Co się z tobą dzieje?* What's the matter with you?; *Co tu się dzieje?* What's going on here?; *Co się dzia-ło potem?* What happened next?

dziadek grandfather.

dział (*instytucji*) division, department.

działać 1 (*o człowieku*) act. **2** (*o maszynie*) operate: *Winda nie działa.* The lift doesn't work., The lift is out of order.

działalność activity.

działanie action.

działo gun.

dziąsło gum.

dzieci children, *zob.* **dziecko**.

dziecięcy children's, infantile, childlike: *ubiory dziecięce* children's clothes; *dziecięca ufność* childlike trust.

dziecinny 1 (*właściwy dziecku*) children's, childish: *obuwie dziecinne* children's footwear; *pokój dziecinny* nursery. **2** (*jak dziecko*) infantile, childish.

dzieciństwo childhood.

dziecko child.

dziedzictwo heritage.

dziedziczny 1 (*o cechach*) hereditary. **2** (*w spadku*) inherited. **3** (*o władzy*) hereditary.

dziedziczyć inherit.

dziedzina branch, field.

dziedziniec courtyard.

dziekan dean.

dzielenie division.

dzielić 1 (*rozłączać*) divide, separate. **2** (*rozdawać*) distribute, divide. **3** (*w matematyce*) divide: *20 dzielone przez 5 wynosi 4.* 20 divided by 5 is 4. **4** (*współuczestniczyć*) share.

dzielić się 1 divide, split: *dzielić się na grupy* divide into groups. **2** (*między siebie*) share.

dzielnica district.

dzielny brave.

dzieło work.

dziennie daily, a day: *dwa razy dziennie* twice a day.

dziennik 1 (*gazeta*) paper, newspaper, daily. **2** (*w radio, TV*) news. **3** (*codzienne zapiski*) journal. **4** (*pamiętnik*) diary.

dziennikarka journalist, reporter.

dziennikarstwo journalism.

dziennikarz journalist, reporter.

dzienny day, daily, day's.

dzień 1 day: *dzień roboczy* working day; *dzień wolny* (*od pracy*) day off; *co dzień* every day; *cały dzień* the whole day; *następnego dnia* the next day, the following day. **2** *Dzień dobry!* (*do południa*) Good morning!, (*po dwunastej w południe*) Good afternoon!

dzierżawa lease.

dzierżawić rent.

dziesiąty 1 tenth. **2** *jest dziesiąta (godzina)* it's ten (o'clock); *o dziesiątej (godzinie)* at ten. **3** *dziesiątego maja* (*coś się stało*) on May 10th. **4** *strona dziesiąta* page ten.

dziesięć ten.

dziesiętny decimal.

dziewczyna 1 girl. **2** (*sympatia*) girlfriend.

dziewczynka girl.

dziewiąty 1 ninth. **2** *jest dziewiąta (godzina)* it's nine (o'clock); *o dziewiątej (godzinie)* at nine. **3** *dziewiątego maja (coś się stało)* on May 9th. **4** *strona dziewiąta* page nine.

dziewica virgin.

dziewięć nine.

dziewięćdziesiąt ninety.

dziewięćdziesiąty ninetieth.

dziewiętnasty 1 nineteenth. **2** *jest dziewiętnasta (godzina)* it's seven pm; *o dziewiętnastej (godzinie)* at seven pm. **3** *dziewiętnastego maja (coś się stało)* on May 19th. **4** *strona dziewiętnasta* page nineteen.

dzięcioł woodpecker.

dzięki 1 *(dziękuję)* thanks: *wielkie dzięki* many thanks. **2** *(zawdzięczając)* thanks, thank: *Dzięki Bogu!* Thank God!

dziękować thank: *„Dziękuję bardzo". „Proszę".* 'Thank you very much'. 'You're welcome'.

dzik boar.

dziki wild.

dzikus savage, barbarian.

dziobać peck.

dziobnąć *zob.* **dziobać**.

dziób 1 *(ptaka)* bill. **2** *(łodzi)* bow.

dzisiaj *(dziś)* **1** today: *dzisiaj rano (wieczorem)* this morning (evening); *od dzisiaj* as of today, from now on; *od dzisiaj przez (na) tydzień* today week, a week today. **2** *(obecnie)* nowadays.

dzisiejszy 1 today, today's: *dzisiejsza gazeta* today's paper. **2** *(współczesny)* present-day.

dziś *zob.* **dzisiaj**.

dziura hole, leak.

dziurawy full of holes, leaky.

dziwaczny bizzare.

dziwić surprise.

dziwić się be surprised.

dziwka *nieform. pejor.* whore, *AM* hooker .

dziwny strange.

dzwon bell.

dzwonek 1 *(przedmiot)* bell: *dzwonek u drzwi* doorbell. **2** *(dźwięk)* ring.

dzwonić 1 *(dźwięk)* ring: *Dzwoni telefon.* The telephone is ringing. **2** *(telefonować)* phone, ring up, call (up): *Zadzwoń do mnie wieczorem.* Ring me up tonight., Call me tonight.; *Czy ktoś dzwonił?* Did anybody call?

dźwięk sound.

dźwig 1 crane. **2** *(winda)* lift.

dźwigać 1 *(podnosić)* lift. **2** *(nosić)* bear, carry.

dźwignąć *zob.* **dźwigać**.

dźwignia lever.

dżem jam.

dżentelmen gentleman.

dżinsy jeans, *(z materiału dżinsowego)* denims.

dżudo judo.

dżungla jungle: *betonowa dżungla* concrete jungle.

E

echo echo.

ecu ecu, ECU.

edukacja education.

edukacyjny educational.

edukować educate.

edycja 1 (*wydanie*) edition. **2** (*redagowanie*) edition.

edytor 1 (*wydawca*) editor. **2** *komp.* ***edytor tekstów*** text editor, word processor.

edytować *komp.* edit.

efekt 1 effect. **2** *efekty specjalne* special effects. **3** *efekt uboczny* side effect.

efektowny spectacular.

efektywny 1 (*urządzenie*) effective. **2** (*metoda*) efficient.

egocentryczny egocentric.

egoista egoist.

egoistyczny selfish.

egoizm egoism, selfishness.

egzamin examination, exam: *egzamin dojrzałości* school-leaving examination; *egzamin magisterski* final university examination; *przystąpić do egzaminu* take an exam, sit an exam; *zdać egzamin* pass an exam; *nie zdać egzaminu* fail an exam.

egzaminować examine.

egzekucja execution.

egzekwować 1 (*pieniądze*) exact. **2** (*wymusić*) enforce.

egzemplarz 1 (*książki*) copy. **2** (*okaz*) specimen.

egzystencja existence.

egzystować exist.

ekipa 1 (*sportowa*) team. **2** (*telewizyjna*) crew.

ekologia ecology.

ekologiczny ecological.

ekonomia 1 (*gospodarka*) economy. **2** (*nauka*) economics. **3** (*oszczędność*) economy.

ekonomiczny 1 (*gospodarczy*) economic. **2** (*oszczędny*) economical.

ekonomista economist.

ekran screen.

ekscentryczny eccentric.

ekscytować excite.

ekscytujący exciting.

ekskluzywny exclusive.

ekspedient *BR* shop assistant, salesman.

ekspedientka *BR* shop assistant, saleswoman.

ekspedycja expedition.

ekspert expert.

ekspertyza expertise.

eksperyment experiment: *przeprowadzać eksperyment* conduct (carry out) an experiment.

eksperymentalny experimental.

eksperymentować experiment.

eksploatacja 1 (*wyzysk*) exploitation. **2** (*wydobywanie*) exploitation. **3** (*używanie*) use: *podręcznik eksploatacji* operations manual.

eksploatować exploit.

eksplodować explode.

eksplozja explosion.

eksponat exhibit.

eksport export.

eksportować export.

eksportowy export.

ekspres 1 (*pociąg*) express. **2** (*list*) express letter. **3** (*do kawy*) coffee maker.

ekstaza ecstasy.

ekstra 1 (*dodatkowy*) extra. **2** (*nadzwyczajny*) super.

ekstrakt extract.

ekstrawagancki extravagant.

ekstremalny extreme.

elastyczny 1 (*o materiale*) elastic. **2** (*o człowieku*) flexible.

elegancja elegance.

elegancki elegant, smart.

elektron electron.

elektroniczny electronic: *komp. poczta elektroniczna* electronic mail, e-mail, email; *komp. adres poczty elektronicznej* e-mail address, email address.

elektrownia power station.

elektryczność electricity.

elektryczny electric.

elektryk electrician.

element element.

eliminacja elimination.

eliminować eliminate.

elokwentny eloquent.

emeryt retired person.

emerytowany retired.

emerytura retirement.

emigracja emigration.

emigrant emigrant.

emigrować emigrate.

emisja 1 (*pieniędzy*) issue. **2** (*programu*) broadcast.

emitować 1 (*pieniądze*) issue. **2** (*program*) broadcast.

emocjonalny emotional.

emulsja emulsion.

encyklopedia encyclopedia, encyclopaedia.

energetyka energetics.

energia energy, power: *energia elektryczna (jądrowa)* electric (nuclear) energy; *energia życiowa* vigour (*AM* vigor); *tryskać energią* be bursting with energy.

energiczny energetic.

entuzjastyczny enthusiastic.

entuzjazm enthusiasm.

epidemia epidemic.

epilepsja epilepsy.

epileptyczny epileptic.

epoka epoch, age.

epopeja epic.

era 1 era. **2 przed naszą erą** B.C.
(Before Christ); **naszej ery** A.D.
(Anno Domini).

erekcja erection.

erotyczny erotic.

esej essay.

esencja 1 (*ekstrakt*) essence. **2** (*napar*) infusion.

eskortować escort.

estetyczny aesthetic (*AM* esthetic).

etap 1 (*podróży*) stage. **2** (*w sporcie*) leg.

etat permanent post (job).

etniczny ethnic.

etnografia ethnography.

etnologia ethnology.

etos ethos.

etui case.

etyczny ethical.

etyka ethic, ethics.

etykieta 1 (*nalepka*) label. **2** (*sposób zachowania*) etiquette.

eufemizm euphemism.

eukaliptus eucalyptus.

euro Euro, euro.

europejski European.

ewakuacja evacuation.

ewakuacyjny (*w zwrotach*): **schody ewakuacyjne** fire escape; **wyjście ewakuacyjne** emergency exit.

ewakuować evacuate.

ewangelia gospel.

ewangelicki evangelical.

ewentualnie 1 (*być może*) possibly: *Czy mógłbyś ewentualnie pożyczyć mi 500 funtów?* Could you possibly lend me £500? **2** (*w razie czego*) if need be. **3** (*lub, albo też*) or: *Kupię mu krawat, ewentualnie pióro.* I'll buy him a tie or a pen.

ewentualny possible, likely.

ewidentnie evidently.

ewidentny evident.

ewolucja evolution.

ewoluować evolve.

F

fabryczny factory: *znak fabryczny* trademark.

fabryka factory.

fabularny *film fabularny* feature film.

fabuła plot.

facet *nieform.* fellow, guy.

fachowiec expert.

fachowy expert.

fajans faience.

fajka pipe.

fajny cool.

fakt fact.

faktura invoice.

faktycznie actually, in fact: *Brad Pitt wygląda młodo, ale faktycznie ma już 40 lat.* Brad Pitt looks young but in fact he's 40.

faktyczny actual, real.

fala wave.

falować wave.

falstart false start : *popełnić falstart* make a false start.

falsyfikat forgery.

fałsz falsehood.

fałszerstwo falsification.

fałszerz forger.

fałszować 1 (*podrabiać*) fake, forge. **2** (*nieczysto śpiewać*) sing out of tune.

fałszywy false: *fałszywy alarm* false alarm.

fanatyk fanatic.

fantastycznonaukowy science fiction, sci-fi, SF.

fantastyczny fantastic.

fantazja 1 (*wyobraźnia*) imagination: *mieć bujną fantazję* have vivid (wild) imagination. **2** (*urojenie*) fantasy.

farba 1 (*do malowania*) paint. **2** (*do farbownia*) dye.

farbować dye.

farma farm.

farmaceuta pharmacist.

farmer farmer.

farsz stuffing.

fartuch apron.

fasada façade.

fascynować fascinate.

fasola 1 bean. **2** (*potrawa*) beans.

fasolówka bean soup.

faszerować stuff.

faszysta fascist.

faszystowski fascist.

faszyzm fascism.

fatalny 1 (*nieszczęsny*) disastrous. **2** (*okropny*) awful.

fatygować trouble, bother: *Nie fatyguj się.* Please don't bother.; *Bar-*

dzo przepraszam, że pana fatyguję. I'm awfully sorry to trouble (bother) you.

fauna fauna.

faworyt favourite (*AM* favorite).

faza phase.

federacja federation.

federalny federal.

feler defect.

feministka feminist.

fenomen phenomenon.

ferie holidays, vacation: *ferie wielkanocne* Easter vacation (holidays); *ferie zimowe* winter holidays.

festiwal festival.

fiasko fiasco.

figlarny mischievous.

figura 1 figure. 2 (*w szachach*) chessman.

fikcja fiction.

fikcyjny fictitious.

filatelista philatelist, stamp collector.

filet fillet.

filharmonia 1 (*budynek*) concert hall. 2 *Orkiestra Filharmonii Wiedeńskiej* the Vienna Philharmonic (Orchestra).

filia branch.

filiżanka cup: *filiżanka herbaty* a cup of tea.

film 1 film: *film animowany* animated cartoon; *film fabularny* feature film; *film dokumentalny* documentary. 2 (*fotograficzny*) film: *wywołać film* develop a film.

filmować film.

filmowy film: *gwiazda filmowa* film star; *reżyser filmowy* film director.

filolog philologist.

filologia philology.

filozof philosopher.

filozofia philosophy.

filtr filter.

finał final, end.

finałowy final.

finanse finance.

finansować finance.

finansowy financial.

finisz finish.

fioletowy purple, violet.

firanka lace curtain.

firma company, firm: *adres firmy* business address.

firmowy firm: *znak firmowy* trademark.

fiut *wulg.* dick.

fizjologiczny physiological.

fizyczny physical: *wychowanie fizyczne* (*wf*) physical education (PE).

fizyk physicist.

fizyka physics.

flaga flag.

flakon vase.

flamaster felt-tip (pen).

flesz flash.

flet flute.

flirt flirtation.

flirtować flirt.

fobia phobia.

foka seal.

folia foil.

folklor folklore.

fonetyczny phonetic.
fonetyka phonetics.
fontanna fountain.
forma 1 (*kształt*) form, shape. **2** (*sposób*) form: *forma pisemna* written form.
formacja formation.
formalność formality.
formalny formal.
format 1 size. **2** *komp.* format.
formatować *komp.* format.
formować form.
formularz form: *wypełnić formularz* fill in a form.
formułować formulate.
forsa *nieform.* cash, dough.
forsować 1 (*przeszkodę*) force. **2** (*przeciążać*) strain.
forteca fortress.
fortepian piano, grand piano: *grać na fortepianie* play the piano.
fortuna fortune.
fotel armchair: *siedzieć na fotelu* sit in an armchair.
fotograf photographer.
fotografia 1 (*zdjęcie*) photograph, photo, picture: *zrobić fotografię* take a photo. **2** (*sztuka*) photography.
fotograficzny photographic.
fotografować photograph, take photos.
fotokopia photocopy.
fragment fragment, (*utworu*) excerpt.
frajer *nieform. pejor.* sucker.
francuski French.

front 1 (*przód*) *front domu* front of the house. **2** (*wojenny*) *linia frontu* front line.
frunąć *zob.* **fruwać**.
frustracja frustration.
fruwać fly.
frytki chips, *AM* French fries.
fryzjer hairdresser, (*męski*) barber.
fryzura 1 (*ułożenie i obcięcie włosów*) hairstyle. **2** (*obcięcie*) haircut.
fundacja foundation.
fundament foundation, foundations.
fundamentalny fundamental.
fundować 1 (*na cel społeczny*) found. **2** (*pokrywać koszty*) stand.
fundusz fund.
funkcja function.
funkcjonalny functional.
funkcjonować function.
funt 1 (*BR jednostka monetarna*) pound (£): *To kosztuje 15 funtów.* It costs £15 (fifteen pounds). **2** (*0,454 kg*) pound (lb) : *Bagaż waży 25 funtów.* The luggage weighs 25 lbs (twenty-five pounds).
furgonetka van.
furia fury: *wpaść w furię* fly into a fury.
furtka gate.
futbol football, soccer.
futbolista footballer.
futerał case.
futro 1 (*skóra*) fur. **2** (*okrycie*) fur coat.
futrzany fur.
fuzja (*połączenie*) merger.

G

gabinet 1 (*do pracy*) study. **2** (*lekarski*) surgery.

gad reptile.

gadać *nieform.* talk.

gadatliwy talkative.

gafa blunder.

galaktyka galaxy.

galaretka jelly.

galeria gallery.

galon (*4,55 l*) gallon.

galopować gallop.

gałązka twig.

gałąź (*też przen.*) branch.

gama 1 (*w muzyce*) scale. **2** (*zakres*) gamut, range.

gang gang.

gangster gangster.

gapić się *nieform.* gape, stare.

garaż garage.

garb hump, humpback.

garderoba 1 (*odzież*) wardrobe. **2** (*pokój*) dressing-room. **3** (*szatnia*) cloak-room.

gardło throat: *ból gardła* sore throat.

gardzić despise.

garncarstwo pottery.

garnek pot.

garnitur suit.

garść 1 (*ilość*) handful. **2** (*dłoń*) hand.

gasić 1 (*ogień*) extinguish. **2** (*wyłączać*) put out, switch (turn) off: *gasić światło* put out the light; *gasić radio* turn the radio off.

gasnąć go out.

gaśnica fire extinguisher.

gatunek 1 (*rodzaj*) kind. **2** (*jakość*) quality. **3** (*w zoologii*) species.

gawędzić chat.

gaz gas.

gazeta paper, newspaper.

gazowy gas: *kuchenka gazowa* gas cooker.

gąbka sponge.

gąsienica caterpillar.

gąsior gander.

gderać grumble.

gdy when, while, as: *Gdy wracałam do domu...* When (As, While) I was coming home...; *Gdy się zestarzał, docenił wartość przyjaźni.* As he grew older he understood the value of friendship.; *Powiem jej, gdy ją zobaczę.* I'll tell her when I see her.

gdyby 1 if: *Gdyby zechciał pan (pani)...* If you would...; *Wyjechalibyśmy, gdybyśmy mieli pieniądze.* We would move out if we had money.; *Gdyby nie wasza pomoc,* *nie przeżylibyśmy.* If it weren't for your help we wouldn't survive.; *Gdyby znalazła pani paszport, proszę mnie powiadomić.* If you should find your passport, please let me know. **2 jak gdyby** as if, as though: *Staruszka wyglądała, jak gdyby zobaczyła ducha.* The old lady looked as if she had seen a ghost. **3 gdyby tylko** if only: *Gdyby tylko mój ochroniarz tu był...* If only my bodyguard were (was) here... **4 nawet gdyby** even if: *Nawet gdybym wiedziała, nie powiedziałabym jej.* Even if I knew I wouldn't tell her.

gdyż because, for: *Nie mogłam się ruszyć, gdyż lęk był silniejszy niż głód.* I wasn't able to move as the fear was stronger than hunger.

gdzie 1 where: *Gdzie jesteś?* Where are you?; *Gdzie to jest?* Where is it?; *Usiądźcie, gdzie chcecie.* Sit where you like. **2 gdzie indziej** somewhere else, elsewhere: *Jestem pewna, że pojechali gdzie indziej.* I'm sure they went somewhere else.

gdziekolwiek 1 (*gdzie bądź*) anywhere, wherever. **2** (*wszędzie*) wherever.

gdzieś somewhere, anywhere: *gdzieś tutaj* somewhere here; *Czy wyjeżdżasz gdzieś w ten weekend?* Are you going anywhere this weekend?

gej *nieform.* gay.

gen gene.

generacja generation.

generalnie generally, in general.

generalny general.

generał general.

genetyczny genetic.

genialny 1 (*obdarzony geniuszem*) of genius: *Dawid jest genialny.* David is a man of genius. **2** (*znakomity*) brilliant.

geniusz genius.

geograf geographer.

geografia geography.

geograficzny geographical.

geologia geology.

geologiczny geological.

geometria geometry.

geometryczny geometrical.

gest gesture.

gestykulować gesticulate.

getto ghetto.

gęba *nieform.* trap.

gęstnieć thicken.

gęsto densely.

gęstość density.

gęsty thick, dense: *gęste włosy* thick hair.

gęś goose.

giełda stock exchange.

giętki flexible.

gigant giant.

gigantyczny giant, gigantic.

gimnastyczny gymnastic.

gimnastyka gymnastics.

gimnastykować exercise.

gimnastykować się exercise.

gimnazjum grammar school, *AM* high school.

ginąć 1 (*umierać*) die, die out, perish. **2** (*zanikać*) vanish. **3** (*gubić się*) get lost.

ginekolog gynaecologist, *AM* gynecologist.

gips plaster.

gitara guitar: *grać na gitarze* play the guitar.

gitarzysta guitarist.

gleba soil.

glina clay.

glob globe.

globalny global: *ocieplenie globalne* global warming.

gładki smooth.

gładko smoothly.

głaskać stroke.

głaz boulder.

głębia depth.

głęboki deep: *wziąć głęboki oddech* draw (take) a deep breath.

głęboko deep, deeply.

głębokość depth.

głodny hungry.

głodować starve.

głos (*dźwięk*) sound, voice.

głosować vote: *głosować za czymś* vote for sth; *głosować przeciwko czemuś* vote against sth.

głośnik loudspeaker.

głośno loud, loudly, noisily: *mówić głośno* speak loudly.

głośny 1 (*donośny*) loud. **2** (*hałaśliwy*) noisy.

głowa 1 (*część ciała*) head: *Boli mnie głowa.* I have a headache. **2** (*najważniejsza osoba*) head: *głowa rodziny* head of the family. **3** *tracić głowę* lose one's head. **4** *przyjść komuś do głowy* occur to sb.

głód hunger.

głównie mainly, mostly.

główny main, chief: *główny powód* main reason.

głuchoniemy deaf mute.

głuchy deaf.

głupek *nieform. pejor.* dumbo.

głupi stupid, foolish: *głupi dowcip* silly joke; *głupie pytanie* stupid question.

głupiec fool.

głupieć 1 go off one's head. **2** (*tracić głowę*) lose one's head.

głupio foolish, foolishly.

gmina (*jednostka administracyjna*) commune, (*wiejska*) parish, (*miejska*) municipality.

gminny communal.

gniazdo nest.

gnić rot.

gnieść 1 (*przyciskać*) press, crush. **2** (*miąć*) crumple.

gniew anger, *liter.* wrath.

gniewać się be angry (*na kogoś* with sb): *Nie gniewaj się na mnie!* Don't be angry with me!

gnój 1 (*nawóz*) dung. **2** *wulg.* (*o człowieku*) shit.

godło emblem.

godność 1 (*poczucie wartości*) dignity: *mieć poczucie własnej godności* have self-respect. **2** (*nazwisko*) name: *Jak pańska godność?* What's your name, sir?

godny 1 (*zasługujący*) worthy: *godny uwagi* noteworthy. **2** (*stosowny*) proper.

godzić 1 (*jednać*) reconcile. **2** (*łączyć*) reconcile.

godzić się reconcile.

godzina hour: *co godzinę* every hour; *Która godzina?* What's the time?, What time is it?; *Jest jedenasta godzina.* It's eleven o'clock.; *Spotkajmy się o godzinie dwunastej.* Let's meet at twelve.

goić się heal.

gol goal: *zdobyć (strzelić) gola* score a goal.

golarka shaver.

golf 1 (*sweter*) turtle neck. **2** (*sport*) golf.

golić shave.

golić się shave.

gołąb pigeon.

gołębica dove.

goły naked, nude.

gonić run after, chase.

gonić się race.

gorąco 1 (*ciepło*) hot: *Jest mi gorąco.* I'm hot. **2** (*serdecznie*) heartily, warmly.

gorący 1 (*o temperaturze*) hot. **2** (*serdeczny*) warm.

gorączka fever, temperature.

gorączkowy feverish.

gorszy worse.

gorszyć 1 (*zgorszenie*) scandalize. **2** (*deprawować*) deprave.

gorycz bitterness.

goryl 1 (*zwierzę*) gorilla. **2** (*ochroniarz*) bodyguard.

gorzej worse.

gorzki bitter.

gorzko bitterly.

gospodarczy economic: *rozwój gospodarczy* economic development.

gospodarka 1 (*ekonomia*) economy. **2** (*gospodarstwo rolne*) (agricultural) farm.

gospodarstwo 1 (*wiejskie*) farm. **2** (*domowe*) house, household.

gospodarz 1 (*wiejski*) farmer. **2** (*domu*) house holder, landlord. **3** (*pełniący honory*) host.

gospodyni 1 (*wynajęta*) housekeeper. **2** (*domu*) lady of the house. **3** (*we własnym domu*) housewife. **4** (*pełniąca honory*) hostess.

gościnność hospitality.

gościnny 1 (*o osobie*) hospitable. **2** (*dla gości*) *pokój gościnny* guestroom.

gość guest, visitor.

gotować 1 (*posiłek*) cook. **2** (*wodę – do wrzenia*) boil.

gotowy 1 (*wykonany*) ready, completed. **2** (*w gotowości*) ready. **3** (*skłonny*) willing.

gotówka cash: *płacić gotówką* pay cash, pay in cash.

góra I 1 (*wzniesienie*) mountain: *wspinać się po górach* climb mountains. **2** *przen.* (*stos*) heap, pile. **3** (*górna część*) top, upper part. **4** *góra domu* upstairs.

góra II 1 *z góry* in advance: *płacić z góry* pay in advance. **2** *cieszyć się z góry na coś* look forward to sth.

góral highlander.

górnik miner.

górny upper, top.

górski mountain.

gówno *wulg.* shit, (*też przen.*) crap: *gówno prawda!* bullshit!

gra 1 (*według zasad*) play, game. **2** (*postępowanie*) play: *gra fair* fair play. **3** (*na instrumencie*) playing.

grabie rake.

gracz player.

grać 1 (*według zasad*) play: *grać w piłkę nożną* play football; *grać fair* play fair. **2** (*na instrumencie*) play: *grać na skrzypcach* play the violin. **3** (*w filmie*) act.

grad hail.

graficzny graphic.

grafika 1 (*sztuka*) graphic art. **2** *komp.* (computer) graphics.

gram gram, gramme.

gramatyczny grammatical.

gramatyka grammar.

gramofon gramophone.

granat 1 (*kolor*) navy blue. **2** (*pocisk*) grenade. **3** (*owoc*) pomegranate. **4** (*minerał*) garnet.

granatowy navy-blue.

granica 1 (*linia*) border, frontier: *przekroczyć granicę* cross a border (a frontier); *pojechać za granicę* go abroad; *być za granicą* be abroad. **2** (*zasięg*) limit.

graniczyć border, bound.

granit granite.

gratis gratis, free, free of charge.

gratulacje congratulations: *gratulacje z okazji czegoś* congratulations on sth.

gratulować congratulate.

grecki Greek.

grejpfrut grapefruit.

grobowiec tomb.

groch pea, (*jako potrawa*) peas.

gromada (*grupa ludzi*) group, crowd.

gromadzić accumulate, collect.

gromadzić się gather, collect.

grono 1 (*grupa*) group, circle: *grono przyjaciół* circle of friends; *grono pedagogiczne* teaching staff. **2** (*kiść*) cluster.

grosz *przen.* penny.

grozić threaten: *Groził nam pistoletem.* He threatened us with a gun.

groźba threat.

groźny 1 (*budzący lęk*) formidable. **2** (*zagrażający*) serious, dangerous.

grób grave, tomb.

grubiański rude.

grubo (*o warstwie*) thick.

grubość thickness.

gruby 1 (*o osobie*) fat. **2** (*przekrój*) thick. **3** *przen.* big.

grudzień December: *ósmego grudnia (coś się stało)* on December 8th.

grunt 1 (*teren*) ground, land. **2** (*gleba*) soil. **3** (*dno*) bottom.

gruntowny thorough.

grupa group.

grupowy group.

gruszka pear.

grymasić be choosy.

grymaśny fussy.

grypa flu: *zachorować na grypę* go down with flu.

gryzoń rodent.

gryźć 1 (*człowiek, zwierzę*) bite. **2** (*owad*) bite, sting. **3** (*poruszając szczękami*) chew.

grzałka heater.

grzanka toast.

grządka 1 (*warzywna*) patch. **2** (*kwiatowa*) flowerbed.

grzbiet back.

grzebać 1 (*rozgarniać*) rummage. **2** (*umarłych*) bury.

grzebień comb.

grzech sin.

grzechotka rattle.

grzechotnik rattlesnake.

grzeczny 1 (*uprzejmy*) polite. **2** (*o dziecku*) good, well-behaved.

grzejnik radiator.

grzeszyć sin.

grzmieć thunder.

grzmot thunder.

grzyb 1 (*w biologii*) fungus. **2** (*jadalny*) mushroom. **3** (*na ścianie*) mould.

grzywka fringe.

grzywna fine: *ukarać kogoś grzywną* fine sb.

gubernator governor.

gubić 1 (*tracić*) lose. **2** (*doprowadzać do zguby*) ruin.

gubić się 1 (*tracić orientację*) get lost. **2** (*ginąć*) get lost.

guma rubber, gum: *guma do żucia* chewing gum.

gumka 1 (*do mazania*) rubber, *AM* eraser. **2** (*tasiemka*) rubber band.

gumowy rubber.

gust taste: *w złym guście* in bad taste; *kwestia gustu* a matter of taste.

guz 1 (*zgrubienie*) bump. **2** (*po uderzeniu*) bruise. **3** (*w medycynie*) tumour (*AM* tumor).

guzik button.

gwałciciel rapist.

gwałcić 1 rape. **2** (*naruszać*) violate.

gwałt rape.

gwałtowny 1 (*porywczy*) violent. **2** (*nagły*) sudden.

gwara 1 (*regionalna*) dialect. **2** (*żargon*) jargon.

gwarancja 1 guarantee, (*pisemna*) warranty. **2** (*pewność*) guarantee.

gwarantować guarantee, warrant.

gwiazda star.

gwiazdozbiór constellation.

gwizdać whistle.

gwizdek whistle.

gwizdnąć *zob.* gwizdać.

gwóźdź nail.

gzyms ledge.

H

habilitacja habilitation.

habit frock.

haft embroidery.

haftować embroider.

hak hook.

haker *komp.* hacker.

hala hall.

halka petticoat.

halowy (*sport*) indoor.

halucynacja hallucination.

hałas noise.

hałasować make noise.

hałaśliwy noisy.

hamak hammock.

hamować 1 (*zatrzymywać*) brake. **2** (*utrudniać*) hamper, impede. **3** (*opanowywać*) restrain.

hamulec brake.

handel trade, commerce: *handel zagraniczny* foreign trade.

handlować trade.

handlowy 1 trade, commercial. **2** *centrum handlowe* shopping centre.

hańba shame.

hańbić disgrace.

harcerstwo the Scouts.

harcerz boy scout.

harmonia harmony.

harmonizować harmonize.

harmonogram schedule, plan.

hartować się become inured.

hasło 1 password (*też komp.*). **2** (*sygnał*) signal. **3** (*w słowniku*) entry.

hazard gambling.

hazardzista gambler.

heban ebony.

hektar hectare.

helikopter helicopter.

hełm helmet.

herbata tea: *filiżanka herbaty* cup of tea.

herbatnik biscuit.

heroiczny heroic.

hiena hyena, hyaena.

hierarchia hierarchy.

higiena hygiene.

higieniczny hygienic.

hipnotyzować hypnotize.

hipnoza hypnosis.

hipokryta hypocrite.

hipokryzja hypocrisy.

hipopotam hippopotamus.

hipoteka mortgage.

hipotetyczny hypothetical.

hipoteza hypothesis.

histeria hysteria.

histeryczny hysterical.

historia 1 (*nauka*) history. **2** (*opowiadanie*) story.

historyczny 1 (*o znaczeniu historycznym*) historic. **2** (*zaistniały w historii*) historical: *fakt historyczny* historical fact.
historyk historian.
hiszpański Spanish.
hitlerowiec Nazi.
hitlerowski Nazi.
hobby hobby.
hodować 1 (*zwierzęta*) keep, breed. **2** (*rośliny*) grow.
hodowca 1 (*zwierząt*) keeper, breeder. **2** (*roślin*) grower.
hojność generosity.
hojny generous.
hokeista hockey player.
hokej hockey: *grać w hokeja* play hockey.
hol 1 (*lina*) tow-line: *wziąć samochód na hol* take a car in tow. **2** (*przedpokój*) hall. **3** (*w hotelu*) lobby.
holować tow.
hołd tribute.
homar lobster.
homeopatia homoeopathy.
homeopatyczny homoeopathic.
homoseksualista homosexual, *nieform.* gay.
honor honour (*AM* honor): *słowo honoru* (one's) word of honour.
honorarium 1 (*autorskie*) royalty. **2** (*lekarza*) fee.
honorować honour (*AM* honor).
honorowy 1 (*zgodny z honorem*) of honour (*AM* honor): *człowiek ho-*

norowy man of honour, honourable man. **2** (*tytularny*) honorary.
hormon hormone.
horoskop horoscope.
horyzont horizon.
hostessa hostess.
hotel hotel.
hotelarz hotelier.
hrabia count.
hrabina countess.
hrabstwo county.
huczeć roar.
huk 1 (*łomot*) rumble. **2** (*wybuchu*) explosion. **3** (*pioruna*) roll.
huknąć *zob.* **huczeć**.
humanista humanist.
humanistyczny humanist.
humanitarny humanitarian.
humanizm humanism.
humor 1 (*cecha charakteru*) humour (*AM* humor): *poczucie humoru* sense of humour. **2** (*nastrój*) mood.
humorystyczny humoristic, humorous.
huragan hurricane.
hurt wholesale.
hurtowy wholesale.
huśtać rock.
huśtać się swing.
huśtawka swing.
huta foundry.
hutnictwo metallurgy.
hydrant hydrant.
hydrauliczny hydraulic.
hydraulik plumber.
hymn 1 hymn. **2** (*narodowy*) national anthem.

I

i 1 and: *chłopiec i dziewczyna* a boy and a girl. **2** *i... i...* both... and...: *Mój chłopak jest i przystojny, i bogaty.* My boyfriend is both handsome and rich. **3** *i tak* a) (*tak, czy inaczej*) anyway, as it is: *I tak odmówiła.* Anyway, she refused. b) (*i w ten sposób*) thus. **4** *i tak dalej* and so on, et cetera.

ich 1 (*przed rzeczownikiem*) their: *To jest ich dom.* It's their house. **2** (*bez rzeczownika*) theirs: *Ten dom jest ich.* The house is theirs. **3** (*forma zależna od „oni"*) them: *Nie spotkamy ich tutaj.* We won't meet them here.

idea idea.

idealistyczny idealistic.

idealizm idealism.

idealizować idealize.

idealny ideal.

ideał ideal.

identyczny identical.

identyfikować identify.

ideologia ideology.

ideologiczny ideological.

idiom idiom.

idiota idiot.

idol idol.

igła needle.

ignorancja ignorance.

ignorant ignoramus.

ignorować ignore.

igrzysko 1 athletic contest. **2** *Igrzyska Olimpijskie* the Olympic Games, the Olympics.

ikona icon, ikon.

ikra spawn.

ile 1 (*w pytaniach – o rzeczowniki niepoliczalne*) how much, (*o rzeczowniki policzalne*) how many, (*o długość*) how long: *Ile kosztuje ta sukienka?* How much is this dress?; *Ile masz lat?* How old are you?; *Ile czasu zabiera ci dojazd do szkoły?* How long does it take you to get to school?; *Ile razy mam powtarzać...?* How many times do I have to tell you...? **2** *o ile wiem* as far as I know. **3** *tyle... ile...* as... as...: *Kupiliśmy tyle, ile mogliśmy.* We bought as much as we could. **4** *o ile...* if; *o ile nie...* unless: *Porozmawiam z nim, o ile będzie to możliwe.* I'll talk to him if it's possible. **5** *o tyle, o ile* so, so: *„Podobał ci się ten koncert?" „O tyle, o ile".* 'Did you like the concert?' 'So, so'.

iloczyn 1 (*wynik*) product. **2** (*stosunek*) ratio.

iloraz quotient: *iloraz inteligencji* intelligence quotient, IQ.
ilość quantity, amount.
ilu *zob.* **ile**.
ilustracja illustration.
ilustrować illustrate.
im I them: *Nie mów im, po co przyszłaś.* Don't tell them what you came for.
im II *im..., tym...* the... the...: *Im szybciej, tym lepiej.* The sooner, the better.
imieniny name day.
imię 1 (*człowieka*) name, first name: *Jak masz na imię?* What's your name?; *Mam na imię Alicja.* My name's Alice. **2** (*reputacja*) name.
imigracja immigration.
imigrant immigrant.
imitacja imitation.
imitować imitate.
immunitet immunity.
imperialistyczny imperialist.
imperializm imperialism.
imperium empire.
imponować impress.
imponujący impressive.
import import.
importer importer.
importować import.
importowy import.
impotencja impotence.
impotent impotent man.
impresjonista impressionist.
impresjonizm impressionism.

impreza 1 (*sportowa*) sports event. **2** (*widowisko*) show. **3** *nieform.* (*zabawa*) do, party.
improwizować improvise.
impuls impulse: *działać pod wpływem impulsu* act on impulse.
impulsywny impulsive.
inaczej 1 (*w inny sposób*) differently. **2** (*w przeciwieństwie do*) unlike: *On postanowił, inaczej niż większość mężczyzn, wziąć urlop macierzyński.* He decided, unlike most men, to take maternity leave. **3** (*w przeciwnym wypadku*) otherwise: *Muszę pędzić, inaczej spóźnię się do szkoły.* I must be off, otherwise I'll be late for school.
indeks 1 index. **2** (*studenta*) student's registration book.
indyk turkey.
indywidualista individualist.
indywidualny individual.
infantylny infantile.
infekcja infection.
inflacja inflation.
informacja 1 (*wiadomość*) information, (*pojedyncza*) piece of information: *udzielić informacji o czymś* give information about sth (on sth); *zbierać informacje* collect (gather) information. **2** (*miejsce*) information desk, inquiry desk. **3** (*telefoniczna*) directory inquiries (enquiries).
informator 1 (*osoba*) informant. **2** (*książka*) directory.

informatyka computer science, information technology.

informatyk computer scientist.

informować inform, give information.

inicjał initial.

inicjatywa initiative.

inkubator incubator.

inny 1 (*nie ten*) another, other: *innym razem* another time; *inni* (*pozostali*) the others; *inni ludzie* other people. **2** (*odmienny*) unlike, different: *w inny sposób* in a different way; *Odpowiedź była inna, niż się spodziewaliśmy.* The reply was different from what we had expected.; *„AI" jest inny od wszystkich filmów, które dotąd oglądałem.* 'AI' is unlike any film I've seen before.

inspekcja inspection.

inspektor inspector.

inspiracja inspiration.

inspirować inspire.

instalacja installation.

instalować install.

instrukcja instruction: *instrukcja obsługi* instruction manual.

instruktor instructor.

instrument instrument: *instrumenty muzyczne* musical instruments.

instynkt instinct.

instynktownie instinctively.

instynktowny instinctive.

instytucja institution.

instytut institute.

integrować integrate.

integrować się integrate.

intelekt intellect.

intelektualista intellectual.

intelektualny intellectual.

inteligencja intelligence: *iloraz inteligencji* intelligence quotient, IQ.

inteligentny intelligent.

intencja intention.

intensywny intensive.

interes 1 (*sprawa*) business, matter: *(To) nie twój interes.* It's none of your business!, Mind your own business! **2** (*korzyść*) interest. **3** (*przedsięwzięcie*) business: *robić z kimś interesy* do business with sb. **4** (*przedsiębiorstwo*) business: *prowadzić interes* run a business.

interesować interest.

interesować się be interested (*czymś* in sth): *Mój chłopak interesuje się sportem.* My boyfriend is interested in sport.

interesujący interesting.

internat hostel, dormitory.

internauta netizen.

Internet Internet, *nieform.* Net, web: *dostępny w Internecie* accessible via the Internet; *kupić coś przez Internet* buy sth on the Internet; *obywatel Internetu* netizen; *surfować po Internecie* netsurf.

internetowy Internet.

interpretacja interpretation.

interpretować interpret.

interweniować intervene.

intruz intruder.

intryga intrigue.

intrygować 1 (*ciekawić*) intrigue. **2** (*spiskować*) plot.

intuicja intuition.

intuicyjny intuitive.

intymność intimacy.

intymny intimate.

inwalida invalid.

inwalidzki invalid: *wózek inwalidzki* wheelchair.

inwazja invasion.

inwestor investor.

inwestować invest (*w coś* in sth).

inwestycja investment.

inżynier engineer.

ironia irony.

ironiczny ironic.

irytować irritate.

irytować się be irritated.

irytujący irritating.

iskra spark.

istnieć exist.

istnienie 1 (*egzystencja*) existence. **2** (*istota*) being.

istota 1 (*żywy organizm, osoba*) creature, being: *istota ludzka* human being. **2** (*sedno*) essence.

istotnie 1 (*rzeczywiście*) indeed. **2** (*zasadniczo*) essentially.

istotny (*główny*) essential.

iść 1 (*przemieszczać się*) go, walk: *iść piechotą* go on foot, walk. **2** (*w określonym celu*) go: *iść na spacer* go for a walk; *iść do szkoły* go to school; *iść po zakupy* go shopping; *iść spać* go to bed. **3** (*przemieszczać się*) run, go: *Ceny idą w górę.* Prices are going up. **4** (*toczyć się*) go: *Jak ci idzie?* How's it going?, How are things going?; *Wszystko idzie gładko.* Everything is running (going) smoothly.

itd. (*i tak dalej*) etc.

itp. (*i tym podobne*) etc.

izba room, chamber: *izba handlowa* the chamber of commerce.

izolacja 1 (*odosobnienie*) isolation. **2** (*przewodów elektrycznych*) insulation.

izolatka isolation ward.

izolować 1 (*trzymać w odosobnieniu*) isolate. **2** (*stosować izolację*) insulate.

izotop isotope.

iż that: *Twierdził, iż musiał zaprotestować przeciwko takiemu okrucieństwu.* He claimed that he had had to protest against such cruelty.

J

ja 1 I, me: *(Ja) nie lubię tego.* I don't like it.; *To ja.* It's me. **2** *(jaźń)* self: *jej prawdziwe ja* her true self.

jabłko apple.

jacht yacht.

jad poison, venom.

jadać *zob.* **jeść.**

jadalnia dining room.

jadalny 1 *(zdatny do jedzenia)* edible, *(zjadliwy)* eatable. **2** *(przeznaczony do posiłków)* dining.

jadłospis menu, bill of fare.

jadowity poisonous.

jagnię lamb.

jagoda berry: *czarna jagoda* blueberry, whortleberry.

jaguar jaguar.

jajecznica scrambled eggs.

jajko egg: *jajko na miękko* soft-boiled egg; *jajko na twardo* hard-boiled egg; *jajko sadzone* poached egg; *jajko smażone* fried egg.

jajo 1 *(komórka rozrodcza)* ovum. **2** *(jajko)* egg. **3** *wulg. jaja (jądra)* balls.

jak I 1 how: *Jak się masz?* How are you?; *Jak to się dzieje, że...?* How come (that)...? **2** *(o cechach stałych)* what: *Jak on wygląda?* What does he look like?

jak II 1 *(w porównaniach)* as, like: *jak zwykle* as usual; *blady jak ściana* white as a sheet; *jak ja* like me. **2** *tak... jak...* as... as...: *Jest tak wysoki jak jego ojciec.* He's as tall as his father. **3** *jak najprędzej* as soon as possible. **4** *(w wyrażeniach czasowych)* as, when: *Jak ją zobaczysz, przyślij ją do mnie.* When you see her, send her to me.; *Widziałem, jak ją pocałował.* I saw him kiss her. **5** *jak tylko* as soon as. **6** *(w określeniach sposobu)* as, like: *Rób, jak ci mówię.* Do as I say.; *Rób, jak chcesz.* Do as you please. **7** *Jak widzisz...* As you see...; *Jak wiesz...* As you know... **8** *jak również* as well as, too.

jakby *(jak gdyby)* as if.

jaki 1 *(w pytaniach)* what: *Jakiego koloru są jej włosy?* What colour is her hair? **2** *(w wykrzyknikach)* what: *Jaki piękny dzień!* What a lovely day!

jakikolwiek any, whatever.

jakiś *(w l.poj.)* a, an, *(w l.mn.)* some, any: *Czy są jakieś pytania?* Are there any questions?; *Jakiś człowiek stoi przed domem.* There's a man outside.

jakkolwiek 1 (*chociaż*) however. **2** (*jakoś*) anyhow, no matter how.

jako 1 (*w charakterze*) as: *jako dziecko* as a child. **2** *jako że* as, for.

jakoś somehow, one way or another.

jakość quality.

jałowy 1 (*nieurodzajny*) barren. **2** (*sterylny*) sterile. **3** (*bezużyteczny*) idle.

jama 1 (*wgłębienie*) hollow. **2** (*nora w ziemi*) den.

japoński Japanese.

jarmark fair.

jarzębina rowan, mountain ash.

jarzyna vegetable.

jaskinia cave.

jaskółka swallow.

jaskrawy 1 (*o kolorach*) bright. **2** (*o świetle*) bright. **3** (*wyraźny*) glaring.

jasno 1 (*o świetle*) brightly. **2** (*zrozumiale*) clearly: *Czy wyrażam się jasno?* Am I making myself clear?

jasny 1 (*o świetle*) bright. **2** (*dobrze oświetlony*) light. **3** (*o włosach*) fair. **4** (*zrozumiały*) clear.

jastrząb hawk.

jaszczurka lizard.

jawny open.

jazda 1 (*przemieszczanie się*) ride, drive: *prawo jazdy* driving licence; *rozkład jazdy* timetable. **2** (*umiejętność*) *jazda na rowerze* cycling.

jazz jazz.

jaźń self.

jądro 1 (*wnętrze*) core. **2** (*atomu*) nucleus. **3** (*człowieka*) testicle.

jądrowy (*atomowy*) nuclear.

jąkać się stammer.

jechać 1 (*przemieszczać się*) go: *jechać autobusem* go by bus; *jechać pociągiem* go by train; *jechać samochodem* (*jako kierowca*) drive a car, (*jako pasażer*) go in a car. **2** (*o środku lokomocji*) go, ride.

jeden 1 one: *jeden jedyny* one and the only; *jeden z...* one of... **2** (*sam jeden*) all alone. **3** (*wspólny*) the same: *mieszkać pod jednym dachem* live under the same roof. **4** *z jednej strony...* on (the) one hand... **5** *jeden po drugim* one after the other.

jedenasty 1 eleventh. **2** *jest jedenasta (godzina)* it's eleven (o'clock); *o jedenastej (godzinie)* at eleven. **3** *jedenastego maja* (*coś się stało*) on May 11th. **4** *strona jedenasta* page eleven.

jedenaście eleven.

jednak still.

jednakowy identical.

jednoczyć się unite.

jednokierunkowy one-way.

jednoosobowy one-man, (*o pokoju*) single.

jednorazowy disposable.

jednostajny regular.

jednostka 1 (*wielkości*) unit. **2** (*osobnik*) individual.

jednoznaczny unambiguous.

jedwab silk.

jedyny (the) only, (the) sole.

jedzenie 1 (*żywność*) food. **2** (*posiłek*) meal.

jego 1 his: *To jego sprawa.* It's his business. **2** (*forma zależna od „on"*) him: *Jego nie pytaj.* Don't ask him.

jej 1 (*przed rzeczownikiem*) her: *To jest jej samochód.* It's her car. **2** (*bez rzeczownika*) hers: *Ten samochód jest jej.* The car is hers. **3** (*forma zależna od „ona"*) her: *Nie mów jej.* Don't tell her.

jeleń deer.

jelito intestine.

jeniec prisoner.

jesienny autumnal, autumn.

jesień autumn, *AM* fall.

jeszcze 1 (*ciągle*) still: *Czy ta mysz jeszcze jest tutaj?* Is that mouse still here? **2** (*jeszcze nie*) yet: *Szef jeszcze się nie pojawił.* The boss hasn't appeared yet. **3** (*dodatkowo*) still: *jeszcze lepiej* better still, still better. **4** *jeszcze raz* once again, once more. **5** *jeszcze trochę* some more.

jeść eat, have meals: *jeść jabłko* eat an apple; *jeść śniadanie* have breakfast.

jeśli (jeżeli) 1 if. **2** *jeśli nie* unless, if not.

jezioro lake.

jeździć 1 (*przemieszczać się*) go. **2** (*umieć*) *jeździć samochodem* drive a car; *jeździć na nartach*

ski; *jeździć na rowerze* ride a bike. **3** (*kursować*) run.

jeździec rider.

jeż hedgehog.

jeżeli *zob.* **jeśli**.

jęczeć moan.

jęczmień barley.

jędrny firm.

jęk moan.

jęknąć *zob.* **jęczeć**.

język 1 (*w anatomii*) tongue: *na końcu języka* on the tip of one's tongue. **2** (*mowa*) language, tongue: *język ojczysty* mother tongue, native language; *język polski* Polish, the Polish language; *mówić obcym językiem* speak a foreign language. **3** (*buta*) tongue.

językoznawstwo linguistics.

jidysz Yiddish.

jodła fir.

jogurt yoghurt, yogurt.

jon ion.

jubiler jeweller (*AM* jeweler).

jubileusz jubilee.

junior junior.

jury jury.

jutro tomorrow.

jutrzejszy tomorrow.

już 1 (*o skończonej czynności*) already, yet: *Już skończyłeś?* Have you finished already? **2** (*zdziwienie*) already: *To już ósma?* Is it 8 o'clock already? **3** (*w przeczeniach*) *już nie* not any more.

K

kabaret cabaret.
kabel cable.
kabina 1 cabin. **2** *kabina telefoniczna* call box, (*budka*) telephone box (booth).
kablówka cable TV.
kabriolet convertible.
kac hangover.
kaczka duck.
kaczor drake.
kadłub 1 (*tułów*) trunk. **2** (*samolotu*) fuselage.
kadra staff.
kadzidło incense.
kafelek tile.
kafelkować tile: *wykafelkowana łazienka* tiled bathroom.
kaganiec muzzle.
kajak canoe.
kajdanki handcuffs.
kakao cocoa.
kakaowy cocoa.
kaktus cactus.
kalafior cauliflower.
kalectwo disability.
kaleczyć hurt, wound.
kaleczyć się hurt oneself.
kaleki crippled, disabled.
kalendarz calendar.
kalkulacja calculation.

kalkulować calculate.
kaloria calorie.
kaloryczny caloric.
kaloryfer radiator.
kalosz Wellington (boot).
kał faeces.
kałuża puddle.
kamera camera, video camera.
kameralny 1 (*nastrój*) intimate. **2** (*w muzyce*) chamber.
kamienica tenement block (building, *AM* house).
kamieniołom quarry.
kamienisty stony.
kamienny 1 stone. **2** *przen.* stony.
kamień stone.
kamizelka waistcoat, *AM* vest.
kampania campaign.
kamyk pebble.
kanalizacja sewage system.
kanał 1 (*sztuczny*) canal, (*naturalny*) channel: *kanał La Manche* the English Channel. **2** (*ściekowy*) sewer. **3** (*w TV*) channel.
kanapa sofa, couch.
kanapka sandwich.
kancelaria 1 (*biuro*) office. **2** (*w ambasadzie*) chancellery.
kanclerz chancellor.
kandydat candidate.

kandydować run (for a post).

kangur kangaroo.

kanibal cannibal.

kanion canyon.

kant 1 (*krawędź*) edge. **2** (*u spodni*) crease. **3** *nieform.* (*oszustwo*) swindle.

kantor (*wymiany walut*) foreign exchange office.

kapać drip.

kapelusz hat.

kapitalistyczny capitalistic.

kapitalizm capitalism.

kapitalny 1 (*generalny*) fundamental. **2** (*doskonały*) great.

kapitał 1 (*w ekonomii*) capital. **2** (*majątek*) funds.

kapitan captain.

kapitulować capitulate.

kaplica chapel.

kapłan priest.

kapnąć *zob.* **kapać**.

kapral corporal.

kaprys whim.

kapryśny capricious.

kaptur hood.

kapusta cabbage.

kara punishment, penalty: *kara śmierci* capital punishment.

karabin gun, rifle.

karać punish.

karafka decanter.

karaluch cockroach.

karat carat.

karawan hearse.

karawana caravan.

karcić scold, reprimand.

kardiologiczny cardiological.

kardynalny cardinal.

kardynał cardinal.

kareta carriage.

karetka (*pogotowia*) ambulance.

kariera career.

kark 1 neck. **2** *skręcić kark* break one's neck.

karma fodder.

karmić 1 feed. **2** (*piersią*) breast-feed.

karnawał carnival.

karnisz (*na okno*) curtain pole (rod).

karny 1 (*związany z karą*) penal: *zakład karny* prison (penitentiary). **2** (*zdyscyplinowany*) well-disciplined.

karo (*w kartach*) diamonds.

karp carp.

karta 1 card: *karta kredytowa* credit card; *karta pocztowa* postcard; *karta członkowska* membership card. **2** (*menu*) menu. **3** (*do gry*) card: *grać w karty* play cards. **4** (*książki*) leaf.

kartka 1 (*książki*) page. **2** (*arkusik*) slip of paper, sheet (of paper). **3** (*pocztowa*) postcard.

kartofel potato.

karton 1 (*papier*) cardboard. **2** (*np. soku*) carton.

kartoteka files.

karuzela merry-go-round.

karykatura caricature.

karzeł dwarf.

kasa 1 (*miejsce wpłaty, wypłaty*) cash desk, (*w supermarkecie*) check-out, (*na stacji kolejowej*) booking office. 2 (*podręczna*) till. 3 (*pancerna*) safe. 4 (*pieniądze*) cash.

kaseta cassette.

kasjer cashier.

kask helmet.

kasłać *zob.* **kaszleć**.

kasować 1 (*usuwać*) cancel. 2 (*bilet*) punch.

kasyno casino.

kasza grits: *kasza jęczmienna* pearl barley; *kasza gryczana* buckwheat; *kasza manna* semolina.

kaszel cough.

kaszleć (**kasłać**) cough.

kaszlnąć *zob.* **kaszleć**.

kasztan chestnut.

kasztanowy chestnut.

kat hangman.

kataklizm disaster, catastrophe.

katalog catalogue.

katar *form.* catarrh, *nieform.* cold, (*cieknący nos*) runny nose.

katastrofa 1 catastrophe, disaster. 2 (*wypadek*) crash: *katastrofa lotnicza* plane crash.

katastrofalny disastrous.

katastroficzny catastrophic.

katechizm catechism.

katedra 1 (*wykładowcy*) teacher's desk. 2 (*wyższej uczelni*) chair. 3 (*kościół*) cathedral.

kategoria category.

kategoryczny categorical.

katolicki (Roman) Catholic.

katolicyzm (Roman) Catholicism.

katolik (Roman) Catholic.

kaucja deposit, bail.

kauczuk India rubber.

kawa coffee: *czarna kawa* black coffee; *biała kawa* white coffee; *kawa rozpuszczalna* instant coffee; *kawa bezkofeinowa* decaffeinated coffee; *filiżanka kawy* cup of coffee; *parzyć (robić) kawę* make coffee.

kawaler 1 (*odznaczony*) knight. 2 (*nieżonaty*) bachelor.

kawał 1 (*część*) bit, piece. 2 (*figiel*) joke, trick. 3 (*dowcip*) joke.

kawałek bit, piece: *kawałek tortu urodzinowego* piece of birthday cake; *po kawałku* bit by bit.

kawiarnia café.

kawior caviar, caviare.

kazać 1 (*polecenie*) tell, order: *Lekarz kazał mi przestać palić.* The doctor ordered me to stop smoking. 2 (*powodować*) have sth done: *Kazałam sobie zgolić głowę.* I had my head shaved off.

kazanie sermon.

każdy 1 (*poszczególny*) each: *W każdym pokoju było wielkie lustro.* There was a huge mirror in each room. 2 (*bez wyjątku*) every: *każdy (człowiek)* everyone, everybody; *Każdy powinien umieć pływać.* Everyone should be able to swim.

3 (*jakikolwiek*) any, anybody, anyone: *za każdą cenę* at any price; *Każdy w tym mieście wskaże ci drogę.* Anyone in this city can show you the way.

kąpać bath (*AM* bathe).

kąpać się 1 (*w morzu*) bathe, swim: *Pójdziemy się wykąpać?* Shall we go swimming (go bathing)? **2** (*w wannie*) bath, have (take) a bath.

kąpiel 1 (*w morzu*) bathe, swim: *„Kąpiel wzbroniona"* 'No bathing'. **2** (*w wannie*) bath: *wziąć kąpiel* take a bath. **3** (*słoneczna*) sunbathing.

kąpielowy bathing, swimming: *kostium kąpielowy* bathing suit, swimsuit; *czepek kąpielowy* bathing cap; *płaszcz kąpielowy* bathrobe; *basen kąpielowy* swimming pool.

kąpielówki swimming trunks.

kąt 1 (*w geometrii*) angle. **2** (*pomieszczenia*) corner: *w kącie pokoju* in the corner of the room. **3** (*widzenia*) angle. **4** *przen. własny kąt* home.

kątomierz protractor.

kciuk 1 thumb. **2** *trzymać kciuki za kogoś* keep one's fingers crossed for sb.

keczup ketchup.

kelner waiter.

kemping camping site.

kibic supporter.

kibicować support.

kichać sneeze.

kichnąć *zob.* **kichać**.

kiedy 1 (*w pytaniu*) when: *Kiedy się zobaczymy?* When shall we meet? **2** (*gdy*) when, while: *Kiedy czytałam książkę, zadzwoniła Karolina.* When (While) I was reading a book, Caroline called. **3** (*skoro*) when, since: *Jak możesz pożyczać pieniądze, kiedy nie oddałeś mi jeszcze długu?* How can you borrow any money when you haven't paid me back?

kiedykolwiek 1 (*w czasie nieokreślonym*) ever: *Czy byliście kiedykolwiek w Disneylandzie?* Have you ever been to the Disneyland?; *To najgorszy koncert, jaki kiedykolwiek widziałem.* It's the worst concert I've ever seen. **2** (*kiedy bądź*) at any time.

kiedyś 1 (*w przeszłości*) once: *Kiedyś był bardzo przystojny.* He was once very handsome. **2** (*w przyszłości*) one day, some day: *Kiedyś ona się zakocha i zrozumie.* She'll fall in love one day and understand it.

kielich 1 cup. **2** (*kościelny*) chalice.

kieliszek glass: *kieliszek wina* a glass of wine.

kieł 1 (*człowieka*) canine (tooth). **2** (*u psa*) fang. **3** (*u słonia*) tusk.

kiełbasa sausage.

kiepski poor.

kier hearts.

kiermasz fair.

kierować 1 (*w przestrzeni, w myśli*) direct, steer: **kierować ruchem ulicznym** direct traffic; **kierować czyjąś uwagę na...** direct sb's attention to... **2** (*odsyłać*) refer. **3** (*celować*) direct: **kierować reklamę do młodych matek** direct advertising at young mothers. **4** (*zarządzać*) direct, run, control: **kierować grupą** direct a group. **5** (*pojazdem*) steer: **kierować samochodem** drive a car.

kierowca driver.

kierownica steering wheel.

kierownictwo management.

kierownik manager.

kierunek 1 (*droga do celu*) direction, way: **w kierunku zachodnim** in a westerly direction; **W którym kierunku mam pójść?** Which way am I to go? **2** (*w sztuce, nauce*) trend. **3** (*studiów*) specialization. **4** (*kierownictwo*) direction.

kierunkowskaz (*w samochodzie*) (traffic) indicator.

kierunkowy (*w wyrażeniu*): **numer kierunkowy** dialling code.

kieszeń pocket.

kieszonkowiec pickpocket.

kij stick.

kilka a few, some.

kilkakrotnie repeatedly.

kilku *zob.* **kilka**.

kilobajt *komp.* kilobyte.

kilobit *komp.* kilobit.

kilof pick.

kilogram kilogram, kilogramme.

kilometr kilometre (*AM* kilometer).

kino cinema, (the) movies, *nieform.* (the) pictures.

kiosk kiosk, (*z gazetami*) newsstand.

kipieć boil over.

kisiel fruit whip.

kiść bunch, cluster: **kiść bananów** bunch of bananas.

kiwać 1 kiwać głową nod one's head. **2** *nieform.* (*oszukiwać*) deceive.

kiwnąć *zob.* **kiwać**.

klacz mare.

klakson horn.

klamka door handle.

klamra buckle.

klan clan.

klapa 1 (*pokrywa*) trapdoor. **2** *nieform.* (*klęska*) washout.

klaps (*uderzenie*) slap.

klasa 1 (*kategoria*) class, category: **pierwszej klasy** first-class; **podróżować pierwszą klasą** travel first-class. **2** (*grupa uczniów*) class. **3** (*oddział*) form, *AM* grade: **On jest w piątej klasie.** He is in the fifth form. **4** (*sala*) classroom.

klaskać clap (one's hands).

klasnąć *zob.* **klaskać**.

klasyczny 1 (*typowy*) classic. **2** (*dotyczący starożytnej kultury greckiej i rzymskiej*) classical. **3** (*tradycyjny*) classic, classical: **muzyka klasyczna** classical music.

klasyfikacja classification.

klasyfikować classify.

klasztor (*męski*) monastery, (*żeński*) convent.

klatka 1 cage. **2** *klatka piersiowa* chest.

klaun *zob.* **klown**.

klawisz key: *komp. klawisz alt* alt key; *klawisz cofania* backspace key; *klawisz funkcyjny* function key; *klawisz kasowania* delete key; *klawisze kursora* direction keys; *klawisz shift* shift key.

kląć curse.

klątwa curse.

kleić glue.

klej glue.

klejnot jewel.

kleszcze forceps.

klęczeć kneel.

klękać kneel down.

klęknąć *zob.* **klękać**.

klęska 1 (*porażka*) defeat. **2** (*katastrofa*) disaster.

klient client, (*w handlu*) customer, (*w kawiarni*) guest.

klimat climate.

klimatyzacja air-conditioning.

klinika clinic.

klips earring.

klocek 1 block. **2** *l.mn. klocki* building blocks.

klomb flowerbed.

klon 1 (*drzewo*) maple. **2** (*wynik klonowania*) clone.

klops meat loaf.

klown clown.

klub club: *klub nocny* night club.

klucz 1 (*do otwierania zamka*) key: *kluczyki do samochodu* car keys; *otworzyć drzwi kluczem* unlock the door; *zamknąć drzwi na klucz* lock the door. **2** *przen.* (*środek*) key. **3** (*do śrub*) spanner.

kluska noodle.

kłamać lie.

kłamca liar.

kłamstwo lie.

kłaniać się 1 (*ukłon*) bow. **2** (*pozdrawiać*) greet. **3** (*przesyłać pozdrowienia*) send one's greetings: *Kłaniaj się ode mnie tacie.* Remember me to your father.

kłaść put, place.

kłaść się 1 lie, lie down. **2** *kłaść się spać* go to bed.

kłoda log.

kłopot trouble.

kłopotliwy 1 (*sprawiający kłopot*) troublesome. **2** (*wywołujący zakłopotanie*) awkward.

kłócić się quarrel, argue.

kłódka padlock.

kłótnia quarrel, argument.

kłuć prick.

kłusownik poacher.

koalicja coalition.

kobiecy 1 (*typowy dla kobiety*) feminine. **2** (*dla kobiet*) female, woman's: *pismo kobiece* women's magazine.

kobieta woman.

koc blanket.

kochać love.

kochać się 1 (*wzajemnie*) love each other (one another). **2** (*być zakochanym w kimś*) be in love with sb. **3** (*uprawiać seks*) make love.

kochanek lover.

kochanie (*zwrot*) darling.

kochany 1 (*osoba*) dear. **2** (*w listach*) dear.

kocioł kettle.

kod code: *komp.* **kod dostępu** access code; *kod pocztowy* post code, *AM* zip code.

kodeks code.

kogut cock.

kojarzyć 1 (*w pary*) pair. **2** (*łączyć wrażenia*) associate.

kojarzyć się associate.

kok bun.

kokarda bow.

kokon cocoon.

kokos coconut.

kokpit cockpit.

koktajl coctail.

kolacja (*zimna*) supper, (*gorąca*) dinner.

kolano knee.

kolczyk earring.

kolec 1 (*rośliny*) thorn. **2** (*w sportowym bucie*) spike.

kolega friend, (*z pracy*) colleague, (*ze szkoły*) schoolmate.

kolegium 1 (*rada*) council. **2** (*szkoła wyższa*) college.

kolej 1 (*instytucja*) railway. **2** (*środek transportu*) train: *koleją* by train. **3** (*kolejność*) turn: *Teraz twoja kolej.* It's your turn. **4** (*bieg rzeczy*) course. **5 po kolei** one by one. **6 z kolei** in turn.

kolejka 1 (*środek transportu*) railway. **2** (*ogonek*) queue, *AM* line: *stać w kolejce* queue; *wepchnąć się do kolejki* jump a queue.

kolejność turn, order.

kolejny following.

kolekcja collection.

kolekcjoner collector.

koleżanka friend, colleague.

kolęda (Christmas) carol.

kolizja collision.

kolonia 1 (*posiadłość, odrębna grupa*) colony. **2** (*letnia*) holiday camp.

kolor colour (*AM* color): *Jakiego koloru są jej włosy?* What colour is her hair?

kolorowy colour (*AM* color), colourful (*AM* colorful): *telewizor kolorowy* colour TV-set.

koloryt colour (*AM* color): *koloryt lokalny* local colour.

kolumna column.

kołdra quilt, (*puchowa*) eiderdown.

kołek peg.

kołnierz collar.

koło I 1 (*krąg*) circle, ring. **2** (*maszyny*) wheel. **3** (*sfera*) circle. **4 błędne koło** vicious circle, catch-22 situation. **5 w koło a)** (*o powtarzaniu*) over and over again; **b)** (*naokoło*) around.

koło II 1 (*obok*) near, near to, close to: *koło naszej szkoły* near to our school. **2** (*około*) about, around: *koło południa* around noon; *Jego żona musi mieć koło dwudziestki.* His wife must be about twenty.

kołysać rock.

kołysać się rock.

kołysanka lullaby.

kołyska cradle.

komandos commando.

komar mosquito, gnat.

kombi estate car, *AM* station wagon.

kombinacja combination.

komedia comedy.

komenda command.

komendant commandant.

komentarz 1 (*objaśniający przypis*) commentary. **2** (*opinia*) comment.

komentator commentator.

komentować comment.

kometa comet.

komfort comfort.

komfortowy comfortable.

komiczny comical, amusing.

komik comedian.

komiks comic.

komin chimney.

kominek fireplace.

kominiarz chimney sweep.

komisariat (*policji*) police station.

komisja commission, committee, board.

komitet committee.

komoda chest of drawers.

komora chamber.

komornik bailiff.

komórka 1 (*pomieszczenie*) cubbyhole. **2** (*w biologii*) cell. **3** *nieform.* (*telefon komórkowy*) mobile (phone), cellphone.

komórkowy cellular: *telefon komórkowy* cellular phone, mobile phone.

kompakt *nieform.* compact disc, CD.

kompaktowy compact: *płyta kompaktowa* compact disc; *odtwarzacz płyt kompaktowych* compact disc player.

kompas compass.

kompensata compensation.

kompensować compensate.

kompetencja competence.

kompetentny competent.

kompleks complex.

komplement compliment: *powiedzieć komuś komplement* pay sb a compliment.

komplet 1 (*zestaw*) set: *komplet narzędzi* set of tools. **2** (*np. w hotelu*) *mieć komplet gości* be fully booked; *komplet widzów* full house; *komplet pasażerów* all seats booked.

kompletny 1 (*w całości*) complete. **2** (*zupełny*) utter: *kompletny nonsens* utter nonsense.

kompletować complete.

komplikacja complication.

komplikować complicate.

komponować compose.

kompozycja composition.

kompozytor composer.

kompromis compromise.

kompromitować discredit.

kompromitować się compromise oneself.

kompromitujący 1 (*dowód*) compromising. **2** (*zachowanie*) discreditable.

komputer computer: *komputer osobisty* personal computer; *ekran komputera* computer screen; *klawiatura komputera* computer keyboard; *dane wejściowe komputera* computer input; *uzyskać dostęp do sieci komputerowej* log in; *zrobić coś na komputerze* do sth by (on) a computer; *znajomość obsługi komputera* computer literacy.

komputerowy computer: *animacja komputerowa* computer animation; *grać w gry komputerowe* play computer games; *grafika komputerowa* computer graphics; *haker komputerowy* computer hacker; *maniak komputerowy* computer geek; *pracownia komputerowa* computer room; *piractwo komputerowe* computer piracy; *program komputerowy* computer program; *wirus komputerowy* computer virus; *żargon komputerowy* computerese.

komunalny communal, municipal.

komunia (*w religii*) communion: *Pierwsza Komunia Święta* the first Holy Communion.

komunikacja 1 (*środkami lokomocji*) transport. **2** (*porozumiewanie się*) communication.

komunikat 1 announcement. **2** *komp.* message.

komunikować się communicate.

komunista communist.

komunistyczny communist.

komunizm communism.

koncentracja concentration.

koncentracyjny concentration: *obóz koncentracyjny* concentration camp.

koncentrat concentrate: *koncentrat pomidorowy* tomato puree.

koncentrować concentrate: *koncentrować coś na czymś* concentrate sth on (doing) sth.

koncentrować się concentrate: *Muszę się skoncentrować.* I must concentrate.

koncepcja conception.

koncern concern.

koncert 1 (*występ*) concert. **2** (*utwór*) concerto.

kondolencje condolences: *składać kondolencje* offer condolences; *Proszę przyjąć moje szczere kondolencje.* Please accept my sincere condolences.

kondom *nieform.* condom.

kondor condor.

konduktor ticket inspector.

kondycja condition, form: *utrzymywać dobrą kondycję* keep fit; *mieć słabą kondycję* be out of condition, be in poor form; **nabrać kondycji** get fit.

kondygnacja 1 (*piętro*) storey (*AM* story). **2** (*na schodach*) flight of stairs.

konfederacja confederation.

konferencja conference.

konfesjonał confessional.

konfiguracja configuration.

konfiskować confiscate.

konfitura jam, preserve.

konflikt conflict.

konformista conformist.

kongres congress.

kongresmen congressman.

koniak cognac.

koniczyna clover.

koniec 1 (*kres*) end, close. **2** (*zakończenie*) finish, ending: **szczęśliwy koniec** happy ending. **3 w końcu** in the end. **4 mieć coś na końcu języka** have sth on the tip of one's tongue. **5 wiązać koniec z końcem** make both ends meet.

koniecznie 1 (*bezwarunkowo*) necessarily. **2** (*niezawodnie*) absolutely: **Odwiedźcie nas koniecznie.** Do come and visit us.

konieczność necessity.

konieczny necessary.

konkret hard fact.

konkretny real.

konkurencja competition.

konkurencyjny competitive.

konkurent competitor.

konkurować compete.

konkurs contest, competition.

konny (*o człowieku*) mounted, (*o pojeździe*) horse-drawn: **wyścigi konne** horse races.

konsekwencja 1 (*logiczna ciągłość*) consistency. **2** (*wynik*) consequence.

konsekwentny consistent.

konserwa tinned food, *AM* canned food: **konserwa mięsna** tinned meat; **konserwa rybna** tinned fish.

konserwacja preservation, (*budynku*) maintenance.

konserwatysta conservative.

konserwatywny conservative.

konserwować 1 preserve. **2** (*żywność*) preserve, tin.

konspiracja conspiracy, underground.

konspirować conspire.

konstrukcja construction, structure.

konstruktor constructor.

konstruować construct.

konstytucja constitution.

konstytucyjny constitutional.

konsul consul.

konsulat consulate.

konsultant consultant.

konsultingowy consultancy: *firma konsultingowa* consultancy (firm).

konsultować consult: *konsultować coś z kimś* consult sb about sth.

konsultować się consult: *Muszę się skonsultować z moim lekarzem.* I must consult my doctor.

konsument consumer.

konsumować 1 (*spożywać*) consume, eat. **2** (*pić*) drink.

konsumpcja consumption.

konsumpcyjny consumer.

kontakt 1 (*styczność*) contact, touch: *być z kimś w kontakcie* keep in touch with sb; *nawiązać z kimś kontakt* make contact; *stracić z kimś kontakt* lose touch (contact) with sb. **2** (*elektryczny*) **a)** (*wyłącznik*) switch; **b)** (*gniazdko elektryczne*) socket.

kontaktować contact.

kontaktować się contact, be in touch with: *Czy mogę się z tobą skontaktować w piątek?* Can I contact you on Friday?; *nie kontaktować się* be out of touch.

kontaktowy contact: *soczewki kontaktowe* contact lenses.

kontener container.

konto bank account.

kontrahent contractor.

kontrakt contract.

kontrargument counterargument.

kontrast contrast.

kontrastować contrast.

kontrola control, check: *kontrola celna* customs (check); *kontrola paszportowa* passport control.

kontroler inspector.

kontrolny control.

kontrolować inspect, control.

kontrowersyjny controversial.

kontynent continent.

kontynentalny continental.

kontynuować continue.

konwersacja conversation.

konwertować *komp.* convert.

konwojować convoy.

koń 1 horse. **2** (*w szachach*) knight. **3** *koń na biegunach* rocking horse. **4** *koń mechaniczny* horsepower.

końcowy end, final: *efekt końcowy* end result; *egzamin końcowy* final.

kończyć finish, end.

kończyć się 1 finish, end. **2** (*zużywać się*) run out: *Kończy nam się herbata.* Tea is running out., We are running out of tea.

kończyna limb.

kooperacja cooperation.

koordynować coordinate.

kopać 1 (*nogą*) kick. **2** (*w ziemi*) dig.

kopalnia mine.

koperta envelope.

kopia copy.

kopiować copy.

kopnąć *zob.* **kopać**.

kopulować copulate.

kopyto hoof.

kora bark.

koral coral.

korale beads.

korek 1 cork. **2** (*uliczny*) traffic jam.

korekta correction.

korepetycja coaching.

korepetytor coach.

korespondencja 1 (*listowna*) correspondence. **2** (*listy*) mail.

korespondować correspond (*z kimś* with sb).

korkociąg corkscrew.

korona crown.

koronka lace.

korozja corrosion.

korporacja corporation.

korpus 1 (*tułów*) trunk. **2** (*jednostka*) corps: *Korpus Dyplomatyczny* the Diplomatic Corps.

kort court: *kort tenisowy* tennis court.

korumpować corrupt.

korupcja corruption.

korytarz corridor.

koryto 1 (*dla zwierząt*) feeding trough. **2** (*rzeki*) river bed.

korzeń root.

korzystać 1 (*odnosić korzyści*) profit, benefit. **2** (*używać*) use: *Czy mogę skorzystać z telefonu?* May I use your phone?

korzystny profitable, advantageous.

korzyść 1 profit. **2** (*pożytek*) benefit.

kosa scythe.

kosiarka mower.

kosić mow.

kosmetyczka 1 (*osoba*) cosmetician, beautician. **2** (*torebka*) vanity case.

kosmetyczny cosmetic.

kosmetyk cosmetic.

kosmiczny cosmic.

kosmonauta cosmonaut, astronaut.

kosmopolita cosmopolitan.

kosmos cosmos, the universe.

kostium 1 (*żakiet i spódnica*) suit. **2** *kostium kąpielowy* bathing suit, swimsuit.

kostka 1 (*u nogi*) ankle. **2** (*do gry*) dice. **3** (*sześcian*) cube. **4** (*kość*) bone.

kostnica morgue.

kosz basket: *kosz na śmieci* dustbin, wastepaper basket, wastebasket.

koszmar nightmare.

koszmarny ghastly.

koszt cost.

kosztować cost: *Ile to kosztuje?* How much does it cost?, How much is it?

kosztowności valuables.

kosztowny costly.

koszula shirt: *koszula nocna* nightdress.

koszulka slip: *koszulka trykotowa (bawełniana)* T-shirt.

koszyk basket.

koszykarz basketball player.

koszykówka basketball.

kościół church: *pójść do kościoła* go to church: *Kościół rzymskokatolicki* the Roman Catholic Church; *Kościół anglikański* the Church of England.

kość 1 (*w anatomii*) bone. **2** (*do gry*) dice. **3** *kość słoniowa* ivory.

kot cat.

kotlet chop.

kotlina valley.

kotwica anchor.

kowal blacksmith.

kowboj cowboy.

koza goat.

kozioł goat.

koziorożec 1 (*zwierzę*) ibex. **2** *Koziorożec* (*znak zodiaku*) Capricorn.

kożuch sheepskin coat.

kpić mock.

kpina mockery.

krab crab.

kradzież theft.

kradziony stolen.

kraj country, land: *kraj członkowski* member country.

krajać cut, (*w plasterki*) slice.

krajobraz landscape.

krajowy 1 (*ogólnokrajowy*) national. **2** (*wewnętrzny*) domestic.

kran tap, *AM* faucet.

kraniec end, edge.

krasnoludek dwarf, brownie.

kraść steal.

krata 1 (*więzienna*) iron bars. **2** (*wzór*) check.

kraul crawl.

krawat tie, *AM* necktie.

krawędź edge.

krawężnik kerb.

krawiec tailor.

krąg 1 (*obwód*) circle, ring. **2** (*grupa*) circle. **3** (*zakres*) sphere.

krążenie circulation.

krążyć 1 revolve: *Ziemia krąży wokół Słońca.* The Earth revolves round the Sun. **2** (*w pomieszczeniu*) circulate.

kreacja creation.

kreda chalk.

kredens cupboard.

kredka 1 (*do rysowania*) crayon. **2** (*do ust*) lipstick.

kredyt credit: *kupować coś na kredyt* buy sth on credit.

krem 1 cream, (*danie*) mousse. **2** (*kosmetyczny*) cream: *krem do golenia* shaving cream; *krem nawilżający* moisturizing cream; *krem na noc* night cream; *krem do rąk* hand cream; *krem do twarzy* face cream.

kres 1 (*koniec*) end, term. **2** (*granica*) limit.

kreska line.

kreślarz draughtsman.

kreślić 1 (*przekreślać*) cancel. **2** (*rysować*) draw.

kret mole.

kretyn *nieform. pejor.* cretin.

krew blood: *z zimną krwią* in cold blood.

krewetka shrimp.

krewny relative.

kręcić 1 (*obracać*) turn. **2** (*włosy*) curl. **3** (*kłamać*) kid.

kręcić się 1 (*obracać się*) revolve. **2** (*o włosach*) curl. **3** (*wiercić się*) fidget.

kręgle bowls.

kręgosłup spine.

krępować 1 (*wiązać*) bind. **2** (*być kłopotliwym*) inconvenience.

krępować się feel embarrassed.

krępujący awkward.

kroić cut, (*w plasterki*) slice.

krok 1 (*stąpnięcie*) step, pace. **2** (*odległość*) step. **3** (*tempo*) pace. **4** (*odgłos*) footstep. **5** (*działanie*) step.

krokodyl crocodile.

kromka (*chleba*) slice (of bread).

kronika chronicle.

kropka 1 (*w interpunkcji*) full stop, *AM* period, point. **2** (*punkt*) dot.

kropla 1 drop. **2** *l.mn.* **krople** (*lekarstwo*) drops: *krople do nosa* nose drops; *krople do oczu* eye drops.

krople *zob.* **kropla**.

kroplówka drip.

krowa cow.

król king.

królestwo kingdom.

królewicz prince.

królewna princess.

królewski royal.

królik rabbit.

królowa queen.

krótki 1 (*o długości*) short. **2** (*krótkotrwały*) brief.

krótkoterminowy short-term.

krótkotrwały short-lived.

krótkowidz short-sighted (person).

kruchy 1 (*łamliwy*) fragile. **2** (*chrupki*) crisp.

kruk raven.

kruszyć crumble.

kruszyć się crumble.

krwawić bleed.

krwawienie bleeding.

krwawy bloody.

krwotok haemorrhage.

kryć 1 (*chować*) hide. **2** (*zasłaniać*) cover.

kryć się hide.

kryjówka hiding place.

kryminalista criminal.

kryminalny criminal.

kryminał 1 (*więzienie*) gaol, jail. **2** (*powieść*) detective story.

kryształ crystal.

krytycyzm criticism.

krytyczny 1 (*o krytyce*) critical. **2** (*rozstrzygający*) critical.

krytyk critic.

krytyka criticism.

krytykować criticize.

kryzys crisis.

krzak bush.

krzesło chair.

krzew shrub.

krztusić się choke.

krzyczeć shout, cry: *krzyczeć na kogoś* shout at sb.

krzyk scream, cry.

krzykliwy 1 (*hałaśliwy*) noisy, loud. **2** (*zwracający uwagę*) gaudy.

krzyknąć *zob.* **krzyczeć**.

krzywda harm.

krzywdzić harm, hurt.

krzywić się 1 (*o odkształceniu*) bend. **2** (*o niezadowoleniu*) frown.

krzywoprzysięstwo perjury.

krzywy bent.

krzyż 1 (*symbol*) cross. **2** (*część kręgosłupa*) the back.

krzyżować 1 (*udaremniać*) frustrate. **2** (*układać na krzyż*) cross. **3** (*przybijać do krzyża*) crucify. **4** (*w zoologii*) cross.

krzyżować się cross.

krzyżówka 1 (*zagadka*) crossword. **2** (*w zoologii*) cross.

krzyżyk cross.

ksero 1 (*maszyna*) Xerox machine. **2** (*odbitka*) Xerox, photocopy.

kserograf Xerox machine.

kserować xerox.

ksiądz priest.

książeczka 1 booklet. **2** *książeczka czekowa* chequebook.

książę 1 prince: *książę Walii* the Prince of Wales. **2** (*tytuł z nadania*) duke.

książka book.

księga book.

księgarnia bookshop.

księgowość accountancy, bookkeeping.

księgowy (*zawód*) accountant, bookkeeper.

księżna duchess.

księżniczka princess.

księżyc moon.

kształcenie (*edukacja*) education.

kształcić 1 (*uczyć*) educate. **2** (*formować*) form.

kształcić się be educated, study.

kształt form, shape.

kształtować shape.

kto 1 (*w pytaniach*) who: *Kto to jest?* Who is it? **2** *każdy, kto* everybody who, everybody that. **3** (*dowolna osoba*) somebody, someone, anybody: *kto bądź* anybody.

ktokolwiek anybody, anyone, whoever.

ktoś somebody, someone, (*w pytaniach*) anyone: *Czy dzwonił ktoś?* Did anybody phone?

który 1 (*w pytaniach*) which: *Którą torebkę wybrać?* Which bag to choose?; *Która godzina?* What's the time?, What time is it?; *Który jest dzisiaj?* Which day is it today? **2 a)** (*w funkcji zaimka osobowego*) who, that, whom, whose: *Poznałem chłopca, którego tata jest kierowcą rajdowym.* I met a boy whose dad is a racing driver. **b)** (*w funkcji zaimka nieosobowego*) which, that: *Lubię książki, które mają obrazki.* I like books which have pictures.

którykolwiek whichever, any.

kubek mug.

kucać squat.

kucharski cook, cooking: *książka kucharska* cookery book.

kucharz cook.

kuchenka cooker: *kuchenka mikrofalowa* microwave oven.

kuchnia 1 (*pomieszczenie*) kitchen. **2** (*sztuka kulinarna*) cuisine.

kucnąć *zob.* **kucać**.

kucyk pony.

kuć 1 (*obrabiać metal*) forge. **2** *nieform.* (*uczyć się*) swot, *AM* grind.

kudłaty hairy.

kufel tankard.

kufer trunk.

kukiełka puppet.

kukułka cuckoo.

kukurydza maize, *AM* corn: ***prażona kukurydza*** popcorn.

kukurydziany corn: ***płatki kukurydziane*** cornflakes.

kula 1 (*bryła*) sphere. **2** (*o kształcie*) ball: ***kula ziemska*** the globe. **3** (*pocisk*) bullet. **4** (*podpora*) crutch.

kuleć limp.

kulka ball.

kuloodporny bullet-proof.

kultura culture.

kulturalny 1 (*związany z kulturą*) cultural. **2** (*dobrze wychowany*) cultured, well-mannered.

kulturysta body builder.

kulturystyka body building.

kundel mongrel.

kupa 1 (*sterta*) heap, pile. **2** (*ilość*) heaps. **3** (*odchody*) excrement.

kupić *zob.* **kupować.**

kupiec 1 (*prowadzący interesy*) merchant. **2** (*kupujący*) buyer.

kupno purchase.

kupować buy, purchase.

kura hen.

kuracja treatment.

kurcz cramp.

kurczak chicken.

kurczyć się shrink.

kurs 1 (*przejazd*) drive: ***opłata za kurs*** fare. **2** (*o kierunku*) course.

3 (*kurs wymiany walut*) rate of exchange. **5** (*szkolenie*) course.

kurtka jacket.

kurwa *wulg.* **1** (*wykrzyknik*) shit!, oh shit!, fuck! **2** (*prostytutka*) whore.

kurz dust.

kusić tempt.

kuzyn cousin.

kuzynka cousin.

kwadrans quarter (of an hour): ***za kwadrans ósma*** quarter to eight; ***kwadrans po trzeciej*** quarter past three.

kwadrat 1 (*figura*) square. **2** (*druga potęga*) square.

kwadratowy square.

kwalifikacje qualifications (***do czegoś*** to do sth).

kwalifikować qualify.

kwartał 1 (*okres*) quarter. **2** (*dzielnica*) quarter.

kwas acid.

kwaśny acid, sour: ***kwaśny deszcz*** acid rain.

kwestia question, matter.

kwestionariusz questionnaire.

kwiaciarnia florist's.

kwiat flower.

kwiecień April: ***ósmego kwietnia*** (*coś się stało*) on April 8th.

kwit receipt.

kwitnąć 1 (*mieć kwiaty*) flower, blossom. **2** *przen.* (*rozwijać się*) flourish.

kwitować receipt.

kwota sum (of money), amount.

L

labirynt labyrinth.
laboratorium laboratory, *nieform.* lab.
lać 1 (*nalewać*) pour. **2** (*o deszczu*) pour: *Leje jak z cebra.* It's raining cats and dogs.
lać się pour, flow.
lada (*kontuar*) counter.
laik layman.
lakier varnish.
lakierować varnish.
lalka doll.
lamentować lament.
lampa lamp.
lampka lamp.
las forest, wood.
laska walking-stick.
latać fly.
latarka flashlight.
latarnia 1 (*uliczna*) street lamp. **2** (*morska*) lighthouse.
latawiec kite.
lato summer.
lawina avalanche.
ląd land.
lądować land.
lądowanie landing.
lecieć 1 (*w powietrzu*) fly: *lecieć samolotem* go by plane, fly. **2** (*spadać*) fall.

lecz but.
leczenie treatment.
leczyć treat.
ledwie (**ledwo**) hardly, scarcely.
ledwo *zob.* **ledwie**.
legalizować legalize.
legalnie legally.
legalny legal.
legenda legend.
legendarny legendary.
legion legion.
legitymacja card.
legitymować check credentials.
lek (**lekarstwo**) medicine, drug: *przepisać lek* prescribe a medicine; *zażywać lek* take a medicine.
lekarski 1 (*dotyczący lekarza*) doctor's, medical: *gabinet lekarski* surgery; *badanie lekarskie* medical examination; *zwolnienie lekarskie* sick-leave. **2** (*do leczenia*) medicinal.
lekarstwo *zob.* **lek**.
lekarz doctor, physician: *iść do lekarza* see a doctor, consult a doctor.
lekceważący 1 (*bez szacunku*) disrespectful. **2** (*niedbały*) neglectful.
lekceważyć 1 (*bez szacunku*) depreciate. **2** (*bagatelizować*) neglect.
lekcja lesson.

lekki light: *lekka muzyka* light music.

lekkoatletyka athletics.

lekkomyślny reckless, light-hearted.

lektor 1 (*prowadzący lektorat*) teacher, lecturer. **2** (*czytający*) reader.

lektura 1 (*czytanie*) reading. **2** (*do czytania*) reading matter. **3** *spis lektur* reading list.

lemoniada lemonade.

len flax.

lenistwo laziness.

leniwy lazy.

lepić 1 (*formować*) model. **2** (*przyklejać*) stick (together).

lepiej better: *coraz lepiej* better and better.

lepki sticky.

lepszy better.

lesbijka lesbian.

letni 1 (*dotyczący lata*) summer. **2** (*ciepławy*) lukewarm.

lew 1 lion. **2** *Lew* (*znak zodiaku*) Leo.

lewo left: *skręcić w lewo* turn left.

lewy 1 left. **2** (*strona tkaniny*) inside: *na lewą stronę* inside out. **3** *nieform.* (*fałszywy*) phoney.

leżak deckchair.

leżeć 1 (*o pozycji leżącej*) lie: *leżeć w łóżku* lie in bed. **2** (*o położeniu*) be situated, lie: *Wieś leży na wzgórzu.* The village lies (is situated) on a hill.

lęk fear.

liberalny liberal.

licencja licence.

liceum (*odpowiednik*) secondary school, grammar school.

licytacja 1 auction. **2** (*w kartach*) bidding.

liczba 1 number. **2** (*w gramatyce*) *liczba pojedyncza* the singular; *liczba mnoga* the plural.

liczny numerous.

liczyć 1 (*rachować*) count, calculate. **2** (*polegać*) count: *liczyć na kogoś* count on sb.

liczyć się count.

liczydło abacus.

lider leader.

liga league.

likwidacja liquidation.

likwidować liquidate.

limuzyna limousine.

lina line, rope.

linia 1 (*w geometrii*) line. **2** (*telefoniczna*) line.

linijka 1 (*przyrząd*) ruler. **2** (*wers*) line.

lipiec July: *ósmego lipca* (*coś się stało*) on July 8th.

liryczny lyrical.

lis fox.

list letter: *wysłać list* send a letter; *dostać list* get (receive) a letter.

lista list, roll: *lista zakupów* shopping list.

listonosz postman.

listopad November: *ósmego listopada* (*coś się stało*) on November 8th.

liść leaf.
litera letter.
literatura literature: *literatura piękna* belles-lettres.
literować spell.
litość mercy.
litować się 1 (*litość*) have mercy. **2** (*współczucie*) feel pity (*nad kimś* for sb).
litr litre (*AM* liter).
lizać lick.
lizak lollipop.
liznąć *zob.* **lizać**.
lniany linen.
lodowaty (*też przen.*) icy, ice-cold.
lodowiec glacier.
lodowisko skating rink.
lodowy ice.
lodówka refrigerator, *BR* fridge.
lody (*deser*) ice cream.
logiczny logical.
logika logic.
lojalność loyalty.
lojalny loyal.
lok curl.
lokal 1 (*pomieszczenie*) room. **2** (*gastronomiczny*) café.
lokalizacja 1 (*położenie*) location. **2** (*zlokalizowanie*) localization.
lokalizować localize.
lokalny local.
lokator tenant.
lokomotywa locomotive.
lombard pawnshop.
longplay long-playing record.
lornetka (a pair of) binoculars.

los 1 (*koleje życia*) lot. **2** (*przeznaczenie*) destiny. **3** (*przypadek*) chance. **4** (*w losowaniu*) lot.
losować draw lots.
lot flight: *Czy mieliście dobry lot?* Did you have a good flight?
loteria lottery.
lotniczy air: *poczta lotnicza* airmail.
lotnisko airport.
lód 1 ice: *kostka lodu* ice-cube. **2** *l.mn.* *lody* ice cream.
lśnić glisten, shine.
lub or.
lubić like, be fond of: *Ona lubi jazz.* She likes jazz., She's fond of jazz.
ludność population.
ludowy 1 (*dotyczący ludu*) people's. **2** (*o wsi*) folk.
ludożerca cannibal.
ludzie people.
ludzki 1 human. **2** (*humanitarny*) humane, humanitarian.
ludzkość humanity, mankind.
luka gap.
luksus luxury.
luksusowy luxurious.
lunatyk sleepwalker.
luneta telescope.
lustro mirror.
luty February: *ósmego lutego* (*coś się stało*) on February 8th.
luz 1 (*o czasie*) free time. **2** (*o miejscu*) room. **3** (*o psychice*) relaxation. **4** *na luzie* laid-back. **5** *sprzedawać coś luzem* sell sth loose.
luźny loose.

łabędź swan.

łacina Latin.

łaciński Latin.

ład order.

ładny pretty.

ładować 1 load. **2** *komp.* **ładować (system)** boot up.

ładunek load.

łagodny 1 (*dobrotliwy*) mild, good-natured. **2** (*niesurowy*) lenient.

łagodzić appease, ease: *łagodzić ból* soothe (ease) the pain.

łakomstwo gluttony.

łakomy 1 (*o jedzeniu*) greedy. **2** (*budzący chciwość*) tempting.

łamać 1 break. **2** *przen.* **łamać prawo** break the law.

łamać się break.

łańcuch chain.

łańcuszek chain.

łapa paw.

łapać catch.

łapczywy greedy.

łapówka bribe: *dawać komuś łapówkę za zrobienie czegoś* bribe sb to do sth.

łaska 1 (*względy*) favour (*AM* favor). **2** (*ułaskawienie*) pardon.

łaskawy 1 (*przyjazny*) friendly. **2** (*wielkoduszny*) gracious.

łata patch.

łatwo easily.

łatwopalny inflammable.

łatwy easy, simple.

ława bench.

ławka bench, (*w szkole*) desk.

łazienka bathroom.

łącznie 1 (*razem*) together. **2** **łącznie z** including: *Było 9 osób, łącznie z kierowcą.* There were 9 people, including the driver.

łączność 1 (*kontakt*) contact. **2** (*komunikacja*) communication. **3** *komp.* link.

łączyć 1 (*w całość*) join, unite: *łączyć poszczególne części razem* join pieces together. **2** (*telefonicznie*) connect, put through: *Proszę nie odkładać słuchawki, łączę (panią) z konsulem.* Hold on, I'll just put you through to (connect you with) the consul.

łączyć się 1 (*stanowić całość*) connect, unite. **2** (*telefonicznie*) get through.

łąka meadow.

łkać sob.

łobuz villain.

łodyga stem.

łokieć elbow.

łomot rumble.
łomotać (*dobijać się*) bang.
łopata shovel.
łopatka 1 (*w anatomii*) shoulder blade. **2** (*kuchenna*) spatula.
łopotać flap.
łosoś salmon.
łowca hunter.
łowić catch: *łowić ryby* fish.
łódka boat: *pływać łódką* sail a boat.
łódź boat: *łódź podwodna* submarine.
łóżko bed: *leżeć w łóżku* be (lie) in bed; *posłać łóżko* make the bed.
łucznik archer.
łudzić delude.
łudzić się delude oneself.
łuk 1 (*koła*) arc. **2** (*krzywizna*) bow. **3** (*broń*) bow.
łupież dandruff: *szampon przeciw łupieżowi* anti-dandruff shampoo.

łupina 1 (*skorupka*) shell. **2** (*skórka ziemniaka*) peel.
łuska 1 (*rośliny*) husk. **2** (*rybia*) scale. **3** (*naboju*) shell.
łuszczyć się flake, peel.
łydka calf.
łyk draught.
łykać swallow.
łyknąć *zob.* **łykać**.
łysieć become bald.
łysy bald.
łyżeczka teaspoon: *dwie łyżeczki cukru* two teaspoonfuls of sugar.
łyżka spoon: *łyżka stołowa* tablespoon.
łyżwa skate: *jeździć na łyżwach* skate.
łyżwiarstwo skating: *łyżwiarstwo figurowe* figure skating.
łyżwiarz skater.
łza tear, teardrop.
łzawić water, run.

M

macać feel.

machać 1 wave. **2** *machać ogonem* (*o psie*) wag the tail. **3** *machać skrzydłami* (*o ptaku*) flap the wings.

machnąć *zob.* **machać**.

macica uterus, womb.

macierzyński maternal.

macierzyństwo maternity.

macocha stepmother.

mafia mafia, the Mob.

magazyn 1 (*budynek*) warehouse. **2** (*pomieszczenie*) store-room. **3** (*sklep*) store. **4** (*czasopismo*) magazine.

magazynować store.

magia magic.

magiczny magic, magical.

magister master: *magister nauk humanistycznych* Master of Arts, MA; *magister nauk ścisłych* Master of Science, MSc; *mgr I. Priestley* I. Priestley, MA (MSc).

magnes magnet.

magnetofon tape recorder, (*kasetowy*) cassette recorder.

magnetowid video cassette recorder, VCR.

magnetyczny magnetic.

mahoń mahogany.

maj May: *ósmego maja* (*coś się stało*) on May 8th.

majątek 1 (*ziemski*) property. **2** (*bogactwo*) wealth, fortune.

majonez mayonnaise.

major major.

majster foreman.

majtki panties, *BR* pants, knickers.

mak poppy.

makaron pasta.

makijaż make-up.

makler stockbroker.

maksimum maximum.

maksymalny maximal, maximum.

malarstwo painting.

malarz 1 (*artysta*) painter. **2** (*pokojowy*) house painter.

maleńki tiny, minute.

malina raspberry.

malować 1 paint: *świeżo malowane* wet paint. **2** paint: *malować obraz* paint a picture.

malować się (*o makijażu*) make up.

malowniczy picturesque.

mało 1 (*z rzeczownikiem policzalnym*) few, not many. **2** (*z rzeczownikiem niepoliczalnym*) little, not much. **3** (*z zaimkiem*) hardly: *mało kto* hardly anybody. **4** *o mało co* almost.

małoletni juvenile.

małomówny taciturn.

małpa 1 monkey. **2** *komp. nieform.* at sign, @.

mały little, small: *mały palec* little finger; *małe dziecko* little (small) child; *małe miasto* small town.

małżeński marital.

małżeństwo 1 (*związek*) marriage: *zawrzeć małżeństwo* get married. **2** (*para małżeńska*) (married) couple: *być małżeństwem* be married.

małżonek 1 (*mąż*) husband, spouse. **2** (*jedno z małżonków*) spouse (husband, wife).

małżonka wife, spouse.

mama mother, mum.

mamrotać mumble.

mandarynka tangerine.

mandat fine: *mandat za przekroczenie prędkości* speeding ticket.

manekin dummy.

manewr manoeuvre (*AM* maneuver).

mania mania.

maniak maniac.

manicure manicure.

maniera *l.mn.* **maniery** (*sposób bycia*) manners.

manifest manifesto.

manifestacja 1 (*uliczna*) demonstration. **2** (*uczuć*) manifestation.

manifestować 1 (*uczucia*) manifest. **2** (*o manifestacji*) demonstrate.

manipulować manipulate.

mapa map.

maraton marathon.

marchew carrot; (*potrawa*) carrots.

margaryna margarine.

margines margin.

marihuana marijuana, marihuana.

marionetka marionette.

marka 1 (*firma*) make, brand: *Jakiej marki był ten samochód?* What make was the car? **2** (*gatunek*) quality: *dobra marka* good quality. **3** (*opinia*) reputation.

marmur marble.

marmurowy marble.

marnotrawny *syn marnotrawny* prodigal son.

marnotrawstwo waste.

marnować waste.

marnować się be wasted.

marny poor.

marsz march.

marszałek marshal.

marszczyć 1 wrinkle. **2** *marszczyć brwi* frown.

marszczyć się wrinkle.

martwić worry, upset: *Martwi mnie, że córka wraca późno do domu.* It worries me that my daughter comes home late.

martwić się worry, be worried: *Nie martw się.* Don't worry.

martwy 1 dead. **2** *martwa natura* still life.

marynarka 1 (*ubranie*) jacket. **2** (*morskie siły zbrojne*) navy.

marynarz sailor.

marynować pickle.

marzec March: *ósmego marca* (*coś się stało*) on March 8th.

marzenie dream: *Niech ci się spełnią wszystkie marzenia!* May all your dreams come true!

marznąć freeze.

marzyć dream: *Zawsze marzyłam, żeby zostać piosenkarką.* I've always dreamt of becoming a singer.

masa mass.

masakra massacre.

masaż massage.

masażysta masseur.

maska mask.

maskotka mascot.

maskować mask.

masło butter.

masować massage.

masowy mass: *środki masowego przekazu* mass media.

maszerować march.

maszt mast.

maszyna machine.

maszynista engine-driver.

maszynka device: *maszynka do golenia* electric shaver; *maszynka do mielenia mięsa* mincer.

maść ointment.

mat 1 (*matowość*) mat. **2** (*w szachach*) checkmate.

mata mat.

matematyczny mathematical.

matematyk mathematician.

matematyka mathematics, maths.

materac mattress.

materializm materialism.

materia 1 matter. **2** *przemiana materii* metabolism.

materialista materialist.

materialistyczny materialist.

materialny 1 (*z materii*) material. **2** (*finansowy*) financial.

materiał 1 (*surowiec*) material. **2** (*tkanina*) cloth.

matka mother.

matowy matt, mat.

matrymonialny matrimonial.

matura school-leaving exam.

maturalny *świadectwo maturalne* secondary school certificate; *egzamin maturalny* school-leaving examination.

maturzysta school-leaver.

mazać smear.

maznąć *zob.* **mazać**.

mącić 1 (*spokój*) disturb. **2** (*wodę*) stir.

mądrość wisdom.

mądry 1 (*inteligentny*) wise. **2** (*sprytny*) clever. **3** (*rozsądny*) sensible. **4** (*uczony*) learned.

mąka flour.

mąż husband.

mdleć faint, lose consciousness.

mdlić nauseate, sicken.

mdłości nausea.

mdły 1 (*przyprawiający o mdłości*) nauseating. **2** (*bez wyrazu*) insipid.

mebel a piece of furniture.

meblować furnish.

mecenas lawyer, solicitor.

mech moss.

mechaniczny mechanical.

mechanik mechanic.

mechanika mechanics.

mechanizm mechanism.

mecz match.

meczet mosque.

medal medal.

medycyna medicine.

medyczny medical.

medytacja meditation.

medytować meditate.

megafon loudspeaker.

melancholia melancholy.

meldować 1 (*zawiadamiać*) report. **2** (*w księdze meldunkowej*) register.

meldować się 1 (*zgłaszać się*) report. **2** (*w księdze meldunkowej*) register: **zameldować się w hotelu** register (check in) at a hotel.

meldunek report.

melioracja drainage.

melodia tune.

melon melon.

melonik bowler(hat).

menedżer manager: *komp.* **menedżer baz danych** database manager; **menedżer plików** file manager.

menstruacja menstruation.

mentalność mentality.

menu 1 (*karta dań*) menu. **2** *komp.* menu.

mer mayor.

merdać (*o psie*) wag.

merdnąć *zob.* **merdać**.

meta finish.

metafora metaphor.

metaforyczny metaphorical.

metal 1 metal. **2** *nieform.* (*muzyka*) heavy metal.

metaliczny metallic.

metalurgia metallurgy.

metamorfoza metamorphosis.

meteorologiczny meteorological.

metoda method.

metodyka methodology.

metr metre (*AM* meter).

metro underground, the tube, *AM* subway.

mewa seagull.

męczący tiring.

męczyć 1 (*torturować*) torture. **2** (*wywoływać zmęczenie*) tire.

męczyć się 1 (*fizycznie, moralnie*) suffer. **2** (*odczuwać zmęczenie*) tire, become exhausted.

męka agony.

męski 1 (*dla mężczyzn*) man's, men's: **ubrania męskie** men's clothes. **2** (*właściwy mężczyźnie*) masculine: *Michał Żebrowski był bardzo męski w tej roli. Michał Żebrowski was very masculine playing that part.* **3** (*płci męskiej*) male. **4** (*rodzaj gramatyczny*) masculine.

mężatka married woman.

mężczyzna man.

mężny brave.

mglisty 1 (*zasnuty mgłą*) hazy, foggy. **2** (*niejasny*) vague.

mgła fog, mist.

mianować appoint.

mianownik 1 (*w językoznawstwie*) nominative case. **2** (*w matematyce*) denominator.

miara 1 (*jednostka*) measure: *miara długości* measure of length. **2** (*do mierzenia*) measure. **3** (*rozmiar*) measure.

miarowy regular.

miasto (*duże*) city, (*mniejsze*) town.

miażdżyć crush.

miąć crumple.

miąć się crumple.

miąższ flesh.

miecz sword.

mieć 1 (*posiadać*) have, have got: *mieć problem* have a problem; *Czy macie mieszkanie?* Have you got a flat?, Do you have a flat?; *Nie mam nic przeciwko temu.* I have nothing against it.; *mieć prawo do czegoś* have the right to sth; *mieć dzieci z kimś* have children by sb; *mieć nadzieję* hope; *mieć rację* be right; *mieć szczęście* be lucky; *mieć wątpliwości* have doubts. **2** *mieć zamiar coś zrobić* be going to do sth, intend to do sth: *Mam zamiar tu zostać.* I'm going to stay here., I intend to stay here. **3** (*o wieku*) *mieć... lat* be... (years old): *Mam 17 lat.* I'm seventeen (years old). **4** (*o obowiązku, zamiarze*) be to, have to, be going to: *Mają wyjechać w przyszłym miesiącu.* They are to leave next month.; *Co mam robić?* What am I to do?,

What shall I do?, What do I have to do?; *Właśnie miałem zadzwonić do ciebie.* I was about to call you., I was just going to call you. **5** *mieć miejsce* (*zdarzyć się*) take place, happen.

mieć się (*czuć się*) be, feel: *Jak się masz?* How are you?; *Mam się dobrze.* I'm fine.

miednica 1 (*naczynie*) wash-basin. **2** (*w anatomii*) pelvis.

miedź copper.

miejsce 1 (*w przestrzeni*) place, spot: *miejsce pracy* place of work; *miejsce urodzenia* one's place of birth; *miejsce zamieszkania* residence; *bez stałego miejsca pobytu* of no fixed abode. **2** (*wolna przestrzeń*) room, space. **3** (*np. krzesło*) seat: *ustąpić komuś miejsca* give up one's seat to sb; *Czy to miejsce jest zajęte?* Is this seat taken? **4** (*pozycja*) place: *Co byś zrobiła na moim miejscu?* What would you do in my place?; *Na twoim miejscu pojechałabym.* If I were you, I would go. **5** *na miejscu* a) (*we właściwym miejscu*) in place; b) (*taktownie*) in place: *nie na miejscu* out of place; c) (*od razu*) on the spot: *Policjant zginął na miejscu.* The policeman was killed on the spot. **6** *mieć miejsce* (*zdarzyć się*) take place, happen.

miejscowość place, town.

miejscowy local.

miejski urban, civic.

mielizna shallow.
mielony (*o mięsie*) minced, (*o kawie*) ground.
mienie possessions.
mierzyć 1 (*o wielkości*) measure, take: *mierzyć temperaturę* take temperature. **2** (*wynosić*) measure: *Mój pokój mierzy 4 na 6 metrów.* My bedroom measures 4 metres by 6. **3** (*ubranie*) try on: *mierzyć spódnicę* try on the skirt. **4** (*celować*) aim, take aim.
miesiąc 1 month: *w przyszłym (w zeszłym) miesiącu* next (last) month; *co miesiąc* every month. **2** *miesiąc miodowy* honeymoon.
miesięczny monthly.
mieszać 1 (*ze sobą*) mix, stir. **2** (*wplątywać*) mix, mix up. **3** (*mylić*) confuse.
mieszać się 1 (*ze sobą*) mix. **2** (*wtrącać się*) interfere.
mieszanina mixture.
mieszanka mixture, blend.
mieszkać live: *Gdzie Pan (Pani) mieszka? (Gdzie mieszkasz?)* Where do you live?; *Mieszkam tutaj od dwunastu lat.* I've been living here for 12 years.
mieszkanie flat, *AM* apartment.
mieszkaniec (*kraju*) inhabitant.
mieścić się be, be contained.
miewać się (*czuć się*) be, feel: *Jak się miewasz?* How are you?
między 1 (*pomiędzy*) between: *temperatura między 15 i 20°C* temperature between 15 and 20°C.

2 (*pośród*) among: *między innymi* among other things.
międzynarodowy international.
miękki soft, tender.
miękko softly.
mięknąć soften.
mięsień muscle.
mięso meat: *mięso wieprzowe* pork; *mięso wołowe* beef; *mięso drobiowe* poultry.
mięta mint.
migdał 1 almond. **2** (*w anatomii*) tonsil.
migotać flicker.
migrena migraine.
mijać pass.
mijać się pass.
mikrofon microphone.
mikroskop microscope.
mikser mixer.
mila (*1,6 km*) mile.
milczący silent.
milczeć be silent.
milczenie silence.
mile 1 (*serdecznie*) warmly: *być mile widzianym* be welcome. **2** (*przyjemnie*) pleasantly.
miliard billion.
milimetr millimetre (*AM* millimeter).
milion million: *cztery miliony* four million.
milioner millionaire.
militarny military.
milknąć 1 (*cichnąć*) become (fall) silent. **2** *przen.* (*zmniejszać się*) subside.

miło (*przyjemnie*) nice, nicely: *Miło Cię poznać.* Nice to meet you.; *spędzić miło czas* have a nice (lovely) time; *Miło z twojej strony, że proponujesz kawę.* It's nice of you to offer a cup of coffee.

miłosierny merciful.

miłosny love: *list miłosny* love letter.

miłość love: *prawdziwa miłość* true love; *miłość nieodwzajemniona* unrequited love; *miłość od pierwszego wejrzenia* love at first sight.

miłośnik lover, fan.

miły nice, pleasant.

mimo 1 in spite (*czegoś* of sth), despite (*czegoś* sth). **2** *mimo to* nevertheless. **3** *mimo wszystko* all the same.

mina 1 (*wyraz twarzy*) face. **2** *robić dobrą minę do złej gry* grin and bear it. **3** (*pocisk*) mine.

minąć *zob.* **mijać**.

minąć się *zob.* **mijać się**.

mineralny mineral: *woda mineralna* mineral water.

minerał mineral.

miniatura miniature.

minimalny minimal, minimum.

minimum minimum.

miniony past.

minister minister, *AM* secretary.

ministerstwo ministry, *AM* department: *Ministerstwo Spraw Wewnętrznych* BR Home Office; *Ministerstwo Spraw Zagranicznych* BR Foreign Office.

minus 1 (*w matematyce*) minus. **2** (*wada*) minus, disadvantage.

minuta minute.

miotła broom.

miód honey.

misja mission.

misjonarz missionary.

miska bowl.

mistrz 1 (*wzór*) master. **2** (*rzemieślnik*) master. **3** (*w sporcie*) champion.

mistrzostwa (*zawody*) championships.

mistrzostwo 1 (*najwyższy stopień*) mastery. **2** (*w sporcie*) championship.

miś (*pluszowy*) teddy bear.

mit myth.

mitologia mythology.

mitologiczny mythological.

mityczny mythic, mythical.

mizerny 1 (*o wyglądzie*) haggard. **2** (*kiepski*) poor.

mknąć rush.

mleczarnia dairy.

mleczarz milkman.

mleczny milk: *czekolada mleczna* milk chocolate; *koktajl mleczny* milk shake.

mleć (*mięso*) mince, (*kawę*) grind.

mleko milk: *mleko pełne* whole milk; *mleko odtłuszczone* skimmed milk; *mleko w proszku* powdered milk; *mleko skondensowane* condensed milk; *mleko o przedłużonej trwałości* long-life milk.

młodość youth.

młodszy 1 (*o wieku*) younger: *Jego żona jest o dziesięć lat młodsza od niego.* His wife is ten years younger than him (ten years his junior). **2** (*o randze*) junior.

młody 1 young. **2** *panna młoda* bride; *pan młody* bridegroom, groom; *młoda para* bride and bridegroom.

młodzież youth.

młot hammer.

młotek hammer.

młyn mill.

młynarz miller.

młynek mill, grinder.

mnich monk.

mniej 1 (*z rzeczownikami policzalnymi*) fewer: *Jest tu mniej książek niż poprzednio.* There are fewer books here than before. **2** (*z rzeczownikami niepoliczalnymi*) less: *Mam mniej czasu niż myślałam.* I've got less time than I thought. **3** (*z przymiotnikami*) less: *To zadanie jest mniej czasochłonne.* This task is less time-consuming. **4** *coraz mniej* less and less. **5** *mniej więcej* more or less, more or so.

mniejszość minority.

mniejszy 1 (*o rozmiarze*) smaller. **2** (*o znaczeniu*) lesser.

mnożenie multiplication.

mnożyć 1 (*w matematyce*) multiply. **2** (*zwiększać*) increase.

mnożyć się 1 (*powiększać się*) increase. **2** (*rozmnażać się*) reproduce.

mnóstwo multitude, a great number, lots of.

mobilizować mobilize.

moc 1 (*siła*) might, power. **2** *zrobić wszystko, co w mocy kogoś* do one's best, do everything in one's power: *Zrobię wszystko, co w mojej mocy.* I'll do my best. **3** (*ważność*) force, validity: *moc prawna* force of law.

mocarstwo world power.

mocno 1 (*silnie*) strongly, firmly. **2** (*o uścisku*) tight. **3** (*w dużym stopniu*) very much.

mocny 1 (*silny*) strong, powerful. **2** (*intensywny*) strong: *mocna herbata* strong tea.

mocować fix.

mocz urine.

moczyć 1 (*zwilżać*) wet. **2** (*nasączać*) soak.

moda fashion: *pokaz mody* fashion show; *wyjść z mody* go out of fashion.

model model.

modelka model.

modernizacja modernization.

modernizować modernize.

modlić się pray.

modlitwa prayer.

modny fashionable.

modyfikować modify.

moknąć get wet, get soaked.

mokradło swamp.

mokry wet.

molo pier.

moment moment: *za moment* in a moment; *w tym momencie* (*teraz*) at the moment.

momentalnie instantaneously.

monarcha monarch.

monarchia monarchy.

moneta coin.

monitor monitor.

monotonny monotonous.

montować 1 (*składać*) assemble. **2** install.

moralność morality.

moralny moral.

morał moral.

mord murder.

morderca murderer.

morderstwo murder.

mordować murder.

morela apricot.

morski 1 (*związany z morzem*) sea: *choroba morska* sea-sickness. **2** (*związany z żeglugą*) nautical.

morze sea: *pojechać nad morze* go to the seaside; *owoce morza* seafood.

mosiądz brass.

most bridge.

motel motel.

motocykl motorcycle, motorbike.

motor 1 (*silnik*) engine. **2** (*motocykl*) motorbike.

motorówka motorboat.

motto motto.

motyl butterfly.

motyw 1 (*powód*) motive. **2** (*w sztuce*) motif.

motywacja motivation.

motywować 1 (*uzasadniać*) justify. **2** (*zachęcać*) motivate.

mowa 1 (*język*) language, tongue: *mowa ojczysta* native language. **2** (*umiejętność*) speech. **3** (*przemówienie*) speech. **4** (*w językoznawstwie*) speech: *mowa zależna* indirect speech; *mowa niezależna* direct speech; *części mowy* parts of speech.

mozaika mosaic.

mozolny strenuous.

może 1 (*przypuszczenie*) perhaps, maybe, may be: *Może Piotr ma rację.* Perhaps Peter's right., Maybe Peter's right., Peter may be right.; *Może* (*będzie*) *padać śnieg.* It may snow. **2** (*zachęta, propozycja*) would you...?, what about...?: *Może napiłaby się Pani herbaty?* Would you like some tea?; *Może byśmy poszli do parku?* How (What) about going to the park? **3** *zob.* **móc**.

możliwie 1 (*w miarę możliwości*) if possible, possibly: *możliwie jak najszybciej* as quickly as possible, as soon as possible, asap. **2** (*znośnie*) passably.

możliwość 1 (*prawdopodobieństwo*) possibility. **2** (*perspektywa*) possibility: *skorzystać z możliwo-*

ści take opportunity; *Czy jest możliwość wynajęcia łodzi?* Is there any possibility of hiring a boat?

możliwy (*przypuszczalny*) possible: *możliwe rozwiązanie* possible solution.

móc 1 (*potrafić*) be able to, can: *Czy możesz zadzwonić jutro?* Can you call tomorrow?; *Starałem się, jak mogłem.* I tried as hard as I could.; *Nie będę mogła przyjść na spotkanie w przyszłym miesiącu.* I won't be able to attend the meeting next month. **2** (*o przyzwoleniu*) may, can: *Czy mógłbym skorzystać z twojego komputera?* May I use your computer?; *Możesz robić, co chcesz.* You can do what you want. **3** (*prawdopodobieństwo*) may, can: *Ona może być jeszcze chora.* She may still be ill.; *Mogłam się pomylić.* I may have made a mistake.; *Nie jest wykluczone, że mogłam się pomylić.* I might have made a mistake.; *Nie mogłam się pomylić.* I can't have made a mistake.; *To nie może być prawda.* It can't be true.

mój 1 (*przed rzeczownikiem*) my: *jedna z moich książek* one of my books; *Gdzie jest mój rower?* Where is my bike? **2** (*bez rzeczownika*) mine: *To nie jest twoja dziewczyna, ale moja.* She's not your girlfriend, she's mine.; *jeden z moich z przyjaciół* a friend of mine.

mól moth.

mówca speaker.

mówić 1 (*komunikować się*) speak, talk: *mówić prawdę* tell the truth; *mówić wolno i wyraźnie* speak slowly and distinctly; *mówić po angielsku* speak English; *Czy mogę mówić z Andrzejem?* May I speak (talk) to Andrzej?; *O czym ty mówisz?* What are you talking about? **2** (*wydawać polecenia*) tell: *Mówiłem jej, żeby przyniosła wszystkie dokumenty.* I told her to bring all the documents.; *Rób, jak ci mówię.* Do as I tell you.

mózg brain.

mroczny dusk.

mrok dark.

mrozić freeze.

mroźny frosty.

mrożonka frozen food.

mrożony frozen.

mrówka ant.

mróz frost.

mruczeć mumble.

mrugać 1 (*reakcja*) blink. **2** (*dawać znak*) wink. **3** (*o świetle*) blink.

mrugnąć *zob.* **mrugać**.

mruknąć *zob.* **mruczeć**.

msza mass.

mścić avenge.

mścić się avenge oneself.

mściwość revengefulness.

mściwy revengeful.

mucha 1 (*owad*) fly. **2** (*pod szyję*) bow-tie.

muchomor toadstool.

Mulat mulatto.

muł (*zwierzę*) mule.

mumia mummy.

mundur uniform.

mur wall.

murarz bricklayer.

murować build.

murowany brick.

Murzyn *pejor.* Negro, (*w USA*) African American, Afro-American.

musieć 1 (*o konieczności zewnętrznej*) have to, need, (*o przymusie wewnętrznym*) must: *Naprawdę muszę już iść.* I really must go.; *Nie musimy się spieszyć.* We needn't hurry.; *Będę musiał mu powiedzieć.* I will have to tell him.; *Ona musiała prać cały dywan.* She had to wash the whole carpet. **2** (*o przypuszczeniu*) must: *Musieliście o nim słyszeć.* You must have heard about him.; *Musisz być zmęczony.* You must be tired.

muskuł muscle.

musujący sparkling.

muszka 1 (*owad*) midge. **2** (*pod szyję*) bow-tie. **3** (*do celowania*) muzzle.

muszla shell.

musztarda mustard.

mutacja 1 (*zmiana*) change. **2** (*w biologii*) mutation.

muza muse.

muzeum museum.

muzyczny music, musical.

muzyk musician.

muzyka music: *muzyka klasyczna* classical music; *muzyka pop* pop music; *muzyka rockowa* rock music; *komponować muzykę* compose music, write music; *słuchać muzyki* listen to music.

my we: (*My*) *jesteśmy najlepsi!* We are the best!

myć clean, wash: *myć ręce* wash one's hands; *myć zęby* clean one's teeth, brush one's teeth; *myć naczynia* wash up, wash the dishes.

myć się wash (oneself): *Umyj się i ubierz!* Wash and dress!

mydło soap.

mylić 1 (*plątać*) confuse. **2** (*wprowadzać w błąd*) mislead.

mylić się 1 (*popełniać błąd*) make a mistake. **2** (*być w błędzie*) be mistaken: *Mylisz się.* You must be wrong.

mysz 1 mouse. **2** *komp.* mouse.

myśl 1 thought, idea. **2** *Co masz na myśli?* What do you mean?

myśleć think: *O czym myślisz?* What are you thinking about?; *Co o tym myślisz?* What do you think of it?

myśliciel thinker.

myśliwski 1 (*związany z polowaniem*) hunting. **2** (*o lotnictwie*) fighter.

myśliwy hunter.

myślnik dash.

mżawka drizzle.

mżyć *Mży.* It's drizzling.

na 1 (*o miejscu*) on, at, in: *na biurku* on the desk; *na ulicy* in the street; *na (powierzchni) ziemi* on the ground; *na przystanku autobusowym* at a bus stop; *na świecie* on earth; *na rogu ulicy* on the corner; *na głębokości 5 metrów* at the depth of 5 metres; *na północy Polski* in the north of Poland; (*strona*) *na lewo* on the left; *na koncercie* at a concert; *na spotkaniu* at a meeting. **2** (*o kierunku*) to: *na prawo* (to the) right; *na południe od czegoś* (to the) south of sth. **3** (*o okresie*) for: *na chwilę* for a while; *na 3 miesiące* for three months; *na zawsze* for ever. **4** (*o częstotliwości*) in: *raz na rok* once a year; *raz na dwa lata* once in two years. **5** (*o powierzchni*) by: *długi na pięć metrów* 5 metres long; *pokój 4 na 4,5 metra* room 4 metres by 4,5. **6** (*o ważeniu*) by: *sprzedawać na kilogramy* sell by the kilogram. **7** (*o podziale*): to, into, in: *dzielić na części* divide into parts. **8** (*na jednostkę*) per: *150 km na godzinę* 150 kilometres per hour; *5 funtów na osobę* £5 per person. **9** (*o celu*) for, to:

zaprosić kogoś na obiad invite sb to dinner; *iść na spacer* go for a walk; *iść na koncert* go to a concert; *Co jadasz na śniadanie?* What do you eat for breakfast? **10** (*o chorobach*) with, from: *chorować na grypę* be ill with flu; *cierpieć na chorobę* suffer from a disease. **11** (*o przyczynie śmierci*) of, from: *umrzeć na raka* die from cancer.

nabiał dairy products.

nabić *zob.* **nabijać**.

nabierać 1 (*o cechach*) acquire. **2** (*zagarniać*) shovel. **3** (*wciągać*) draw, draw in: *nabierać powietrza* breathe in. **4** (*oszukiwać*) *nieform.* take in.

nabijać (*o broni*) load.

nabożeństwo service.

nabój cartridge.

nabrać *zob.* **nabierać**.

nabyć *zob.* **nabywać**.

nabytek purchase.

nabywać buy, purchase.

nachylać slant.

nachylać się bend.

nachylić *zob.* **nachylać**.

nachylić się *zob.* **nachylać się**.

naciągać 1 (*mięsień*) stretch, pull. **2** (*linę*) tighten. **3** (*ubranie*) pull on, put on. **4** *nieform.* (*oszukiwać*) fleece.

naciągnąć *zob.* **naciągać**.

nacierać 1 (*smarować*) rub, rub in. **2** (*atakować*) attack.

nacisk pressure.

naciskać press: *naciskać guzik* press a button.

nacisnąć *zob.* **naciskać**.

nacjonalista nationalist.

nacjonalistyczny nationalist.

nacjonalizm nationalism.

naczelnik head.

naczelny 1 (*główny*) leading, chief. **2** (*o władzy*) chief: *naczelny dowódca* commander-in-chief.

naczynie 1 (*kuchenne*) dish: *zmywać naczynia* wash the dishes, wash up. **2** (*pojemnik*) container. **3** (*w anatomii*) vessel.

nad 1 (*ponad*) over, above: *lampa nad stołem* lamp over a table. **2** (*o brzegu*) at, by: *nad rzeką* on the river; *nad morzem* at the seaside, by the sea; *Kraków leży nad Wisłą.* Kraków lies on the Vistula. **3** (*o kierunku*) to: *nad rzekę* to the river.

nadać *zob.* **nadawać**.

nadać się *zob.* **nadawać się**.

nadal still: *Nadal cię kocham.* I'm still loving you.

nadaremnie vainly, in vain.

nadaremny vain.

nadawać 1 (*przyznawać*) grant. **2** (*wysyłać*) send. **3** (*o informacji*) broadcast.

nadawać się be fit: *nie nadawać się do spożycia* not be fit to eat.

nadawca sender, (*napis na kopercie*) from.

nadążać keep up with: *Nie bardzo nadążam.* I don't quite follow.

nadążyć *zob.* **nadążać**.

nadchodzić come, approach: *Nadchodzi noc.* The night is coming.

nadciśnienie hypertension.

nadejście arrival.

nadejść *zob.* **nadchodzić**.

nadfioletowy ultraviolet.

nadgarstek wrist.

nadjechać *zob.* **nadjeżdżać**.

nadjeżdżać arrive.

nadmiar excess.

nadmierny excessive.

nadmorski seaside.

nadmuchać *zob.* **nadmuchiwać**.

nadmuchiwać inflate.

nadobowiązkowy optional.

nadprzyrodzony supernatural.

nadrabiać make up for.

nadrobić *zob.* **nadrabiać**.

nadrzędny superior.

nadużycie abuse.

nadużyć *zob.* **nadużywać**.

nadużywać abuse: *nadużywać czyjejś gościnności* trespass on sb's hospitality.

nadwaga overweight.

nadwozie body (of a car).

nadwrażliwy oversensitive.

nadwyżka surplus.

nadziać *zob.* **nadziewać**.

nadzieja hope: *mieć nadzieję* hope; *Mam nadzieję, że nie przeszkadzam.* I hope I'm not disturbing you.

nadzienie stuffing.

nadziewać (*o potrawie*) stuff.

nadzorować supervise.

nadzór supervision.

nadzwyczajny 1 (*niezwykły*) extraordinary. 2 (*specjalny*) special.

nafaszerować *zob.* **faszerować**.

nafta petroleum, mineral oil.

nagana reprimand.

nagi naked, nude.

nagle suddenly.

nagłówek title, headline.

nagły sudden: *nagły wypadek* emergency.

nagość nakedness, nudity.

nagrać *zob.* **nagrywać**.

nagradzać 1 (*rekompensować*) reward. 2 (*przyznawać nagrodę*) award a prize.

nagranie recording.

nagrobek tombstone.

nagroda 1 (*zapłata*) reward. 2 (*odznaczenie*) prize, award.

nagrodzić *zob.* **nagradzać**.

nagrywać record.

naiwność naïveté, naïvety.

naiwny naïve.

najazd invasion.

nająć *zob.* **najmować**.

najbliżej nearest.

najbliższy nearest: *Gdzie jest najbliższa poczta?* Where is the near-

est post office?; *najbliższy krewny* next of kin.

najdalej 1 (*o czasie*) at the latest. 2 (*o przestrzeni*) furthest, farthest.

najechać *zob.* **najeżdżać**.

najeźdźca invader.

najeżdżać 1 (*jadąc*) run over, run into: *najechać na kogoś* run sb down (over). 2 (*dokonywać najazdu*) invade.

najgorszy the worst.

najgorzej worst.

najlepiej best: *Najlepiej będzie, jeżeli pójdę spać.* I had better (best) go to sleep.

najlepszy the best: *wszystkiego najlepszego* all the best; *wszystkiego najlepszego z okazji urodzin* many happy returns of the day.

najmniej 1 (*ilość*) least. 2 (*w stopniowaniu*) least: *najmniej interesujący* the least interesting. 3 *co najmniej* at least, at the very least.

najmniejszy 1 (*o ilości*) the least. 2 (*o rozmiarze*) smallest.

najmować engage, hire.

najpierw first.

najwięcej most.

najwyżej 1 (*o wysokości*) highest. 2 (*o granicy*) at the outmost. 3 (*nie więcej niż*) at most, at the most, at the very most: *najwyżej 300 funtów* £300 at (the) most.

nakarmić *zob.* **karmić**.

nakaz warrant.

nakazać *zob.* **nakazywać**.

nakazywać 1 (*zarządzać*) command. **2** (*wymóg postępowania*) demand.

nakleić *zob.* **naklejać**.

naklejać stick, stick on, glue.

nakład 1 (*pracy, pieniędzy*) cost. **2** (*wydanie*) edition: *Książka ma wyczerpany nakład.* The book is out of print.

nakładać 1 (*o ubraniu*) put on: *nakładać kurtkę* put a jacket on. **2** (*obciążać*) impose.

nakłaniać persuade.

nakłonić *zob.* **nakłaniać**.

nakręcać (*zegarek*) wind up.

nakręcić *zob.* **nakręcać**.

nakrętka cap.

nakryć *zob.* **nakrywać**.

nakrywać 1 (*przykrywać*) cover. **2** *nakrywać do stołu* lay the table.

nakrzyczeć *zob.* **krzyczeć**.

nalać *zob.* **nalewać**.

nalegać insist (*na coś* on sth): *Nalegam, żeby lekarz przyjechał jak najszybciej.* I insist that the doctor should come as soon as possible.

nalepka label.

naleśnik pancake.

nalewać pour: *Nalać ci jeszcze kawy?* Shall I pour you some more coffee?

należeć (*o własności*) belong: *Ta walizka nie należy do mnie.* This suitcase doesn't belong to me.

należny due.

należy (*trzeba*) one (you) should, one (you) ought to: *Należy uważać przy przechodzeniu przez uli-*

cę. One (you) should be careful while crossing the street.

nalot 1 (*samolotów*) air raid. **2** (*osad*) coating.

nałogowy habitual.

nałożyć *zob.* **nakładać**.

nałóg 1 (*choroba*) addiction. **2** (*przyzwyczajenie*) habbit: *wpaść w nałóg* fall into a habit.

namalować *zob.* **malować**.

namawiać encourage, persuade: *namawiać kogoś do zrobienia czegoś* encourage (persuade) sb to do sth, persuade sb into doing sth.

namiastka substitute.

namiętność passion.

namiętny passionate.

namiot tent.

namowa persuasion.

namówić *zob.* **namawiać**.

namyślać się 1 (*zastanawiać się*) consider. **2** (*decydować się*) make up one's mind: *Namyśliłem się. Idę!* I've made up my mind. I'm going!

namyślić się *zob.* **namyślać się**.

naokoło *zob.* **dokoła**.

naostrzyć *zob.* **ostrzyć**.

napad 1 (*atak*) assault, attack: *napad na bank* bank robbery; *napad z bronią* armed robbery. **2** (*choroby*) fit.

napadać assault, attack.

napar infusion.

naparstek thimble.

napastnik 1 aggressor. **2** (*w piłce nożnej*) forward.

napastować 1 (*prześladować*) persecute. **2** (*w niemoralnych zamiarach*) molest.

napaść I (*napad*) attack.

napaść II *zob.* **napadać**.

napełniać fill.

napełnić *zob.* **napełniać**.

naperfumować *zob.* **perfumować**.

napęd 1 propulsion. **2** *komp.* **napęd (stacja) dysków** disc drive.

napędzać drive, propel.

napić się have sth to drink: *Muszę się napić kawy.* I must have a drink of coffee.

napięcie 1 tension, stress. **2** (*elektryczne*) voltage.

napięty tense.

napis inscription.

napisać *zob.* **pisać**.

napiwek tip: *dać komuś napiwek* tip sb, give sb a tip.

napój drink: *napój bezalkoholowy* soft drink; *napój alkoholowy* (*lekki*) long drink, (*mocny*) stiff drink.

naprawa repair: *oddać coś do naprawy* have sth repaired.

naprawdę really.

naprawiać 1 (*urządzenie*) repair, mend. **2** (*krzywdę*) make amends (for sth).

naprawić *zob.* **naprawiać**.

naprężać strain.

naprężyć *zob.* **naprężać**.

naprzeciw (**naprzeciwko**) opposite: *siedzieć naprzeciw kogoś* sit opposite (to) sb; *mieszkać w domu naprzeciwko* live in the house opposite.

naprzód forward.

narada council, meeting.

naradzać się confer, consult.

naradzić się *zob.* **naradzać się**.

narazić *zob.* **narażać**.

narazić się *zob.* **narażać się**.

narażać expose, risk.

narażać się expose oneself.

narciarstwo skiing.

narciarz skier.

nareszcie at last.

narkoman drug addict.

narkomania drug addiction.

narkotyk drug, narcotic.

narkoza anaesthesia.

narodowość nationality: *Jakiej jesteś narodowości?* What's your nationality?, What nationality are you?

narodowy national: *hymn narodowy* national anthem.

naród nation, people.

narracja narrative.

narrator narrator.

narta ski: *jeździć na nartach* ski; *iść na narty* go skiing.

naruszać upset, violate.

naruszyć *zob.* **naruszać**.

narysować *zob.* **rysować**.

narząd organ.

narzeczona fiancée.

narzeczony fiancé.

narzekać complain (*na coś* about sth).

narzędzie tool.

narzucać 1 (*ubierać szybko*) throw on. **2** (*zmuszać do czegoś*) force: *narzucać komuś zrobienie czegoś* force sb to do sth, force sb into doing sth, make sb do sth.

narzucać się inflict oneself.

narzucić *zob.* **narzucać**.

narzucić się *zob.* **narzucać się**.

nasienie 1 (*w botanice*) seed. **2** (*w anatomii*) semen.

nasilać się intensify.

nasilić się *zob.* **nasilać się**.

nasiono seed.

nasmarować *zob.* **smarować**.

nastawiać 1 (*umieszczać*) put on: *nastawić wodę (w czajniku)* put the kettle on; *nastawiać płytę* put on a record. **2** (*ustawiać*) set: *nastawiać zegarek* set a watch; *nastawiać radio na jakąś stację* tune in to a station.

nastawić *zob.* **nastawiać**.

nastąpić *zob.* **następować**.

następnie next.

następny next.

następować 1 (*nadepnąć*) tread. **2** (*po czymś*) follow: *jak następuje* as follows. **3** (*nadchodzić*) take place.

następstwo 1 (*skutek*) result. **2** (*w czasie*) sequence.

następujący following.

nastrój 1 (*usposobienie*) mood: *być w dobrym nastroju* be in a good mood. **2** (*atmosfera*) atmosphere.

nasz 1 (*przed rzeczownikiem*) our: *To jest nasz samochód.* That's our car. **2** (*bez rzeczownika*) ours: *jeden z naszych kolegów* a friend of ours; *Właśnie ten samochód jest nasz!* But that car is ours!

naszkicować *zob.* **szkicować**.

naszyjnik necklace.

naśladować imitate.

natarczywy insistent.

natchnienie inspiration.

natężać strain.

natężenie intensity.

natężyć *zob.* **natężać**.

natrętny importunate.

natrzeć *zob.* **nacierać**.

natura 1 nature. **2** *martwa natura* still life.

naturalnie 1 (*jak w naturze*) naturally. **2** (*oczywiście*) of course, certainly: „*Chcesz, żebym przyszedł?*" „*Oczywiście!*" 'Do you want me to come?' 'Certainly'.

naturalny natural.

natychmiast at once.

natychmiastowy instantaneous.

nauczanie teaching.

nauczyciel teacher: *nauczyciel matematyki (angielskiego)* maths (English) teacher.

nauczycielka teacher.

nauczyć *zob.* **uczyć**.

nauczyć się *zob.* **uczyć się**.

nauka 1 (*dyscyplina*) science. **2** (*kształcenie się*) studies, education.

naukowiec scientist, research worker.

naukowy scientific.

nawadniać irrigate.

nawałnica storm.

nawet even: *Nawet dziecko to zrozumie.* Even a child will understand it.; *Nawet mnie nie przeprosił.* He didn't even apologize to me.

nawias brackets, parenthesis.

nawiązać *zob.* **nawiązywać**.

nawiązanie *w nawiązaniu do...* with reference to...

nawiązywać 1 (*zaczynać*) establish: *nawiązywać kontakt* contact. **2** (*powoływać się*) refer: *nawiązując do Pani (Pana) listu...* with reference to your letter...

nawierzchnia surface.

nawilżać moisten, moisturize.

nawilżający moisturizing.

nawilżyć *zob.* **nawilżać**.

nawodnić *zob.* **nawadniać**.

nawóz fertilizer.

nawracać 1 (*o poglądach*) convert. **2** (*samochodem*) turn back.

nawracać się become converted.

nawrócić *zob.* **nawracać**.

nawrócić się *zob.* **nawracać się**.

nawyk habit.

nawzajem 1 (*jeden drugiego*) each other, one another. **2** (*z wzajemnością*) in return: *„Wesołych Świąt!" „Nawzajem!"* 'Merry Christmas!' 'The same to you!'

nazista Nazi.

nazizm Nazism.

nazwa name.

nazwać *zob.* **nazywać**.

nazwisko name, surname: *imię i nazwisko* full name; *nazwisko panieńskie* maiden name; *Jak masz na nazwisko?* What's your surname?

nazywać name, call.

nazywać się be called: *Nazywam się Brian Brown.* My name is Brian Brown.; *Jak się nazywasz?* What's your name?; *Jak to się nazywa po angielsku?* What is it called in English?

negatywny negative.

negocjacje negotiations.

nekrolog obituary.

nektar nectar.

nerka kidney.

nerw nerve.

nerwica neurosis.

nerwowy 1 (*o systemie nerwowym*) nervous. **2** (*o człowieku*) excitable.

netto net: *cena netto* net price.

neutralizować neutralize.

neutralny neutral.

neutron neutron.

nędza poverty.

nędzny 1 (*człowiek*) beggarly. **2** (*cierpiący nędzę*) poverty-stricken. **3** (*o małej wartości*) poor.

niania nanny.

nic 1 nothing, (*w zdaniach przeczących*) anything: *Nic o tym nie wiem.* I know nothing about it., I don't know anything about it.; *Nie mam nic przeciwko (temu).*

I don't mind it. **2** *Nic z tego!* Nothing doing! **3** *To na nic.* It's no use. **4** *nic dziwnego* no wonder.

niczyj nobody's.

nić 1 thread. **2** *nić dentystyczna* dental floss.

nie no, not: *Ależ nie!* Oh, no!; *Nie znam tego człowieka.* I don't (do not) know the man.; *Nie, nie lubię lodów.* No, I don't (do not) like ice cream.

nieaktualny 1 (*o ofercie*) no longer open. **2** (*o dokumencie*) invalid. **3** (*przestarzały*) out of date.

niebezpieczeństwo danger: *być w niebezpieczeństwie* be in danger.

niebezpieczny dangerous.

niebieski blue.

niebo 1 (*sklepienie*) sky. **2** (*kraina szczęścia*) heaven.

niech 1 let: *Niech on płaci.* Let him pay. **2** *niech tak będzie* so be it.

niechęć 1 (*brak chęci*) unwillingness. **2** (*nieprzyjazne uczucia*) dislike.

niechętny 1 (*bez chęci*) unwilling. **2** (*nieżyczliwy*) unfriendly.

niechlujny slovenly.

nieciekawy uninteresting.

niecierpliwić make impatient.

niecierpliwić się become impatient.

niecierpliwość impatience.

nieczęsty infrequent.

nieczuły 1 (*o wzruszeniu*) callous. **2** (*na bodźce*) insensitive.

nieczynny 1 (*o sklepie*) closed. **2** (*o urządzeniu*) out of order: *Winda*

jest nieczynna. The lift is out of order.

nieczysty 1 (*nieuczciwy*) shady. **2** (*niemoralny*) dirty.

nieczytelny illegible.

niedaleki 1 (*o przestrzeni*) nearby. **2** (*o czasie*) near.

niedaleko not far, close by.

niedawno recently.

niedbały 1 (*robiony byle jak*) careless. **2** (*nonszalancki*) casual.

niedelikatność (*brak taktu*) tactlessness.

niedelikatny (*pozbawiony taktu*) tactless.

niedługi short.

niedługo 1 (*przez krótki czas*) not long. **2** (*po czasie*) shortly.

niedobór 1 (*niedostateczna ilość*) shortage. **2** (*ujemny bilans*) deficit.

niedobry 1 (*nieprawidłowy*) bad, wrong. **2** (*pozbawiony dobroci*) unkind. **3** (*nieprzyjemny*) unpleasant.

niedobrze 1 (*niewłaściwie*) badly, ill: *niedobrze się zachowywać* behave badly. **2** (*o samopoczuciu*) ill, unwell: *Jest mi niedobrze.* (*mam mdłości*) I feel sick. **3** (*o braku życzliwości*) ill.

niedogodność inconvenience.

niedogodny inconvenient.

niedojrzałość immaturity.

niedojrzały 1 (*o owocach*) unripe. **2** (*o człowieku*) immature.

niedokładność inaccuracy.

niedokładny inaccurate.

niedopuszczalny unacceptable.

niedorozwinięty 1 (*umysłowo*) mentally deficient. **2** (*o rozwoju fizycznym*) underdeveloped.

niedorozwój 1 (*umysłowy*) mental deficiency. **2** (*fizyczny*) underdevelopment.

niedorzeczny absurd.

niedoskonałość imperfection.

niedoskonały imperfect.

niedostatecznie 1 (*niezadowalająco*) unsatisfactorily. **2** (*niewystarczająco*) insufficiently.

niedostateczny 1 (*niezadowalający*) unsatisfactory. **2** (*niewystarczający*) insufficient.

niedostatek 1 (*bieda*) poverty. **2** (*brak*) want.

niedostępny 1 inaccessible. **2** (*o człowieku*) unapproachable.

niedostrzegalny imperceptible.

niedoświadczony inexperienced.

niedozwolony forbidden.

niedożywiony undernourished.

niedrogi inexpensive, cheap.

niedrogo cheap.

niedużo 1 (*o rzeczownikach policzalnych*) few, not many: *Zrobiliśmy niedużo zdjęć.* We haven't taken many photographs. **2** (*o rzeczownikach niepoliczalnych*) little, not much: *Mamy niedużo czasu.* We haven't got much time.

nieduży not big, small.

niedyskretny indiscreet.

niedyspozycja indisposition.

niedziela Sunday: *w niedzielę* on Sunday.

niedźwiedź bear.

nieforemny shapeless.

nieformalny 1 (*niezgodny z przepisami*) irregular. **2** (*nieoficjalny*) informal.

niefortunny unfortunate.

niegodny unworthy.

niegodziwość wickedness.

niegodziwy wicked.

niegościnność inhospitality.

niegościnny inhospitable.

niegrzeczny 1 (*nieuprzejmy*) impolite. **2** (*o dziecku*) naughty.

niehumanitarny inhumane.

nieistotny irrelevant.

niejadalny inedible.

niejasno vaguely.

niejasny 1 (*niewyraźny*) ambiguous. **2** (*niezrozumiały*) obscure.

niejednolity heterogenous.

niejednoznaczny ambiguous.

niekompetentny incompetent.

niekompletny incomplete.

niekoniecznie not necessarily.

niekonsekwencja inconsistency.

niekonsekwentny inconsistent.

niekorzystny 1 (*niepomyślny*) unfavourable (*AM* unfavorable). **2** (*niepochlebny*) disadvantageous.

niekorzyść disadvantage.

niektórzy some: *Niektórzy myślą, że...* Some people think...

niekulturalny rude, bad-mannered.

nielegalny illegal.
nieletni juvenile.
nielogiczny illogical.
nielojalny disloyal.
nieludzki inhuman.
nieład chaos, disorder.
nieładnie 1 (*o wyglądzie*) unattrac-
tively. **2** (*o zasadach*) unfairly.
nieładny 1 (*o wyglądzie*) plain. **2**
(*wbrew normom*) unfair.
niemal almost.
niemądry silly.
niemiecki German.
niemiły unpleasant.
niemodny out of fashion.
niemoralność immorality.
niemoralny immoral.
niemowlę baby.
niemożliwy impossible: *uważać coś*
za niemożliwe do zrobienia find
it impossible to do sth.
niemy mute.
nienaganny faultless.
nienaturalny unnatural.
nienawidzić hate.
nienawiść hatred.
nienormalny abnormal.
nieobecny absent.
nieobliczalny unpredictable.
nieobowiązkowy optional.
nieoczekiwany unexpected.
nieodparty irresistible.
nieodpłatny gratuitous.
nieodpowiedni 1 (*nienadający się*)
inadequate. **2** (*niewłaściwy*) inap-
propriate, improper.

nieodpowiedzialny irresponsible.
nieodwołalny irrevocable.
nieodwracalny (*decyzja*) irreversible.
nieodzowny indispensable.
nieoficjalny unofficial.
nieograniczony unlimited.
nieokreślony 1 indefinite. **2** (*niejasny*) vague.
nieomylny infallible.
nieopanowany impetuous, uncon-
trolled.
nieopłacalny unprofitable.
nieosiągalny unattainable.
nieostrożny incautious, careless.
nieostry 1 (*tępy*) blunt. **2** (*łagodny*)
mild.
niepalący (*osoba niepaląca*) non-
smoker: *przedział dla niepalących*
BR non-smoker, non-smoking
compartment.
niepalny non-flammable.
nieparzysty odd.
niepełnoletni minor.
niepełny incomplete.
niepełnosprawny disabled.
niepewność uncertainty.
niepewny 1 (*trudny do przewidze-
nia*) uncertain. **2** (*na którym nie
można polegać*) unreliable.
niepiśmienny illiterate.
niepłodność infertility.
niepłodny infertile.
niepoczytalność insanity.
niepoczytalny insane.
niepodległość independence.

niepodległy independent.

niepodobny unlike.

niepodważalny irrefutable.

niepokoić 1 (*przeszkadzać*) disturb. **2** (*wywoływać niepokój*) upset.

niepokoić się be worried, be anxious.

niepokonany invincible.

niepokój anxiety.

niepoprawny 1 (*błędny*) incorrect. **2** (*zatwardziały*) incorrigible.

niepopularny unpopular.

nieporadny helpless.

nieporozumienie misunderstanding.

nieporównywalny incomparable.

nieporuszony 1 (*niewzruszony*) impassive. **2** (*w bezruchu*) motionless.

nieporządek mess.

nieporządny 1 (*niechlujny*) slovenly. **2** (*nieutrzymany w porządku*) untidy.

nieposłuszny disobedient.

niepotrzebnie unnecessarily.

niepotrzebny unnecessary.

niepowodzenie failure.

niepowtarzalny unique.

niepozorny inconspicuous.

niepożądany undesirable.

niepraktyczny unpractical.

nieprawda lie.

nieprawdopodobny improbable, unbelievable.

nieprawdziwy 1 untrue. **2** (*sztuczny*) artificial.

nieprawidłowy incorrect.

nieproporcjonalny disproportionate.

nieproszony unwelcome.

nieprzeciętny uncommon.

nieprzemakalny waterproof.

nieprzepisowy irregular.

nieprzewidziany unexpected.

nieprzezroczysty opaque.

nieprzydatny useless.

nieprzygotowany unprepared.

nieprzyjaciel enemy.

nieprzyjacielski (*wrogi*) hostile.

nieprzyjazny hostile.

nieprzyjemny unpleasant.

nieprzytomny unconscious.

nieprzyzwoity indecent, improper.

niepunktualny unpunctual.

nierdzewny stainless.

nierealny unreal.

nieregularny irregular.

nierozerwalny indissoluble.

nierozłączny inseparable.

nierozsądny 1 (*o braku rozsądku*) unreasonable. **2** (*nierozważny*) unwise.

nieroztropny imprudent, unwise, injudicious.

nierozważny hasty, thoughtless.

nierówno 1 (*krzywo*) crookedly. **2** (*nierównomiernie*) unevenly.

nierównomierny irregular.

nierówność 1 inequality. **2** (*o powierzchni*) unevenness.

nierówny uneven.

nieruchomość property.

nieruchomy motionless.

nierzetelny unreliable.

niesamowity extraordinary.
nieskazitelny immaculate.
nieskończoność infinity.
nieskończony infinite.
nieskuteczny ineffective.
niesłusznie unjustly.
niesłuszny unjust, groundless.
niesmaczny 1 (*o jedzeniu*) unpalatable. **2** (*nie na miejscu*) in bad taste.
niespodzianka surprise.
niespodziewany unexpected.
niespokojny 1 (*zaniepokojony*) anxious. **2** (*o braku spokoju*) restless.
niesprawiedliwość injustice.
niesprawiedliwy unjust.
niesprawny 1 faulty. **2** (*o sprawności fizycznej*) unfit.
niestabilny unstable.
niestaranny careless.
niestety unfortunately.
niestosowny improper.
niestrawność indigestion.
niesympatyczny unpleasant.
nieszczerość insincerity.
nieszczery insincere.
nieszczęście 1 (*tragedia*) disaster. **2** (*niepowodzenie*) misfortune. **3** (*pech*) bad luck.
nieszczęśliwy 1 unhappy. **2** (*o braku szczęścia*) unlucky.
nieszkodliwy harmless.
nieść carry.
nieśmiałość shyness.
nieśmiały shy.
nieśmiertelność immortality.

nieśmiertelny immortal.
nieświadomość 1 (*niewiedza*) unawareness. **2** (*brak świadomości*) unconsciousness.
nieświadomy unaware (*czegoś* of sth).
nieświeży (*zepsuty*) bad, (*czerstwy*) stale.
nietaktowny tactless.
nietknięty intact.
nietolerancja intolerance.
nietolerancyjny intolerant (*wobec czegoś* of sth).
nietoperz bat.
nietowarzyski unsociable.
nietrwały 1 short-lived. **2** (*o żywności*) perishable.
nietrzeźwy intoxicated.
nietykalność immunity.
nietypowy untypical.
nieuchronny inevitable.
nieuczciwość dishonesty.
nieuczciwy dishonest.
nieudany unsuccesful.
nieufność mistrust.
nieufny distrustful.
nieugięty inflexible.
nieuleczalny incurable.
nieunikniony unavoidable.
nieupoważniony unauthorized.
nieuprzejmy impolite.
nieustanny incessant.
nieustępliwy unyielding.
nieuważny inattentive, careless.
nieuzasadniony groundless.
nieważny 1 (*bez znaczenia*) unimportant. **2** (*nieaktualny*) invalid.

niewątpliwy unquestionable.
niewdzięczność ingratitude.
niewdzięczny ungrateful.
niewiadomy unknown.
niewiarygodny incredible.
niewidoczny invisible.
niewidomy blind.
niewidzialny invisible.
niewiedza ignorance.
niewiele 1 (*o rzeczownikach policzalnych*) few, not many: *Niewielu z nich zdało egzamin.* Few of them passed the exam. **2** (*o rzeczownikach niepoliczalnych*) little, not much: *Mam niewiele czasu.* I have little time., I haven't got much time. **3** (*przy czasowniku*) little: *Niewiele zapisałem z tego, co mówiła.* I put down very little of what she said.
niewielki not big, slight.
niewierność unfaithfulness.
niewierny unfaithful.
niewierzący agnostic.
niewinność innocence.
niewinny innocent.
niewłaściwy unsuitable, improper.
niewola captivity.
niewolnictwo slavery.
niewolnik (*też przen.*) slave.
niewrażliwy insensible.
niewybaczalny inexcusable.
niewybredny indiscriminate.
niewygoda 1 (*brak wygody*) discomfort. **2** (*trudność*) inconvenience.
niewygodny uncomfortable, inconvenient.

niewyjaśniony unaccountable.
niewykwalifikowany unqualified.
niewypłacalny insolvent.
niewyraźny 1 (*niejasny*) indistinct. **2** (*zamazany*) blurred.
niewystarczający insufficient.
niewzruszony unyielding.
niezachwiany unwavering.
niezadowolenie discontent.
niezadowolony unsatisfied, displeased.
niezależnie independently.
niezależność independence.
niezależny independent (*od kogoś, czegoś* of sb, sth).
niezamężna unmarried, single (woman).
niezapomniany unforgettable.
niezaradny helpless.
niezasłużony undeserved.
niezastąpiony indispensable.
niezauważalny imperceptible.
niezawodny reliable.
niezbędny indispensable.
niezbyt not very.
niezdarność clumsiness, awkwardness.
niezdarny clumsy.
niezdecydowany hesitant.
niezdolność 1 (*brak zdolności*) ineptitude. **2** (*niemożność*) inability.
niezdolny 1 (*o braku zdolności*) unintelligent. **2** (*niezdatny*) unfit. **3** (*niemogący*) unable.
niezdrowy 1 (*niezdrów*) unwell. **2** (*szkodliwy*) unhealthy.

niezdyscyplinowany undisciplined.
niezgodność inconsistency.
niezgodny in contradiction to.
niezgrabny 1 (*niezdarny*) clumsy.
2 (*niekształtny*) shapeless.
nieziemski unearthly.
niezły not bad.
niezmienny invariable.
niezmiernie extremely.
nieznaczny inconsiderable.
nieznajomy I (*osoba*) stranger.
nieznajomy II (*nieznany*) unknown.
niezniszczalny indestructible.
nieznośny unbearable.
niezręczny awkward.
niezrozumiały incomprehensible.
niezrównany unequalled.
niezrównoważony unbalanced.
niezwłocznie immediately.
niezwłoczny immediate.
niezwyciężony invincible.
niezwykły unusual.
nieżonaty unmarried, single (man).
nieżyczliwy unfriendly.
nieżywy dead.
nigdy never.
nigdzie nowhere.
nikczemny mean.
nikotyna nicotine.
nikt nobody, no one, (*w zdaniach przeczących*) anybody: *Nikogo tu nie ma*. There is nobody here., There isn't anybody here.
nisko low.
niski 1 (*o wzroście*) short. 2 (*niewysoki*) low: *niska cena* low price.

niszczenie 1 (*rozpad*) ruin. 2 (*burzenie*) destruction.
niszczyć 1 (*burzyć*) destroy. 2 (*psuć*) spoil.
nitka thread.
nizina lowland.
niż I (*aniżeli*) than: *Alicja jest ładniejsza niż jej siostra*. Alice is prettier than her sister.
niż II 1 (*w meteorologii*) low, depression. 2 (*w geografii*) lowland.
niżej lower.
niższy lower.
noc night: *w nocy* at night; *nocą* by night.
nocleg overnight accommodation: *udzielić komuś noclegu* put sb up (for the night); *nocleg ze śniadaniem* bed and breakfast (B&B).
nocny night: *koszula nocna* nightdress; *klub nocny* nightclub.
nocować spend the night.
noga leg, (*stopa*) foot.
nominować nominate, appoint.
nonsens nonsense.
nora burrow.
norma 1 (*wzór*) norm. 2 (*zasada*) rule.
normalny normal.
nos 1 nose. 2 *pilnować własnego nosa* mind one's own business.
nosić 1 (*dźwigać*) carry. 2 (*o ubraniu*) wear.
nosorożec rhinoceros, *nieform.* rhino.
nosze stretcher.

notariusz notary (public).

notatka note: *robić notatki* make notes.

notatnik notebook.

notes diary.

notować take notes.

nowela short story.

nowicjusz novice.

nowoczesność modernity.

nowoczesny modern.

noworodek new-born baby.

nowość novelty.

nowotwór tumour (*AM* tumor).

nowożytny modern.

nowy new.

nożyce shears.

nożyczki scissors.

nów new moon.

nóż knife.

np. (*na przykład*) e.g.

nr (*numer*) no, No.

nucić hum.

nuda boredom.

nudności nausea.

nudny boring.

nudysta nudist, naturist.

nudziarz bore.

nudzić bore.

nudzić się be bored: *Jestem pewny, że nie będziesz się nudziła.* I'm sure you won't get bored.

nuklearny nuclear.

numer 1 (*liczba*) number: *numer telefonu* phone number, telephone number; *numer konta* account number; *numer rejestracyjny* registration number; *pokój numer 2212* room (number) 2212; *mieszkać pod numerem drugim* live at number two (No 2). **2** (*wydanie*) number, issue. **3** (*rozmiar buta, ubrania*) size.

numerować number.

numizmatyka numismatics.

nurek diver.

nurkować dive.

nurt 1 (*rzeki*) current, stream. **2** (*w sztuce*) trend.

nuta note.

nutria coypu, nutria.

nużący tiresome.

nylon nylon.

O

o 1 (*na temat*) about, of: *powiedzieć komuś o czymś* tell sb about sth; *Nigdy o tym nie słyszałem.* I've never heard of (about) it. **2** (*o opieraniu*) on, against: *Oparła się o moje ramię.* She leant on my shoulder.; *uderzyć głową o coś* hit one's head on (against) sth. **3** (*o porze*) at: *o piątej popołudniu* at 5 pm. **4** (*o stopniu*) by: *Jan jest o dwanaście lat starszy od niej.* John is her senior by twelve years., John is twelve years her senior. **5** (*o celu*) for: *prosić o pomoc* ask for help. **6** (*o cechach*) with: *dziecko o niebieskich oczach* blue-eyed child, child with blue eyes.

oaza oasis.

oba (**obydwa**) both.

obaj both: *Mam dwóch kolegów. Obaj są prawnikami.* I have two friends. Both are lawyers.

obalać 1 (*o upadku*) overthrow. **2** (*znosić*) abolish.

obalić zob. **obalać**.

obawa anxiety.

obawiać się be afraid: *Obawiam się o twoje bezpieczeństwo.* I'm afraid for your safety., I fear for your safety.; *Obawiam się, że tak.* I'm afraid so.; *Obawiam się, że nie.* I'm afraid not.

obcas heel.

obcęgi pliers.

obchodzić 1 (*okrążać*) go round. **2** (*okazywać troskę*) care: *Nie obchodzi cię, co się ze mną stanie.* You don't care about what happens to me.; *Nic mnie to nie obchodzi.* I couldn't care less., I don't care (give) a damn. **3** (*świętować*) celebrate.

obchodzić się 1 (*posługiwać się*) treat, handle: *obchodzić się z czymś ostrożnie* handle sth with care. **2** *obchodzić się bez czegoś* do without: *Musimy się obejść bez twojej pomocy.* We have to do without your help.

obchód 1 (*kontrola*) round. **2** *l.mn.* **obchody** (*uroczystości*) celebration.

obciąć zob. **obcinać**.

obciążać 1 (*obładowywać*) weight down. **2** (*obowiązkami*) burden.

obciążyć zob. **obciążać**.

obcinać cut, cut off: *obciąć włosy* (*u fryzjera*) have one's hair cut, (*własnoręcznie*) cut one's hair; *obciąć paznokcie* cut one's nails.

obcisły tight.

obcokrajowiec foreigner.

obcy I 1 (*nieznany*) strange, alien. **2** (z *innego kraju*) foreign: *język obcy* foreign language.

obcy II (*osoba nieznajoma*) stranger: *Nigdy nie rozmawiaj z obcymi.* Never talk to strangers.

obecnie at present.

obecność presence.

obecny 1 (*uczestniczący*) present. **2** (*aktualny*) current.

obejmować 1 (*ramionami*) embrace. **2** (*stanowisko*) take over. **3** (*zawierać*) include: *Cena obejmuje podatek VAT.* The price includes VAT.

obejmować się embrace (each other).

obejrzeć *zob.* **oglądać**.

obejrzeć się *zob.* **oglądać się**.

obejść *zob.* **obchodzić**.

obejść się *zob.* **obchodzić się**.

obelga insult.

obelżywy abusive.

obezwładniać overpower.

obezwładnić *zob.* **obezwładniać**.

obfitość abundance.

obfity abundant.

obgryzać (*paznokcie*) bite, (*kość*) gnaw.

obgryźć *zob.* **obgryzać**.

obiad (*wczesnym popołudniem*) lunch, (*gorący posiłek późnym popołudniem lub wieczorem*) dinner: *jeść obiad* have lunch (dinner).

obiecać *zob.* **obiecywać**.

obiecywać promise.

obieg circulation.

obiekt object.

obiektyw lens.

obiektywny objective.

obierać peel.

obietnica promise.

objaśniać explain.

objaśnić *zob.* **objaśniać**.

objaw symptom.

objazd 1 (*przeszkody*) detour. **2** (*obwodnica*) bypass.

objąć *zob.* **obejmować**.

objętość volume.

oblężenie siege.

obliczać count, calculate.

obliczyć *zob.* **obliczać**.

obligacja (*zwykle l.mn.*) bond, stock.

obłąkany mad.

obłęd madness.

obłok cloud.

obłuda hypocrisy.

obłudnik hypocrite.

obłudny hypocritical.

obmyślać think out.

obmyślić *zob.* **obmyślać**.

obniżać lower, reduce.

obniżać się drop, fall.

obniżka reduction.

obniżyć *zob.* **obniżać**.

obniżyć się *zob.* **obniżać się**.

oboje both.

obojętność indifference.

obojętny 1 indifferent. **2** (*w chemii*) neutral.

obok next to, close to: *mieszkać obok* live close by.

obowiązek duty, obligation.

obowiązkowy 1 (*obowiązujący*) obligatory. **2** (*sumienny*) conscientious.

obowiązywać 1 (*jako zasada*) be compulsory. **2** (*o mocy prawnej*) be in force.

obóz camp.

obrabować *zob.* **obrabowywać.**

obrabowywać rob.

obracać turn.

obracać się turn, rotate: *Obróć się i spójrz na mnie.* Turn round and look at me.; *Ziemia obraca się wokół własnej osi.* The Earth rotates on its axis.

obrać *zob.* **obierać.**

obrady debate.

obradować debate.

obraz picture, (*malowidło*) painting.

obraza offence.

obrazek picture, illustration.

obrazić *zob.* **obrażać.**

obrazić się *zob.* **obrażać się.**

obraźliwy offensive.

obrażać offend.

obrażać się take offence, feel offended.

obrażony offended.

obrączka wedding ring.

obręcz hoop.

obrona 1 defence. **2** (*w sądzie*) the defence.

obronny defensive.

obrońca defender, *form.* (*termin prawniczy*) counsel for the defence.

obroża dog collar.

obrócić *zob.* **obracać.**

obrócić się *zob.* **obracać się.**

obrót 1 (*ruch*) revolution. **2** (*sprawy*) turn.

obrus tablecloth.

obrzęk swelling.

obrzmiały swollen.

obrzydliwy abominable.

obrzydnąć *zob.* **brzydnąć.**

obrzydzenie disgust.

obsada 1 (*zespół*) staff. **2** (*aktorzy*) cast.

obserwacja observation.

obserwator observer.

obserwować observe.

obsesja obsession.

obsługa 1 (*obsługiwanie*) service. **2** (*maszyny*) maintenance. **3** (*personel*) staff.

obsługiwać 1 (*usługiwać*) serve, (*o kelnerze*) wait on. **2** (*urządzenie*) operate.

obsłużyć *zob.* **obsługiwać.**

obszar area, territory.

obszerny 1 (*przestronny*) spacious, (*o ubraniu*) loose. **2** (*wyczerpujący*) extensive.

obudzić *zob.* **budzić.**

obudzić się *zob.* **budzić się.**

oburzać outrage.

oburzać się feel (become) indignant.

oburzający outrageous.

oburzenie indignation.
oburzony indignant.
oburzyć *zob.* **oburzać**.
oburzyć się *zob.* **oburzać się**.
obustronny mutual.
obuwie footwear, shoes.
obwiniać blame.
obwinić *zob.* **obwiniać**.
obwodnica bypass.
obwód 1 (*płaszczyzny lub bryły*) circumference. **2** (*elektryczny*) circuit. **3** (*administracyjny*) district.
obyczaj custom.
obyć się *zob.* **obywać się**.
obydwa *zob.* **oba**.
obywać się (*bez czegoś*) do without: *Będę musiała obyć się bez samochodu.* I'll have to do without a car.
obywatel citizen.
obywatelski civic, civil.
obywatelstwo citizenship.
ocalać rescue.
ocalić *zob.* **ocalać**.
ocean ocean.
ocena 1 (*opinia*) opinion. **2** (*szkolna*) mark: *dobra ocena z angielskiego* good mark in English.
oceniać 1 (*szacować*) evaluate, estimate: *oceniać szkody na sumę...* assess the damage at...; *oceniać pracę ucznia* evaluate a student's work. **2** (*wydawać opinię*) judge. **3** (*w szkole*) mark.
ocenić *zob.* **oceniać**.
ocet vinegar.

ochładzać cool (down).
ochładzać się cool down.
ochłodzić *zob.* **ochładzać**.
ochłodzić się *zob.* **ochładzać się**.
ochłonąć cool down.
ochoczy eager.
ochota willingness: *Czy masz ochotę pójść na basen?* Would you like to go to the swimming pool?, Do you feel like going to the swimming pool?
ochotniczy voluntary.
ochotnik volunteer.
ochraniać protect, preserve.
ochrona 1 (*zabezpieczenie*) protection. **2** (*straż*) guard.
ochronić *zob.* **ochraniać**.
ochronny protective.
ochrypły hoarse.
ochrzcić *zob.* **chrzcić**.
ociemniały blind.
ocieplać make warmer.
ocieplać się get warmer.
ocieplić *zob.* **ocieplać**.
ocieplić się *zob.* **ocieplać się**.
oclić *zob.* **clić**.
oczarować *zob.* **oczarowywać**.
oczarowywać enchant, charm.
oczekiwać wait, expect: *Oczekuję pani o trzeciej.* I'm expecting you at three.
oczekiwanie expectation.
oczyszczać 1 (*brud*) clean, cleanse. **2** (*domieszki*) refine.
oczyszczalnia purification plant.
oczyścić *zob.* **oczyszczać**.

oczywisty evident, obvious.

oczywiście of course, certainly.

od 1 (*o czasie, ilości, odległości*) from: *od pierwszego lipca* from the first of July; *kompakty kosztują od 8 do 10 funtów* CDs cost from £8 to £10; *200 km od Rzymu* 200 km from Rome; *od czasu do czasu* from time to time. **2** (*o pochodzeniu*) from: *prezent od chłopaka* present from a boyfriend; *Weź to ode mnie.* Take it from me. **3** (*o zabezpieczeniu*) from, against: *płaszcz od deszczu* raincoat; *chronić od zimna* protect from (against) cold. **4** (*w porównaniach*) than: *Ona jest ładniejsza od swojej mamy.* She is prettier than her mother.

odbicie reflection.

odbić *zob.* **odbijać.**

odbić się *zob.* **odbijać się.**

odbiec *zob.* **odbiegać.**

odbiegać 1 (*oddalać się*) run away. **2** *przen.* stray.

odbiegnąć *zob.* **odbiegać.**

odbierać 1 (*odzyskiwać*) take back. **2** (*z konkretnego miejsca*) collect: *odbierać dziecko ze szkoły* collect a child from school. **3** (*otrzymywać*) receive: *odbierać gratulacje* receive congratulations; *odbierać telefon* answer the phone. **4** (*pozbawiać*) deprive (*coś* of sth).

odbijać 1 (*promienie*) reflect, (*o głosie*) echo. **2** (*odciskać*) print.

odbijać się 1 (*o dźwięku, świetle*) reflect, be echoed. **2** (*odskakiwać*) rebound. **3** (*odciskać się*) be printed.

odbiornik receiver: *odbiornik telewizyjny* (*telewizor*) TV set.

odbiór 1 (*radio,TV*) reception. **2** (*odebranie*) receipt.

odbitka print, copy.

odbudowa reconstruction.

odbudować *zob.* **odbudowywać.**

odbudowywać rebuild, restore.

odbyć się *zob.* **odbywać się.**

odbyt anus.

odbywać się take place, be held: *Spotkanie odbędzie się jutro.* The meeting will be held tomorrow.

odchody excrements.

odchodzić 1 (*opuszczać*) leave: *Odszedł od żony.* He left his wife., He walked out on his wife. **2** (*o środkach komunikacji*) leave, depart: *O której odchodzi pociąg do Warszawy?* What time does the train for Warsaw leave (depart)?

odchudzać się slim (down).

odchudzić się *zob.* **odchudzać się.**

odciąć *zob.* **odcinać.**

odcień hue.

odcinać cut off: *odcinać dopływ prądu* cut off the electricity.

odcinek 1 (*część prostej*) section, segment. **2** (*serialu*) episode.

odcisk 1 (*odbicie*) impression. **2** (*nagniotek*) corn.

odczepiać detach.

odczepiać się come loose.
odczepić *zob.* **odczepiać**.
odczepić się 1 *zob.* **odczepiać się**.
2 *nieform.* *Odczep się (ode mnie)!*
Get off (my back)!
odczuć *zob.* **odczuwać**.
odczuwać feel.
odczuwalny perceptible.
odczyt lecture.
odczytać *zob.* **odczytywać**.
odczytywać read, read out.
oddać *zob.* **oddawać**.
oddalać się (*odchodzić*) walk away,
(*odjeżdżać*) drive away.
oddalić się *zob.* **oddalać się**.
oddalony remote.
oddawać 1 (*zwracać*) return, (*o pieniądzach*) pay back: *Czy możesz
oddać mi rower?* Can you give me
my bike back? **2** (*przekazywać*)
give in: *Proszę oddać swoje prace.* Please give in to your examination papers to me.
oddech breath: *wziąć głęboki oddech* take a deep breath.
oddychać breathe.
oddychanie respiration: *sztuczne
oddychanie* artificial respiration.
oddział 1 division. **2** (*banku*) branch.
3 (*szpitala*) ward. **4** (*policji*) squad.
oddziaływanie influence.
oddzielać separate.
oddzielić *zob.* **oddzielać**.
oddzielnie separately.
oddzielny separate.
odebrać *zob.* **odbierać**.

odegrać *zob.* **odgrywać**.
odejmować subtract.
odejmowanie subtraction.
odejście departure.
odejść *zob.* **odchodzić**.
odepchnąć *zob.* **odpychać**.
oderwać *zob.* **odrywać**.
odetchnąć *zob.* **oddychać**.
odgadnąć *zob.* **odgadywać**.
odgadywać guess.
odgłos sound.
odgradzać separate, (*murem*) wall off.
odgrodzić *zob.* **odgradzać**.
odgrywać 1 play. **2** *odgrywać rolę*
(*mieć znaczenie*) matter, be of
importance.
odizolować *zob.* **izolować**.
odjazd (*pociągu*) departure.
odjąć *zob.* **odejmować**.
odjechać *zob.* **odjeżdżać**.
odjeżdżać leave, (*samochodem*) drive
away.
odkazić *zob.* **odkażać**.
odkażać disinfect.
odkąd (*o czasie*) since: *Schudłaś, odkąd cię ostatnio widziałam.* You've
lost weight since I last saw you.
odkleić *zob.* **odklejać**.
odkleić się *zob.* **odklejać się**.
odklejać detach.
odklejać się get unstuck.
odkładać 1 (*na bok*) put down, put
away. **2** (*na później*) postpone, put
off: *Nie odkładaj tego do jutra.*
Don't put it off till tomorrow. **3** (*pieniądze*) save (up).

odkręcać 1 (*śrubę*) unscrew. **2** (*pojemnik*) open, twist off. **3** (*wodę*) turn on.

odkręcić *zob.* **odkręcać**.

odkrycie discovery.

odkryć *zob.* **odkrywać**.

odkrywać 1 (*dokonywać odkrycia*) discover: *Krzysztof Kolumb odkrył Amerykę.* Christopher Columbus discovered America. **2** (*odsłaniać*) uncover.

odkrywca discoverer.

odkurzacz vacuum cleaner.

odkurzać 1 (*odkurzaczem*) hoover, vacuum. **2** (*ścierać kurze*) dust.

odkurzyć *zob.* **odkurzać**.

odlatywać fly away, fly off.

odlecieć *zob.* **odlatywać**.

odległość distance: *Stał w odległości dziesięciu metrów od niej.* He was standing ten metres away from her.

odległy distant.

odlot departure, take-off.

odłączać disconnect, detach.

odłączać się separate.

odłączyć *zob.* **odłączać**.

odłączyć się *zob.* **odłączać się**.

odłożyć *zob.* **odkładać**.

odmawiać refuse.

odmiana 1 change. **2** (*w zoologii*) variety.

odmieniać change.

odmienić *zob.* **odmieniać**.

odmienny different.

odmładzać rejuvenate.

odmłodzić *zob.* **odmładzać**.

odmowa refusal.

odmówić *zob.* **odmawiać**.

odmrażać (*ręce*) get frost-bitten.

odmrozić *zob.* **odmrażać**.

odnawiać 1 (*o mieszkaniu*) redecorate. **2** (*ponawiać*) renew.

odnieść *zob.* **odnosić**.

odnieść się *zob.* **odnosić się**.

odnosić 1 (*zanosić*) take back. **2** (*zwracać*) bring back. **3** (*osiągać*) achieve: *odnosić sukces* achieve success.

odnosić się 1 (*dotyczyć*) refer, relate: *To odnosi się do was wszystkich.* It refers to you all. **2** (*traktować kogoś*) treat: *dobrze się do kogoś odnosić* treat sb kindly.

odnośnik footnote.

odnowić *zob.* **odnawiać**.

odór odour (*AM* odor).

odpadać 1 (*odrywać się*) fall off. **2** (*wycofywać się*) drop out.

odpadki waste, *AM* garbage.

odpaść *zob.* **odpadać**.

odpiąć *zob.* **odpinać**.

odpinać (*rozpinać*) unfasten, undo, (*zamek błyskawiczny*) unzip.

odpisać *zob.* **odpisywać**.

odpisywać 1 answer: *odpisywać na list* answer a letter. **2** (*na teście*) copy.

odpłacać return, pay back.

odpłacić *zob.* **odpłacać**.

odpłatny payable.

odpłynąć *zob.* **odpływać**.

odpływ 1 (*wyciek*) outflow. **2** (*morski*) ebb tide, low tide.

odpływać sail away.

odpocząć *zob.* **odpoczywać**.

odpoczynek rest: *Potrzebujesz odpoczynku.* You need a rest.

odpoczywać rest, have a rest.

odporność resistance, (*w medycynie*) immunity.

odporny resistant, immune.

odpowiadać 1 (*reagować*) answer, reply: *odpowiadać na pytania* answer questions. **2** (*ponosić odpowiedzialność*) be responsible: *odpowiadać za bezpieczeństwo kogoś* be responsible for sb's safety. **4** (*być zgodnym z czymś*) answer. **5** (*być odpowiednim*) suit: *Czy piątek ci odpowiada?* Does Friday suit you?

odpowiedni appropriate.

odpowiednik equivalent.

odpowiedzialność responsibility, (*prawna*) liability.

odpowiedzialny 1 (*rzetelny*) responsible, reliable. **2** (*trudny*) responsible. **3** (*ponoszący konsekwencje*) responsible.

odpowiedzieć *zob.* **odpowiadać**.

odpowiedź answer, reply.

odprężenie relaxation.

odprowadzać escort, take: *odprowadzać kogoś do domu* take sb home, see sb home; *odprowadzać kogoś na lotnisko* see sb off at the airport.

odprowadzić *zob.* **odprowadzać**.

odpychać 1 push away. **2** (*gardzić*) reject. **3** (*powodować niechęć*) repel.

odpychający repulsive.

odra (*choroba*) measles.

odrabiać do one's work: *odrabiać pracę domową* do one's homework.

odraza aversion.

odrażający disgusting.

odrobić *zob.* **odrabiać**.

odrobina a bit.

odrodzenie 1 (*ponowne narodzenie*) rebirth. **2** (*epoka renesansu*) the Renaissance.

odróżniać distinguish, tell from, tell apart: *Tylko rodzice mogą ich odróżnić.* Only their parents can tell them apart.

odróżnić *zob.* **odróżniać**.

odruch reflex.

odruchowy reflex.

odrywać 1 tear off, tear away. **2** *Nie mogę oderwać od ciebie oczu.* I can't take my eyes off you.

odrywać się (*odpaść*) come off.

odrzucać (*nie przyjmować*) reject, turn down: *odrzucać czyjąś propozycję* reject sb's offer, turn down sb's offer.

odrzucić *zob.* **odrzucać**.

odrzutowiec jet.

odrzutowy jet.

odsetek percentage.

odsetki interest (rates).

odsłaniać 1 (*pokazywać*) expose, unveil. **2** (*ujawniać*) disclose, reveal.

odsłonić *zob.* **odsłaniać**.

odstęp space.

odstępstwo deviation.

odstraszać frighten away, frighten off.

odstraszyć *zob.* **odstraszać**.

odsunąć *zob.* **odsuwać**.

odsuwać push aside, push away.

odsuwać się move back, step back: **Proszę się odsunąć!** Stand back, please!

odsunąć się *zob.* **odsuwać się**.

odszkodowanie damages: *zapłacić odszkodowanie* pay the damages.

odszyfrować *zob.* **odszyfrowywać**.

odszyfrowywać decode, decipher.

odświeżać 1 refresh. **2** (*o mieszkaniu*) renovate.

odświeżać się refresh oneself.

odświeżyć *zob.* **odświeżać**.

odświeżyć się *zob.* **odświeżać się**.

odtąd 1 (*od czasu*) since then, since that time: *Uciekła z domu rok temu i odtąd słuch o niej zaginął.* She ran away from home a year ago and hasn't been heard of since. **2** (*od teraz*) from now on: *Odtąd musisz sam gotować.* From now on you must cook yourself. **3** (*od miejsca*) from here: *Zacznijmy czytać odtąd.* Let's start reading from here.

odtwarzać 1 (*oddawać wiernie*) render, reproduce. **2** (*odgrywać*) perform. **3** (*rekonstruować*) reconstruct.

odtworzyć *zob.* **odtwarzać**.

odwaga courage.

odważać się dare: *Nie odważę się poprosić ją o rękę.* I daren't ask her to marry me.

odważny courageous, brave.

odważyć się *zob.* **odważać się**.

odwdzięczać się return, repay.

odwdzięczyć się *zob.* **odwdzięczać się**.

odwet revenge.

odwiedzać visit, pay a visit: *Musisz nas odwiedzić.* You must come and visit us., Do come and see us.

odwiedzić *zob.* **odwiedzać**.

odwiedziny visit.

odwilż thaw.

odwlec *zob.* **odwlekać**.

odwlekać delay, put off.

odwołać *zob.* **odwoływać**.

odwoływać 1 (*ogłaszać za niebyłe*) cancel: *Mecz odwołano z powodu deszczu.* The match was cancelled because of the rain. **2** (*ze stanowiska*) recall.

odwracać turn.

odwracać się turn (round).

odwrotnie (*przeciwnie*) inversely, (*na odwrót*) the other way round.

odwrotny reverse, opposite.

odwrócić *zob.* **odwracać**.

odwrócić się *zob.* **odwracać się**.

odwrót retreat.

odwzajemniać return.

odwzajemnić *zob.* **odwzajemniać**.
odziedziczyć *zob.* **dziedziczyć**.
odzież clothes, clothing.
odznaka 1 (*znak rozpoznawczy*) badge. **2** (*wyróżnienie*) medal.
odzwierciedlać reflect.
odzwierciedlić *zob.* **odzwierciedlać**.
odzwyczaić *zob.* **odzwyczajać**.
odzwyczajać wean.
odzyskać *zob.* **odzyskiwać**.
odzyskiwać recover, regain: *odzyskiwać przytomność* recover (regain) consciousness; *odzyskiwać zdrowie* (*po chorobie*) recover (from an illness).
odżywczy nutritious, nutritive.
odżywiać się feed on.
odżywianie nutrition.
odżywić się *zob.* **odżywiać się**.
ofensywa offensive.
oferta offer.
oferować offer.
ofiara 1 (*na jakiś cel*) contribution. **2** (*poświęcenie*) sacrifice. **3** (*osoba poszkodowana*) victim.
ofiarodawca subscriber.
ofiarować *zob.* **ofiarowywać**.
ofiarowywać 1 (*w prezencie*) give (as a present). **2** (*proponować*) offer: *ofiarować komuś pomoc* offer to help sb.
oficer officer.
oficjalny official.
ogień 1 fire: *ugasić ogień* extinguish a fire, put out a fire; *zapalić*

ogień light a fire. **2** (*w wojsku*) fire: *ognia!* fire!
oglądać see, watch: *oglądać telewizję* watch TV; *oglądać film w telewizji* watch a film on TV; *oglądać wystawę* see an exhibition.
oglądnąć *zob.* **oglądać**.
ogłaszać announce, declare.
ogłosić *zob.* **ogłaszać**.
ogłoszenie 1 (*podanie do wiadomości*) announcement, notice. **2** (*w gazecie*) advertisement, ad.
ogłuchnąć *zob.* **głuchnąć**.
ogniotrwały fireproof.
ognisko 1 bonfire, fire. **2** (*w fizyce*) focus.
ogolić *zob.* **golić**.
ogolony shaven.
ogon tail.
ogólnie generally.
ogólny general.
ogół 1 (*całość*) the whole. **2** (*społeczeństwo*) the public. **3** *na ogół* in general, on the whole.
ogórek cucumber.
ogradzać enclose, fence in.
ograniczać limit, restrict.
ograniczenie limitation.
ograniczony 1 (*widoczność*) limited, restricted. **2** (*o zainteresowaniach*) narrow-minded. **3** (*tępy*) slow-witted.
ograniczyć *zob.* **ograniczać**.
ogrodnictwo gardening.
ogrodnik gardener.
ogrodzenie fence.

ogrodzić *zob.* **ogradzać**.

ogrom immensity.

ogromnie extremely.

ogromny enormous, vast.

ogród garden.

ogrzać *zob.* **ogrzewać**.

ogrzewać heat, warm: *ogrzewać dom* heat a house.

ogrzewanie heating: *centralne ogrzewanie* central heating.

ojciec father.

ojcostwo fatherhood.

ojcowski fatherly.

ojczym stepfather.

ojczysty native.

ojczyzna native land.

okaleczać cripple.

okaleczyć *zob.* **okaleczać**.

okaz specimen.

okazać się *zob.* **okazywać się**.

okazja occasion, opportunity: *na specjalne okazje* on special occasions; *stracić okazję* miss the opportunity; *skorzystać z okazji* take the opportunity.

okazywać się turn out, prove: *Odejście od niego okazało się trudniejsze niż przypuszczałam.* Leaving him turned out to be more difficult than I had expected.; *Okazał się dobrym ojcem.* He proved himself to be a good father.

okiennica shutter.

oklaski applause.

okładka cover.

okłamać *zob.* **okłamywać**.

okłamywać deceive, lie.

okno 1 window. **2** *komp.* window.

oko eye: *otworzyć oczy* open one's eyes; *zamknąć oczy* close one's eyes; *rzucić na coś okiem* have a look at sth; *na pierwszy rzut oka* at first sight, at first glance; *nie wierzyć własnym oczom* not believe one's own eyes; *Zejdź mi z oczu!* Get out of my sight!

okolica 1 (*otoczenie*) neighbourhood (*AM* neighborhood), surroundings. **2** (*obszar*) region.

okoliczność circumstance.

około about: *Ona ma około trzydziestu lat.* She is about thirty.

okradać rob, steal.

okraść *zob.* **okradać**.

okrąg circle.

okrągły round, (*o sylwetce*) rounded.

okrążać 1 circle, go round. **2** (*otaczać*) encircle.

okrążenie 1 (*czegoś*) encirclement. **2** (*w sporcie*) lap.

okrążyć *zob.* **okrążać**.

okres 1 (*czasu*) period. **2** (*szkolny*) semester. **3** (*menstruacja*) period.

okresowy temporary.

określać define, determine.

określić *zob.* **określać**.

określony definite.

okręg district.

okręt ship.

okropny horrible, terrible, awful.

okruch crumb, bit.

okrucieństwo cruelty.

okrutny cruel.

okrzyk shout, cry.

okulary glasses: *okulary słoneczne* sunglasses; *nosić okulary* wear glasses.

okulista oculist.

okup ransom.

okupacja occupation.

olbrzym giant.

olbrzymi huge.

olej oil: *olej jadalny* cooking oil; *olej napędowy* diesel oil.

olejek oil.

olimpiada Olympic Games, Olympics.

olimpijski Olympic.

oliwa oil: *oliwa z oliwek* olive oil.

oliwić oil, lubricate.

oliwka olive.

olśniewający dazzling.

ołów lead.

ołówek pencil.

ołtarz altar.

omawiać talk over, discuss.

omlet omelette.

omówić *zob.* **omawiać**.

omylić *zob.* **mylić**.

omylić się *zob.* **mylić się**.

omyłka mistake.

omyłkowo by mistake.

on he: *To on!* It's him!

ona she: *To ona!* It's her!

one they.

oni they.

oniemiały speechless.

onieśmielony bashful.

ono it.

opad fall, (*deszczu*) rainfall, (*śniegu*) snowfall.

opadać fall, sink.

opakowanie packaging, pack.

opalać się tan, sunbathe.

opalenizna suntan, tan.

opalić się *zob.* **opalać się**.

opalony suntanned.

opał fuel.

opanować *zob.* **opanowywać**.

opanować się *zob.* **opanowywać się**.

opanowanie 1 (*spokój*) self-control. **2** (*zdobycie*) seizure.

opanowany (*zrównoważony*) self--possessed, calm.

opanowywać 1 (*zawładnąć*) seize, conquer. **2** (*poradzić sobie z czymś*) master, control. **3** (*osiągnąć sprawność*) master: *opanować język obcy* master a foreign language.

opanowywać się control oneself: *Nie mogłem się opanować, więc wyszedłem.* I couldn't control myself so I left.

oparcie 1 (*podpora*) support. **2** (*krzesła*) back (of a chair).

oparzenie burn, (*wodą*) scald.

oparzyć burn, (*wodą*) scald.

opaska band.

opaść *zob.* **opadać**.

opatrunek dressing.

opatrzność providence.

opera opera.

operacja operation.

operować operate (*kogoś* on sb).

opętać *zob.* **opętywać**.

opętanie possession.

opętany possessed.

opętywać possess.

opieczętować *zob.* **pieczętować**.

opieka 1 (*dozór*) care, protection. 2 (*prawnie*) custody.

opiekować się take care of, look after: *Opiekuj się moim psem.* Take care of my dog.

opiekun protector, guardian.

opierać 1 (*wesprzeć*) lean, rest. 2 (*o podstawie*) base: *Scenariusz filmowy jest oparty na książce.* The story of the film is based on a book.

opierać się 1 (*o podporę*) lean: *opierać się na czyimś ramieniu* lean on sb's arm. 2 (*brać coś za podstawę*) base, be based. 3 (*stawiać opór*) resist.

opinia 1 (*sąd*) opinion. 2 (*sława*) reputation.

opis description, (*techniczny*) specification.

opisać *zob.* **opisywać**.

opisywać 1 (*przedstawiać*) describe. 2 (*charakteryzować*) characterize.

opłacać się pay: *Opłaca się być uczciwym.* It pays to be honest.

opłacalny profitable.

opłacić się *zob.* **opłacać się**.

opłakać *zob.* **opłakiwać**.

opłakiwać mourn.

opłata payment, fee: *opłata celna* customs duty; *opłata pocztowa* postage; *opłata za przejazd* fare.

opłukać *zob.* **opłukiwać**.

opłukiwać rinse.

opodatkować *zob.* **opodatkowywać**.

opodatkowywać tax.

opona tyre (*AM* tire).

oporny refractory.

opowiadać tell, relate: *Opowiedz nam, jak to się stało.* Tell us how it happened.

opowiadanie 1 story. 2 (*w literaturze*) short story.

opowiedzieć *zob.* **opowiadać**.

opowieść tale, story.

opozycja opposition.

opór resistance.

opóźniać delay.

opóźnić *zob.* **opóźniać**.

opóźnienie delay: *Pociąg przyjechał z opóźnieniem.* The train was late (delayed).

opóźniony (*spóźniony*) delayed: *Pociąg jest opóźniony.* The train is delayed.

opracować *zob.* **opracowywać**.

opracowywać work out, elaborate.

oprawa 1 (*okładka*) binding. 2 (*rama*) setting. 3 (*okularów*) rims.

oprawka (*okularów*) rims, frames.

opresja trouble.

oprocentowanie interest (rates).

oprowadzać show round.

oprowadzić *zob.* **oprowadzać**.

oprócz 1 (*dodatkowo*) besides, apart from: *Jest nas dziesięcioro, oprócz kierowcy.* There are ten of us besides the driver.; *Spóźnił się, a oprócz tego zapomniał wziąć zaproszenia.* He was late and besides he forgot to take the invitations. **2** (*z wyjątkiem*) except, besides: *Muzea w Krakowie są otwarte codziennie oprócz poniedziałków.* The museums in Kraków are open every day except Monday.

oprzeć *zob.* **opierać**.

oprzeć się *zob.* **opierać się**.

optyczny optical.

optyk optician.

optymalny optimum.

optymista optimist.

optymistyczny optimistic.

optymizm optimism.

opublikować *zob.* **publikować**.

opuszczać 1 (*porzucać*) leave, abandon. **2** (*zniżać*) lower. **3** (*pomijać*) omit, skip.

opuścić *zob.* **opuszczać**.

orać plough.

oraz and, also, as well as.

orbita orbit.

order order.

ordynarny vulgar.

organ 1 (*część organizmu*) organ. **2** (*administracyjny*) body.

organiczny organic.

organizacja 1 (*sposób organizowania*) organization. **2** (*o wspólnych poglądach*) organization.

organizacyjny organizational.

organizator organizer.

organizm organism.

organizować organize, arrange: *Czy mógłbyś zorganizować spotkanie z panem Smith w czwartek?* Could you arrange a meeting with Mr Smith for Thursday?

orgazm orgasm.

orgia (*też przen.*) orgy.

orientacja 1 (*w terenie*) orientation. **2** (*znajomość tematu*) knowledge.

orientalny oriental.

orkiestra orchestra.

ortografia (*pisownia*) spelling.

ortograficzny orthographic: *błąd ortograficzny* spelling mistake.

oryginalność originality.

oryginalny original.

oryginał original.

orzech nut.

orzeł eagle.

orzeźwiać refresh.

orzeźwiający refreshing.

orzeźwić *zob.* **orzeźwiać**.

osa wasp.

osiągać 1 (*zdobywać*) attain, achieve: *osiągać sukces* achieve (attain) success. **2** (*docierać*) reach. **3** (*dochodzić do granicy*) reach.

osiągnąć *zob.* **osiągać**.

osiągnięcie accomplishment.

osiedlać się settle.

osiedle housing estate.

osiedlić się *zob.* **osiedlać się**.

osiem eight.

osiemdziesiąt eighty.

osiemdziesiąty 1 eightieth. **2** *lata osiemdziesiąte* the 80s, the eighties.

osiemnasty 1 eighteenth. **2** *jest osiemnasta (godzina)* it's six pm; *o osiemnastej (godzinie)* at six pm. **3** *osiemnastego maja (coś się stało)* on May 18th. **4** *strona osiemnasta* page eighteen.

osiemnaście eighteen.

osiemset eight hundred.

osiodłać *zob.* **siodłać.**

osioł donkey.

osiwieć *zob.* **siwieć.**

oskarżać accuse (*kogoś o coś* sb of sth).

oskarżenie accusation.

oskarżony (*osoba*) (the) accused, (*w sądzie*) defendant.

oskarżyciel 1 (*osoba oskarżająca*) accuser. **2** (*w sądzie*) prosecutor.

oskarżyć *zob.* **oskarżać.**

osłabiać weaken.

osłabić *zob.* **osłabiać.**

osłabienie weakness, impairment.

osłabnąć *zob.* **słabnąć.**

osłaniać shelter.

osoba person.

osobistość personage.

osobisty 1 personal. **2** *dowód osobisty* identity card.

osobiście personally.

osobnik individual.

osobno separately.

osobny separate.

osobowość personality.

osolić *zob.* **solić.**

ospa smallpox.

ostatecznie 1 (*definitywnie*) finally. **2** (*w ostateczności*) in the last resort. **3** (*wreszcie*) in the end.

ostateczność extreme.

ostateczny 1 (*definitywny*) final. **2** (*krańcowy*) extreme.

ostatni 1 (*końcowy*) last: *Kiedy widziałaś psa po raz ostatni?* When did you see the dog last? **2** (*najnowszy*) latest: *ostatnia powieść* latest novel; *ostatnimi czasy* recently.

ostatnio lately, recently.

ostentacyjny ostentatious.

ostro sharply.

ostrość 1 (*o nożu*) sharpness. **2** (*o wzroku*) acuteness.

ostrożnie carefully.

ostrożność care: *przedsięwziąć środki ostrożności* take precautions.

ostrożny cautious, careful.

ostry 1 (*zakończenie*) sharp. **2** (*kąt*) acute. **3** (*intensywność*) keen. **4** (*smak*) hot. **5** (*surowy*) severe.

ostrze blade.

ostrzegawczy warning.

ostrzeżenie warning.

ostrzyć sharpen.

ostudzać cool.

ostudzić *zob.* **ostudzać.**

ostygać cool off.

ostygnąć *zob.* **ostygać.**

osuszać 1 (*włosy*) dry. **2** (*teren*) drain.

osuszyć *zob.* **osuszać**.

oswajać 1 (*przyzwyczajać*) accustom. **2** (*o zwierzętach*) tame.

oswoić *zob.* **oswajać**.

oswojony 1 (*przyzwyczajony*) accustomed to. **2** (*o zwierzęciu*) tame.

oszacować *zob.* **szacować**.

oszaleć go mad (crazy).

oszczep javelin.

oszczerstwo slander.

oszczędnie economically.

oszczędnościowy economical.

oszczędność 1 (*bycie oszczędnym*) economy. **2** *l.mn.* (*zaoszczędzone pieniądze*) savings.

oszczędny 1 (*człowiek*) thrifty. **2** (*urządzenie*) economical.

oszczędzać 1 (*pieniądze*) save, save up. **2** (*gospodarować*) economize.

oszczędzić *zob.* **oszczędzać**.

oszołomiony dazed.

oszpecać mar.

oszpecić *zob.* **oszpecać**.

oszukać *zob.* **oszukiwać**.

oszukiwać cheat, deceive.

oszust swindler.

oszustwo fraud.

oś axis.

ość fish-bone.

oślepiać blind.

oślepić *zob.* **oślepiać**.

oślepnąć *zob.* **ślepnąć**.

ośmielać encourage.

ośmielać się dare, venture.

ośmielić *zob.* **ośmielać**.

ośmielić się *zob.* **ośmielać się**.

ośmieszać ridicule.

ośmieszać się make oneself ridiculous.

ośmiornica octopus.

ośrodek 1 (*punkt*) centre (*AM* center): **ośrodek kulturalny** cultural centre. **2** (*instytucja*) institute.

oświadczać declare, state.

oświadczać się propose.

oświadczenie statement.

oświadczyć *zob.* **oświadczać**.

oświadczyć się *zob.* **oświadczać się**.

oświadczyny proposal of marriage.

oświata education.

oświatowy educational.

oświecenie (*epoka*) the Enlightenment.

oświetlać illuminate, light: **oświetlać sobie drogę** light one's way; **oświetlać ulice** illuminate the streets; **Ulice są jasno oświetlone.** The streets are brightly lit.

oświetlenie lighting.

oświetlić *zob.* **oświetlać**.

otaczać surround.

oto (*oto jest*) here is: **Oto nasz dom.** Here is our house.; **Oto i on.** Here he is.

otoczenie surroundings.

otoczyć *zob.* **otaczać**.

otruć *zob.* **truć**.

otruć się *zob.* **truć się**.

otrzeźwieć *zob.* **trzeźwieć**.

otrzymać *zob.* **otrzymywać**.

otrzymywać get, receive.

otwarcie I 1 (*rozpoczęcie*) opening.
2 (*urzędowanie*) **godziny otwarcia**
(*w muzeum*) visiting hours; (*w sklepie*) business hours.

otwarcie II (*wprost*) openly.

otwarty 1 (*niezamknięty*) open. **2**
(*jawny*) open. **3** (*niezakłamany*)
frank.

otwieracz opener.

otwierać open, (*kluczem*) unlock.

otworzyć *zob.* **otwierać**.

otwór opening.

otyły obese.

owad insect.

owca sheep.

owies oats.

owłosiony hairy.

owoc fruit.

owocny fruitful.

owocować bear fruit.

owocowy fruit, fruity.

ozdabiać decorate.

ozdoba decoration.

ozdobić *zob.* **ozdabiać**.

ozdobny decorative.

oziębłe coldly.

oziębły frigid.

oznaczać 1 (*robić znak*) mark. **2**
(*określić*) designate. **3** (*znaczyć*)
mean: *Co to słowo oznacza?* What
does this word mean?

oznaczyć *zob.* **oznaczać**.

oznajmiać announce.

oznajmić *zob.* **oznajmiać**.

oznaka symptom.

oznakować *zob.* **znakować**.

ozon ozone.

ożenić się *zob.* **żenić się**.

ożyć *zob.* **ożywać**.

ożywiać się brighten up.

ożywić się *zob.* **ożywiać się**.

ożywiony 1 (*odznaczający się żywością*) animated, lively. **2** (*żywy*)
animate.

ósemka eight.

ósmy 1 eighth. **2** *jest ósma (godzina)* it's eight (o'clock); *o ósmej
(godzinie)* at eight. **3** *ósmego maja*
(*coś się stało*) on May 8th.

ów 1 that. **2** *ni z tego, ni z owego*
out of the blue.

ówczesny then: *ówczesny prezydent*
the then President.

ówdzie *tu i ówdzie* here and there.

P

pacha armpit.
pachnący fragrant.
pachnieć smell.
pacierz prayer.
pacjent patient.
pacyfikować pacify.
paczka 1 (*pakunek*) parcel, (*opakowanie*) packet. **2** (*pocztowa*) parcel, *AM* package.
padaczka epilepsy.
padać 1 (*upadać*) fall, drop. **2 Pada.** (*o deszczu*) It's raining., (*o śniegu*) It's snowing.
pagórek hill.
pająk spider.
pajęczyna cobweb.
pakować pack.
pakować się pack up.
pakt pact.
pakunek parcel.
pal pile, stake.
palacz 1 (*palący w piecu*) stoker. **2** (*papierosów*) smoker.
palarnia smoking room.
palec 1 (*ręki*) finger. **2** (*nogi*) toe.
palić 1 (*ogień*) light, burn. **2** (*niszczyć*) burn. **3** (*zapalić światło*) light, turn on the light. **4** (*papierosa*) smoke.
palić się 1 (*płonąć*) burn: *Pali się!* Fire! **2** (*światło*) burn.

paliwo fuel.
palma palm.
pałac palace.
pamiątka souvenir.
pamięć 1 (*zdolność*) memory: *uczyć się czegoś na pamięć* learn sth by heart. **2** (*wspomnienie*) memory. **3** (*komputera*) memory.
pamiętać 1 remember: *Czy pamiętasz jej numer telefonu?* Do you remember her phone number? **2** (*nie zaniedbać*) remember: *Krysiek zawsze pamięta o moich urodzinach.* Chris always remembers my birthday.
pamiętnik 1 diary. **2** *l.mn.* **pamiętniki** (*utwór literacki*) memoirs.
pan 1 (*mężczyzna*) gentleman. **2** (*forma grzecznościowa*) you, (*przed nazwiskiem*) Mr, (*przy adresowaniu listów*) Mr, Esq. (Esquire), (*rozpoczynając list*) Sir: *WP John Smith* John Smith, Esq; (*w liście*) *Szanowny Panie* Dear Sir (Dear Mr Smith); *Proszę pana!* Sir!; *Panowie! Proszę o chwilę uwagi!* Gentlemen! May I have your attention, please!; *Panie i panowie!* Ladies and gentlemen! **3** (*mający władzę*) master. **4** (*domu*) host. **5** (*arystokrata*) lord.

pancerz armour.

pani 1 (*kobieta*) lady. **2** (*forma grzecznościowa*) you, (*przed nazwiskiem*) Mrs, (*przed nazwiskiem niezamężnej kobiety*) Miss, (*stan cywilny obojętny*) Ms, Madam: (*w liście*) **Szanowna Pani** Dear Madam (Dear Mrs Smith); **Proszę pani!** Miss!; **pani doktor** (*przed nazwiskiem*) doctor. **3** (*mająca władzę*) mistress: **pani domu** mistress (lady) of the house. **4** (*domu*) hostess. **5** (*arystokratka*) lady.

panieński maiden: **nazwisko panieńskie** maiden name.

panika panic.

panna 1 (*młoda kobieta*) girl: **panna młoda** bride; **stara panna** spinster (old maid). **2** (*przy nazwisku kobiety niezamężnej*) Miss. **3 Panna** (*znak zodiaku*) Virgo.

panować 1 (*mieć władzę*) rule. **2** (*podporządkować*) control.

panowanie 1 (*rządy*) rule, reign. **2** (*o swojej woli*) control.

pantera panther.

pantofel 1 (*lekki but*) shoe. **2** (*domowy*) slipper.

państwowy state, national.

papier 1 paper: **kawałek papieru** piece (slip) of paper. **2** *l.mn.* **papiery** (*dokumenty*) papers.

papieros cigarette: **palić papierosy** smoke cigarettes.

papież pope: **papież Jan Paweł II** pope John Paul II.

paproć fern.

papryka (*warzywo, przyprawa*) paprika, (*warzywo*) pepper.

papuga parrot.

para 1 (*stan*) steam. **2** (*dwie sztuki*) pair: **para butów** pair of shoes. **3** (*ludzi*) couple: **para małżeńska** married couple; **młoda para** bride and bridegroom, (*po ślubie*) the newly-weds. **4** (*z dwóch części*) pair: **para okularów** pair of glasses; **para spodni** pair of trousers.

parada parade.

parafia parish.

parafrazować paraphrase.

paragon receipt.

paragraf (*ustawy*) clause.

paraliż paralysis.

paraliżować paralyse.

parapet windowsill.

parasol umbrella.

parawan screen.

parę couple: **parę dni** a couple of days.

park park.

parking car park, *AM* parking lot.

parkować park: **Zakaz parkowania.** No parking.

parlament parliament.

parodia parody.

parować 1 (*zamieniać się w parę*) evaporate. **2** (*wydzielać parę*) steam.

parówka sausage, *AM* hot dog.

parter ground floor, *AM* first floor.

partia 1 (*organizacja*) party. **2** (*ilość*) lot. **3** (*gry*) game: **partia szachów** game of chess.

partner partner.
partyzant partisan.
parzyć 1 (*o czymś gorącym*) burn, scald. **2** (*napar*) brew.
parzysty even.
pas 1 (*część ubioru*) belt. **2** (*do łączenia*) belt, strap: *pas bezpieczeństwa* seat belt. **3** (*powierzchnia*) zone. **4** (*wzór*) stripe. **5** (*talia*) waist.
pasażer passenger.
pasek zob. **pas**.
pasja 1 (*namiętność*) passion. **2** (*gniew*) fury.
paskudny nasty.
pasować 1 (*dostosowywać*) fit. **2** (*przylegać*) fit. **3** (*nadawać się*) suit.
pasożyt parasite.
pasta paste: *pasta do butów* shoe polish; *pasta do zębów* toothpaste.
pastelowy pastel.
pasterz shepherd.
pastować polish.
pastwisko pasture.
pastylka tablet, pill.
paszcza mouth.
paszport passport.
pasztet pate.
paść zob. **padać**.
patelnia frying pan.
patent patent.
patologiczny pathological.
patriota patriot.
patriotyczny patriotic.
patriotyzm patriotism.
patrol patrol.

patrolować patrol.
patron 1 (*opiekun*) patron. **2** (*święty*) patron saint.
patrzeć look, stare.
patyk stick.
pauza break.
paw peacock.
paznokieć nail.
pazur claw.
październik October: *ósmego października* (*coś się stało*) on November 8th.
pączek 1 (*kwiatostanu*) bud. **2** (*ciastko*) doughnut (*AM* donut).
pchać push.
pchła flea.
pchnąć zob. **pchać**.
pech bad luck.
pechowy unlucky.
pedagogiczny pedagogical.
pedał 1 pedal: *pedał gazu* accelerator. **2** *nieform. pejor.* (*homoseksualista*) poof.
pedantyczny pedantic.
pedicure pedicure.
pejzaż landscape.
pełen zob. **pełny**.
pełnia 1 (*księżyca*) full moon. **2** (*stan*) height.
pełnić fulfil (*AM* fulfill), perform.
pełno 1 (*po brzegi*) full. **2** (*bardzo dużo*) a lot of, plenty of: *W domu jest pełno ludzi.* There are a lot of (plenty of) people in the house.
pełnomocnictwo authorization, power of attorney.

pełny full.

pełzać crawl.

pens penny: *40 pensów* 40 pence, 40 pennies.

pensja salary.

pensjonat pension.

perfumować perfume.

perfumy perfume.

perła pearl.

peron platform.

personel personnel.

perspektywa 1 (*widok na coś*) view. 2 (*dystans*) perspective.

peruka wig.

perwersyjny perverse.

peryferie outskirts.

pestka stone, seed.

pesymista pessimist.

pesymistyczny pessimistic.

peszyć disconcert.

peszyć się lose countenance.

pewien I (*jakiś*) a (an), certain, one, some: *pewnego dnia* one day; *przez pewien czas* for some time; *pod pewnymi warunkami* on certain conditions.

pewien II zob. **pewny**.

pewnie I (*bez wahania*) confidently.

pewnie II (*prawdopodobnie*) probably. 2 (*z pewnością*) surely.

pewność 1 (*przekonanie*) certainty. 2 (*zdecydowanie*) assurance. 3 (*niezawodność*) reliability.

pewny 1 (*niechybny*) sure, certain. 2 (*godny zaufania*) reliable. 3 (*sku-*

teczny) sure. 4 (*przekonany*) certain. 5 *pewny siebie* self-assured, self-confident.

pęcherz blister.

pęd 1 (*rośliny*) shoot. 2 (*ruch*) rush.

pędzel brush.

pędzić rush.

pęk bunch.

pękać crack.

pęknąć zob. **pękać**.

pęknięcie crack.

pępek navel.

pętla hoop.

piana foam.

pianino piano.

pianista pianist.

piasek sand.

piaszczysty sandy.

piątek Friday: *w piątek* on Friday.

piątka 1 (*liczba*) five. 2 (*ocena*) full mark, very good.

piąty 1 fifth. 2 *jest piąta (godzina)* it's five (o'clock); *o piątej (godzinie)* at five (o'clock). 3 *piątego maja* (*coś się stało*) on May 5th. 4 *strona piąta* page five.

pić drink.

piec I 1 (*grzewczy*) stove. 2 (*do pieczenia*) oven.

piec II 1 (*wypiekać*) bake, roast. 2 (*parzyć*) burn.

piechota 1 (*w wojsku*) infantry. 2 *piechotą* (*na piechotę*) on foot.

piecyk stove, oven, (*do ogrzewania*) heater.

pieczara cave.

pieczątka stamp.
pieczęć 1 seal. **2** *zob.* **pieczątka**.
pieczętować seal.
pieczony roast, baked.
pieg freckle.
piekarnia baker's (shop).
piekarnik oven.
piekarz baker.
piekło hell.
pielęgniarka nurse.
pielęgnować nurse, look after.
pielgrzym pilgrim.
pielgrzymka pilgrimage.
pieniądz (*też l.mn.*) money.
pień trunk.
pieprz pepper.
pieprzyć 1 (*przyprawiać*) pepper.
  2 *nieform. wulg.* fuck.
piernik gingerbread.
pierś 1 (*klatka piersiowa*) chest.
  2 (*biust*) breast.
pierścień ring.
pierścionek ring.
pierwiastek 1 (*w matematyce*) root.
  2 (*chemiczny*) element.
pierwszeństwo priority.
pierwszy 1 first (1st): *pierwszy maja*
  May 1st (May the first), 1st May (the
  first of May); *pierwszego maja* on
  May 1st; *pierwsza pomoc* first aid;
  miłość od pierwszego wejrzenia
  love at first sight. **2** *pierwsza godzina* one o'clock, (*w nocy*) 1 am, (*po
  południu*) 1 pm; *o pierwszej* at one.
  3 *po pierwsze* first, firstly. **4** *po raz
  pierwszy* for the first time, first.

pierzyna eiderdown.
pies dog.
pieszczota caress.
pieszczotliwy tender.
pieszy (*człowiek*) pedestrian.
pieścić caress.
pieśń song.
pięć five.
pięćdziesiąt fifty.
pięćdziesiąty 1 fiftieth. **2** *lata pięć-
  dziesiąte* the 50s, the fifties.
pięćset five hundred.
pięknie beautifully.
piękno beauty.
piękność beauty.
piękny beautiful.
pięść fist.
pięta heel.
piętnasty 1 fifteenth. **2** *jest piętnasta (godzina)* it's three pm; *o pięt-
  nastej (godzinie)* at three pm.
  3 *piętnastego maja* (*coś się stało*)
  on May 15th. **4** *strona piętnasta*
  page fifteen.
piętnaście fifteen.
piętro storey (*AM* story), floor.
pigułka pill.
pijak drunkard.
pijany drunk.
pik (*w kartach*) spades.
pikantny spicy.
pilnik file.
pilnować 1 (*strzec*) guard. **2** (*doglą-
  dać*) look after.
pilny 1 (*gorliwy*) diligent. **2** (*nagły*)
  urgent.

pilot pilot.

piła saw.

piłka ball: *piłka nożna* football, soccer; *piłka siatkowa* volleyball; *grać w piłkę* (*nożną*) play football.

piłkarz footballer, football player.

piłować saw.

pinezka drawing pin.

ping-pong ping-pong, table tennis.

pingwin penguin.

pion vertical.

pionek (*w szachach, też przen.*) pawn.

pionowy vertical.

piorun thunder.

piosenka song.

piosenkarka singer.

piosenkarz singer.

pióro 1 (*ptasie*) quill. 2 (*do pisania*) pen: *wieczne pióro* fountain pen.

piractwo piracy.

piramida pyramid.

pirat pirate.

pisać write: *pisać list* write a letter; *pisać piórem* write with a pen.

pisak felt-tip pen.

pisarka writer.

pisarz writer.

pisemny written.

pisk squeak.

pisklę nestling.

pismo 1 (*alfabet*) characters. 2 (*charakter*) handwriting. 3 (*dokument*) letter.

pisownia spelling.

pistolet pistol, gun.

piśmienny 1 (*umiejący*) literate. 2 (*dotyczący pisania*) written: *materiały piśmienne* stationery (writing) materials.

piwnica cellar.

piwo beer.

piżama pyjamas (*AM* pajamas).

plac 1 (*w mieście*) square. 2 (*działka*) site.

placek pie, cake.

plakat poster.

plama 1 (*brudu*) stain. 2 (*piętno*) flaw.

plamić stain.

plamka spot.

plan 1 (*projekt*) plan. 2 (*rozkład*) schedule. 3 (*rysunek*) plan. 4 (*na obrazie*) *pierwszy plan* foreground; *drugi plan* background.

planeta planet.

planować plan.

plastelina plasticine.

plaster 1 (*przylepiec*) sticking plaster. 2 (*płat*) slice.

plastik plastic.

plastikowy plastic.

plastyczny 1 (*o sztukach pięknych*) artistic. 2 (*opis*) vivid. 3 (*substancja*) plastic. 4 *chirurgia (operacja) plastyczna* plastic surgery.

platforma 1 (*powierzchnia*) platform. 2 (*wagonu, pojazdu*) platform, truck.

plaża beach.

plątać 1 (*mylić*) mix up. 3 (*pogmatwać*) confuse.

plebania manse.

plecak rucksack, *AM* backpack.

plecy back.

pled rug.

plemię tribe.

plemnik spermatozoon.

pleść plait.

pleśnieć get mouldy.

pleśń mould.

plomba (*dentystyczna*) filling.

plon crop, yield.

plotka (a piece of) gossip, rumour.

plotkować gossip.

pluć spit.

plunąć *zob.* **pluć**.

plus 1 (*w matematyce*) plus: *Dwa plus jeden równa się trzy.* Two plus one is three. 2 (*zaleta*) advantage.

pluskwa bedbug.

pluton (*w wojsku*) platoon.

płacić pay: *płacić gotówką lub czekiem* pay in cash or by cheque; *płacić rachunki* pay bills.

płakać cry, weep.

płaski 1 (*równy*) flat. 2 (*banalny*) banal.

płaszcz coat, overcoat.

płaszczyzna plane.

płatek 1 (*kwiatowy*) petal. 2 (*kawałek*) flake: *płatki kukurydziane* cornflakes; *płatki śniegu* snow-flakes.

płaz amphibian.

płciowy sexual, sex.

płeć sex.

płetwa fin.

płetwonurek frogman.

płodność fertility.

płodny fertile.

płomień 1 (*ognia*) flame. 2 (*błysk*) flash.

płonąć 1 (*równomiernie*) burn. 2 (*błyszczeć*) glow.

płoszyć frighten, frighten away.

płot fence.

płowieć fade.

płócienny linen.

płód (*zarodek*) foetus.

płótno 1 (*tkanina*) linen. 2 (*obraz*) canvas.

płuco lung.

pług plough (*AM* plow).

płukać rinse.

płyn liquid.

płynąć 1 (*przemieszczać się*) flow. 2 (*o czasie*) fly. 3 (*w wodzie*) swim. 4 (*o łodzi*) sail.

płynnie 1 (*harmonijnie*) smoothly. 2 (*o sposobie wypowiadania się*) fluently: *mówić płynnie po hiszpańsku* speak Spanish fluently.

płynny 1 (*w stanie płynnym*) liquid. 2 (*o poruszaniu się*) smooth. 3 (*o mówieniu*) fluent.

płyta 1 (*kamienia*) slab, (*metalu*) sheet. 2 (*gramofonowa*) record, (*kompaktowa*) CD, compact disc.

płytki shallow.

pływać 1 (*o człowieku, zwierzęciu*) swim. 2 (*unosić się*) float. 3 (*o statku*) sail.

pływalnia swimming pool.

po 1 (*o miejscu*) on, in, along, across: *chodzić po lesie* walk in the woods; *spacerować po ulicy* walk along a street; *wchodzić (schodzić) po schodach* go up (go down) stairs. **2** (*o granicy*) till, up to, as far as: *po czasu kres* till the end of time. **3** (*o liczbie*) by: *po trochę* little by little, bit by bit. **4** (*o czasie*) past, after: *pięć po piątej* five past five; *po dwóch latach* two years later, after two years; *po północy* after (past) midnight; *jeden po drugim* one after the other; *dzień po dniu* day after day. **5** (*o celu*) for: *posłać po doktora* send for a doctor; *Po co?* What for?; *po to, żeby* in order to, so that, to. **6** (*o przejęciu w posiadanie*) from: *odziedziczyć coś po kimś* inherit sth from sb. **7** (*o sposobie*) *mówić po angielsku* speak English.

pobić *zob.* **bić**.

pobliże neighbourhood.

pobłażliwość lenience.

pobłażliwy tolerant, lenient.

pobożny pious.

pobór 1 (*do wojska*) recruitment. **2** *l.mn.* **pobory** (*wynagrodzenie*) salary, (*tygodniowe*) wages.

pobudzać stimulate.

pobudzić *zob.* **pobudzać**.

pobyt stay.

pocałować *zob.* **całować**.

pocałunek kiss.

pochlebiać flatter.

pochlebić *zob.* **pochlebiać**.

pochlebstwo flattery.

pochłaniać 1 (*zabierać*) absorb. **2** (*jeść*) devour.

pochłonąć *zob.* **pochłaniać**.

pochmurny cloudy.

pochodnia torch.

pochodzenie 1 (*początek*) origin. **2** (*rodowód*) descent.

pochodzić originate, come from.

pochować *zob.* **chować**.

pochód march.

pochwalić *zob.* **chwalić**.

pochwała praise.

pochylać bend.

pochylać się bend down, bend forward.

pochylić *zob.* **pochylać**.

pochylić się *zob.* **pochylać się**.

pociąg 1 (*środek transportu*) train: *pociąg osobowy* slow train; *pociąg pospieszny* express train; *podróżować pociągiem* travel by train; *pojechać pociągiem o 5.30* take the 5.30 train; *wsiąść do pociągu* get on a train, board a train; *wysiąść z pociągu* get off a train; *zdążyć na pociąg* catch a train; *spóźnić się na pociąg* miss a train. **2** (*skłonność*) inclination.

pociągać 1 (*ciągnąć*) pull. **2** (*przesuwać*) pass. **3** (*wzbudzać zainteresowanie*) attract.

pociągający attractive.

pociągnąć *zob.* **pociągać**.

pocić się sweat.

pociecha consolation.

pocieszać console, comfort.

pocieszać się console oneself.

pocieszyć *zob.* **pocieszać**.

pocieszyć się *zob.* **pocieszać się**.

pocisk missile.

początek 1 (*faza*) beginning, start: *od początku do końca* from start to finish, from beginning to end; *od (samego) początku* from the (very) beginning, from the start; *na początku* at (in) the beginning. **2** (*źródło*) beginning, origin.

początkowy (*występujący na początku*) initial.

początkujący (*osoba*) beginner.

poczekać *zob.* **czekać**.

poczekalnia waiting room.

poczęcie conception.

poczęstować *zob.* **częstować**.

poczta 1 (*instytucja*) post, (*urząd*) Post Office. **2** (*listy*) post, mail.

pocztowy mail, post: *kod pocztowy* postcode (postal code), *AM* zip code; *skrzynka pocztowa* mailbox, postbox.

pocztówka postcard.

poczucie feeling, sense: *poczucie humoru* sense of humour.

pod 1 (*poniżej*) under, below, underneath: *pod łóżkiem* under the bed; *pod spodem* underneath, beneath. **2** (*o lokalizacji w przestrzeni*) at: *pod drzwiami* at the door; *Mieszkamy pod numerem trzydziestym na Victoria Road.* We live at number thirty Victoria Road. **3** (*o kierunku przeciwnym*) against, up: *iść pod górę* walk up the hill. **4** (*o przyczynie*) under. **5** (*o zarządzaniu*) under: *pod kontrolą* under control.

podać *zob.* **podawać**.

podanie (*pismo*) application: *podanie o pracę* application for a job; *złożyć podanie o pracę* apply for a job.

podarować *zob.* **darować**.

podarunek present, gift.

podatek tax.

podatnik taxpayer.

podatny susceptible (*na coś* to sth).

podawać 1 (*wręczać*) give, hand: *podać komuś rękę* (*na przywitanie*) shake hands with sb; *Możesz mi podać swój numer telefonu?* Could you give me your phone number?; *Możesz podać mi cukier?* Could you pass me the sugar, please? **2** (*do stołu*) serve. **3** (*ogłaszać*) announce.

podaż supply.

podchodzić 1 (*zbliżać się*) come up to, approach. **2** (*ustosunkowywać się*) approach.

podczas during, (*podczas gdy*) while: *podczas mojego pobytu w Warszawie* during my stay in Warsaw; *Podczas gdy brała kąpiel, mąż oglądał telewizję.* While she was taking a bath, her husband was watching TV.

poddać *zob.* **poddawać**.

poddać się *zob.* **poddawać się**.

poddasze attic.

poddawać 1 (*oddać*) surrender. **2** (*uzależnić*) subject.

poddawać się 1 (*jako pokonany*) surrender (oneself), give oneself up. **2** (*wystawić się na działanie*) submit.

podejmować 1 (*pieniądze z banku*) withdraw money from the bank. **2** (*działanie*) take up: *podjąć pracę jako tłumacz* take up a job as a translator.

podejmować się undertake.

podejrzany I (*człowiek*) suspect.

podejrzany II 1 suspected. **2** (*budzący podejrzenia*) suspicious.

podejrzeć *zob.* **podglądać**.

podejrzenie suspicion.

podejrzewać suspect.

podejrzliwy suspicious.

podejście (*sposób ujmowania*) attitude.

podejść *zob.* **podchodzić**.

podeprzeć *zob.* **podpierać**.

podeprzeć się *zob.* **podpierać się**.

podeszwa sole.

podglądać peep.

podglądnąć *zob.* **podglądać**.

podgrzać *zob.* **podgrzewać**.

podgrzewać heat up, warm up.

podjazd (*droga*) drive, driveway.

podjąć *zob.* **podejmować**.

podjąć się *zob.* **podejmować się**.

podjechać *zob.* **podjeżdżaać**.

podjeżdżać 1 (*jadąc*) drive up. **2** (*podjechać i zatrzymać się*) draw up.

podkoszulek 1 (*część bielizny*) vest. **2** (*koszulka bawełniana*) T-shirt.

podkowa horseshoe.

podkreślać 1 (*linią*) underline. **2** (*kłaść nacisk*) emphasize.

podkreślić *zob.* **podkreślać**.

podlać *zob.* **podlewać**.

podlewać water.

podłoga floor.

podłość meanness.

podłużny elongated.

podły 1 (*niegodziwy*) mean. **2** (*kiepski*) rotten.

podmiejski suburban.

podmiot subject.

podniebienie palate.

podniecać excite.

podniecać się get excited.

podniecający exciting.

podniecić *zob.* **podniecać**.

podniecić się *zob.* **podniecać się**.

podniecony excited.

podnieść *zob.* **podnosić**.

podnieść się *zob.* **podnosić się**.

podnosić 1 (*w górę*) lift, raise: *podnosić rękę* raise (lift) one's hand. **2** (*coś leżącego*) pick up.

podnosić się (*zmienić pozycję na stojącą*) stand up, (*z leżącej do siedzącej*) sit up.

podnóże foot.

podobać się like: *Podobał mi się ten film.* I liked the film.

podobieństwo likeness, similarity.

podobnie similarly, alike.

podobny similar, like.

podpalać set fire to.
podpalić *zob.* **podpalać**.
podparcie support.
podpaska sanitary towel.
podpierać support.
podpierać się lean on.
podpis signature.
podpisać *zob.* **podpisywać**.
podpisać się *zob.* **podpisywać się**.
podpisywać sign.
podpisywać się sign (one's name).
podpora support.
podporządkować *zob.* **podporządkowywać**.
podporządkowywać subordinate.
podpowiadać prompt.
podpowiedzieć *zob.* **podpowiadać**.
podrabiać forge, counterfeit.
podręcznik 1 (*szkolny*) textbook. **2** (*poradnik*) manual, handbook.
podręczny handy, hand: *bagaż podręczny* hand luggage; *podręczna apteczka* first-aid kit.
podrobić *zob.* **podrabiać**.
podrożeć *zob.* **drożeć**.
podróż travel, journey, trip: *biuro podróży* travel agency; *podróż służbowa* business trip.
podróżnik traveller.
podróżny (*osoba*) traveller, passenger.
podróżować travel.
podrzeć *zob.* **drzeć**.
podrzucać 1 (*rzucać w górę*) toss. **2** (*ukradkiem*) plant. **3** (*samochodem*) give sb a lift.
podrzucić *zob.* **podrzucać**.

podsłuchać *zob.* **podsłuchiwać**.
podsłuchiwać eavesdrop.
podstawa 1 (*dolna część*) base. **2** (*zasada*) basis, foundation.
podstawowy basic, fundamental.
podstęp trick.
podstępny tricky.
podsumować *zob.* **podsumowywać**.
podsumowanie summary.
podsumowywać sum up.
poduszka pillow.
podwajać double.
podważać 1 (*unosić*) lever. **2** (*osłabiać*) undermine.
podważyć *zob.* **podważać**.
podwieźć *zob.* **podwozić**.
podwodny underwater.
podwoić *zob.* **podwajać**.
podwozić give sb a lift.
podwozie (*w samochodzie*) chassis.
podwójny double.
podwórko yard.
podwyżka rise.
podwyższać increase.
podwyższyć *zob.* **podwyższać**.
podyktować *zob.* **dyktować**.
podział division.
podzielić *zob.* **dzielić**.
podzielić się *zob.* **dzielić się**.
podziemie 1 (*budowli*) cellar. **2** (*tajna działalność*) the Underground.
podziemny underground.
podziękować *zob.* **dziękować**.
podziękowanie thanks: *wyrazić swoje podziękowania* express one's thanks.

podziw admiration.

podziwiać admire.

podzwrotnikowy tropical.

poeta poet.

poetycki poetic, poetical.

poezja poetry.

poganiać drive on, hurry.

poganin pagan, heathen.

pogański pagan.

pogarda contempt.

pogardliwy contemptuous.

pogardzać hold in contempt.

pogardzić *zob.* **pogardzać**.

pogarszać worsen.

pogarszać się get worse.

pogawędka chat.

pogląd view.

pogłaskać *zob.* **głaskać**.

pogłoska rumour (*AM* rumor).

pognać *zob.* **poganiać**.

pogoda weather.

pogodny 1 (*słoneczny*) sunny, fine. **2** (*o człowieku*) cheerful.

pogodzić *zob.* **godzić**.

pogodzić się *zob.* **godzić się**.

pogonić *zob.* **poganiać**.

pogoń chase.

pogorszenie deterioration.

pogorszyć *zob.* **pogarszać**.

pogorszyć się *zob.* **pogarszać się**.

pogotowie 1 (*stan gotowości*) readiness. **2** (*instytucja*) emergency service: *karetka pogotowia* ambulance.

pogratulować *zob.* **gratulować**.

pogrom crushing defeat.

pogróżka threat.

pogrzeb funeral.

pogrzebać *zob.* **grzebać**.

pogrzebowy funeral.

pogwałcenie violation.

pogwałcić *zob.* **gwałcić**.

pohamować *zob.* **hamować**.

poinformować *zob.* **informować**.

pojawiać się appear, *nieform.* turn up.

pojazd vehicle.

pojąć *zob.* **pojmować**.

pojechać leave, go: *pojechać pociągiem* go by train; *Rodzice już pojechali.* Parents have already left.

pojednanie reconcilation.

pojedynczy single.

pojedynek duel.

pojemnik container.

pojemność capacity.

pojęcie 1 concept. **2** (*pogląd*) idea: *Nie mam pojęcia.* I have no idea.; *nieform.* *Nie mam zielonego pojęcia.* I haven't got the faintest (slightest, foggiest) idea.

pojmować understand, comprehend.

pojutrze the day after tomorrow.

pokarm food.

pokaz show.

pokazać *zob.* **pokazywać**.

pokazywać 1 (*demonstrować*) show. **2** (*wskazywać*) point: *Pokazano mi drogę do przystanku.* I was shown the way to the bus stop.

poker poker.

poklasyfikować *zob.* **klasyfikować**.

pokład (*statku, samolotu*) board, deck: **wchodzić na pokład** board.

pokłócić się quarrel.

pokochać fall in love (**kogoś** with sb).

pokojowy 1 (*o zgodzie*) peaceful. **2** (*o pomieszczeniu*) room: **w temperaturze pokojowej** at room temperature.

pokojówka housemaid.

pokolenie generation.

pokonać *zob.* **pokonywać**.

pokonywać 1 (*zwyciężać*) defeat. **2** (*przezwyciężać*) overcome.

pokora humility.

pokorny humble.

pokój 1 (*spokój*) peace. **2** (*pomieszczenie*) room.

pokrajać *zob.* **krajać**.

pokrewieństwo kinship.

pokroić *zob.* **kroić**.

pokruszyć *zob.* **kruszyć**.

pokryć *zob.* **pokrywać**.

pokrywa 1 (*wieko*) cover, lid. **2** (*warstwa*) cover.

pokrywać 1 (*powlekać*) cover. **2** (*płacić*) cover.

pokrywka lid.

pokrzyżować *zob.* **krzyżować**.

pokusa temptation.

pokuta penance.

pokutować do penance.

pokwitanie puberty.

pokwitować *zob.* **kwitować**.

pokwitowanie receipt.

Polak Pole: *l.mn.* **Polacy** the Polish.

polakierować *zob.* **lakierować**.

polana clearing.

polarny polar.

pole 1 (*pod uprawę*) field. **2** (*obszar*) field. **3** (*powierzchnia*) area.

polecać 1 (*wydawać polecenie*) order, tell. **2** (*rekomendować*) recommend.

polecenie 1 (*rozkaz, rozporządzenie*) order. **2** (*zarekomendowanie*) recommendation.

polecić *zob.* **polecać**.

polecony *list polecony* registered letter.

polegać 1 (*na kimś*) rely (on). **2** (*zasadzać się*) consist in.

polepszać improve.

polepszać się get better, improve.

polepszyć *zob.* **polepszać**.

polepszyć się *zob.* **polepszać się**.

polerować polish.

policja police.

policjant policeman.

policzek cheek.

politechnika technical university.

polityczny political.

polityk politician.

polityka 1 (*sprawy polityczne*) politics. **2** (*sposób postępowania*) policy.

polować hunt.

polowanie hunt.

polski Polish.

połowa 1 half. **2** (*środek*) middle.

położenie 1 (*lokalizacja*) situation, position. **2** (*warunki*) situation.

położna midwife.

położnik obstetrician.

położyć *zob.* **kłaść**.

położyć się *zob.* **kłaść się**.

południe 1 (*pora*) noon: *o dwunastej w południe* at twelve noon; *w południe* at noon, at midday; *przed południem* in the morning; *po południu* in the afternoon; *o trzeciej po południu* at 3 pm. **2** (*strona świata*) south: *na południe* (*w kierunku południowym*) south, in a southerly direction.

południk meridian.

południowo-wschodni south-east.

południowo-zachodni south-west.

południowy 1 (*o środku dnia*) midday. **2** (*o stronie świata*) south, southern.

połykać swallow.

połysk gloss.

pomagać help: *Czy mogę w czymś pomóc?* Can I help you?

pomalować *zob.* **malować**.

pomarańcza orange.

pomarańczowy 1 orange. **2** (*kolor*) orange.

pomarszczyć *zob.* **marszczyć**.

pomiar measurement.

pomiąć *zob.* **miąć**.

pomiąć się *zob.* **miąć się**.

pomidor tomato.

pomieszać *zob.* **mieszać**.

pomieszczenie room.

pomieścić 1 (*zawierać*) contain. **2** (*mieścić*) find room.

pomiędzy *zob.* **między**.

pomijać omit, leave out.

pomimo despite, in spite of.

pominąć *zob.* **pomijać**.

pomnażać multiply.

pomniejszać 1 (*czynić mniejszym*) diminish. **2** (*o znaczeniu*) belittle.

pomnik monument.

pomnożyć *zob.* **pomnażać**.

pomoc 1 (*pomaganie*) aid, help: *pierwsza pomoc* first aid. **2** (*ratunek*) help, rescue: *Na pomoc!* Help! **3** (*osoba*) help: *pomoc domowa* help, daily help.

pomocnik assistant.

pomocny helpful.

pomóc *zob.* **pomagać**.

pompa pump.

pompka pump.

pompować pump.

pomścić *zob.* **mścić**.

pomylić *zob.* **mylić**.

pomylić się *zob.* **mylić się**.

pomyłka mistake, error: *popełnić pomyłkę* make (commit) a mistake; *poprawić pomyłkę* correct a mistake.

pomysł idea: *To świetny pomysł!* It's (That's) a great idea!

pomysłowy ingenious.

pomyśleć think.

pomyślność success.

pomyślny successful.

ponad above, over: *ponad poziomem morza* above sea level; *ponad dwa miesiące* over two months.

ponaddźwiękowy supersonic.

ponadto moreover.
ponaglać urge.
ponaglić *zob.* **ponaglać**.
poniedziałek Monday: *w poniedziałek* on Monday; *lany poniedziałek* Easter Monday.
ponieść *zob.* **ponosić**.
ponieważ because, for, as: *Ponieważ skończyłam pracę, mogłam poczytać książkę.* As I had finished my work, I could read a book.
poniżej below: *poniżej poziomu morza* below sea level.
ponosić 1 (*nosić*) carry. **2** (*być obarczonym*) bear: *ponosić odpowiedzialność za coś* bear responsibility for sth, be responsible for sth. **3** (*doświadczać*) suffer: *ponieść klęskę* suffer defeat.
ponownie 1 (*znowu*) again. **2** (*przez użycie przedrostka „re-"*) *ponownie wyjść za mąż* remarry.
ponton inflatable dinghy.
ponumerować *zob.* **numerować**.
ponury gloomy.
pończocha stocking.
poparcie backing, support.
popełniać commit: *popełniać przestępstwo* commit a crime.
popełnić *zob.* **popełniać**.
popęd impulse, urge.
popędzać hurry.
popędzić *zob.* **popędzać**.
popielaty grey (*AM* gray).
popielniczka ashtray.
popieprzyć *zob.* **pieprzyć**.

popierać support.
popiół ash.
popisać się *zob.* **popisywać się**.
popisywać się show off.
poplamić *zob.* **plamić**.
poplątać *zob.* **plątać**.
poplątać się *zob.* **plątać się**.
popołudnie afternoon.
poprawa improvement.
poprawiać 1 (*ulepszać*) improve. **2** (*usuwać błędy*) correct.
poprawiać się improve.
poprawić *zob.* **poprawiać**.
poprawić się *zob.* **poprawiać się**.
poprawka correction, amendment.
poprawnie correctly.
poprawny correct.
poprosić *zob.* **prosić**.
poprzeć *zob.* **popierać**.
poprzedni former.
poprzedzać precede.
poprzedzić *zob.* **poprzedzać**.
poprzez across.
popsuć *zob.* **psuć**.
popsuć się *zob.* **psuć się**.
popularność popularity.
popularny popular.
popychać push.
popyt demand.
por 1 (*w skórze*) pore. **2** (*warzywo*) leek.
pora 1 (*chwila, czas*) time: *pora obiadowa* lunch time; *w porę* in time; *nie w porę* untimely; *do tej pory* so far; *o tej porze* this time; *o każdej porze* any time. **2** (*roku*)

season: **pory roku** seasons of the year.

porada advice, counsel.

poradnik manual.

poradzić *zob.* **radzić**.

poranek morning.

porazić *zob.* **porażać**.

porażać strike.

porażenie 1 (*prądem*) electric shock. **2** (*w medycynie*) paralysis.

porażka defeat.

porcelana china.

porcja portion.

poręcz railing.

poręczać guarantee.

poręczyć *zob.* **poręczać**.

pornografia pornography.

pornograficzny pornographic.

poronić *zob.* **ronić**.

porozumieć się *zob.* **porozumiewać się**.

porozumienie 1 (*jednomylność*) agreement. **2** (*umowa*) agreement.

porozumiewać się 1 (*komunikować się*) talk, communicate. **2** (*osiągać porozumienie*) come to terms.

poród childbirth, labour (*AM* labor).

porównać *zob.* **porównywać**.

porównanie comparison: *w porównaniu z* by (in) comparison with.

porównywać compare (*coś z czymś* sth to sth).

port port, harbour (*AM* harbor).

portfel wallet.

portier doorman.

portmonetka purse.

portret portrait.

portretować portay.

porucznik lieutenant.

poruszać 1 (*ruszać*) move. **2** (*wprawiać w ruch*) drive.

poruszać się move.

poruszyć *zob.* **poruszać**.

poruszyć się *zob.* **poruszać się**.

porwać *zob.* **porywać**.

porywacz kidnapper, (*samolotu*) hijacker.

porywać 1 (*unosić*) blow away. **2** (*uprowadzić*) kidnap, (*samolot*) hijack. **3** (*wyrywać*) snatch.

porwanie (*dziecka*) kidnapping, (*samolotu*) hijacking.

porywczy impulsive.

porządek 1 (*ład*) order. **2** *l.mn.* (*sprzątanie*) **robić porządki** tidy (up), clean up. **3** (*kolejność*) order: *w porządku alfabetycznym* in alphabetical order. **4** *Wszystko w porządku.* Everything is OK (all right).

porządkować tidy (up), clean up.

porządny 1 (*starannie wykonany*) good. **2** (*przyzwoity*) decent. **3** (*schludny*) neat.

porzucać abandon, leave.

porzucić *zob.* **porzucać**.

posada job, post.

posadzić *zob.* **sadzić**.

posąg statue.

posegregować *zob.* **segregować**.

posępny gloomy.

posiadać possess.

posiadłość (*ziemska*) estate.
posiłek meal.
posłać *zob.* **posyłać**.
posłodzić *zob.* **słodzić**.
posłuchać 1 (*słuchać*) listen: *Posłuchaj!* Listen! **2** (*czyjejś woli*) obey.
posłuszeństwo obedience.
posłuszny obedient.
posmakować *zob.* **smakować**.
posmarować *zob.* **smarować**.
posolić *zob.* **solić**.
pospieszyć *zob.* **pośpieszyć**.
pospieszyć się *zob.* **pośpieszyć się**.
pospolity 1 (*zwykły*) common. **2** (*prostacki*) primitive.
post fast.
postać 1 (*kształt*) shape, form. **2** (*sylwetka*) figure. **3** (*osoba*) character.
postanawiać decide, make up one's mind.
postanowić *zob.* **postanawiać**.
postanowienie decision.
postarzeć *zob.* **starzeć**.
postawa 1 (*ciała*) posture, pose. **2** (*stosunek*) attitude.
postawić *zob.* **stawiać**.
postąpić *zob.* **postępować**.
posterunek (*policji*) police station.
postęp progress.
postępować 1 (*krocząc*) follow. **2** (*zachowywać się*) act, behave.
postępowanie proceedings.
postój 1 (*w podróży*) stop. **2** (*taksówek*) taxi rank, *AM* taxi stand.
postscriptum postscript, PS.
posunąć *zob.* **posuwać**.

posunąć się *zob.* **posuwać się**.
posunięcie move.
posuwać move.
posuwać się move, move over: *Posuń się i zrób miejsce.* Move over and make room.
posyłać send: *posłać po lekarza* send for a doctor.
poszczególny each.
poszerzać widen.
poszerzyć *zob.* **poszerzać**.
poszewka pillow case.
poszkodowany injured.
poszukać look for.
poszukiwać look for, seek.
poszukiwanie search, quest.
poszukiwany (*przez policję – przestępca*) wanted.
pościel bedclothes.
pościelić *zob.* **ścielić**, **słać**.
pościg pursuit.
pośladek buttock.
poślizg skid.
poślizgnąć się slip.
poślubiać marry.
poślubić *zob.* **poślubiać**.
pośpiech hurry, haste.
pośpieszać (**pospieszać**) hurry, hasten.
pośpieszyć *zob.* **pospieszać**.
pośpieszyć się (**pospieszyć się**) hurry up: *Pośpiesz się!* Hurry up!
pośredni 1 (*nie wprost*) indirect. **2** (*przejściowy*) intermediate.
pośrednictwo 1 (*w rokowaniach*) mediation. **2** (*przy transakcji*) agency.

pośredniczyć mediate.

pośrednik intermediary, agent.

pośrodku in the middle.

pośród among.

poświęcać 1 (*podporządkować*) devote, dedicate. **2** (*w ofierze*) sacrifice.

poświęcać się dedicate onself, sacrifice oneself.

poświęcenie 1 (*ofiara*) devotion. **2** (*obrzęd religijny*) consecration.

poświęcić *zob.* **poświęcać**.

poświęcić się *zob.* **poświęcać się**.

pot sweat.

potanieć *zob.* **tanieć**.

potem afterwards, then.

potencjalny potential.

potęga might.

potępiać condemn.

potępić *zob.* **potępiać**.

potępienie condemnation.

potężny powerful.

potknąć się *zob.* **potykać się**.

potłuc break.

potoczny colloquial.

potok stream, brook.

potomek descendant.

potomstwo offspring.

potop deluge.

potrafić be able to, be capable of, can (*tylko w formie osobowej*): *Nie potrafiłabym odejść od niego.* I wouldn't be capable of leaving him.; *To dziecko potrafi czytać i pisać.* The child can already read and write.

potraktować *zob.* **traktować**.

potrawa dish.

potrącać jostle, (*o pojeździe*) knock down.

potrącić *zob.* **potrącać**.

potrząsać shake.

potrząsnąć *zob.* **potrząsać**.

potrzeba need.

potrzebny necessary.

potrzebować need.

potwierdzać confirm.

potwierdzić *zob.* **potwierdzać**.

potworny monstrous.

potwór monster.

potykać się stumble.

poufały familiar.

poufny confidential.

powaga seriousness, gravity.

poważnie seriously.

poważny serious.

powąchać *zob.* **wąchać**.

powiadamiać inform, notify.

powiadomić *zob.* **powiadamiać**.

powiedzenie saying.

powiedzieć say, tell: *powiedzieć prawdę* tell the truth; *Co chcesz przez to powiedzieć?* What do you mean?

powieka eyelid.

powierzchnia 1 (*górna część*) surface. **2** (*obszar*) area.

powierzchowny superficial.

powiesić *zob.* **wieszać**.

powieść się *zob.* **wieść się**.

powieściopisarz novelist.

powieść novel.

powietrze air.
powiększać increase, enlarge.
powiększać się increase.
powiększyć *zob.* **powiększać**.
powiększyć się *zob.* **powiększać się**.
powinien should, ought to (*tylko w formie osobowej*): *Powinieneś bardziej się postarać.* You should (ought to) work harder.; *Powinnam była wiedzieć.* I should have known.; *Powinni już tu być.* They should be here by now.; *Powinno się spać 8 godzin.* One should sleep 8 hours.
powitać *zob.* **witać**.
powitanie welcome.
powłoka covering.
powodować cause, bring about.
powodzenie success.
powoli 1 (*wolno*) slowly. **2** (*stopniowo*) gradually.
powołać *zob.* **powoływać**.
powołać się *zob.* **powoływać się**.
powoływać (*wyznaczać*) appoint.
powoływać się quote (*na kogoś, coś* sb, sth).
powód cause, reason.
powódź flood.
powóz coach.
powracać return, come back.
powrotny return: *bilet powrotny* return ticket.
powrócić *zob.* **powracać**.
powrót return.
powstać *zob.* **powstawać**.

powstanie 1 (*zbrojne*) uprising. **2** (*początek*) origin.
powstawać 1 (*zaczynać istnieć*) originate. **2** (*wstawać*) stand up.
powstrzymać *zob.* **powstrzymywać**.
powstrzymać się *zob.* **powstrzymać się**.
powstrzymywać restrain, stop.
powstrzymywać się restrain oneself.
powszechnie universally.
powszechny universal.
powszedni everyday.
powściągliwy restrained.
powtarzać repeat.
powtarzać się repeat oneself.
powtórka revision.
powtórzyć *zob.* **powtarzać**.
powtórzyć się *zob.* **powtarzać się**.
powyżej 1 (*w przestrzeni*) above, over. **2** (*więcej niż*) above, over: *powyżej średniej* above the average.
powyższy above.
poza I (*postawa*) position, pose.
poza II 1 (*dalej niż*) beyond. **2** (*w czasie i przestrzeni*) outside. **3** (*oprócz*) except: *poza tym* besides, apart from.
pozazdrościć *zob.* **zazdrościć**.
pozbawiać deprive.
pozbawić *zob.* **pozbawiać**.
pozbyć się *zob.* **pozbywać się**.
pozbywać się get rid of.
pozdrawiać 1 (*kłaniać się*) greet. **2** (*przesyłać pozdrowienia*) send

one's regards, send one's greetings: ***Proszę pozdrowić ode mnie mamę.*** Remember me to your mother.; *nieform.* ***Pozdrów ode mnie Piotra.*** Please give Peter my love.

pozdrowić *zob.* **pozdrawiać**.

pozdrowienie greeting, regards: ***serdeczne pozdrowienia*** warm (sincere) greetings, best regards; ***przesyłać pozdrowienia*** send greetings, *nieform.* send one's love; ***Proszę przekazać pozdrowienia mężowi.*** Give my regards to your husband.

poziom 1 (*położenie*) level: ***powyżej poziomu morza*** above sea level. **2** (*stopień rozwoju*) standard: ***poziom życia*** living standards.

poziomka wild strawberry.

poziomy horizontal.

poznać *zob.* **poznawać**.

poznanie 1 (*rozpoznanie*) recognition. **2** (*wiedzy*) cognition.

poznawać 1 (*zawierać znajomość*) meet (***kogoś*** sb), become acquainted (***kogoś*** with sb): ***Miło mi pana (panią, państwa) poznać.*** Nice to meet you., Pleased to meet you.; ***Chciałbym, żebyś poznała mojego przyjaciela.*** I'd like you to meet my friend. **2** (*wiedzę*) get to know, (*o języku*) learn. **3** (*rozpoznawać*) recognize. **4** (*przedstawiać*) introduce (***kogoś z kimś*** sb to sb).

poznawać się 1 (*zawierać znajomość*) become acquainted, meet:

Chyba nie poznaliśmy się jeszcze. I don't think we've met. **2** (*wzajemnie*) get to know each other. **3** (*rozpoznawać się wzajemnie*) recognize each other.

pozornie seemingly.

pozorny seeming.

pozostać *zob.* **pozostawać**.

pozostały 1 (*taki, który został*) remaining. **2** (*ten drugi*) the other.

pozostawać 1 (*w miejscu*) stay. **2** (*bez zmian*) remain. **3** (*o reszcie*) be left.

pozostawiać leave.

pozostawić *zob.* **pozostawiać**.

pozować 1 (*o modelu*) pose. **2** (*udawać*) pretend to be.

pozwalać 1 (*udzielać pozwolenia*) allow, let. **2** ***pozwalać sobie*** (*np. na kupno*) afford: ***Nie mogę sobie pozwolić na nowy rower.*** I can't afford a new bike.

pozwolenie permission, permit.

pozwolić *zob.* **pozwalać**.

pozycja 1 (*położenie*) situation. **2** (*ciała*) position.

pozytywny 1 (*wyrażający zgodę*) positive. **2** (*korzystny*) favourable.

pożałować *zob.* **żałować**.

pożar fire.

pożarny fire: ***straż pożarna*** fire brigade.

pożądać desire.

pożądanie desire.

pożądany desirable.

pożądliwość greed.

pożeglować *zob.* **żeglować**.
pożegnać *zob.* **żegnać**.
pożegnać się *zob.* **żegnać się**.
pożegnalny farewell.
pożegnanie farewell.
pożerać devour.
pożreć *zob.* **pożerać**.
pożyczać 1 (*komuś*) lend. **2** (*od kogoś*) borrow.
pożyczka loan.
pożyczyć *zob.* **pożyczać**.
pożyteczny useful.
pożytek use.
pożywić się *zob.* **żywić się**.
pożywienie food.
pożywny nourishing.
pójść *zob.* **iść**.
póki 1 (*o końcu czynności*) till, until: *Czekaj, póki nie zadzwonię*. Wait till (until) I call you. **2** (*o okresie trwania*) as long as, while.
pół half: *pół godziny* half an hour.
półka shelf.
półkula hemisphere.
półmrok twilight.
północ 1 (*pora*) midnight: *o północy* at midnight. **2** (*strona świata*) north: *mieszkać na północy Polski* live in the north of Poland; *mieszkać na północ od Krakowa* live to the north of Cracow.
północno-wschodni north-east.
północno-zachodni north-west.
północny north, northern.
półwysep peninsula.
później later.

późniejszy later.
późno late.
późny late.
prababka great-grandmother.
praca 1 (*działanie*) work, labour (*AM* labor). **2** (*wytwór*) work. **3** (*zajęcie*) job, occupation.
pracodawca employer.
pracować 1 work. **2** (*funkcjonować*) function.
pracowitość diligence.
pracowity 1 (*o człowieku*) hardworking. **2** (*wypełniony pracą*) busy.
pracownia laboratory, studio.
pracownik worker, employee.
prać wash (clothes), launder.
pradziad (*przodek*) ancestor.
pradziadek great-grandfather.
pragnąć desire, wish.
pragnienie 1 (*życzenie*) wish, desire. **2** (*gdy chce się pić*) thirst.
praktyczny practical.
praktyka 1 (*działalność*) practice. **2** (*w zawodzie*) practice. **3** (*szkolenie*) training.
pralka washing machine.
pralnia laundry, (*chemiczna*) dry-cleaner's.
pranie washing: *proszek do prania* washing powder; *robić pranie* do the washing.
prasa 1 (*urządzenie*) press. **2** (*pisma*) press.
prasować iron.
prawda truth: *Czy to prawda?* Is it true?

prawdopodobieństwo probability.
prawdopodobny probable.
prawdziwość authenticity.
prawdziwy real, authentic.
prawidłowy correct.
prawie almost.
prawniczy legal.
prawnik lawyer.
prawnuczka great-granddaughter.
prawnuk great-grandson.
prawny legal, lawful.
prawo I 1 (*ogół przepisów*) the law. **2** (*uprawnienie*) right.
prawo II (*prawa strona*) the right: *skręcić w prawo* turn right.
prawy (*o położeniu*) right.
prąd 1 (*wody, powietrza*) current. **2** (*w literaturze*) trend. **3** (*elektryczny*) current.
precyzyjny precise.
premia bonus.
premier *BR* Prime Minister.
premiera première.
prenumerata subscription.
presja pressure.
pretekst pretext.
pretensja 1 (*żądanie*) claim. **2** (*żal*) resentment.
prezent present, gift.
prezerwatywa condom.
prezes president, chairman.
prezydent president.
prędko quickly.
prędkość speed.
pręt rod.
problem problem.

procent 1 (*setna część*) percentage: *10%* ten per cent (*AM* ten percent). **2** (*odsetki od kapitału*) interest.
proces 1 (*przebieg*) process. **2** (*sądowy*) lawsuit, (*w sprawie karnej*) trial.
procesor *komp.* processor.
proch 1 (*wybuchowy*) gunpowder. **2** *l.mn.* **prochy** (*popioły*) ashes.
producent producer.
produkcja production.
produkować produce, make: *wyprodukowane w Polsce* made in Poland, (*o produktach spożywczych*) Produce of Poland.
produkt product.
produktywny productive.
profesjonalista professional.
profesjonalny professional.
profesor professor.
profil profile.
prognoza forecast.
program 1 (*plan*) programme (*AM* program). **2** (*teatralny, TV*) programme. **3** (*komputerowy*) program.
projekt 1 project, plan. **2** (*szkic*) design.
projektant designer.
projektować design.
prokurator public prosecutor.
prom ferry.
promieniowanie radiation.
promień ray.
proponować propose, suggest.
proporcja proportion.

proporcjonalnie proportionally.
proporcjonalny proportional.
propozycja proposal, suggestion.
prosić 1 (*o prośbie*) ask, request. **2** (*zapraszać*) ask, invite. **3** (*w zwrotach grzecznościowych*) *„Dziękuję". „Proszę".* 'Thank you'. 'You're welcome'. ('That's all right'); *„Przepraszam". „Proszę".* 'I'm sorry'. 'It's (That's) all right'.; *Proszę, zamknij okno.* Please, close the window., Would you close the window, please?; *„Czy mógłbyś podać mi tę kurtkę?" „Proszę!"* 'Could you pass me that jacket?' 'Here you are!'; *„Czy mogłabym zapalić?" „Ależ proszę!"* 'May I smoke?' 'Yes, certainly!' ('Yes, by all means'). **4** (*odpowiedź na pukanie*) Come in! **5** *Proszę pana!* Mr (*z nazwiskiem*)!, Sir!; *Proszę pani!* Mrs (*z nazwiskiem*)!, Miss!; *Proszę Państwa!* Ladies and Gentlemen! **6** (*wykrzyknik „proszę"*) please: *Proszę o ciszę!* Silence, please!; *Proszę cię, uwierz mi.* Please, believe me.
prosto 1 (*bez odchylania*) straight. **2** (*w sposób nieskomplikowany*) simply.
prostokąt rectangle.
prostować 1 straighten. **2** correct.
prosty 1 (*nie krzywy*) straight. **2** (*o człowieku*) simple.
prostytutka prostitute.

proszek (*substancja*) powder: *proszek do prania* washing powder.
prośba request.
protest protest.
protestancki Protestant.
protestant Protestant.
protestować protest.
protokół 1 (*akt*) official record. **2** (*z obrad*) minutes.
prototyp prototype.
prowadzić 1 (*wieść*) lead: *prowadzić kogoś za rękę* lead sb by the hand. **2** (*o pojeździe*) drive: *prowadzić samochód* drive a car. **3** (*kierować kimś, czymś*) lead, run. **4** (*realizować*) conduct: *prowadzić zajęcia* (*w szkole*) conduct (give) classes.
prowincjonalny provincial.
prowokacyjny provocative.
prowokować provoke.
proza prose.
próba 1 (*sprawdzanie*) trial. **2** (*usiłowanie*) attempt. **3** (*teatralna*) rehearsal.
próbka sample.
próbować 1 (*usiłować*) try, attempt. **2** (*sprawdzać*) try. **3** (*smakować*) taste.
próchnica (*w stomatologii*) caries.
próchnieć rot.
próg doorstep, threshold.
próżnia (*w fizyce*) vacuum.
próżność vanity.
próżny 1 (*o próżności*) vain. **2** (*daremny*) futile.
prymitywny primitive.

pryskać splash.
prysnąć *zob.* **pryskać**.
pryszcz pimple.
prysznic shower.
prywatny private.
przebaczać forgive.
przebaczenie forgiveness.
przebaczyć *zob.* **przebaczać**.
przebiec *zob.* **przebiegać**.
przebieg course.
przebiegać 1 (*z miejsca na miejsce*) run. **2** (*odbywać się*) take a course.
przebiegły cunning.
przebiegnąć *zob.* **przebiegać**.
przebierać 1 (*grymasić*) pick and choose. **2** (*oddzielać*) sort out. **3** (*ubranie*) change. **4** (*zmieniać wygląd*) disguise.
przebierać się 1 (*o ubraniu*) change. **2** (*za kogoś*) disguise oneself.
przebój hit.
przebrać *zob.* **przebierać**.
przebrać się *zob.* **przebierać się**.
przebranie disguise.
przebudowa reconstruction.
przebyć *zob.* **przebywać**.
przebywać 1 (*przestrzeń*) cover. **2** (*przeżywać*) experience. **3** (*znajdować się*) be.
przecena reduction of (in) prices.
przeceniać 1 (*cenić zbyt wysoko*) overestimate. **2** (*obniżać cenę*) reduce the price.
przecenić *zob.* **przeceniać**.
przechodzić 1 (*przebywać przestrzeń*) walk, cover. **2** (*przekra-*

czać) cross. **3** (*skończyć się*) pass. **4** (*przeżywać*) undergo.
przechować *zob.* **przechowywać**.
przechowywać keep.
przechwalać się boast.
przechytrzać outwit.
przechytrzyć *zob.* **przechytrzać**.
przeciąć *zob.* **przecinać**.
przeciągać się 1 (*przedłużać się*) prolong. **2** (*prostować się*) stretch.
przeciec *zob.* **przeciekać**.
przeciek leak.
przeciekać leak.
przecieknąć *zob.* **przeciekać**.
przecier puree.
przecież but, yet.
przeciętny 1 (*o średniej*) average. **2** (*pospolity*) mediocre.
przecinać 1 (*rozcinać*) cut. **2** (*przechodzić w poprzek*) cross.
przecinek 1 (*znak interpunkcji*) comma. **2** (*w matematyce*) point.
przeciw (*przeciwko*) against.
przeciwieństwo opposite.
przeciwko *zob.* **przeciw**.
przeciwnie (*odwrotnie*) on the contrary.
przeciwnik 1 opponent. **2** (*rywal*) adversary.
przeciwny 1 (*leżący naprzeciw*) opposite. **2** (*różny*) opposite. **3** (*sprzeciwiający się*) opposed to, against.
przeciwsłoneczny *okulary przeciwsłoneczne* sunglasses.
przeciwstawiać oppose.
przeciwstawiać się oppose.

przeciwstawić *zob.* **przeciwstawiać**.

przeciwstawić się *zob.* **przeciwstawiać się**.

przeczący negative.

przeczenie negation.

przeczuć *zob.* **przeczuwać**.

przeczuwać have misgivings.

przeczyć deny, (*negować*) contradict.

przed 1 (*o przestrzeni*) before, in front of. **2** (*o czasie*) before, ago: *przed dwoma laty* two years ago (before).

przedłużać 1 (*o długości*) extend, lengthen. **2** (*o trwaniu*) prolong.

przedłużyć *zob.* **przedłużać**.

przedmieście suburb.

przedmiot 1 (*rzecz*) object. **2** (*temat*) subject. **3** (*szkolny*) subject.

przedni front.

przedpokój hall.

przedramię forearm.

przedsiębiorca businessman, entrepreneur.

przedsiębiorstwo company.

przedsięwzięcie undertaking.

przedstawiać 1 (*poznawać kogoś z kimś*) introduce, present: *być przedstawionym komuś* be introduced to sb; *Pozwól, że ci przedstawię moją siostrę.* Allow me to introduce my sister. **2** (*pokazywać*) present.

przedstawiać się introduce oneself: *Państwo pozwolą, że się przedsta-*

-wię... Let me introduce myself..., May I introduce myself...

przedstawiciel representative, *nieform.* rep.

przedstawić *zob.* **przedstawiać**.

przedstawić się *zob.* **przedstawiać się**.

przedstawienie 1 (*spektakl*) performance. **2** (*pokazanie*) presentation.

przedszkole kindergarten, nursery school.

przedtem before.

przedwczoraj the day before yesterday.

przedział (*w pociągu*) compartment.

przedziałek parting.

przeforsować *zob.* **forsować**.

przegląd 1 (*wydarzeń*) review. **2** (*kontrola*) inspection.

przeglądać look through.

przeglądnąć *zob.* **przeglądać**.

przegrać *zob.* **przegrywać**.

przegrywać lose.

przejawiać display.

przejawić *zob.* **przejawiać**.

przejazd 1 (*jazda*) journey, passage. **2** (*przez tory*) crossing.

przejażdżka ride.

przejąć *zob.* **przejmować**.

przejechać *zob.* **przejeżdżać**.

przejeżdżać 1 (*drogę*) cover. **2** (*przedostawać się*) pass. **3** (*mijać*) pass: *przejeżdżać obok szkoły* pass the school. **4** (*po czymś*) run over.

przejmować 1 (*brać*) take over. **2** (*przechwytywać*) intercept. **3** (*przyswajać sobie*) adopt.

przejrzeć *zob.* **przeglądać**.

przejrzysty clear.

przejście (*miejsce*) passage: ***przejście dla pieszych** (naziemne)* pedestrian crossing; ***przejście podziemne*** subway, underpass.

przejściowy temporary.

przejść *zob.* **przechodzić**.

przejść się go for a walk.

przekazać *zob.* **przekazywać**.

przekazywać pass on, hand down: ***Przekaż jej moje najlepsze życzenia.*** Give my best wishes to her.

przekląć *zob.* **przeklinać**.

przekleństwo curse.

przeklęty cursed.

przeklinać 1 (*kogoś*) curse. **2** (*być wulgarnym*) use bad language.

przekład translation.

przekładać 1 (*na później*) postpone. **2** (*tłumaczyć*) translate: ***przekładać książkę z angielskiego na polski*** translate a book from English into Polish.

przekonać *zob.* **przekonywać**.

przekonanie conviction.

przekonany convinced.

przekonywać persuade, convince.

przekraczać 1 (*na drugą stronę*) cross. **2** (*przewyższać*) exceed.

przekreślać (*o wyrazie*) cross out.

przekreślić *zob.* **przekreślać**.

przekroczyć *zob.* **przekraczać**.

przekształcać transform.

przekształcić *zob.* **przekształcać**.

przekupić *zob.* **przekupywać**.

przekupstwo bribery.

przekupywać bribe.

przelotny passing.

przełęcz pass.

przełknąć *zob.* **przełykać**.

przełom (*zwrot*) turn, breakthrough.

przełomowy crucial.

przełożony superior.

przełożyć *zob.* **przekładać**.

przełykać swallow.

przemaczać wet.

przemagać overcome.

przemakać 1 (*przepuszczać wodę*) get soaked, leak. **2** (*moknąć*) get wet.

przemawiać 1 speak, make a speech. **2** (*odzywać się*) speak. **3** (*przekonywać*) appeal.

przemęczenie tiredness.

przemiana change, metamorphosis.

przemieniać change, transform.

przemienić *zob.* **przemieniać**.

przemieszczać się move.

przemijać pass.

przeminąć *zob.* **przemijać**.

przemoc violence.

przemoczyć *zob.* **przemaczać**.

przemoknąć *zob.* **przemakać**.

przemowa speech.

przemóc *zob.* **przemagać**.

przemówić *zob.* **przemawiać**.

przemówienie speech.

przemycać smuggle.

przemycić *zob.* **przemycać**.

przemysł industry.

przemysłowy industrial.

przemyśleć *zob.* **przemyśliwać**.
przemyśliwać think over.
przemyt smuggling.
przemytnik smuggler.
przenieść *zob.* **przenosić**.
przenieść się *zob.* **przenosić się**.
przenikać penetrate.
przenikliwy 1 (*przejmujący*) penetrating. 2 (*wnikliwy*) shrewd.
przeniknąć *zob.* **przenikać**.
przenocować *zob.* **nocować**.
przenosić carry, carry over.
przenosić się move: *przenosić się na wieś* move to the country.
przepadać 1 (*bardzo lubić*) love, be keen on, be crazy about: *Dzieci przepadają za słodyczami.* Children love sweets. 2 (*znikać*) disappear.
przepaść I (*urwisko*) precipice.
przepaść II *zob.* **przepadać**.
przepis 1 (*prawo*) rule, regulation. 2 (*kulinarny*) recipe.
przepisać *zob.* **przepisywać**.
przepisywać 1 (*napisać ponownie*) rewrite. 2 (*zalecać*) prescribe.
przepowiadać foretell.
przepowiedzieć *zob.* **przepowiadać**.
przepraszać 1 apologize, be sorry: *Przepraszam za spóźnienie.* I'm sorry to be late., Sorry, I'm late.; *Przeprosiłam cię już za spóźnienie.* I apologized to you for being late. 2 (*za potrącenie*) „(*Bardzo*) *Przepraszam!*" – „*Nic nie szkodzi*". 'I'm (so) sorry!' ('I'm aw-

fully sorry!', *AM* 'Excuse me!') – 'That's all right'. 3 (*podchodząc do kogoś*) *Przepraszam, czy może mi pan powiedzieć, jak dojść do lodowiska?* Excuse me, could you tell me how to get to the skating rink?
przeprosić *zob.* **przepraszać**.
przeprowadzać (*realizować*) carry out.
przeprowadzać się move.
przeprowadzić *zob.* **przeprowadzać**.
przeprowadzić się *zob.* **przeprowadzać się**.
przeprowadzka removal.
przepustka pass.
przepuszczać (*pozwalać przejść*) let (sb) pass, let by: *Proszę mnie przepuścić!* Let me pass!.
przepuścić *zob.* **przepuszczać**.
przerabiać 1 (*zmieniać kształt*) alter. 2 (*w szkole*) go through.
przerastać outgrow.
przerazić *zob.* **przerażać**.
przerazić się *zob.* **przerażać się**.
przerażać terrify.
przerażać się get terrified.
przerażający terrifying.
przerobić *zob.* **przerabiać**.
przerosnąć *zob.* **przerastać**.
przerość *zob.* **przerastać**.
przerwa 1 (*w czasie*) break, stop. 2 (*w szkole*) break.
przerwać *zob.* **przerywać**.
przerywać 1 (*rozrywać*) break. 2 (*kończyć*) stop, break off.

przesada exaggeration.

przesadny exaggerated.

przesadzać 1 (*o roślinie*) transplant. **2** (*przebierać miarę*) exaggerate.

przesadzić *zob.* **przesadzać**.

przesąd 1 (*zabobon*) superstition. **2** (*uprzedzenie*) prejudice.

przesądny superstitious.

przesiadać się 1 (*siedzenie*) change one's seat. **2** (*o środku lokomocji*) change (trains).

przesiąść się *zob.* **przesiadać się**.

przeskakiwać jump (over).

przeskoczyć *zob.* **przeskakiwać**.

przesłać *zob.* **przesyłać**.

przesłaniać cover.

przesłanie message.

przesłonić *zob.* **przesłaniać**.

przesłuchać *zob.* **przesłuchiwać**.

przesłuchiwać 1 (*słuchać*) hear. **2** (*o śledztwie*) interrogate.

przesłuchanie interrogation.

przestać *zob.* **przestawać**.

przestarzały obsolete.

przestawać stop.

przestawiać rearrange.

przestawić *zob.* **przestawiać**.

przestępca offender.

przestępstwo offence.

przestraszyć frighten.

przestraszyć się get frightened.

przestronny spacious.

przestrzec *zob.* **przestrzegać**.

przestrzegać 1 (*ostrzegać*) warn. **2** (*stosować się do czegoś*) observe.

przestrzeń space.

przesunąć *zob.* **przesuwać**.

przesunąć się *zob.* **przesuwać się**.

przesuwać 1 (*zmieniać położenie*) shift, move. **2** (*termin*) postpone, put off.

przesuwać się move over.

przesyłać send.

przesyłka letter.

przeszkadzać 1 (*zakłócać*) disturb. **2** (*być zawadą*) interfere.

przeszkoda obstacle.

przeszkodzić *zob.* **przeszkadzać**.

przeszło (*ponad*) over, above: *przeszło 1000 funtów* more than £1000, over £1000.

przeszłość the past: *w przeszłości* in the past.

przeszły past: *czas przeszły* past tense.

prześladować 1 (*krzywdzić*) persecute. **2** (*niepokoić*) pester.

prześladowca persecutor.

przetarg tender.

przetestować *zob.* **testować**.

przetłumaczyć *zob.* **tłumaczyć**.

przetrwać survive.

przetwarzać process.

przetworzyć *zob.* **przetwarzać**.

przewaga superiority.

przeważać 1 (*być w większej ilości*) prevail. **2** (*przechylać szalę*) tip the balance.

przeważnie mostly.

przeważyć *zob.* **przeważać**.

przewidywać 1 (*to, co będzie*) foresee. **2** (*spodziewać się*) anticipate.

przewidzieć *zob.* **przewidywać**.
przewieźć *zob.* **przewozić**.
przewijać (*taśmę*) rewind.
przewinąć *zob.* **przewijać**.
przewodniczący chairman.
przewodniczyć preside.
przewodnik 1 (*osoba wskazująca drogę*) guide. 2 (*książka*) guidebook.
przewodzić 1 (*kierować*) lead. 2 (*prąd, ciepło*) conduct.
przewozić transport.
przewód 1 (*rura*) pipe. 2 (*elektryczny*) wire.
przewracać 1 (*powodować upadek*) overturn. 2 (*na drugą stronę*) overturn.
przewracać się 1 (*wywracać się*) fall down (over). 2 (*na drugą stronę*) turn over.
przewrócić *zob.* **przewracać**.
przewrócić się *zob.* **przewracać się**.
przewyższać surpass, exceed.
przewyższyć *zob.* **przewyższać**.
przez 1 (*o przestrzeni*) across, by, through: *przechodzić przez ulicę* walk across the street; *Jechałem do Sopotu przez Gdańsk.* I travelled to Sopot through Gdańsk. 2 (*o sposobie*) by, through, over, on: *rozmawiać przez telefon* speak on (over) the phone; *patrzeć przez okno* look through a window. 3 (*o czasie*) for, over: *przez chwilę* for a moment. 4 (*o przyczynie*) by, because of: *przez przypadek* by chance; *przez pomyłkę* by mistake.

przeziębiać się catch (a) cold.
przeziębić się *zob.* **przeziębiać się**.
przeziębienie cold.
przeznaczać intend, mean.
przeznaczenie 1 (*los*) destiny. 2 (*cel*) purpose.
przeznaczyć *zob.* **przeznaczać**.
przezorny prudent.
przezroczysty transparent.
przezwyciężać overcome.
przezwyciężyć *zob.* **przezwyciężać**.
przeżegnać się *zob.* **żegnać się**.
przeżuć *zob.* **żuć**.
przeżycie experience.
przeżyć *zob.* **przeżywać**.
przeżywać 1 (*o silnych emocjach*) experience: *Ciężko przeżyli śmierć ojca.* Their father's death was a great shock to them. 2 (*żyć jakiś czas*) live. 3 (*żyć dłużej od kogoś*) outlive. 4 (*utrzymywać się przy życiu*) survive.
przód front.
przy 1 (*o miejscu*) at, by, near: *przy biurku* at the desk; *siedzieć przy stole* sit at the table; *mieszkać przy ulicy* live in the street; *mieć przy sobie pieniądze* have money on sb. 2 (*o okoliczności*) at, by: *przy pracy* at work; *przy obiedzie* at dinner; *tańczyć przy muzyce* dance to the music; *porozmawiać o czymś przy lunchu* talk about sth over lunch. 3 (*o sposobie*) with: *przy pomocy kogoś* with sb's help.
przybliżać się draw near.

przybliżony approximate.
przybliżyć się *zob.* **przybliżać się**.
przybór 1 (*wody*) rise. **2** *l.mn.* **przybory** (*narzędzia*) articles, accessories.
przybycie arrival.
przybyć *zob.* **przybywać**.
przybysz newcomer.
przybywać 1 (*przychodzić*) come, arrive. **2** (*powiększać liczbę*) grow in numbers.
przychodnia outpatient clinic.
przychodzić come, arrive.
przychylny 1 (*życzliwy*) friendly. **2** (*o warunkach*) favourable.
przyciągać 1 (*ciągnąć*) pull. **2** (*nęcić*) lure.
przyciągnąć *zob.* **przyciągać**.
przycisk (*o kontakcie*) button.
przyciskać press, push: *przycisnąć guzik* press the button.
przycisnąć *zob.* **przyciskać**.
przyczepa (*campingowa*) caravan, (*ciężarówki*) trailer.
przyczepiać attach, fix.
przyczepić *zob.* **przyczepiać**.
przyczyna reason.
przyczyniać się contribute.
przyczynić się *zob.* **przyczyniać się**.
przydarzać się happen, occur.
przydarzyć się *zob.* **przydarzać się**.
przydatny helpful.
przydzielać assign.
przydzielić *zob.* **przydzielać**.
przyglądać się watch, observe.
przyglądnąć się *zob.* **przyglądać się**.

przygnębiać depress.
przygnębiający depressing.
przygnębić *zob.* **przygnębiać**.
przygnębienie depression.
przygoda adventure.
przygotować *zob.* **przygotowywać**.
przygotować się *zob.* **przygotowywać się**.
przygotowywać prepare.
przygotowywać się prepare.
przyjaciel 1 friend. **2** (*sympatia*) boyfriend.
przyjacielski friendly.
przyjaciółka 1 friend. **2** (*sympatia*) girlfriend.
przyjazd arrival.
przyjazny friendly.
przyjaźnić się be friends with.
przyjaźń friendship.
przyjąć *zob.* **przyjmować**.
przyjechać *zob.* **przyjeżdżać**.
przyjemnie pleasantly.
przyjemność pleasure.
przyjemny pleasant.
przyjeżdżać arrive, come.
przyjęcie 1 (*towarzyskie*) reception, party. **2** (*powitanie*) reception. **3** *godziny przyjęć* (*w urzędzie*) office hours. **4** (*do szkoły, szpitala*) admission. **5** (*akceptacja*) acceptance.
przyjmować 1 (*akceptować*) accept. **2** (*umożliwiać pobyt*) admit, receive. **3** (*zakładać*) assume: *Przyjmijmy, że* on tego nie zrobił. Let's assume that he didn't do that.
przyjrzeć się *zob.* **przyglądać się**.

przyjść *zob.* **przychodzić**.
przykazanie commandment.
przykleić *zob.* **przyklejać**.
przyklejać stick, glue.
przykład example.
przykręcać screw on.
przykręcić *zob.* **przykręcać**.
przykro disagreeably: *Bardzo mi przykro z tego powodu.* I'm very sorry about it.
przykrość 1 (*nieprzyjemne zdarzenie*) unpleasantness. **2** (*niemiłe uczucie*) distress: *sprawiać komuś przykrość* hurt sb.
przykry unpleasant.
przykryć *zob.* **przykrywać**.
przykrywać cover.
przykrywka lid.
przylądek cape.
przylepiać *zob.* **przyklejać**.
przylot arrival.
przymierzać try on: *Czy mogę przymierzyć tę sukienkę?* May I try on this dress?
przymierze alliance.
przymiotnik adjective.
przymus compulsion.
przynajmniej at least.
przynależność membership.
przynęta bait.
przynieść *zob.* **przynosić**.
przynosić bring, fetch.
przypadek 1 (*traf*) chance. **2** (*wypadek*) case.
przypadkowo accidentally.
przypadkowy accidental.

przypiąć *zob.* **przypinać**.
przypinać attach.
przypis footnote.
przypływ 1 (*morza*) (flow of the) tide, high tide. **2** (*napływ*) inflow.
przypominać 1 (*komuś*) remind: *Przypomnij mi, żebym podlała kwiaty.* Remind me to water the flowers. **2** (*pamiętać*) remember: *Nie mogę sobie przypomnieć jego numeru telefonu.* I can't remember (recall) his phone number.
przypomnieć *zob.* **przypominać**.
przyprawa spice.
przyprawiać 1 (*o przyprawach*) flavour (*AM* flavor), season. **2** (*powodować*) make.
przyprawić *zob.* **przyprawiać**.
przyprowadzać bring.
przyprowadzić *zob.* **przyprowadzać**.
przypuszczać suppose: *Przypuszczam, że ona nie przyjdzie.* I suppose she won't come.
przypuszczenie supposition.
przypuścić *zob.* **przypuszczać**.
przyroda nature.
przyrost increase.
przyrząd instrument.
przyrządzać make.
przyrządzić *zob.* **przyrządzać**.
przyrzec *zob.* **przyrzekać**.
przyrzekać promise.
przysiąc *zob.* **przysięgać**.
przysięga oath.
przysięgać swear (*że się coś zrobi* to do sth).

przysięgły sworn: *tłumacz przysięgły* sworn translator.

przysłać *zob.* **przysyłać**.

przysłowie proverb.

przysłówek adverb.

przysługa favour (*AM* favor).

przyspieszać 1 (*szybkość*) accelerate. **2** (*spotkanie*) speed up.

przyspieszyć *zob.* **przyspieszać**.

przystanek stop: *przystanek autobusowy* bus stop.

przystojny handsome.

przystosować *zob.* **przystosowywać**.

przystosować się *zob.* **przystosowywać się**.

przystosowanie adaptation.

przystosowywać adapt.

przystosowywać się adapt oneself, adjust (oneself).

przysyłać send.

przyszłość future: *w przyszłości* in (the) future.

przyszły future.

przyszyć *zob.* **przyszywać**.

przyszywać sew on.

przyśpieszać *zob.* **przyspieszać**.

przyśpieszyć *zob.* **przyspieszać**.

przytomność 1 (*świadomość*) consciousness: *stracić przytomność* lose consciousness. **2** (*rozsądek*) sense.

przytomny 1 (*świadomy*) conscious. **2** (*trzeźwo oceniający*) sharp.

przytulać hug.

przytulać się snuggle, snuggle up.

przytulić *zob.* **przytulać**.

przytulić się *zob.* **przytulać się**.

przytulny cosy.

przytwierdzać fix, attach.

przytwierdzić *zob.* **przytwierdzać**.

przywiązać *zob.* **przywiązywać**.

przywiązywać tie, tie up, attach.

przywieźć *zob.* **przywozić**.

przywilej privilege.

przywitać *zob.* **witać**.

przywitać się *zob.* **witać się**.

przywołać *zob.* **przywoływać**.

przywoływać call, summon.

przywozić bring.

przywódca leader.

przywództwo leadership.

przywracać restore.

przywrócić *zob.* **przywracać**.

przywyknąć *zob.* **przywykać**.

przyznać *zob.* **przyznawać**.

przyznać się *zob.* **przyznawać się**.

przyznawać 1 (*uznawać za słuszne*) admit. **2** (*udzielać*) grant.

przyznawać się admit: *przyznawać się do winy* (*w sądzie*) plead guilty.

przyzwoicie decently.

przyzwoitość decency.

przyzwoity decent.

przyzwyczaić *zob.* **przyzwyczajać**.

przyzwyczaić się *zob.* **przyzwyczajać się**.

przyzwyczajać accustom: *być przyzwyczajonym do robienia czegoś* be used to doing sth.

przyzwyczajać się get used to, get accustomed to, become accustomed to: *przyzwyczajać się do robienia czegoś* get used to doing sth; *przyzwyczajać się do nowego mieszkania* get used to a new flat.

przyzwyczajenie habit.

pseudonim pseudonym.

psuć spoil.

psuć się 1 (*o urządzeniu*) break down. **2** (*o żywności*) go bad.

psychiatra psychiatrist.

psychiczny mental.

psychika psyche.

psychoanalityk psychoanalyst.

psychologia psychology.

psychologiczny psychological.

pszczoła bee.

pszenica wheat.

ptak bird: *ptak drapieżny* bird of prey.

publicystyka journalism.

publicznie in public.

publiczność 1 (*ogół*) public. **2** (*widownia*) audience.

publiczny public.

publikować publish.

puch fluff.

puchar cup.

puchnąć swell.

puchowy down.

pudełko box.

puder powder.

puderniczka compact.

pudło box.

pukać knock.

puknąć *zob.* **pukać**.

pulchny plump.

pulower pullover.

puls pulse.

pulsować throb.

pułapka trap.

pułkownik colonel.

puma puma.

punkt point, (*programu*) item: *z mojego punktu widzenia* from my point of view.

punktualnie punctually.

punktualny punctual.

purpura crimson.

pustka void.

pusty empty.

pustynia desert.

puszcza forest.

puszczać 1 (*przestawać trzymać*) let go, release. **2** (*pozwalać odejść*) let (sb) go, let (sb) leave. **3** (*w obieg*) circulate. **4** (*uruchamiać*) *puszczać płytę* put on a record, play a record.

puszka tin, can.

puszysty fluffy.

puścić *zob.* **puszczać**.

pycha pride.

pył dust.

pysk 1 muzzle. **2** *nieform.* *Stul pysk!* Shut your trap!

pyszny 1 (*obiad*) delicious. **2** (*człowiek*) proud.

pytać ask, enquire: *pytać o cenę* ask the price; *pytać o drogę* ask the way; *pytać o zdanie* ask sb's opinion.

pytanie question: *odpowiedzieć na pytanie* answer a question; *zadawać pytanie* ask a question.

rabat discount.

rabować rob.

rabunek robbery.

rachować count.

rachunek 1 (*obliczanie*) calculation. **2** (*zapis wpływów i wydatków*) account. **3** (*do zapłacenia*) bill.

racja 1 (*słuszność*) right: ***Masz rację.*** You are right. **2** (*argument*) argument. **3** (*uzasadniony powód*) reason.

racjonalny rational.

raczej rather: *Karolina gra na skrzypcach, albo raczej na altówce.* Caroline plays the violin or rather viola.

rada 1 (*porada*) advice (*rzeczownik niepoliczalny – tylko w l.poj.*), counsel: ***dobra rada*** good advice; ***udzielić rady*** give (offer) advice. **2** (*zgromadzenie*) council. **3** ***Muszę dać sobie radę bez komórki.*** I must do without a mobile.; ***Damy sobie radę bez waszej pomocy.*** We'll manage without your help.

radar radar.

radca counsellor (*AM* counselor).

radio radio: ***słuchać radia*** listen to the radio; ***włączyć radio*** switch on (turn on) a radio; ***wyłączyć radio*** switch off (turn off) a radio.

radioaktywny radioactive.

radiostacja broadcasting station.

radosny happy.

radość joy.

radzić 1 (*udzielać rad*) advise. **2** (*naradzać się*) discuss. **3** (*radzić sobie*) manage.

rafa reef.

raj paradise.

rajstopy tights.

rak 1 (*skorupiak*) crayfish. **2** (*w medycynie*) cancer. **3** (*znak zodiaku*) ***Rak*** Cancer.

rakieta 1 (*kosmiczna*) rocket. **2** (*pocisk*) rocket. **3** (*tenisowa*) racket.

rama frame.

ramię 1 (*bark*) shoulder. **2** (*kończyna*) arm.

rana wound.

randka date: *randka w ciemno* blind date; *iść na randkę* go out (on a date).

ranić (*też przen.*) wound, hurt.

ranny 1 (*zraniony*) wounded, hurt. **2** (*poranny*) morning.

rano I (*poranek*) morning.

rano II (*przed południem*) in the morning: *dziś rano* this morning; *o szóstej rano* at six o'clock in the morning, at 6 am.

raport report.

rasa 1 (*ludzka*) race. **2** (*zwierząt*) breed.

rasista racist.

rasizm racism.

rasowy 1 (*o rasie ludzkiej*) racial: **dyskryminacja rasowa** racial discrimination. **2** (*o zwierzętach*) pedigree.

rata instalment.

ratować save, rescue.

ratownik rescuer, (*na plaży*) life guard.

ratunek help, rescue.

ratunkowy (*w wyrażeniu*): **kamizelka ratunkowa** life jacket, *AM* life preserver; **pogotowie ratunkowe** ambulance service, (*miejsce*) casualty department, *AM* emergency ward.

ratusz town hall, *AM* city hall.

raz I 1 (*cios*) blow. **2** (*wielokrotność*) time: (*jeden*) *raz* once; *dwa razy* twice, two times; *trzy razy* three times; *raz w tygodniu* once a week; *trzy razy w roku* three times a year; *dwa razy więcej niż* twice as much as; *jeszcze raz* once again; *za każdym razem* every time. **3** (*sytuacja*) case: *tym razem* this time.

raz II 1 (*zamiast liczebnika jeden*) one: *raz, dwa, trzy* one, two, three. **2** *razy* (*w matematyce*) times: *Trzy razy trzy równa się dziewięć.* Three times three equals nine.

razem together.

razowy wholemeal.

rażący 1 (*o świetle*) dazzling. **2** (*wyraźny*) flagrant.

rąbać 1 (*uderzać*) hit. **2** (*rozłupywać*) chop.

rączka (*uchwyt*) handle.

rdza rust.

rdzewieć rust.

reagować react.

reakcja reaction.

realistyczny realistic.

realizacja realization, production.

realizować realize, accomplish.

realny real.

reanimacja resuscitation.

recenzja review.

recepcja reception (desk).

recepcjonista receptionist.

recepta 1 prescription. **2** (*przepis*) recipe.

redakcja (*biuro*) editorial office.

redaktor editor: *redaktor naczelny* editor-in-chief.

redukcja reduction.

redukować reduce.

refleks (*odruch*) reflex.

reforma reform.

reformować reform.

refren refrain.

region region.

regionalny regional.

regulamin regulations.

regularny regular.

regulować 1 (*nastawiać*) regulate. **2** (*porządkować*) regulate. **3** (*płacić*) settle.

reguła rule.
rejestracja registration.
rejestrować register.
rejon district.
rejs cruise.
rekin shark.
reklama 1 (*reklamowanie*) advertising. **2** (*pojedyncza*) advertisement, ad, (*w radiu, TV*) commercial.
reklamacja complaint.
reklamować 1 (*propagować*) advertise. **2** (*zgłaszać*) lodge a complaint.
rekompensować compensate.
rekonstrukcja reconstruction.
rekord record.
relaks relaxation.
religia 1 (*wiara*) religion. **2** (*przedmiot szkolny*) Religious Education (RE).
religijny religious.
remanent stock taking.
remis draw.
remont repair.
remontować renovate.
rencista pensioner.
renesans 1 (*odrodzenie*) renaissance. **2** (*okres XIV-XVI w.*) the Renaissance.
renifer reindeer.
renta pension.
rentgen X-ray.
reporter reporter.
reprezentant representative.
reprezentować represent.
reprodukcja 1 (*kopia*) reproduction. **2** (*rozmnażanie*) reproduction.

republika republic.
reputacja reputation.
respektować respect.
restauracja restaurant.
reszta 1 (*pozostała część*) the rest. **2** (*pieniądze*) change.
reumatyzm rheumatism.
rewanż revenge.
rewanżować się reciprocate.
rewidować search.
rewizja search.
rewolucja revolution.
rewolucyjny revolutionary.
rezerwa reserve.
rezerwacja booking, reservation.
rezerwat reserve.
rezerwować book, reserve.
rezultat result.
rezygnować resign.
reżyser director, producer.
ręcznik towel.
ręczny 1 (*wykonany*) hand-made. **2** (*obsługiwany*) hand.
ręka 1 (*dłoń*) hand: *trzymać coś w ręku* hold sth in one's hand; *uścisnąć komuś rękę* shake sb's hand; *Ręce do góry!* Hands up! **2** (*ramię*) arm: *iść z kimś pod rękę* walk arm-in-arm. **3** *prosić kogoś o rękę* ask for sb's hand.
rękaw sleeve: *bluzka z długimi rękawami* long-sleeved blouse; *bluzka z krótkimi rękawami* short-sleeved blouse; *bez rękawów* sleeveless.
rękawiczka glove.

ring ring.

robak worm.

robić 1 (*wytwarzać*) make, produce: *robić śniadanie* make breakfast; *robić herbatę* make tea; *Ta torba jest zrobiona z plastiku.* This bag is made of plastic. **2** (*postępować*) make, do: *robić błąd* make a mistake; *robić komuś krzywdę* do sb harm; *robić notatki* take notes; *robić pranie* do the washing; *robić wysiłek* make an effort; *robić zakupy* do the shopping; *robić zadanie domowe* do homework; *robić zdjęcie* take a photograph (photo); *Co robisz?* What are you doing?; *Co robisz dziś wieczorem?* What are you doing this evening?

robić się (*stawać się*) grow, become, go: *Robi się ciemno*. It's getting (growing) dark.

robot robot.

robota work.

robotnik worker.

rocznica anniversary.

rodzaj 1 (*gatunek*) kind, sort: *coś w tym rodzaju* something of the kind. **2** (*w gramatyce*) gender.

rodzeństwo siblings, brothers and sisters: *Czy masz jakieś rodzeństwo?* Have got any brothers or sisters?

rodzice parents.

rodzić 1 (*potomstwo*) give birth to, bear. **2** (*o roślinach*) yield, produce.

rodzić się be born.

rodzina family.

rodzinny family.

rodzynek raisin.

rogalik roll.

rok 1 year: *rok akademicki* academic year; *rok szkolny* school year; *przez cały rok* all year round; *w zeszłym roku* last year; *w tym roku* this year; *w przyszłym roku* next year. **2** *l.mn.* **lata**: *Ile masz lat?* How old are you?; *Mieszkamy tu od trzech lat.* We've been living here for three years. **3** *Szczęśliwego Nowego Roku!* (a) Happy New Year!

rokowania negotiations.

rola 1 (*znaczenie*) role. **2** (*aktora*) role, part.

roleta roller blind.

rolka 1 roll. **2** (*łyżworolka*) *nieform.* Rollerblade®.

rolnictwo agriculture.

rolniczy agricultural.

rolnik farmer.

romans 1 (*w literaturze*) romance. **2** (*powieść*) love story. **3** (*przygoda*) love affair.

romantyczny romantic.

romantyk romantic.

romantyzm 1 (*cecha*) romanticism. **2** (*prąd*) Romanticism.

rondel pan.

ronić 1 (*dziecko*) miscarry. **2** (*lać*) shed: *ronić łzy* shed tears.

ropa 1 (*wydzielina*) puss. **2** (*naftowa*) oil.

ropucha toad.

rosa dew.

rosnąć 1 grow. **2** (*zwiększać się*) increase, rise.

rosyjski Russian.

roślina plant.

roślinny vegetable.

rower bicycle, *nieform.* bike.

rozbić *zob.* **rozbijać.**

rozbierać 1 (*ubranie*) undress (*kogoś* sb). **2** (*na części*) dismantle. **3** (*burzyć*) pull down.

rozbierać się undress.

rozbijać 1 (*tłuc*) break, smash: **rozbić szybę** break a window. **2** (*zniszczyć*) smash. **3** (*część ciała*) injure, hurt.

rozbiór 1 (*analiza*) analysis. **2** (*państwa*) partition.

rozbrajać 1 (*pozbawić broni*) disarm. **2** (*o bombie*) defuse.

rozbroić *zob.* **rozbrajać.**

rozbrojenie disarmament.

rozbudować *zob.* **rozbudowywać.**

rozbudowywać enlarge.

rozchodzić się 1 (*o grupie ludzi*) break up. **2** (*o małżeństwie*) split up, (*rozwodzić się*) divorce. **3** (*rozprzestrzeniać się*) spread.

rozciągać się 1 (*rozprostowywać się*) stretch. **2** (*rozpościerać się*) extend.

rozciągnąć się *zob.* **rozciągać się.**

rozczarować *zob.* **rozczarowywać.**

rozczarować się *zob.* **rozczarowywać się.**

rozczarowanie disappointment.

rozczarowywać disappoint.

rozczarowywać się be disappointed.

rozdać *zob.* **rozdawać.**

rozdawać distribute.

rozdrażniony annoyed.

rozdwajać split.

rozdwoić *zob.* **rozdwajać.**

rozdział 1 (*obdzielenie*) distribution. **2** (*oddzielenie*) division. **3** (*książki*) chapter.

rozdzielać 1 (*obdzielać*) divide. **2** (*rozłączać*) separate. **3** (*przedzielać*) separate.

rozdzielić *zob.* **rozdzielać.**

rozebrać *zob.* **rozbierać.**

rozejm truce.

rozejrzeć się *zob.* **rozglądać się.**

rozerwać się *zob.* **rozrywać się.**

roześmiać się burst out laughing.

rozgaszczać się make oneself comfortable.

rozglądać się look about, look around.

rozglądnąć się *zob.* **rozglądać się.**

rozgniewać się get angry.

rozgoryczony embittered.

rozgościć się *zob.* **rozgaszczać się.**

rozgrzać *zob.* **rozgrzewać.**

rozgrzeszać absolve.

rozgrzeszenie absolution.

rozgrzeszyć *zob.* **rozgrzeszać.**

rozgrzewać warm, warm up.

rozkaz command.

rozkazać *zob.* **rozkazywać.**

rozkazujący imperative.
rozkazywać order.
rozkład 1 (*plan*) timetable: *rozkład jazdy pociągów* train timetable; *rozkład zajęć w szkole* school timetable. **2** (*rozmieszczenie*) arrangement.
rozkładać 1 (*rozpościerać*) spread. **2** (*rozmieszczać*) put. **3** (*na części*) take to pieces.
rozkosz delight.
rozkwitać (*kwiatami*) bloom.
rozkwitnąć *zob.* **rozkwitać**.
rozlać *zob.* **rozlewać**.
rozległy vast, extensive.
rozlewać 1 (*wylać*) spill. **2** (*do naczyń*) pour out.
rozładować *zob.* **rozładowywać**.
rozładowywać 1 (*wyładowywać*) unload. **2** (*napięcie*): *rozładować akumulator* discharge a battery; *przen.* *rozładować napięcie* relieve tension.
rozłączać disconnect, cut off: *Rozmowa telefoniczna została rozłączona.* The telephone conversation has been cut off.
rozłączyć *zob.* **rozłączać**.
rozłożyć *zob.* **rozkładać**.
rozmawiać speak, talk: *rozmawiać przez telefon* talk on the phone; *Czy mogę rozmawiać z Andrzejem?* May I speak to Andrew?
rozmiar size, proportion: *Jaki rozmiar pan nosi?* What size do you wear?

rozmieniać change (a banknote).
rozmienić *zob.* **rozmieniać**.
rozmieszczać arrange.
rozmieścić *zob.* **rozmieszczać**.
rozmnażać breed.
rozmnażać się breed, reproduce.
rozmnażanie reproduction.
rozmnożyć *zob.* **rozmnażać**.
rozmnożyć się *zob.* **rozmnażać się**.
rozmontować *zob.* **rozmontowywać**.
rozmontowywać dismantle.
rozmowa conversation, talk: *rozmowa telefoniczna* telephone conversation; *rozmowa międzymiastowa* trunk call, *AM* long-distance call.
rozmowny talkative.
rozmrażać defrost.
rozmrozić *zob.* **rozmrażać**.
rozmyślać meditate.
roznieść *zob.* **roznosić**.
roznosić 1 (*dostarczać*) deliver. **2** (*choroby*) spread.
rozpacz despair.
rozpaczać despair.
rozpaczliwy desperate.
rozpad disintegration.
rozpadać się disintegrate, fall to pieces.
rozpakować *zob.* **rozpakowywać**.
rozpakować się *zob.* **rozpakowywać się**.
rozpakowywać unpack.
rozpakowywać się unpack.
rozpalać 1 (*o ogniu*) light. **2** (*rozgrzać*) heat.

rozpalić *zob.* **rozpalać**.

rozpaść się *zob.* **rozpadać się**.

rozpiąć *zob.* **rozpinać**.

rozpieszczać spoil.

rozpieścić *zob.* **rozpieszczać**.

rozpinać (*odpinać*) undo, (*o guziku*) unbutton, (*o zamku błyskawicznym*) unzip.

rozplątać *zob.* **rozplątywać**.

rozplątywać untangle.

rozpłakać się burst into tears.

rozpocząć *zob.* **rozpoczynać**.

rozpocząć się *zob.* **rozpoczynać się**.

rozpoczęcie beginning.

rozpoczynać start, begin.

rozpoczynać się start, begin: *Lekcje rozpoczynają się o 8.00*. The lessons start (begin) at 8.00.

rozporek fly, flies.

rozporządzenie order.

rozpostrzeć *zob.* **rozpościerać**.

rozpościerać spread.

rozpowszechniać propagate.

rozpowszechnić *zob.* **rozpowszechniać**.

rozpoznać *zob.* **rozpoznawać**.

rozpoznawać 1 (*coś znajomego*) recognize. 2 (*w medycynie*) diagnose.

rozprawa 1 (*sądowa*) trial, hearing. 2 (*naukowa*) dissertation.

rozprostować *zob.* **rozprostowywać**.

rozprostowywać straighten.

rozprzestrzeniać spread.

rozprzestrzeniać się spread.

rozprzestrzenić *zob.* **rozprzestrzeniać**.

rozprzestrzenić się *zob.* **rozprzestrzeniać się**.

rozpusta dissipation.

rozpuszczać 1 (*w cieczy*) dissolve. 2 (*roztapiać*) melt. 3 (*o dziecku*) spoil.

rozpuszczalnik solvent.

rozpylać spray.

rozpylić *zob.* **rozpylać**.

rozrodczy reproductive.

rozróżniać distinguish.

rozróżnić *zob.* **rozróżniać**.

rozrywać się 1 (*rozdzierać się*) get torn. 2 (*o rozrywce*) amuse oneself.

rozrywka entertainment.

rozrywkowy entertainment.

rozrzutny extravagant.

rozsądek reason: *zdrowy rozsądek* common sense.

rozsądny reasonable, sensible.

rozstać się *zob.* **rozstawać się**.

rozstanie parting.

rozstawać się part, separate.

rozstrzygać decide.

rozstrzygający conclusive.

rozstrzygnąć *zob.* **rozstrzygać**.

rozsypać *zob.* **rozsypywać**.

rozsypywać spill.

rozszarpać *zob.* **rozszarpywać**.

rozszarpywać tear to pieces.

rozszerzać widen.

rozszerzać się 1 (*stawać się szerszym*) widen. 2 (*stawać się większym*) expand.

rozszerzyć *zob.* **rozszerzać**.

rozszerzyć się *zob.* **rozszerzać się**.

rozszyfrować *zob.* **rozszyfrowywać**.

rozszyfrowywać decipher.

rozśmieszać make (sb) laugh.

rozśmieszyć *zob.* **rozśmieszać**.

roztapiać melt.

roztargniony absent-minded.

roztopić *zob.* **roztapiać**.

roztropny prudent.

roztrzaskać *zob.* **roztrzaskiwać**.

roztrzaskiwać smash.

roztwór solution.

rozum 1 reason, intellect. **2** (*rozsądek*) sense.

rozumieć understand: *Nie rozumiem ani słowa.* I don't understand a word.; *A, rozumiem.* Oh, I see.

rozumieć się 1 (*wzajemnie*) understand each other. **2** (*być rozumianym*) be understood.

rozumienie comprehension.

rozumny rational.

rozwaga consideration.

rozważać consider.

rozważny cautious.

rozważyć *zob.* **rozważać**.

rozwiązać *zob.* **rozwiązywać**.

rozwiązanie 1 (*rozstrzygnięcie*) solution. **2** (*likwidacja*) dissolution.

rozwiązywać 1 (*rozsupływać*) untie, undo. **2** (*likwidować*) dissolve. **3** (*rozwiązanie*) solve.

rozwiedziony divorced.

rozwieść się *zob.* **rozwodzić się**.

rozwijać 1 (*rozpościerać*) unfold. **2** (*rozkręcać*) unwind. **3** (*z opakowania*) unwrap. **4** (*rozbudowywać*) develop.

rozwijać się 1 (*o roślinach*) blossom out. **2** (*stadia rozwoju*) develop. **3** (*pomyślnie*) flourish.

rozwinąć *zob.* **rozwijać**.

rozwinąć się *zob.* **rozwijać się**.

rozwodnik divorcee.

rozwodzić się get divorced.

rozwód divorce.

rozwódka divorcee.

rozwój development.

rozzłościć się get angry.

ród 1 (*rodzina*) family. **2** (*dynastia*) house.

róg 1 (*u zwierząt*) horn. **2** (*kąt*) corner: *tuż za rogiem* just round the corner.

rój swarm.

rów ditch.

równać się (*wynosić*) be equal, equal: *2 plus 3 równa się 5.* 2 plus 3 equals 5.

równanie equation.

równie equally.

również too, also, as well, (*przecząc*) either: *Zamówił również stolik.* He booked a table as well.; *My również jesteśmy zaskoczeni.* We are surprised, too.; *Ona również nie przeczytała tej książki.* She didn't read the book either.

równik equator.

równina plain.

równo 1 (*gładko*) evenly. **2** (*prosto*) straight. **3** (*miarowo*) regularly.

równoczesny simultaneous.

równocześnie at the same time.

równoległy parallel.

równoleżnik parallel.

równorzędny equivalent.

równość equality.

równowaga balance.

równowartość equivalent.

równoważny equivalent.

równoznaczny equivalent, synonymous.

równy 1 (*gładki*) even, smooth. **2** (*prosty*) straight. **3** (*jednakowy*) equal. **4** (*rytmiczny*) even.

róża rose.

różnica difference.

różnić się differ (*od czegoś* from sth), be different (from sth).

różnorodność diversity.

różny 1 (*rozliczny*) various. **2** (*różniący się*) different.

różowy pink.

rtęć mercury.

rubryka column.

ruch 1 (*przemieszczanie się*) motion, movement. **2** (*sposób*) motion. **3** (*wysiłek*) exercise. **4** (*ożywienie*) activity. **5** (*pojazdów*) traffic.

ruchliwy 1 (*o wzmożonym ruchu*) busy. **2** (*żwawy*) lively.

ruchomy 1 (*w ruchu*) moving. **2** (*przenośny*) movable.

ruda ore.

rudy red, ginger.

ruina 1 (*zniszczenia*) ruin. **2** (*o człowieku*) wreck. **3** *l.mn.* **ruiny** (*pozostałości budynku*) ruins.

rujnować ruin.

ruletka roulette.

rulon roll.

rum rum.

rumienić się blush.

rumieniec blush.

runda 1 (*etap*) round. **2** (*okrążenie bieżni*) lap.

rura pipe.

rurka tube.

rurociąg main.

ruszać 1 (*wyruszać*) set off, set out, start: *ruszać w podróż* set off (out) on a journey. **2** (*dotykać*) touch. **3** (*wykonywać ruch*) move.

ruszać się move: *Nie ruszaj się*. Don't move.

ruszt grate, grill.

ruszyć *zob.* **ruszać**.

ruszyć się *zob.* **ruszać się**.

rutyna 1 (*nawyk*) routine. **2** (*biegłość*) practice.

rwać 1 (*drzeć*) tear. **2** (*zrywać*) pick.

rwać się 1 (*ulegać zerwaniu*) get broken. **2** (*ulegać podarciu*) get torn. **3** *nieform.* **rwać się do bitki** be spoiling for a fight.

ryba 1 fish: *iść na ryby* go fishing; *łowić ryby* fish. **2** *Ryby* (*znak zodiaku*) Pisces.

rybak fisherman.

rycerz knight.

ryczeć roar.

ryj snout.
ryk roar.
ryknąć *zob.* **ryczeć**.
rym rhyme.
rymować się rhyme.
rynek 1 (*miasta*) market (square).
   2 (*w ekonomii*) market.
rynkowy market.
rynna drain-pipe.
rysować 1 (*szkicować*) draw. **2** (*robić rysy*) scratch.
rysunek drawing, illustration.
rytm rhythm.
rytmiczny rhythmical.
rywal rival.
rywalizacja competition.
rywalizować rival, compete.
ryzyko risk.
ryzykować risk.
ryzykowny risky.
ryż rice.
rzadki 1 (*o konsystencji*) thin. **2** (*rozproszony*) thin: *rzadkie włosy* thin hair. **3** (*rzadko występujący*) rare.
rzadko 1 (*o gęstości*) thinly. **2** (*nieczęsto*) rarely. **3** (*z przyimkiem lub przysłówkiem*) hardly: *rzadko kiedy* hardly ever; *rzadko kto* hardly anybody.
rząd 1 (*naczelny organ władzy*) government. **2** (*sprawowanie władzy*) rule. **3** (*szereg*) row.
rządzić govern.
rzecz 1 (*przedmiot*) thing, object: *spakować swoje rzeczy* pack one's things. **2** (*sprawa*) thing.

rzecznik spokesman.
rzeczownik noun.
rzeczowy 1 (*dotyczący rzeczy*) material. **2** (*obiektywny*) objective.
rzeczoznawca expert.
rzeczywistość reality: *wirtualna rzeczywistość* virtual reality.
rzeczywisty real.
rzeczywiście really.
rzeka river: *rzeka Wisła* the Vistula river; *nad rzeką* on the river bank.
rzekomy alleged.
rzemieślnik craftsman.
rzemiosło handicraft, craft.
rzetelny 1 (*o człowieku*) reliable. **2** (*dokładny*) sound.
rzeźba sculpture.
rzeźbiarz sculptor.
rzeźbić sculpt.
rzeźnia slaughterhouse.
rzeźnik butcher.
rzęsa eyelash: *tusz do rzęs* mascara.
rzucać 1 (*ciskać*) throw, cast. **2** *przen.* (*kierować*) cast: *rzucać na coś okiem* cast one's eye over sth; *rzucać na kogoś urok* cast a spell on sb. **3** (*zaniechać*) give up, quit: *rzucać palenie* give up smoking. **4** (*opuszczać*) abandon, leave: *Rzuciłam go.* I left him., I walked out on him.
rzucić *zob.* **rzucać**.
rzut throw.
rzymskokatolicki Roman Catholic.
rżeć neigh.

S

sabotaż sabotage.

sabotować sabotage.

sad orchard.

sadysta sadist.

sadystyczny sadistic.

sadyzm sadism.

sadza soot.

sadzać seat.

sadzawka pond.

sadzić plant.

saga saga.

sakrament sacrament.

saksofon saxophone.

sala room, ward.

salon 1 (*dla gości*) drawing room. **2** (*lokal*) parlour (*AM* parlor).

sałata lettuce.

sałatka salad.

sam I 1 (*bez pomocy*) oneself (*odpowiednio*: myself, yourself, himself, herself, itself, ourselves, yourselves, themselves): *Zrobiłem to sam.* I did it myself.; *Zrobiła to sama.* She did it herself. **2** (*samotny*) (all) alone, by oneself: *mieszkać samemu w domu* live all alone in a house. **3** *ten sam* the same.

samica female.

samiec male.

samobójca suicide.

samobójstwo suicide: *popełnić samobójstwo* commit suicide.

samochodowy car: *wypadek samochodowy* car crash, car accident.

samochód car.

samodzielny 1 (*niezależny*) independent. **2** (*odrębny*) separate.

samogłoska vowel.

samolot plane, *BR* aeroplane, *AM* airplane: *lecieć samolotem* go by plane.

samolubny egoistic.

samoobrona self-defence (*AM* self-defense).

samoobsługowy self-service.

samopoczucie feeling.

samotność loneliness.

samotny 1 (*osamotniony*) lonely, solitary: *czuć się samotnym* feel lonely. **2** (*bez partnera*) single.

samowystarczalny self-sufficient.

sanatorium sanatorium, *AM* sanitarium.

sandał sandal.

sanie sleigh, sledge.

sanitarny sanitary.

sanki sledge, *AM* sled: *jeździć na sankach* sledge (*AM* sled).

sanktuarium sanctuary, shrine.

sapać pant.

saper sapper.
sapnąć *zob.* **sapać**.
sardynka sardine.
sarkazm sarcasm.
sarna roe deer.
satanista satanist.
satelita satellite.
satelitarny satellite: *antena sateli-tarna* satellite dish.
satyra satire.
satyryczny satirical.
satysfakcja satisfaction.
satysfakcjonujący satisfying, satis-factory.
sauna sauna.
sączyć sip.
sąd 1 (*organ*) law court: *podawać kogoś do sądu* sue sb; *zeznawać w sądzie* testify in court. 2 (*gmach*) courthouse. 3 (*opinia*) opinion.
sądowy judicial.
sądzić 1 (*w sądzie*) judge. 2 (*oce-niać*) judge. 3 (*mniemać*) suppose, think: *Sądzę, że tak.* I think so.; *Nie sądzę.* I don't think so.
sąsiad neighbour (*AM* neighbor).
sąsiadka neighbour (*AM* neighbor).
sąsiedni adjoining.
sąsiedztwo neighbourhood (*AM* neighborhood).
scena 1 (*w teatrze*) stage. 2 (*część utworu*) scene.
scenariusz screenplay.
scenograf stage designer.
sceptycyzm scepticism.
sceptyczny sceptical.

schemat 1 (*ogólny plan*) draft. 2 (*wzór*) pattern.
schludny neat.
schnąć (*stawać się suchym*) dry.
schody stairs: *wchodzić (schodzić) po schodach* go up (go down) the stairs; *ruchome schody* escalator.
schodzić (*w dół*) go down, climb down.
schować *zob.* **chować**.
schować się *zob.* **chować się**.
schron shelter.
schronić się *zob.* **chronić się**.
schronienie shelter.
schronisko 1 shelter. 2 (*górskie*) mountain chalet.
schrupać *zob.* **chrupać**.
schudnąć *zob.* **chudnąć**.
schylać się bend down.
schylić się *zob.* **schylać się**.
schyłek decline, *przen.* twilight.
scyzoryk penknife.
sedno heart.
segment segment.
segregacja segregation.
segregator file.
segregować classify.
sejf safe.
sejm Parliament.
sejmowy parliamentary.
sekret secret.
sekretariat secretariat.
sekretarka secretary.
sekretarz secretary.
seks sex: *uprawiać seks* have sex.
seksualny sexual.
sekta sect.

sektor sector.

sekunda second.

semestr semester, term.

seminarium 1 (*zajęcia*) seminar. **2** (*duchowne*) seminary.

sen 1 (*stan*) sleep. **2** (*marzenie senne*) dream.

senat senate.

senator senator.

senny (*zmęczony*) sleepy.

sens 1 (*cel*) sense. **2** (*znaczenie*) meaning.

sensacyjny sensational.

sensowny sensible.

sentymentalny sentimental.

separacja separation.

seplenić lisp.

ser 1 cheese. **2** (*ser biały*) cottage cheese.

serce (*też przen.*) heart: *atak serca* heart attack; *bez serca* heartless; *z całego serca* whole-heartedly; *Kamień spadł mi z serca.* It's a weight off my heart.

serdecznie cordially: *Serdecznie dziękuję.* Thank you very much., Thanks a lot.

serdeczny cordial.

seria series.

serial serial, (TV) series.

serio seriously: *Mówisz serio?* Are you serious?

serweta tablecloth.

serwetka table napkin.

serwis 1 (*komplet*) set. **2** (*obsługa*) service. **3** (*w sporcie*) serve.

serwować serve.

sesja session.

setny hundredth.

sezon season.

sezonowy seasonal.

sędzia 1 (*w sądzie*) judge. **2** (*w piłce nożnej*) referee, (*w tenisie*) umpire.

sęp vulture.

sfałszować *zob.* **fałszować**.

sfera sphere: *wyższe sfery* upper classes.

sfermentować *zob.* **fermentować**.

sfilmować *zob.* **filmować**.

sfinansować *zob.* **finansować**.

sformatować *zob.* **formatować**.

sformułować *zob.* **formułować**.

sfotografować *zob.* **fotografować**.

siać 1 (*ziarno*) sow. **2** (*przesiewać*) sift.

siadać sit (down): *siadać na krześle* sit on a chair.

siano hay.

siarka sulphur.

siatka net.

siatkówka 1 (*oka*) retina. **2** (*sport*) volleyball.

siąkać blow one's nose.

siąknąć *zob.* **siąkać**.

siąść *zob.* **siadać**.

siebie 1 (*zaimek zwrotny*) oneself (*odpowiednio:* myself, yourself, himself, herself, itself, ourselves, yourselves, themselves): *Uważaj na siebie.* Look after yourself. **2** (*zaimek osobowy w funkcji dopełnie-*

nia) me (you, him, her, it, us, you, them): *Weź mnie ze sobą.* Take me with you.; *Nie mam przy sobie broni.* I have no gun on me. **3** (*siebie nawzajem*) each other, (*o większej liczbie osób*) one another: *pisać do siebie* write to each other.

sieć 1 net. **2** Internet, Net.

siedem seven.

siedemdziesiąt seventy.

siedemdziesiąty 1 seventieth. **2** *lata siedemdziesiąte* the seventies.

siedemnasty 1 seventeenth. **2** *jest siedemnasta (godzina)* it's five pm; *o siedemnastej (godzinie)* at five pm. **3** *siedemnastego maja* (*coś się stało*) on May 17th. **4** *strona siedemnasta* page seventeen.

siedemnaście seventeen.

siedemset seven hundred.

siedziba abode, seat.

siedzieć sit.

siekać chop up.

siekiera axe.

sierociniec orphanage.

sierota orphan.

sierpień August: *ósmego sierpnia* (*coś się stało*) on August 8th.

sierść hair.

sierżant sergeant.

się 1 (*w stronie biernej*): *Mówi się o niej, że jest kapryśna.* She is said to be whimsical. **2** (*w zdaniach nieosobowych*) one, you: *Nie należy się wstydzić.* One should not feel embarassed., You should

not feel embarassed. **3** (*w zdaniach bezpodmiotowych*): *Robi się zimno.* It's getting cold. **4** (*część czasownika zwrotnego*) myself, yourself, himself, herself, itself, ourselves, yourselves, themselves (*lub nie tłumaczy się*): *Obejrzałam się za siebie.* I looked back., I looked over my shoulder.; *dobrze się bawić* enjoy oneself; *skaleczyć się* cut oneself. **5** (*jeden drugiego*) each other: *znać się od dawna* know each other. **6** (*zob.* **siebie**): *obejrzeć się uważnie w lustrze* look at oneself carefully in the mirror.

sięgać reach.

sięgnąć *zob.* **sięgać**.

silnik engine.

silny 1 (*mocny*) strong. **2** (*intensywny*) intense.

siła 1 (*moc*) strength, force. **2** (*natężenie*) intensity.

siniak bruise.

siodło saddle.

siostra 1 (*pokrewieństwo*) sister. **2** (*zakonna*) sister, nun. **3** (*pielęgniarka*) nurse.

siostrzenica niece.

siostrzeniec nephew.

siódmy 1 seventh. **2** *jest siódma (godzina)* it's seven (o'clock). *o siódmej (godzinie)* at seven. **3** *siódmego maja* (*coś się stało*) on May 7th. **4** *strona siódma* page seven.

sito sieve.

siwieć become grey, turn grey.

siwy grey (*AM* gray).

skakać jump, leap.

skakanka skipping rope.

skala scale.

skaleczenie cut.

skaleczyć *zob.* **kaleczyć**.

skaleczyć się *zob.* **kaleczyć się**.

skalisty rocky.

skała rock.

skandal scandal.

skandaliczny scandalous.

skaner scanner.

skanować scan.

skapitulować *zob.* **kapitulować**.

skarb treasure.

skarcić *zob.* **karcić**.

skarga complaint.

skarpetka sock.

skarżyć (*w sądzie*) sue.

skarżyć się complain (*na coś* about sth).

skaza flaw.

skazać *zob.* **skazywać**.

skazany (*skazaniec*) convict.

skazywać 1 (*wydać wyrok*) sentence. **2** (*przesądzić*) be doomed.

skąd where from, from where: *Skąd jesteś?* Where are you from?; *Skąd to wziąłeś?* Where did you get it from?; *Skąd wiesz?* How do you know?

skąpiec miser.

skąpstwo avarice.

skąpy 1 (*chciwy*) mean, stingy. **2** (*zbyt mały*) scanty.

skierować *zob.* **skierowywać**.

skierowywać 1 (*wysyłać*) send. **2** (*w jakąś stronę*) direct.

skinąć (*głową*) nod.

sklasyfikować *zob.* **klasyfikować**.

sklep shop, *AM* store.

skład 1 (*magazyn*) warehouse. **2** (*zbiór*) composition: *wchodzić w skład czegoś* belong to sth.

składać 1 (*ubranie, kartkę*) fold. **2** (*parasol*) furl. **3** (*urządzenie*) put together, assemble. **4** (*dokumenty*) hand in, turn in. **5** (*propozycję, obietnicę*) make. **6 składać podpis** sign, put one's signature. **7 składać jaja** lay eggs. **8 składać wniosek o coś** apply for sth.

składać się 1 (*np. o leżaku*) fold up. **2** *nieform.* (*robić składkę*) chip in. **3 składać się z czegoś** consist of sth. **4 dobrze (źle) się składa, że...** it's fortunate (unfortunate) that...

składka 1 (*pieniężna*) collection. **2** (*wspólny fundusz*) subscription.

składnik ingredient.

skłaniać 1 (*wpływać*) induce. **2** (*pochylać*) incline.

skłonić *zob.* **skłaniać**.

skłonność inclination.

skoczek 1 jumper. **2** (*spadochronowy*) parachutist. **3** (*w szachach*) knight.

skoczyć *zob.* **skakać**.

skojarzenie association.

skojarzyć *zob.* **kojarzyć**.

skojarzyć się *zob.* **kojarzyć się**.

skok jump, leap.

skomentować *zob.* **komentować**.

skomplikować *zob.* **komplikować**.

skomplikowany complicated.

skomponować *zob.* **komponować**.

skompromitować *zob.* **kompromito-wać**.

skoncentrować *zob.* **koncentrować**.

skonfiskować *zob.* **konfiskować**.

skonstruować *zob.* **konstruować**.

skonsultować *zob.* **konsultować**.

skonsultować się *zob.* **konsultować się**.

skontaktować *zob.* **kontaktować**.

skontaktować się *zob.* **kontaktować się**.

skończony 1 (*kompletny*) utter, complete. **2** (*zakończony*) finished.

skończyć *zob.* **kończyć**.

skończyć się *zob.* **kończyć się**.

skopiować *zob.* **kopiować**.

skorowidz index.

skorpion 1 scorpion. **2** *Skorpion* (*znak zodiaku*) Scorpio.

skorupa crust.

skorupka shell.

skorzystać *zob.* **korzystać**.

skosić *zob.* **kosić**.

skowronek lark.

skóra 1 (*człowieka*) skin. **2** (*wyprawiona*) leather. **3** (*na owocu*) skin.

skórzany leather.

skracać shorten.

skraj brink, edge.

skrajny extreme.

skraść *zob.* **kraść**.

skreślać cross out, delete.

skreślić *zob.* **skreślać**.

skręcać 1 (*kręcić*) twist. **2** (*zmieniać kierunek*) turn: *skręcać ostro w prawo* turn sharply to the right.

skręcić *zob.* **skręcać**.

skrępowany embarrassed.

skrobia starch.

skromność modesty.

skromny 1 (*człowiek*) modest. **2** (*niepokaźny*) frugal.

skroń temple.

skrócić *zob.* **skracać**.

skrót 1 (*skrócona wersja utworu*) summary. **2** (*krótsza droga*) shortcut. **3** (*wyrazu*) abbreviation. **4** *w skrócie* in short.

skrupulatny scrupulous.

skrupuł scruple.

skruszony remorseful.

skryty secretive.

skrytykować *zob.* **krytykować**.

skrzydło 1 (*ptaka*) wing. **2** (*część budynku*) wing. **3** (*w wojsku*) flank.

skrzynia box, case.

skrzynka box: *skrzynka pocztowa* postbox, *AM* mailbox.

skrzypce violin: *grać na skrzypcach* play the violin.

skrzywdzić *zob.* **krzywdzić**.

skrzyżować *zob.* **krzyżować**.

skrzyżowanie junction.

skserować *zob.* **kserować**.

skupiać się 1 (*gromadzić się*) assemble. **2** (*koncentrować myśli*) concentrate.

skupić się *zob.* **skupiać się**.

skurcz cramp.

skurwysyn *nieform. wulg.* motherfucker.

skuteczny effective.

skutek effect.

skwer square.

slang slang.

slumsy slums.

słabnąć weaken.

słabo 1 weakly. **2 Jest mi słabo.** I feel faint.

słabość weakness.

słaby 1 (*o człowieku*) weak. **2** (*nikły*) poor.

słać 1 (*wysyłać*) send. **2** (*pościel*) make the bed.

sława 1 (*rozgłos*) fame. **2** (*reputacja*) reputation.

sławny famous (*z czegoś* for sth).

słodki sweet.

słodycz 1 sweetness. **2** *l.mn.* **słodycze** sweets, *AM* candy.

słodzić sweeten: **Słodzisz herbatę?** Do you take sugar in your tea?

słoik jar.

słoma straw.

słomka straw.

słonecznik sunflower.

słoneczny 1 (*pełen słońca*) sunny. **2** (*o słońcu*) sun: **udar słoneczny** sunstroke.

słony salty, salt.

słoń elephant.

słońce sun.

Słowianin Slav.

słowiański Slavic, Slavonic.

słowik nightingale.

słownictwo vocabulary.

słownik dictionary.

słowny 1 (*ze słów*) verbal. **2** (*dotrzymujący słowa*) reliable.

słowo 1 (*wyraz*) word: **jednym słowem** in a word; **innymi słowy** in other words; **Co znaczy to słowo?** What does this word mean? **2** (*mowa*) word, speech. **3** (*obietnica*) word: **dać komuś słowo** give sb one's word.

słój jar.

słuch hearing.

słuchacz 1 (*słuchający*) listener. **2** (*kursu*) student.

słuchać 1 (*czegoś*) listen: **słuchać muzyki** listen to music. **2** (*być posłusznym*) obey.

słuchawka 1 *l.mn.* **słuchawki** (*do radia*) headphones, earphones. **3** (*telefoniczna*) receiver: **odłożyć słuchawkę** put down the receiver.

sługa servant.

słup pillar.

słupek post.

słusznie 1 (*sprawiedliwie*) justly. **2** (*trafnie*) rightly.

słuszny 1 (*trafny*) right. **2** (*uzasadniony*) fair.

służąca servant.

służący servant.

służba 1 (*obowiązki służbowe*) duty. **2** (*osoby zatrudnione*) servants.

3 (*praca*) service. **4** (*instytucja*) service.

służbowy official: *samochód służbowy* company car.

służyć 1 (*pracować u kogoś*) serve. **2** (*być użytecznym*) serve: *Czym mogę pani służyć?* What can I do for you?, Can I help you, madam? **3** (*wpływać dodatnio*) suit. **4** *służyć do czegoś* be designed for sth.

słychać 1 (*dać się słyszeć*) be heard. **2** *Co słychać?* How are things?, What's up?

słynąć be famous (*z czegoś* for sth).

słynny famous.

słyszeć hear.

smaczny tasty.

smak 1 (*zmysł*) taste. **2** (*właściwość*) flavour. **3** (*ochota*) appetite.

smar grease.

smarować 1 (*smarem*) grease. **2** (*rozprowadzać*) spread. **3** (*kremem*) apply.

smażyć fry: *smażona ryba* fried fish.

smoczek dummy, *AM* comforter, (*do butelki*) teat.

smok dragon.

smoking dinner jacket, *AM* tuxedo.

smoła tar.

smród stink.

smucić się be sad.

smukły slender.

smutek sadness, sorrow.

smutny sad.

smycz lead.

smyczek bow.

snobistyczny snobbish.

sobą *zob.* **siebie**.

sobie 1 *zob.* **siebie**. **2** *tak sobie* so, so.

sobota Saturday: *w sobotę* on Saturday.

sobowtór double.

socjalista socialist.

socjalistyczny socialist.

socjalizm socialism.

socjalny social.

socjolog sociologist.

socjologia sociology.

soczewka lens: *soczewki kontaktowe* contact lenses.

soczysty juicy.

sodowy (*o wodzie*) soda.

sofa sofa.

soja soya beans (*AM* soy beans).

sojusz alliance.

sojusznik ally.

sok juice.

solić salt.

solidarność solidarity.

solidny 1 (*uczciwy*) dependable. **2** (*masywny*) solid.

solniczka salt cellar, *AM* salt shaker.

sopel icicle.

sos sauce, (*do mięsa*) gravy, (*do sałatki*) dressing.

sosna pine.

soul (*muzyka*) soul (music).

sowa owl.

sól salt.

spacer walk: *iść na spacer* go for a walk.

spacerować stroll.

spać sleep: *Dobrze spałeś?* Did you sleep well?

spadać 1 (*z góry na dół*) fall, drop: *spadać z roweru* fall off a bike; *Wczoraj spadł deszcz.* Yesterday the rain fell. **2** (*zmniejszać się*) fall, drop: *W nocy temperatura znacznie spadnie.* The temperature will fall (drop) sharply at night.; *Na giełdzie ceny spadają.* Prices are falling on the Stock Exchange. **3** *nieform.* (*uciekać*) get lost.

spadek 1 (*zmniejszenie*) decrease, fall. **2** (*nachylenie*) slope. **3** (*dziedziczony*) inheritance.

spadkobierca heir.

spadochron parachute.

spakować *zob.* **pakować**.

spakować się *zob.* **pakować się**.

spalać 1 (*ogniem*) burn. **2** (*przypalać*) burn. **3** (*jako paliwo*) consume.

spalić *zob.* **spalać**.

sparafrazować *zob.* **parafrazować**.

sparaliżować *zob.* **paraliżować**.

sparaliżowany paralysed.

sparzyć *zob.* **parzyć**.

spasować *zob.* **pasować**.

spaść *zob.* **spadać**.

spawać weld.

specjalista specialist.

specjalistka specialist.

specjalizować się specialize.

specjalnie specially, especially.

specjalność speciality (*AM* specialty).

specjalny special.

specyficzny specific.

spektakl performance.

spełniać fulfil (*AM* fulfill), satisfy: *spełniać warunki* fulfil (meet) the conditions; *spełniać obietnicę* fulfil a promise.

spełnić *zob.* **spełniać**.

speszyć się *zob.* **speszyć się**.

speszony disconcerted.

spędzać spend: *Gdzie spędziliście wakacje?* Where did you spend your holiday?

spędzić *zob.* **spędzać**.

spieprzać *wulg.* **1** (*partaczyć*) fuck up. **2** (*uciekać*) get lost.

spieprzyć *zob.* **spieprzać**.

spierać się argue.

spinacz paperclip.

spinka (*do włosów*) hairclip.

spiralny spiral.

spirytus spirit.

spis 1 (*wykaz*) list, record. **2** (*spisywanie*) registration.

spisek plot.

spiskować plot.

spiżarnia larder.

spleśnieć *zob.* **pleśnieć**.

spłacać repay, pay off.

spłacić *zob.* **spłacać**.

spłata repayment.

spłonąć *zob.* **płonąć**.

spłoszyć *zob.* **płoszyć**.

spłukać *zob.* **spłukiwać**.

spłukiwać rinse.

spocić się *zob.* **pocić się**.

spodek saucer.

spodenki drawers.

spodnie trousers, *AM* pants.

spodziewać się expect.

spoglądać look, gaze: *spójrz na mnie!* look at me!

spojrzeć *zob.* **spoglądać**.

spojrzenie look.

spokojny quiet.

spokój quiet, peace: *Proszę o spokój!* Silence, please!

spokrewniony related (*z kimś* to sb).

społeczeństwo society.

społeczny 1 (*dotyczący społeczeństwa*) social. **2** (*własność ogółu*) public.

spontaniczny spontaneous.

spopularyzować *zob.* **popularyzować**.

sporadyczny sporadic.

sporny controversial.

sport sport: *uprawiać sport* play sport.

sportowiec sportsman.

sportretować *zob.* **portretować**.

sporządzać prepare, draw up.

sporządzić *zob.* **sporządzać**.

sposobność opportunity.

sposób way, manner.

spostrzec *zob.* **spostrzegać**.

spostrzegać notice, perceive.

spostrzegawczy observant.

spośród from among.

spotkać *zob.* **spotykać**.

spotkać się *zob.* **spotykać się**.

spotkanie meeting.

spotykać 1 (*natykać się*) meet. **2** (*zdarzać się*) happen.

spotykać się 1 meet: *Często się spotykamy.* We often meet. **2** (*chodzić ze sobą*) go out.

spowiadać się confess.

spowiedź confession.

spowodować *zob.* **powodować**.

spoza from beyond, from behind.

spożycie consumption.

spożyć *zob.* **spożywać**.

spożywać consume.

spożywczy *artykuły spożywcze* groceries.

spód (*dolna część*) bottom.

spódnica skirt.

spółdzielnia cooperative.

spółgłoska consonant.

spółka partnership.

spór argument.

spóźniać się be late.

spóźnienie delay.

spóźnić się *zob.* **spóźniać się**.

spóźniony delayed.

spragniony 1 thirsty. **2** (*żądny*) craving.

sprawa 1 (*fakt*) matter, affair: *Pilnuj swoich spraw*. Mind your own business. **2** (*kwestia*) matter. **3** (*wzniosły cel*) cause. **4** (*sądowa*) case.

sprawdzać check.

sprawdzian test.

sprawdzić *zob.* **sprawdzać**.

sprawiać 1 (*wywoływać*) give, cause: *sprawiać wrażenie* give (make) the impression; *sprawiać*

zawód cause disappointment.
2 (*czynić coś*) make.

sprawiedliwość justice.

sprawiedliwy just.

sprawić *zob.* **sprawiać**.

sprawność 1 (*fizyczna*) fitness.
2 (*umiejętność*) skill.

sprawny 1 (*fizycznie*) fit. **2** (*funkcjonujący*) efficient.

sprawować perform.

sprawować się behave.

sprawozdanie report.

sprawozdawca reporter.

sprężyna spring.

sprostać 1 (*dorównać*) match. **2** (*dać radę*) be equal to.

sprostować *zob.* **prostować**.

sprowadzać 1 (*spowodować przybycie*) bring in, fetch. **2** (*wywoływać*) bring about.

sprowokować *zob.* **prowokować**.

spróchniały rotten.

spryskać *zob.* **spryskiwać**.

spryskiwać sprinkle.

spryt cleverness.

sprytny clever.

sprzączka buckle.

sprzątać 1 (*czyścić*) clean (up), tidy (up). **2** (*na miejsce*) put away.

sprzątanie cleaning.

sprzątnąć *zob.* **sprzątać**.

sprzeciw protest.

sprzeciwiać się oppose.

sprzeciwić się *zob.* **sprzeciwiać się**.

sprzeczać się quarrel.

sprzeczka quarrel.

sprzeczny contradictory.

sprzedać *zob.* **sprzedawać**.

sprzedający seller.

sprzedawać sell.

sprzedawca shop assistant, salesman.

sprzedawczyni shop assistant, saleswoman.

sprzedaż sale: *na sprzedaż* for sale.

sprzęgło clutch.

sprzęt implement, appliance, equipment.

sprzymierzeniec ally.

spuchnąć *zob.* **puchnąć**.

spuszczać (*w dół*) droop, lower.

spuścić *zob.* **spuszczać**.

spytać *zob.* **pytać**.

spytać się *zob.* **pytać się**.

srebrny silver.

srebro silver.

srogi stern.

ssać suck.

ssak mammal.

stabilizować stabilize.

stacja 1 (*kolejowa*) railway station.
2 (*ośrodek*) station: *stacja benzynowa* petrol station, filling station, *AM* gas station.

stać 1 stand. **2** (*finansowo*) afford: *Stać (Nie stać) mnie na to.* I can (can't) afford it.

stać się *zob.* **stawać się**.

stadion stadium.

stadium stage, phase.

stado (*bydła*) herd, (*owiec*) flock.

stajnia stable.

stal steel.

stale constantly.

stalowy steel.

stały 1 (*w fizyce*) solid. **2** (*nieruchomy*) fixed. **3** (*niezmienny*) constant. **4** (*ciągły*) permanent: **stały adres** permanent address.

stan 1 (*sytuacja*) state, condition: **stan cywilny** marital status. **2** (*skupienie*) state. **3** (*możność*) position, be able to do sth: **Nie jestem w stanie jej pomóc.** I'm not in a position to help her., I'm unable to help her. **4** (*część państwa*) state: **Stany Zjednoczone Ameryki** United States of America.

stanąć *zob.* **stawać**.

standard standard.

standardowy standard.

stanieć *zob.* **tanieć**.

stanik bra.

stanowczy firm.

stanowić 1 (*tworzyć*) make. **2** (*ustanawiać*) establish.

stanowisko 1 (*miejsce, funkcja*) post. **2** (*punkt widzenia*) standpoint.

starać się try.

staranność care.

staranny careful.

starczać be enough, suffice.

starczyć *zob.* **starczać**.

starość old age.

staroświecki old-fashioned.

starożytność antiquity.

starożytny ancient.

starszy older, elder: **moja starsza siostra** my elder sister; **Zuzanna jest starsza ode mnie o cztery lata.** Susanne is four years older than me.

start 1 (*rozpoczęcie*) start. **2** (*miejsce*) starting point.

startować 1 start. **2** (*o samolocie*) take off.

stary 1 (*o wieku*) old. **2** (*poprzedni*) former.

starzeć się grow old.

statek ship, boat.

statua statue.

statystyczny statistical.

statystyka statistics.

staw 1 (*zbiornik*) pond. **2** (*w anatomii*) joint.

stawać 1 (*do pionu*) stand up. **2** (*zatrzymywać się*) stop.

stawać się 1 (*wydarzyć się*) happen: **Co się stało?** What's the matter?; **Co się potem stało?** What happened next?; **Co mu się stało?** What happened to him? **2** (*robić się*) become: **stawać się sławnym** become famous.

stawiać 1 (*umieszczać*) put, place. **2** (*o pozycji pionowej*) put up. **3** (*budować*) build. **4** *nieform.* (*płacić za kogoś*) stand.

stawka (*w grze hazardowej*) stake.

staż 1 (*okres próbny*) training. **2** (*okres pracy*) practice.

stąd 1 (*z tego miejsca*) from here: **niedaleko stąd** not far from here. **2** (*z tego powodu*) therefore.

stchórzyć *zob.* **tchórzyć**.

stempel stamp.

ster 1 rudder, wheel, helm. **2** *u steru* at the helm.

sterować steer.

sterroryzować *zob.* **terroryzować**.

sterta stack, pile.

sterylizacja sterilization.

sterylizować sterilize.

sterylny sterile.

stewardesa stewardess, air hostess.

stłuc *zob.* **tłuc**.

stłuc się *zob.* **tłuc się**.

stłumić *zob.* **tłumić**.

stłuczenie bruise.

sto (one) hundred.

stocznia shipyard.

stodoła barn.

stoisko stall.

stojak stand.

stok slope.

stokrotka daisy.

stolarz carpenter.

stolica capital.

stołek stool.

stołówka canteen.

stomatolog dentist.

stop I (*metali*) alloy.

stop II (*wykrzyknik*) stop!, halt!

stopa 1 (*część nogi, też przen.*) foot. **2** (*0,3048 m*) foot. **3** (*poziom*) standard. **4** (*wskaźnik*) rate: *stopa procentowa* interest rate.

stopień 1 (*schodów*) step. **2** (*o hierarchii*) degree. **3** (*szkolny*) mark. **4** (*jednostka miary*) degree.

stopnieć *zob.* **topnieć**.

stopniowo gradually.

stopniowy gradual.

stos 1 (*sterta*) heap, pile. **2** (*do palenia*) pyre.

stosować use, apply.

stosownie properly.

stosowny (*odpowiedni*) suitable.

stosunek 1 (*proporcja*) proportion, ratio. **2** (*związek*) relation. **3** (*odnoszenie się*) attitude. **4** (*płciowy*) sexual intercourse.

stosunkowo relatively.

stowarzyszenie society.

stożek cone.

stóg stack.

stół table.

strach fear, dread.

stracić *zob.* **tracić**.

stracony lost.

stragan stall.

strajk strike.

strajkować strike, go (be) on strike.

strasznie terribly.

straszny terrible.

straszyć frighten.

strata loss.

strategia strategy.

strategiczny strategic.

strawić *zob.* **trawić**.

straż guard.

strażak fireman, firefighter.

strażnik guard.

strefa zone.

stres stress: *być w stresie* be under stress.

stresować stress out.
stresujący stressful.
streszczać summarize.
streszczenie summary.
streścić *zob.* **streszczać**.
striptiz striptease.
strofa stanza.
stroić 1 (*przystrajać*) adorn. **2** (*instrument*) tune.
stromy steep.
strona 1 (*bok*) side: *po drugiej stronie ulicy* on the other side of the street. **2** (*książki*) page: *przewracać stronę* turn a page. **3** (*aspekt*) side. **4** (*kierunek*) way. **5** (*sporu*) party.
strój dress.
stróż caretaker.
struć się *zob.* **truć się**.
struktura structure.
strumień 1 (*woda*) stream. **2** (*w fizyce*) flux.
strumyk brook.
struna string.
struś ostrich.
strych attic.
strywializować *zob.* **trywializować**.
strzała shot.
strzała arrow.
strzelać shoot.
strzelba gun, rifle.
strzelec 1 shooter. **2** *Strzelec* (*znak zodiaku*) Sagittarius.
strzyc 1 (*włosy*) cut (hair). **2** (*owce*) shear.
strzykawka hypodermic syringe.
student student.

studia *zob.* **studium**.
studio studio.
studiować study.
studia 1 (*nauka*) studies: *być na studiach* study at university. **2** (*badania*) research.
studnia well.
stukać tap, knock.
stuknąć *zob.* **stukać**.
stwardnieć *zob.* **twardnieć**.
stwarzać create.
stwierdzać find, discover.
stworzenie 1 (*istota*) being, creature. **2** (*utworzenie*) creation.
stworzyć *zob.* **stwarzać**.
stwórca creator.
styczeń January: *ósmego stycznia* (*coś się stało*) on January 8th.
stygnąć cool down.
stykać się 1 (*przylegać*) adjoin. **2** (*wchodzić w kontakt*) meet.
styl style.
stymulacja stimulation.
stymulować stimulate.
stypendium scholarship.
subiektywny subjective.
substancja substance.
subtelność subtlety.
subtelny subtle.
suchy dry.
sufit ceiling.
sugerować suggest: *Zasugerowała, żebyśmy wzięli taksówkę.* She suggested taking a taxi., She suggested that we (should) take a taxi.
sugestia suggestion.

suka bitch.

sukces success.

sukienka dress.

suknia dress.

sułtan sultan.

suma 1 (*zbiór*) sum. **2** (*pieniędzy*) sum.

sumienie conscience: *wyrzuty sumienia* remorse; *mieć wyrzuty sumienia* have an uneasy conscience.

sumienny conscientious.

sumować sum up.

supeł knot.

surowo 1 (*bezwzględnie*) severely. **2** (*bez przepychu*) austerely. **3** (*bez gotowania*) raw.

surowy 1 (*w stanie naturalnym*) raw. **2** (*bezwzględny*) strict. **3** (*bez zbytku*) austere.

susza drought.

suszarka drier, dryer.

suszony dried.

suszyć dry.

sutek nipple.

suterena basement.

suwak zip fastener.

suwerenny sovereign.

sweter sweater.

swędzić itch.

swoboda 1 (*wolność*) freedom. **2** (*zachowania*) ease.

swobodnie 1 (*bez przymusu*) freely. **2** (*luźno*) loosely. **3** (*niewymuszenie*) naturally.

swobodny 1 (*wolny*) free. **2** (*ruchomy*) free. **3** (*o zachowaniu*) natural.

swój 1 (*z rzeczownikiem*) my, your, his, her, its, our, your, their: *Idź do swojego pokoju.* Go to your room. **2** (*bez rzeczownika*) mine, yours, his, hers, its, yours, theirs: *To jest mój bilet, ale mama nie może znaleźć swojego.* This is my ticket, but mum can't find hers.

syczeć hiss.

sygnalizować signal.

sygnał signal.

syknąć *zob.* **syczeć**.

sylaba syllable.

sylwester New Year's Eve.

symbol symbol.

symboliczny symbolic.

symbolizować symbolize.

symetria symmetry.

symetryczny symmetrical.

symfonia symphony.

sympatia 1 (*stosunek*) liking. **2** (*osoba*) boyfriend, girlfriend.

sympatyczny nice, friendly.

symptom symptom.

syn son.

synagoga synagogue.

synonim synonym.

synowa daughter-in-law.

syntetyczny synthetic.

synteza synthesis.

sypialnia bedroom.

syrena 1 (*nimfa morska*) mermaid. **2** (*przyrząd alarmowy*) siren.

syrop syrup.

system system.

systematyczny systematic.

sytuacja situation: *w tej sytuacji...* in such a situation..., under such circumstances...

szabla sabre.

szachy chess: *grać w szachy* play chess.

szacować estimate.

szacunek (*poważanie*) respect.

szafa (*na ubrania*) wardrobe, *AM* closet.

szafka 1 cupboard. **2** (*na basenie*) locker.

szakal jackal.

szaleństwo 1 (*postępek*) madness. **2** (*stan*) insanity.

szalik scarf.

szalony mad, insane.

szał 1 (*napad gniewu*) rage: *wpaść w szał* fly into a rage, go berserk. **2** (*niepanowanie*) madness.

szampan champagne.

szampon shampoo.

szanować respect.

szanowny *Szanowny Panie (Szanowna Pani)* (*początek listu*) Dear Sir (Dear Madam).

szansa 1 (*możliwość*) chance. **2** (*prawdopodobieństwo*) odds.

szantaż blackmail.

szantażować blackmail.

szarańcza locust.

szarlotka apple pie.

szary grey (*AM* gray).

szatan Satan.

szatnia 1 cloakroom. **2** (*przebieralnia*) changing room.

szczebel 1 (*drabiny*) rung. **2** (*poziom*) level.

szczególny 1 (*specjalny*) special. **2** (*osobliwy*) peculiar.

szczegół detail.

szczegółowy detailed.

szczekać bark.

szczeknąć *zob.* **szczekać**.

szczelina crack.

szczelny tight.

szczeniak puppy.

szczep tribe.

szczepić vaccinate.

szczepionka vaccine.

szczerość frankness.

szczery frank, sincere.

szczerze 1 sincerely. **2** *szczerze mówiąc...* to be honest...

szczęka jaw.

szczęście 1 (*pomyślność*) luck. **2** (*radość*) happiness.

szczęśliwie luckily.

szczęśliwy 1 (*pomyślny*) lucky. **2** (*uszczęśliwiony*) happy.

szczoteczka brush: *szczoteczka do zębów* toothbrush.

szczotka brush.

szczupleć slim down.

szczupły slim.

szczur rat.

szczypać pinch.

szczypce tongs.

szczypnąć *zob.* **szczypać**.

szczypta pinch.

szczyt 1 (*góry*) top. **2** (*górna granica*) peak.

szef boss.

szefowa boss.

szeleścić rustle.

szelki (*do spodni*) braces.

szepnąć *zob.* **szeptać**.

szept whisper.

szeptać whisper.

szereg (*rząd*) row.

szeregowiec (*w wojsku*) private (soldier).

szermierka (*sport*) fencing.

szeroki broad, wide.

szeroko wide, widely, broadly.

szerokość 1 width, breadth. 2 *szerokość geograficzna* latitude.

szerszeń hornet.

szeryf sheriff.

szesnasty 1 sixteenth. 2 *jest szesnasta (godzina)* it's four pm; *o szesnastej (godzinie)* at four pm. 3 *szesnastego maja* (*coś się stało*) on May 16th. 4 *strona szesnasta* page sixteen.

szesnaście sixteen.

sześcian cube.

sześcienny cubic.

sześć six.

sześćdziesiąt sixty.

sześćdziesiąty 1 sixtieth. 2 *lata sześćdziesiąte* the 60s, the sixties.

sześćset six hundred.

szew 1 seam. 2 (*w medycynie*) stitch.

szewc shoemaker.

szkic 1 (*rysunek*) sketch. 2 (*artykuł*) essay.

szkicować sketch.

szkielet (*kościec*) skeleton.

szklanka glass.

szklarnia greenhouse.

szkło 1 (*substancja*) glass. 2 *l.mn. szkła* (*np. okulary*) glasses: *szkła kontaktowe* contact lenses.

szkoda I (*strata*) damage.

szkoda II 1 (*żal*) pity: *Jaka szkoda!* What a pity!; *Szkoda, że Cię tu nie ma*. I wish you were here.

szkodliwy harmful.

szkodnik pest.

szkodzić 1 (*być szkodliwym*) be harmful. 2 (*przynosić uszczerbek*) damage. 3 „*Przepraszam!*" „*Nic nie szkodzi!*" 'I'm sorry!' 'That's all right'.

szkolenie training.

szkolny school: *szkolny kolega* schoolfellow, schoolmate.

szkoła 1 school: *szkoła podstawowa* primary school, *AM* elementary school; *szkoła średnia* secondary school, *AM* high school; *chodzić do szkoły* go to school, attend school. 2 (*kierunek w sztuce*) school.

szlachetny 1 (*prawy*) noble. 2 (*piękno*) refined.

szlachta nobility.

szlafrok dressing gown.

szlak (*droga*) route.

szlifować polish.

szmata rag.

szmatka cloth.

szmer murmur.

szminka lipstick.

sznur rope.

sznurek string.

sznurowadło shoelace.

szok shock.

szokować shock.

szopa shed.

szorować scrub.

szorstki 1 (*chropowaty*) rough. **2** (*opryskliwy*) harsh.

szorty shorts.

szosa road.

szósty 1 sixth. **2** *jest szósta (godzina)* it's six (o'clock); *o szóstej (godzinie)* at six. **3** *szóstego maja* (*coś się stało*) on May 6th. **4** *strona szósta* page six.

szpada sword.

szpara (*na monety*) slot.

szpieg spy.

szpiegować spy.

szpik marrow.

szpilka pin.

szpinak spinach.

szpital hospital: *iść do szpitala* (*o pacjencie*) go to hospital, (*o odwiedzinach*) go to the hospital (to visit sb).

szpon claw.

szron hoarfrost.

sztab headquarters.

sztaba bar.

sztandar banner.

sztorm storm.

sztruks cord.

sztućce cutlery.

sztuczka trick.

sztuczny 1 artificial. **2** *sztuczne ognie* fireworks. **3** *sztuczne oddychanie* artificial respiration.

sztuka 1 (*twórczość artystyczna*) art. **2** (*umiejętność*) art. **3** (*utwór*) play. **4** (*pojedyncza rzecz*) piece.

szturm attack, assault.

sztylet dagger.

sztywny stiff.

szuflada drawer.

szukać look for, seek: *Czego szukasz?* What are you looking for?

szumieć (*o falach*) roar, (*o rzece*) murmur.

szwagier brother-in-law.

szwagierka sister-in-law.

szyba window-pane.

szybki (*prędki*) quick, fast.

szybko quickly, fast.

szybkościomierz speedometer.

szybkość speed.

szybować glide.

szybowiec glider.

szyć sew.

szydzić sneer.

szyfr code.

szyfrować code.

szyja neck.

szyk 1 (*w wojsku*) formation. **2** (*elegancja*) style, chic. **3** (*w zdaniu*) word order.

szympans chimpanzee.

szyna rail.

szynka ham.

szynszyla chinchilla.

szyszka cone.

Ś

ściana wall.

ściąć zob. **ścinać**.

ściągać 1 (*opuszczać*) pull down. **2** (*ubranie*) take off. **3** (*na testach*) copy, crib.

ściągnąć zob. **ściągać**.

ścieg stitch.

ściek 1 (*woda*) sewage. **2** (*rynsztok*) gutter. **3** (*kanał*) sewer.

ścielić zob. **słać**.

ściemniać się grow dark: *Ściemnia się.* It's getting dark.

ściemnić się zob. **ściemniać się**.

ściemnieć zob. **ciemnieć**.

ścierać 1 rub off. **2** (*zmazywać*) wipe. **3** *ścierać kurze* dust.

ścierać się wear away.

ścierka cloth.

ścierpieć zob. **cierpieć**.

ścierpnąć zob. **cierpnąć**.

ścierwo 1 (*padlina*) carcass. **2** *wulg.* (*o człowieku*) scoundrel.

ścieżka 1 path. **2** *komp. ścieżka dostępu* access path. **3** *ścieżka dźwiękowa* soundtrack.

ścigać 1 (*kogoś, coś*) chase. **2** (*przestępcę*) pursue.

ścigać się race (*z kimś* against sb).

ścinać 1 (*odcinać*) cut off. **2** (*włosy*) cut (one's hair): *Ścięłam sobie wczoraj włosy.*, (*sama*) I cut my hair yesterday., (*u fryzjera*) I had my hair cut yesterday. **3** (*ścinać drzewa*) cut down.

ściskać squeeze.

ścisłość exactitude.

ścisły 1 (*zwarty*) dense. **2** (*bliski*) close. **3** (*dokładny*) exact. **4** *nauki ścisłe* the sciences.

ścisnąć zob. **ściskać**.

ściśle 1 (*spoistość*) closely. **2** (*dokładnie*) exactly.

ślad 1 (*odcisk*) track. **2** (*pozostałość*) trace.

śledzić 1 (*o policji*) spy. **2** (*obserwować*) follow.

śledztwo investigation.

śledź herring.

ślepnąć go blind.

ślepota blindness.

ślepy 1 blind. **2** *ślepy nabój* blank cartridge. **3** *ślepa uliczka* blind alley. **4** *ślepy los* blind destiny.

śliczny beautiful, lovely, pretty.

ślimak snail.

ślina saliva.

śliski slippery.

śliwka plum.

ślizgać się 1 (*o samochodzie*) slide. **2** (*na łyżwach*) skate.

ślizgawka skating rink.

ślub marriage, wedding: *ślub cywilny* civil marriage; *ślub kościelny* church marriage; *brać ślub* get married; *akt ślubu* marriage certificate.

ślubny wedding, marriage: *obrączka ślubna* wedding ring.

ślubować vow.

ślusarz locksmith.

śmiać się laugh: *śmiać się z kogoś* laugh at sb.

śmiało 1 (*odważnie*) courageously. **2** (*bez wahania*) unhesitatingly.

śmiały 1 (*odważny*) courageous. **2** (*bez obaw*) bold.

śmiech laughter.

śmieci rubbish, *AM* garbage.

śmiecić throw litter about, litter.

śmieć I (*ośmielić się*) dare: *Jak śmiesz!* How dare you!

śmieć II (*brudy*) rubbish, *AM* garbage: *kosz na śmieci* wastepaper basket, dustbin.

śmierć death.

śmierdzieć stink, smell.

śmiertelnie 1 (*zakończony śmiercią*) deadly: *śmiertelnie ranny* mortally wounded. **2** *przen.* *śmiertelnie zmęczony* dead tired; *śmiertelnie znudzony* bored to death.

śmiertelny 1 deadly, mortal. **2** *śmiertelna cisza* deathly silence.

śmiesznie funny.

śmieszny 1 (*zabawny*) funny. **2** (*kompromitujący*) ridiculous.

śmieszyć amuse.

śmietana cream, sour cream.

śmietnik rubbish heap.

śniadanie breakfast: *drugie śniadanie BR nieform.* elevenses: *jeść śniadanie* have breakfast, breakfast; *nocleg ze śniadaniem* bed and breakfast; *późne śniadanie* (*połączone z lunchem*) brunch.

śnić 1 (*mieć sen*) dream. **2** (*marzyć*) dream.

śnieg snow: *deszcz ze śniegiem* sleet; *Pada śnieg.* It's snowing.

śnieżyca snowstorm.

śpiący 1 (*senny*) sleepy. **2** (*pogrążony we śnie*) asleep.

śpieszyć hurry.

śpieszyć się hurry, be in a hurry.

śpiew singing.

śpiewać sing.

śpiewak singer.

śpiwór sleeping bag.

średni 1 (*przeciętny*) average. **2** (*pośrodku skali*) medium: *wiek średni* middle age; *średniej wielkości* middle-size. **3** (*o szkole*) secondary: *szkoła średnia* secondary (grammar) school.

średnia (the) average.

średnica diameter.

średnik semicolon.

średnio on average.

średniowiecze Middle Ages.

średniowieczny mediaeval, medieval.

środa Wednesday: *w środę* on Wednesday.

środek 1 (*punkt*) centre, middle. **2** (*wnętrze*) inside. **3** (*specyfik*) remedy: *środek przeciwbólowy* painkiller.

środki 1 (*narzędzia*) means. **2** (*fundusze*) funds.

środkowy middle.

środowisko environment: *przyjazny dla środowiska* environmentally friendly; *zanieczyszczenie środowiska* environmental pollution.

śródmieście city centre (*AM* city center).

śruba screw.

śrubokręt screwdriver.

św. (*święty*) St. (Saint).

świadectwo 1 (*dokument*) certificate: *świadectwo szkolne* school certificate; *świadectwo maturalne* secondary school certificate; *świadectwo urodzenia* birth certificate; *świadectwo zgonu* death certificate. **2** (*dowód*) evidence.

świadek witness.

świadomie consciously.

świadomość consciousness.

świadomy conscious.

świat world: *na całym świecie* worldwide.

światło light: *światło dzienne* daylight; *światło słoneczne* sunlight; *zapalać światło* turn on (switch on) the light; *zgasić światło* turn off (switch off) the light.

świąteczny holiday.

świątynia temple.

świeca candle.

świecić 1 shine: *Świeci słońce.* The sun is shining. **2** (*błyszczeć się*) glitter. **3** (*oświetlać*) light.

świecić się shine.

świecki lay.

świeczka candle.

świecznik candlestick.

świergotać twitter.

świerszcz cricket.

świetlny light.

świetnie splendidly.

świetny 1 (*doskonały*) excellent. **2** (*okazały*) magnificent.

świeżo (*niedawno*) recently: *świeżo malowane* wet paint.

świeży 1 (*produkt*) fresh. **2** (*informacje*) recent.

święto holiday, feast: *Wesołych Świąt!* (**Bożego Narodzenia**) Merry Christmas!, (**Wielkanocnych**) Happy Easter!

świętokradztwo sacrilege.

świętować celebrate.

święty 1 (*Bóg, bóstwo*) holy, saint: *dzień Wszystkich Świętych* All Saints Day. **2** *Ojciec święty* the Holy Father; *Pismo Święte* the Holy Bible. **3** *Święty Mikołaj* Santa Claus, Santa, *BR* Father Christmas. **4** *świętej pamięci* late.

świnia 1 pig. **2** (*o człowieku*) swine.

świnka 1 piggy. **2** *świnka morska* guinea pig. **3** (*choroba*) mumps.

świństwo (*podłość*) dirty trick.

świt dawn: *o świcie* at dawn.

T

ta *zob.* **ten**.

tabaka snuff.

tabela 1 table. **2** (*wykres*) chart.

tabletka tablet.

tablica 1 (*szkolna*) board, blackboard. **2** (*ogłoszeń*) noticeboard, *AM* bulletin board. **3** (*tabliczka*) plate: *tablica rejestracyjna* licence plate, number plate.

tabliczka 1 plaque. **2** table: *tabliczka mnożenia* multiplication table. **3** bar: *tabliczka czekolady* bar of chocolate.

taboret stool.

tabu taboo.

taca tray.

taczka wheelbarrow.

taić conceal, (*ukrywać*) hide.

tajać melt, (*o lodzie*) thaw.

tajemnica 1 secret: *dochować tajemnicy* keep a secret. **2** (*zagadka*) mystery.

tajemniczy mysterious, secret.

tajfun typhoon.

tajny secret: *tajny agent* secret agent; *ściśle tajne* top secret.

tak 1 (*potwierdzenie*) yes. **2** (*nasilenie*) so: *tak szybko* so fast. **3** *tak czy inaczej* anyway. **4** *i tak dalej* and so on, and so forth. **5** *że tak powiem* so to speak. **6** *tak... jak...* as... as...: *Jest tak wysoki jak ja.* He's as tall as me.

taka *zob.* **taki**.

taki 1 (*określenie przymiotnika*) so: *Ten film był taki nudny.* This film was so boring. **2** (*określenie rzeczownika*) such: *Takie zachowanie jest nie do zaakceptowania.* Such behaviour is not acceptable.; *To był taki nudny film.* It was such a boring film. **3** *taki jak* like: *Ludzie tacy jak my.* People like us. **4** *taki sam* the same.

taksówka taxi, cab.

taksówkarz taxi driver, cab driver.

takt 1 (*cecha*) tact. **2** (*w muzyce*) bar.

taktowny tactful.

taktyka tactics.

także 1 too, also: *My także przychodzimy.* We're coming too., We're also coming. **2** *także nie* either: *Ja także nie widziałem tego filmu.* I haven't seen this film either.

talent talent, gift.

talerz plate.

talia 1 (*pas*) waist. **2** (*kart*) pack.

talon voucher.

tam 1 there. **2** (*wskazując*) over there.

tama dam.

tamować 1 (*zatrzymywać*) stop. **2** (*blokować*) block.

tampon tampon.

tamta *zob.* **tamten**.

tamten 1 that. **2** the other one.

tancerz dancer.

tango tango.

tani cheap, inexpensive.

taniec dance: *Czy mogę prosić do tańca?* Shall we dance?

tanieć grow cheaper, get cheaper.

tanio cheaply.

tankować (*paliwo*) refuel.

tankowiec tanker.

tapeta wallpaper.

tapetować wall-paper.

taras terrace.

tarcie friction.

tarcza 1 shield. **2** (*cel*) target.

targ 1 market. **2** *l.mn.* **targi** fair.

targować się bargain.

tarka grater.

tartan tartan.

tarty grated.

taryfa 1 rates. **2** *nieform.* (*taksówka*) taxi.

tasiemka 1 tape. **2** (*wstążka*) ribbon.

tasować (*karty*) shuffle.

taśma 1 (*tasiemka*) tape. **2** (*magnetofonowa*) tape. **3** (*wideo*) video tape.

tata dad.

tatuaż tattoo.

tatuować tattoo.

tchórz coward.

tchórzliwy cowardly.

tchórzostwo cowardice.

tchórzyć *form.* quail, *nieform.* chicken out.

te (*bliżej*) these, (*dalej*) those.

teatr theatre (*AM* theater).

techniczny technical.

technik technician.

technika 1 (*metoda*) technique. **2** (*nauka*) technology.

technologia technology.

technologiczny technological.

teczka 1 (*torba*) briefcase. **2** (*okładka*) folder.

tekst 1 text. **2** (*piosenki*) lyrics.

tekstylny textile.

tektura cardboard.

telefon 1 telephone, phone: *telefon komórkowy* mobile phone, cellular phone, cellphone. **2** (*rozmowa*) phone call. **3** *rozmawiać przez telefon* be on the phone; *odbierać telefon* answer the phone.

telefoniczny telephone, phone: *rozmowa telefoniczna* phone call; *książka telefoniczna* telephone directory; *budka telefoniczna* phone box, *AM* phone booth; *karta telefoniczna* phonecard.

telefonować phone, call: *telefonować do kogoś* phone sb, call sb; *Czy mogę zatelefonować?* Can I make a phone call?

telegrafować telegraph, wire.

telegram telegram, wire.

telepatia telepathy.

teleturniej quiz show.

telewidz viewer.

telewizja television, TV: *oglądać telewizję* watch TV.

telewizor television set, TV set, TV: *włączyć telewizor* turn on the TV; *wyłączyć telewizor* turn off the TV.

temat subject, topic.

temblak sling.

temperament temperament.

temperatura 1 temperature: *w temperaturze pokojowej* at a room temperature. **2** (*gorączka*) temperature, fever.

temperówka pencil sharpener.

tempo 1 (*szybkość*) pace, rate. **2** (*w muzyce*) tempo.

temu ago: *dwa lata temu* two years ago; *dawno temu* a long time ago, ages ago.

ten 1 (*bliżej*) this, (*dalej*) that. **2** (*bez rzeczownika*) this one: *Podoba mi się ten, nie tamten.* I like this one, not that one.

tendencja tendency, trend.

tendencyjny biased.

tenis (*ziemny*) tennis, (*stołowy*) table tennis: *grać w tenisa* play tennis.

tenisówka trainer, *AM* sneaker.

teologia theology.

teoretyczny theoretical.

teoria theory: *w teorii* in theory.

terapia therapy.

teraz 1 now, at the moment. **2** (*obecnie*) at present.

teraźniejszość the present.

teraźniejszy present: *czas teraźniejszy* the present tense.

teren 1 (*obszar*) ground, area, space. **2** (*terytorium*) territory.

terkotać clatter, rattle.

termin 1 (*czas*) time limit: *ostateczny termin* deadline. **2** (*wyraz*) term.

terminal terminal.

terminologia terminology.

termometr thermometer.

terrorysta terrorist.

terrorystyczny terrorist: *atak terrorystyczny* terrorist attack.

terroryzm terrorism.

terytorium territory.

test test.

testament 1 will, *form.* testament: *sporządzić testament* make (draw up) a will. **2** *Stary (Nowy) Testament* the Old (the New) Testament.

testować test.

teściowa mother-in-law.

teściowie parents-in-law.

teść father-in-law.

teza thesis.

też 1 also, too: *My też idziemy.* We're also going., We're going too. **2** *też nie* either: *My też nie idziemy.* We're not going either. **3** *ja też nie* me neither: *„Nie wiem”. „Ja też nie”.* 'I don't know'. 'Me neither'.

tęcza rainbow.

tęczówka iris.

tęgi stout.

tępić 1 (*stępiać*) blunt. **2** (*zabijać*) exterminate. **3** (*wykrzewiać*) eradicate.

tępy 1 (*narzędzie*) blunt. **2** (*człowiek*) slow. **3** (*ból*) dull.

tęsknić miss: *tęsknić za kimś (czymś)* miss sb (sth); *tęsknić za domem* be homesick.

tęsknota 1 longing. **2** (*nostalgia*) nostalgia.

tętnica artery.

tętnić 1 (*o krokach*) rattle. **2** (*o krwi*) pulsate.

tętno pulse.

thriller thriller.

tir lorry, *AM* truck.

tkacz weaver.

tkać weave.

tkanina fabric, cloth.

tkanka tissue.

tkwić be stuck: *Całymi dniami tkwi w domu.* He's stuck in the house all day.

tlen oxygen.

tło background: *w tle* in the background; *na ciemnym tle* against a dark background.

tłoczny crowded.

tłoczyć 1 (*olej*) press. **2** (*wzór*) imprint.

tłoczyć się crowd.

tłok 1 (*ścisk*) crowd. **2** (*urządzenie*) piston.

tłuc 1 (*talerz*) break, smash. **2** (*ziarna*) grind.

tłuc się 1 (*o szkle*) break. **2** (*dobijać się*) bang.

tłum crowd.

tłumacz 1 (*tekstów*) translator. **2** (*ustny*) interpreter. **3** *tłumacz przysięgły* sworn translator (interpreter).

tłumaczenie 1 (*przekład*) translation. **2** (*czynność*) translation; (*ustne*) interpreting. **3** (*wytłumaczenie*) explanation. **4** (*wymówka*) excuse.

tłumaczyć 1 (*wyjaśniać*) explain. **2** (*usprawiedliwiać*) justify. **3** (*tekst*) translate, (*ustnie*) interpret.

tłumaczyć się excuse oneself.

tłumić 1 (*emocje*) repress, restrain. **2** (*bunt*) supress, put down.

tłusty 1 (*o osobie*) fat. **2** (*o mięsie*) fatty. **3** (*o skórze, włosach*) oily. **4** (*o mleku*) full-cream.

tłuszcz fat.

to 1 (*bliżej*) this, (*oddalone*) that. **2** (*podmiot*) it, this: *To jest stół.* This (It) is a table. **3** *No to co?* So what? **4** *Kto to?* Who's this? **5** *to, co* what: *To, co zrobiłeś, było straszne.* What you did was terrible. **6** *To nic.* It doesn't matter.

toaleta toilet, lavatory.

toaletowy *papier toaletowy* toilet paper; *przybory toaletowe* toiletries.

toast toast.

toczyć 1 (*obracać*) roll. **2** (*na kołach*) wheel. **3** (*prowadzić*) conduct: *toczyć wojnę* conduct a war.

toczyć się 1 (*o piłce*) roll. **2** (*odbywać się*) take place. **3** (*trwać*) go on.

tok (*przebieg*) course: *być w toku* be in progress; *tok postępowania* course of action.

tolerancja tolerance.

tolerancyjny tolerant (*wobec czegoś* of sth).

tolerować 1 tolerate. **2** (*znosić*) put up with.

tom volume.

ton tone.

tona tonne.

tonacja 1 (*w muzyce*) key. **2** (*kolorystyka*) colours (*AM* colors).

tonąć (*o osobie*) drown, (*o przedmiocie*) sink.

tonik tonic.

topić 1 (*człowieka, zwierzę*) drown, (*przedmiot*) sink. **2** (*roztapiać*) melt.

topić się 1 (*o osobie, zwierzęciu*) drown, (*o przedmiocie*) sink. **2** (*roztapiać się*) melt.

topnieć melt, thaw.

topór axe.

tor 1 (*kolejowy*) track: *tory kolejowe* rails. **2** (*pocisku*) trajectory. **3** *tor wyścigowy* racecourse, *AM* racetrack.

torba 1 bag. **2** (*podróżna*) hold-all, suitcase.

torebka 1 bag. **2** (*damska*) handbag, *AM* purse.

tornado tornado.

tornister rucksack, bag.

torować clear.

torsje *mieć torsje* be sick.

tort layer cake.

torturować 1 (*fizycznie*) torture. **2** (*dręczyć*) torment.

tortury 1 (*fizycznie*) torture. **2** (*męczarnie, udręki*) torments.

tost toast.

tournee tour.

towar 1 (*ogólnie*) commodity. **2** (*pojedynczy*) article.

towarzyski 1 (*o człowieku*) sociable. **2** (*o kontaktach*) social.

towarzystwo 1 (*obecność*) company. **2** (*znajomi*) company. **3** (*organizacja*) society, company.

towarzyszyć accompany.

tożsamość identity: *dowód tożsamości* identity card, ID.

tracić 1 lose: *tracić panowanie nad sobą* lose one's temper; *tracić przytomność* lose consciousness. **2** (*marnować*) waste: *tracić czas* waste time. **3** *tracić okazję* miss an opportunity. **4** *tracić ważność* expire.

tradycja tradition.

tradycyjny traditional.

trafiać 1 (*w cel*) hit. **2** *nie trafiać* miss. **3** *na chybił-trafił* at random.

trafić *zob.* **trafiać**.

tragedia tragedy.

tragicznie tragically.

tragiczny 1 tragic. **2** (*okropny*) terrible.

trakt (*droga*) track.

traktat treaty.

traktować treat: *traktować kogoś dobrze (źle)* treat sb well (badly).

trampek trainer, *AM* sneaker.

tramwaj tram, *AM* streetcar.

transakcja transaction: *dokonać transakcji* close the deal.

transfer transfer.

transkrypcja transcription.

transmitować transmit.

transparent banner.

transplantacja transplant.

transport transport.

transportować transport.

tranzystor transistor.

trasa 1 (*droga*) route. **2** (*wycieczki*) itinerary.

tratwa raft.

trawa grass.

trawić digest.

trawnik lawn.

trąba 1 (*instrument*) horn, trumpet. **2** (*słonia*) trunk.

trąbić 1 (*na trąbce*) play the trumpet **2** (*klaksonem*) hoot, blow the horn.

trąbka trumpet.

trąd leprosy.

trend trend.

trener coach.

trening training, practice.

trenować 1 (*zawodników*) coach, train. **2** (*uprawiać*) train, practise (*AM* practice).

tresować train.

treść 1 (*książki*) contents. **2** (*wypowiedzi*) content. **3** (*sens*) essence.

trębacz trumpeter.

trędowaty (*osoba*) leper.

trik trick.

trio trio.

triumf triumph.

trochę 1 (*przed rzeczownikami niepoliczalnymi*) a little, some: *Dodaj trochę wody.* Add a little water. **2** (*przed rzeczownikami policzalnymi*) a few, some: *Mamy trochę bananów.* We have some bananas. **3** (*jako przysłówek*) a little, a bit: *Trochę się martwię.* I'm a bit worried. **4** *ani trochę* not a bit.

tron throne: *wstąpić na tron* come to the throne.

trop track.

tropić track.

tropikalny tropical.

troska 1 (*zmartwienie*) worry. **2** (*troszczenie się*) care, concern.

troszczyć się 1 (*otaczać troską*) care for, take care of, look after. **2** (*martwić się*) worry about.

trójkąt triangle.

trucizna poison.

truć poison.

truć się have indigestion.

trud hardship.

trudno hard, difficult: *trudno powiedzieć* it's hard to say.

trudność difficulty: *z trudnością* with difficulty; *pokonać trudności* overcome difficulties.

trudny difficult, hard.

trudzić się 1 (*zadawać sobie trud*) take the trouble. **2** *Nie trudź się!* Don't bother!

trujący poisonous.

trumna coffin.

trup 1 corpse. **2** *po moim trupie* over my dead body.

truskawka strawberry.

trwać 1 (*jakiś czas*) last, go on. **2** (*pozostawać*) remain, keep.

trwały 1 (*na stałe*) permanent. **2** (*wytrzymały*) durable.

tryb 1 (*procedura*) procedure, course. **2** (*w gramatyce*) mood.

trylion trillion.

tryskać 1 (*o fontannie*) spout. **2** *przen.* (*humorem*) burst.

trywialny trivial.

trzaskać 1 (*drzwiami*) slam. **2** (*o gałęziach*) snap. **3** (*o piorunie*) crash.

trzasnąć *zob.* trzaskać.

trząść shake.

trząść się 1 (*o człowieku*) shake, tremble. **2** (*o głosie*) quiver. **3** (*z zimna*) shiver.

trzeba 1 (*potrzeba*) it is necessary to: *Czy trzeba zamykać te drzwi?* Is it necessary to lock this door? **2** (*powinno się*) one should, one ought to: *Trzeba pomagać młodszemu rodzeństwu.* One should (ought to) help one's younger siblings. **3** (*musi się*) must, have to. **4** *trzeba było* should have: *Trzeba było pomyśleć o tym wcześniej.*

You should have thought about it earlier. **5** *nie trzeba* (*w odpowiedzi*) no, thanks.

trzeci 1 third. **2** *jest trzecia (godzina)* it's three (o'clock); *o trzeciej* at three. **3** *jedna trzecia* one third. **4** *trzeciego maja* (*coś się stało*) on May 3rd. **5** *strona trzecia* page three.

trzeć 1 (*na tarce*) grate. **2** (*pocierać*) rub.

trzeszczeć creak.

trzeźwieć 1 sober up. **2** (*dochodzić do siebie*) come round.

trzeźwy 1 (*dotyczy alkoholu*) sober. **2** (*spojrzenie*) sober, level-headed.

trzęsienie ziemi earthquake.

trzon base.

trzonek handle.

trzy three.

trzydziesty 1 thirtieth. **2** *lata trzydzieste* the 30s, the thirties.

trzydzieści thirty.

trzymać 1 (*w rękach*) hold. **2** (*przechowywać*) keep: *On trzyma pieniądze w banku.* He keeps his money in a bank. **3** *trzymać kciuki za kogoś* keep one's fingers crossed for sb.

trzymać się 1 (*żeby nie upaść*) hold on to: *Trzymaj się mocno!* Hold tight! **2** *trzymać się razem* stick together. **3** *dobrze się trzymać* keep well. **4** *Trzymaj się!* (*Na razie!*) Take care!

trzynasty 1 thirteenth. **2** *jest trzynasta (godzina)* it's one pm; *o trzy-*

nastej at one pm. **3** *trzynastego maja* (*coś się stało*) on May 13th. **4** *strona trzynasta* page thirteen.

tu 1 here: *tu i tam* here and there; *chodź tu!* come over here! **2** *tu mówi Kowalski* (*w rozmowie telefonicznej*) Kowalski speaking.

tubka (*pasty*) tube.

tubylczy native, local.

tubylec native, local inhabitant.

tuczyć fatten.

tulić hug, cuddle.

tulić się snuggle up (*do kogoś* to sb).

tulipan tulip.

tułów trunk.

tunel tunnel.

tuńczyk tuna (fish).

tupać stamp.

tura round.

turniej tournament.

turysta tourist.

turystka tourist.

turystyczny tourist: *biuro turystyczne* travel agency; *informacja turystyczna* tourist information.

tusz 1 ink. **2** *tusz do rzęs* mascara.

tutaj *zob.* tu.

tuzin dozen.

tuż 1 (*w przestrzeni*) nearby. **2** (*w czasie*) just. **3** *tuż za rogiem* just round the corner.

twardnieć harden, stiffen.

twardo 1 (*upór*) firmly. **2** *twardo spać* be sound asleep.

twardy 1 hard, tough. **2** (*niewrażliwy*) tough. **3** (*surowy*) firm, strict.

twaróg cottage cheese.

twarz face: *twarzą w twarz* face to face.

twierdza fortress.

twierdzenie 1 (*zdanie*) statement. **2** (*matematyczne*) theorem.

twierdzić claim, maintain.

tworzyć 1 (*pracować*) create. **2** (*formować*) form, establish. **3** (*być w składzie*) form.

tworzyć się form.

tworzywo material.

twój 1 (*przed rzeczownikiem*) your: *Czy to twój parasol?* Is that your umbrella? **2** (*bez rzeczownika*) yours: *Czy to twoje?* Is it yours?

twórca 1 (*stworzyciel*) creator. **2** (*artysta*) artist. **3** (*pisarz*) author. **4** (*założyciel*) founder.

twórczość 1 (*działanie*) creation. **2** (*zdolność*) creativity. **3** (*wszystkie dzieła*) works.

twórczy 1 (*zdolność*) creative. **2** (*środowisko*) artistic.

ty you.

tyczka pole: *skok o tyczce* pole vault.

tyć put on weight, grow fat.

tydzień week: *za tydzień* in a week; *co tydzień* every week; *w zeszłym (w następnym) tygodniu* last (next) week; *dwa razy w tygodniu* twice a week.

tygodnik weekly.

tygodniowy 1 (*pobyt*) week's: *tygodniowy urlop* a week-long holiday. **2** (*zarobek*) weekly.

tygrys tiger.

tygrysica tigress.

tykać 1 (*dotykać*) touch, lay a finger. **2** (*o zegarze*) tick.

tyle 1 (*przed rzeczownikami policzalnymi*) so many: *Mamy tyle rzeczy do zrobienia.* We've got so many things to do. **2** (*przed rzeczownikami niepoliczalnymi*) so much: *Nie mamy tyle czasu.* We haven't got so much time. **3** *tyle samo* (*przed rzeczownikami policzalnymi*) as many: *Mam tyle samo jabłek, co Piotr.* I've got as many apples as Peter. **4** *tyle samo* (*przed rzeczownikami niepoliczalnymi*) as much: *Nie mam tyle czasu, co ty.* I haven't got as much time as you do.

tylko 1 only, just: *tylko kilka razy* only a few times. **2** *gdyby tylko* if only. **3** *jak tylko* as soon as: *Zadzwonię, jak tylko wrócę.* I'll call you as soon as I'm back. **4** *nie tylko..., ale również* not only..., but also: *On nie tylko pisze, ale również ilustruje swoje książki.* Not only does he write, but also illustrates his books.

tylny 1 back: *tylne siedzenie samochodu* the back seat of a car. **2** (*o kołach*) rear. **3** (*o łapach*) hind.

tył 1 back, rear. **2** *zrobić krok w tył* step back.

tyłem backwards.

tym 1 im..., tym the..., the: *Im więcej, tym lepiej.* The more, the better. **2** *Tym lepiej dla ciebie.* All the better for you.

tymczasem 1 (*w międzyczasie*) meanwhile. **2** (*natomiast*) whereas.

tymczasowo temporarily.

tymczasowy temporary.

tynk plaster.

typ 1 (*model*) type. **2** (*o człowieku*) character.

typowy typical: *typowy dla kogoś (czegoś)* typical (characteristic) of sb (sth).

tyran tyrant.

tyrania tyranny.

tysiąc thousand.

tytoń tobacco.

tytuł title: *pod tytułem* entitled; *tytuł naukowy* academic title.

tytułować 1 (*coś jakoś*) entitle. **2** (*zwracać się do kogoś*) address.

tytułowy title.

tzn. (*to znaczy*) i.e. (id est).

U

u 1 (*określanie miejsca*) at: *u mnie* at my place; *u Ewy* at Ewa's (place); *u lekarza* at the doctor's. **2** (*określanie punktu w przestrzeni i czasie*) at, by: *u góry* at the top.

uaktualniać update.

uaktualnić *zob.* **uaktualniać**.

uaktywniać activate.

uaktywnić *zob.* **uaktywniać**.

uargumentować *zob.* **argumentować**.

ubarwiać (*opowiadanie*) embellish.

ubarwić *zob.* **ubarwiać**.

ubezpieczać 1 (*coś*) insure. **2** (*w czasie walki*) cover.

ubezpieczać się (*w instytucji*) insure oneself.

ubezpieczenie insurance: *ubezpieczenie na życie* life insurance; *ubezpieczenie społeczne* national insurance, *AM* social security.

ubezpieczony insured.

ubezpieczyć *zob.* **ubezpieczać**.

ubezpieczyć się *zob.* **ubezpieczać się**.

ubić *zob.* **ubijać**.

ubiegać się 1 apply: *ubiegać się o pracę* apply for a job. **2** (*konkurować*) compete.

ubiegły last: *w ubiegłym roku (tygodniu)* last year (month).

ubierać 1 (*kogoś*) dress. **2** (*coś na siebie*) put on.

ubierać się get dressed.

ubijać 1 (*jajko*) whisk, beat. **2** (*śmietanę*) whip. **3** *ubić interes* strike a deal.

ubikacja lavatory, toilet, *nieform. BR* loo.

ubiór dress, clothing.

ubliżać 1 (*komuś*) insult. **2** (*czemuś*) offend.

ubliżyć *zob.* **ubliżać**.

uboczny side: *skutki uboczne* side effects.

ubogi poor.

ubożeć get poor.

ubóstwiać adore.

ubóstwić *zob.* **ubóstwiać**.

ubóstwo poverty.

ubrać *zob.* **ubierać**.

ubrać się *zob.* **ubierać się**.

ubranie clothes, dress.

ubrany 1 dressed. **2** *być ubranym w coś* wear sth: *Był ubrany w sztruksy i biały pooszulek.* He was wearing cords and a white T-shirt.

ubrudzić *zob.* **brudzić**.

ubrudzić się *zob.* **brudzić się**.

ubyć *zob.* **ubywać**.

ubytek 1 (*w zębie*) cavity. **2** (*strata*) loss.

ubywać 1 (*przed rzeczownikami niepoliczalnymi*) be less and less: *Ubywa wody.* There is less and less water. **2** (*przed rzeczownikami policzalnymi*) be fewer and fewer: *Ubywa drzew.* There are fewer and fewer trees.

ucałować *zob.* **całować**.

ucho 1 ear. **2** (*kubka*) handle. **3 mieć czegoś powyżej uszu** be fed up with sth.

uchodzić 1 (*umykać*) escape. **2 ujść komuś płazem (na sucho)** get away with: *Uszło mu to na sucho.* He got away with it.

uchodźca refugee.

uchwalać pass, accept.

uchwalić *zob.* **uchwalać**.

uchwyt handle.

uchwytny 1 (*zauważalny*) perceptible. **2** *nieform.* (*o człowieku*) available.

uchylać 1 (*nieco otwierać*) set ajar. **2** (*znosić*) lift.

uciąć *zob.* **ucinać**.

uciążliwy 1 (*obowiązki*) burdensome. **2** (*człowiek*) troublesome.

uciec *zob.* **uciekać**.

ucieczka escape.

uciekać 1 (*biegiem*) run away. **2** (*wydostawać się*) escape. **3 Uciekł mi autobus.** I missed my bus.

ucierać mix.

ucinać 1 (*odcinać*) cut off. **2** (*rozmowę*) cut short. **3 uciąć sobie drzemkę** have a nap.

uciskać 1 (*przyciskać*) press. **2** (*o pasku*) squeeze.

ucisnąć *zob.* **uciskać**.

uciszać silence, hush.

uciszać się (*o wietrze*) calm down, subside.

uciszyć *zob.* **uciszać**.

uciszyć się *zob.* **uciszać się**.

uczciwość honesty.

uczciwy honest.

uczelnia university, college.

uczenie (*nauczanie*) teaching.

uczenie się learning.

uczennica 1 schoolgirl, student. **2** (*wychowanka*) pupil.

uczeń 1 schoolboy, student. **2** (*wychowanek*) pupil.

uczesać *zob.* **czesać**.

uczestniczyć participate.

uczestnik participant.

uczęszczać attend, go to: *uczęszczać do szkoły* attend school.

uczony I (*posiadający wiedzę*) learned.

uczony II (*naukowiec*) scientist, scholar.

uczta feast.

ucztować feast.

uczucie 1 emotion, feeling: *zranić czyjeś uczucia* hurt sb's feelings. **2** (*doznanie*) sensation. **3** (*miłość*) affection.

uczulać 1 (*uwrażliwiać*) make sensitive. **2** (*wywołać uczulenie*) cause an allergy.

uczulenie allergy (*na coś* to sth).

uczulić *zob.* **uczulać**.

uczulony allergic (*na coś* to sth).

uczyć teach: *uczyć angielskiego* teach English.

uczyć się 1 (*czegoś*) learn: *uczyć się na pamięć* learn by heart. **2** (*powtarzać*) study: *On uczy się do klasówki.* He is studying before the test.

uczynić *zob.* **czynić**.

uczynny helpful.

udać *zob.* **udawać**.

udać się *zob.* **udawać się**.

udany 1 (*który się udał*) successful. **2** (*udawany*) feigned.

udar *udar mózgu* stroke; *udar słoneczny* sunstroke.

udaremniać frustrate.

udaremnić *zob.* **udaremniać**.

udawać 1 pretend, feign. **2** (*naśladować*) imitate.

udawać się 1 (*kończyć się pomyślnie*) be a success. **2** (*iść*) go: *Udał się z wizytą.* He went to pay a visit. **3** (*zdołać*) manage: *Udało mi się go przekonać.* I managed to convince him.

udekorować *zob.* **dekorować**.

uderzać 1 (*bić*) hit. **2** (*zderzyć się z*) hit. **3** (*w twarz*) slap.

uderzenie 1 (*cios*) blow. **2** *uderzenia serca* heartbeat.

uderzyć *zob.* **uderzać**.

udo thigh.

udogodnienie facility.

udoskonalać improve.

udoskonalić *zob.* **udoskonalać**.

udostępniać *udostępniać coś komuś* make sth available to sb.

udostępnić *zob.* **udostępniać**.

udowadniać prove.

udowodnić *zob.* **udowadniać**.

udusić *zob.* **dusić**.

udusić się *zob.* **dusić się**.

udział 1 (*uczestniczenie*) participation: *brać udział w czymś* take part in sth. **2** (*akcje*) share.

udzielać 1 (*lekcji*) give. **2** (*zezwolenia*) grant: *udzielać zezwolenia* grant a permission.

udzielić *zob.* **udzielać**.

ufać trust.

ufność trust.

ugiąć się *zob.* **uginać się**.

uginać się bend.

ugoda compromise, agreement.

ugotować *zob.* **gotować**.

ugotować się *zob.* **gotować się**.

ugryźć *zob.* **gryźć**.

ugrzęznąć *zob.* **grzęznąć**.

uiszczać pay.

uiścić *zob.* **uiszczać**.

ujawniać disclose, reveal.

ujawnić *zob.* **ujawniać**.

ująć *zob.* **ujmować**.

ujemny 1 (*mniejszy od zera*) negative. **2** (*temperatura*) sub-zero, below-zero. **3** (*niekorzystny*) unfavourable (*AM* unfavorable).

ujmować 1 (*odejmować*) subtract. **2** (*formułować*) express.

ujrzeć see.

ujście 1 (*rzeki*) estuary. **2** (*wylot*) outlet.

ujść *zob.* **uchodzić**.

ukarać *zob.* **karać**.

ukazać *zob.* **ukazywać**.

ukazać się *zob.* **ukazywać się**.

ukazywać 1 (*pokazywać*) present. **2** (*ujawniać*) reveal.

ukazywać się appear.

ukąsić *zob.* **kąsać**.

ukąszenie bite.

układ 1 (*np. strony*) arrangement, layout. **2** (*struktura*) system. **3** (*pakt*) pact, treaty.

układać 1 (*rzeczy*) arrange. **2** (*kształt*) shape. **3** (*wiersz*) compose.

ukłonić się *zob.* **kłaniać się**.

ukłucie 1 (*kolców*) prick. **2** (*owada*) sting.

ukłuć *zob.* **kłuć**.

ukochany I beloved: *jej ukochany ojciec* her beloved father.

ukochany II sweetheart: *mój ukochany* my sweetheart.

ukończenie completion: *ukończenie studiów* graduation.

ukoronować *zob.* **koronować**.

ukraść *zob.* **kraść**.

ukroić *zob.* **ukrajać**.

ukrajać cut off.

ukryć *zob.* **ukrywać**.

ukryć się *zob.* **ukrywać się**.

ukryty hidden.

ukrywać hide, conceal.

ukrywać się hide.

ukształtować *zob.* **kształtować**.

ul beehive.

ulec *zob.* **ulegać**.

uleczalny curable.

ulegać 1 (*naciskom*) give in, yield. **2** (*pokusom*) succumb to. **3** (*w walce*) be defeated by sb.

uległy submissive.

ulepić *zob.* **lepić**.

ulepszać improve.

ulepszyć *zob.* **ulepszać**.

ulewa downpour.

ulewny pouring.

ulga 1 (*uczucie*) relief. **2** (*zniżka*) concession.

ulgowy 1 reduced. **2** *bilet ulgowy* half-fare ticket.

ulica street: *na ulicy* in the street, *AM* on the street; *przechodzić przez ulicę* cross the street.

uliczny street: *lampy uliczne* street lamps; *ruch uliczny* traffic.

ulotka leaflet.

ultimatum ultimatum.

ultradźwiękowy ultrasonic.

ultrafiolet ultraviolet.

ulubienica favourite (*AM* favorite).

ulubieniec favourite (*AM* favorite).

ulubiony favourite (*AM* favorite).

ulżyć ease, relieve.

ułamek 1 (*matematyczny*) fraction. **2** (*kawałek*) fragment.

ułatwiać make easier, *form.* facilitate.

ułatwić *zob.* **ułatwiać**.

ułożyć *zob.* **układać**.

umacniać strengthen.

umarły dead.

umawiać się 1 *umawiać się na na spotkanie* make an appointment. **2** *umawiać się na randkę* make a date.

umeblować *zob.* **meblować**.

umiar moderation.

umiarkowany 1 (*klimat*) moderate. **2** (*wiatr*) slight. **3** (*cena*) reasonable.

umieć 1 know how to, can: *Nie umiem tego naprawić.* I don't know how to repair it; *Ona umie gotować.* She can cook. **2** *umieć coś na pamięć* know sth by heart.

umiejętność 1 (*sprawność*) skill. **2** (*kompetencja*) competence.

umierać die, pass away.

umieszczać put, place.

umieścić *zob.* **umieszczać**.

umięśniony muscular.

umniejszać diminish, depreciate.

umniejszyć *zob.* **umniejszać**.

umocnić *zob.* **umacniać**.

umocować *zob.* **umocowywać**.

umocowywać fix.

umowa agreement, contract: *podpisać umowę* sign a contract; *zerwać umowę* break a contract.

umożliwiać make possible: *umożliwiać komuś zrobienie czegoś* enable sb to do sth; *To umożliwiło nam zwiedzenie wnętrza pałacu.* It enabled us to do some sightseeing inside the palace.

umożliwić *zob.* **umożliwiać**.

umówić się *zob.* **umawiać się**.

umrzeć *zob.* **umierać**.

umyć *zob.* **myć**.

umyć się *zob.* **myć się**.

umysł mind.

umysłowy 1 mental: *choroba umysłowa* mental illness. **2** *pracownik umysłowy* white-collar worker.

umyślnie deliberately.

umyślny deliberate.

umywalka sink, washbasin.

uncja ounce.

unia union: *Unia Europejska* European Union, EU.

unicestwić *zob.* **unicestwiać**.

uniemożliwiać 1 (*stwarzać przeszkodę*) make impossible: *Jego zachowanie uniemożliwiło nam dobrą zabawę.* His behaviour made it impossible for us to have fun. **2** (*zapobiegać*) prevent: *Zła pogoda uniemożliwiła dalszą wspinaczkę.* Bad weather prevented us from climbing any further.

uniemożliwić *zob.* **uniemożliwiać**.

unieszczęśliwiać make unhappy.

unieszczęśliwić *zob.* **unieszczęśliwiać**.

unieść *zob.* **unosić**.

unieważniać 1 (*małżeństwo*) annul. **2** (*umowę*) invalidate. **3** (*zamówienie*) cancel.

unieważnić *zob.* **unieważniać**.

uniewinniać acquit.

uniewinnić *zob.* **uniewinniać**.

uniform uniform.

unikać 1 (*osoby*) avoid. **2** (*ciosu*) dodge. **3** (*kary*) escape.

unikalny unique.

uniknąć *zob.* **unikać**.

uniwersalny 1 (*powszechny*) universal. **2** (*o środku czyszczącym*) all-purpose.

uniwersytet university: *studiować na uniwersytecie* study at a university.

unosić 1 (*rękę*) raise. **2** (*podnosić*) lift.

unowocześniać modernize.

unowocześnić *zob.* **unowocześniać**.

uogólniać generalize.

uogólnić *zob.* **uogólniać**.

uogólnienie generalization.

upadać 1 (*przewracać się*) fall, fall over. **2** (*chylić się ku upadkowi*) decline.

upadek 1 (*przewrócenie się*) fall. **2** (*podupadnięcie*) decline.

upadłość insolvency, bankruptcy.

upalny sweltering.

upał heat.

uparty stubborn, obstinate.

upaść *zob.* **upadać**.

upełnomocniać empower.

upełnomocnić *zob.* **upełnomocniać**.

upewniać assure (*kogoś o czymś* sb of sth).

upewniać się make sure.

upewnić *zob.* **upewniać**.

upewnić się *zob.* **upewniać się**.

upić *zob.* **upijać**.

upiec *zob.* **piec**.

upierać się insist.

upiększać 1 (*mieszkanie*) beautify. **2** (*historię*) embellish.

upiększyć *zob.* **upiększać**.

upijać 1 (*wypić trochę*) take a sip. **2** (*alkoholem*) get (sb) drunk.

upijać się get drunk.

upić się *zob.* **upijać się**.

upiorny ghastly.

upiór ghost, phantom.

upleść *zob.* **pleść**.

upływ 1 (*czasu*) passage: *po upływie miesiąca* after a month; *przed upływem roku* within a year. **2** *umrzeć z upływu krwi* die of loss of blood.

upokarzać humiliate.

upominek souvenir, gift.

upomnienie 1 (*uwaga*) reproof. **2** (*pismo*) reminder.

uporządkowywać 1 (*pokój*) tidy up. **2** (*sprawy*) put in order.

uporządkować *zob.* **uporządkowywać**.

upośledzony handicapped.

upoważniać authorize.

upoważnić *zob.* **upoważniać**.

upoważnienie authorization.

upowszechniać spread, *form.* disseminate.

upowszechnić *zob.* **upowszechniać**.

upór obstinacy, stubbornness.

uprać *zob.* **prać**.

uprasować *zob.* **prasować**.

upraszczać 1 (*czynić prostym*) simplify. **2** (*spłycać*) oversimplify.

uprawiać 1 (*hodować*) grow. **2** (*ziemię*) cultivate. **3** *uprawiać sport* go in for sport.

uprawniony entitled (*do czegoś* to sth).

uprościć *zob.* **upraszczać**.

uprowadzać abduct, (*dziecko*) kidnap, (*samolot*) hijack.

uprowadzić *zob.* **uprowadzać**.

uprzeć się *zob.* **upierać się**.

uprzedni previous.

uprzedzać 1 (*fakty*) anticipate. **2** (*ostrzegać*) warn. **3** (*do czegoś*) prejudice. **4** *uprzedzić kogoś* (*być pierwszym*) beat sb to it.

uprzedzać się be put off: *uprzedzać się do czegoś* become prejudiced against sth.

uprzedzenie prejudice.

uprzedzić *zob.* **uprzedzać**.

uprzedzić się *zob.* **uprzedzać się**.

uprzedzony prejudiced.

uprzejmość politeness.

uprzejmy polite.

uprzyjemniać make enjoyable.

uprzyjemnić *zob.* **uprzyjemniać**.

uprzytamniać 1 (*komuś*) make (sb) realize: *Uprzytomnił mi jak niegrzecznie się zachowałam*. He made me realize how impolitely I had behaved. **2** *uprzytomnić sobie* realize: *Uprzytomniłam sobie, jak niegrzecznie się zachowałam*. I realized how impolite I had behaved.

uprzytomnić *zob.* **uprzytamniać**.

uprzywilejowany privileged.

upust discount.

upuszczać drop.

upuścić *zob.* **upuszczać**.

uratować *zob.* **ratować**.

uratować się *zob.* **ratować się**.

uraz 1 (*ciała*) injury. **2** (*psychiczny*) trauma.

uraza resentment, grudge.

urazić *zob.* **urażać**.

urażać hurt: *urażać czyjeś uczucia* hurt sb's feelings.

urażony hurt.

uregulować *zob.* **regulować**.

urlop leave, holiday: *być na urlopie* be on leave; *iść na urlop* go on leave.

uroczy charming.

uroczystość 1 (*święto*) festivity. **2** (*ceremonia*) ceremony.

uroczysty 1 (*podniosły*) solemn: *uroczysta obietnica* solemn promise. **2** (*świąteczny*) festive.

uroda beauty, good looks.

urodzaj crop, harvest.

urodzajny fertile.

urodzenie birth: *data (miejsce) urodzenia* date (place) of birth; *metryka urodzenia* birth certificate.

urodzić *zob.* **rodzić**.

urodzić się *zob.* **rodzić się**.

urodziny 1 (*dzień*) birthday. **2** (*przyjęcie*) birthday party. **3** *Wszystkiego najlepszego z okazji urodzin!* Happy birthday!, Many happy returns of the day!

urodzony born.

urok 1 (*piękno*) charm. **2** (*siła magiczna*) spell.

urosnąć *zob*. **rosnąć**.

uruchamiać 1 (*silnik*) start. **2** (*system*) activate.

uruchomić *zob*. **uruchamiać**.

urwać się *zob*. **urywać się**.

urwis brat.

urywać 1 (*guzik*) tear off. **2** (*rozmowę*) cut short; (*wypowiedź*) break off.

urywać się come off.

urywek fragment.

urząd 1 (*biuro*) office: **urząd pocztowy** post office; **urząd stanu cywilnego** register office. **2** (*stanowisko*) office, post.

urządzać 1 (*mieszkanie*) furnish. **2** (*wycieczkę*) organize. **3** **urządzać przyjęcie** give a party, throw a party.

urządzenie device, appliance.

urządzić *zob*. **urządzać**.

urządzić się *zob*. **urządzać się**.

urzec *zob*. **urzekać**.

urzędnik 1 clerk, office worker. **2** (*wysoki*) official. **3** **urzędnik państwowy** civil servant.

urzędowy official.

uschnąć *zob*. **usychać**.

usiłować try, attempt.

usiłowanie effort, endeavour.

usługi services.

usługiwać 1 (*przy stole*) wait on. **2** (*np. choremu*) attend to.

usłużyć *zob*. **usługiwać**.

usmarować *zob*. **smarować**.

usmażyć *zob*. **smażyć**.

usnąć *zob*. **usypiać**.

uspokajać calm down.

uspokajać się calm down.

uspokoić *zob*. **uspokajać**.

uspokoić się *zob*. **uspokajać się**.

usprawiedliwiać excuse, justify.

usprawiedliwiać się excuse oneself.

usprawiedliwić *zob*. **usprawiedliwiać**.

usprawiedliwić się *zob*. **usprawiedliwiać się**.

usprawiedliwienie excuse.

usta lips, mouth.

ustabilizować *zob*. **stabilizować**.

ustalać establish: *Ustaliliśmy pewne reguły.* We've established certain rules.; *ustalać termin* fix the date.

ustalić *zob*. **ustalać**.

ustanawiać 1 (*prawo*) make, lay down. **2** (*mianować*) appoint.

ustanowić *zob*. **ustanawiać**.

ustawa law, act.

ustawiać 1 (*postawić*) place, put. **2** (*rozmieszczać*) arrange.

ustawiczny constant, continual.

ustawić *zob*. **ustawiać**.

ustawowy statutory, legal.

ustąpić *zob*. **ustępować**.

usterka fault, flaw.

ustęp 1 (*fragment*) paragraph. **2** (*ubikacja*) toilet.

ustępować 1 (*ze stanowiska*) resign. **2** (*wycofywać się*) retreat, withdraw. **3** (*ulegać*) give in. **4 ustępowáć komuś miejsca** give up one's seat to sb.

ustny 1 (*egzamin*) oral. **2** (*zgoda*) verbal.

ustrój 1 ustrój polityczny political system. **2** (*organizm*) system.

usunąć *zob.* **usuwać**.

usunąć się *zob.* **usuwać się**.

usuwać 1 (*plamy*) remove. **2** (*ząb*) extract. **3** (*ze szkoły*) expel. **4** (*usterkę*) repair, fix.

usuwać się usuwać się na bok step aside.

usychać wither.

usypiać 1 (*samemu*) fall asleep. **2** (*kogoś*) put (sb) to sleep.

uszczelka gasket, seal.

uszczęśliwiać make happy.

uszczęśliwić *zob.* **uszczęśliwiać**.

uszczypać *zob.* **szczypać**.

uszczypnąć *zob.* **szczypać**.

uszkadzać damage.

uszkodzić *zob.* **uszkadzać**.

uszkodzony damaged, out of order.

uścisk 1 (*przytulenie*) hug, embrace. **2 uścisk dłoni** handshake.

uściskać embrace, hug.

uścisnąć uścisnąć komuś rękę shake hands with sb.

uśmiech smile.

uśmiechać się smile (*do kogoś* to sb).

uśmiechnąć się *zob.* **uśmiechać się**.

uśmiechnięty smiling.

uśmiercać put to death.

uśmiercić *zob.* **uśmiercać**.

uśmierzyć *zob.* **uśmierzać**.

uśpić *zob.* **usypiać**.

uświadamiać 1 (*coś komuś*) make sb realize. **2 uświadamiać kogoś** tell sb the facts of life. **3 uświadamiać sobie** realize.

uświadomić *zob.* **uświadamiać**.

uświetniać honour (*AM* honor).

uświetnić *zob.* **uświetniać**.

uświęcać 1 sanctify, consecrate. **2 cel uświęca środki** the end justifies the means.

uświęcić *zob.* **uświęcać**.

utalentowany gifted, talented.

utarty 1 (*opinia*) common, popular. **2 utarty zwrot** set phrase.

utkać *zob.* **tkać**.

utonąć *zob.* **tonąć**.

utopić *zob.* **topić**.

utopić się *zob.* **topić się**.

utrata loss.

utrudniać make difficult: *utrudniać coś komuś* make sth difficult for sb.

utrudnić *zob.* **utrudniać**.

utrzeć *zob.* **ucierać**.

utrzymać *zob.* **utrzymywać**.

utrzymać się *zob.* **utrzymywać się**.

utrzymanie 1 (*środki do życia*) keep, living: *zarabiać na własne utrzymanie* earn one's living. **2** (*w dobrym stanie*) maintenance.

utrzymywać 1 (*rodzinę*) provide for. **2** (*w odpowiednim stanie*) maintain, keep. **3** *utrzymywać z kimś* *kontakt* keep in touch with sb. **4** (*twierdzić*) claim.

utrzymywać się 1 (*zarabiać*) earn one's living: *utrzymywać się z czegoś* make a living by (off) doing sth. **2** (*o pogodzie*) hold.

utuczyć *zob.* **tuczyć**.

utulić *zob.* **tulić**.

utworzyć *zob.* **tworzyć**.

utworzyć się *zob.* **tworzyć się**.

utwór piece, work.

utyć *zob.* **tyć**.

uwaga 1 (*koncentracja*) attention. **2** (*wzmianka*) remark. **3** (*upomnienie*) rebuke. **4** *brać coś pod uwagę* take sth into consideration. **5** *Uwaga!* Careful!, Look out!

uwalniać free, set free.

uważać 1 (*koncentrować się*) pay attention. **2** (*być ostrożnym*) be careful. **3** (*na coś*) mind: *Uważaj na niski sufit.* Mind the low ceiling. **4** *Uważaj na siebie!* Take care! **5** (*sądzić*) think.

uważny 1 (*ostrożny*) careful. **2** (*słuchacz*) attentive.

uwędzić *zob.* **wędzić**.

uwiązać *zob.* **uwiązywać**.

uwiązywać tie up, bind.

uwielbiać adore, admire.

uwierzyć *zob.* **wierzyć**.

uwieść *zob.* **uwodzić**.

uwięzić *zob.* **więzić**.

uwodziciel seducer.

uwodzicielski seductive.

uwodzicielsko seductively.

uwodzić seduce.

uwolnić *zob.* **uwalniać**.

uwydatniać emphasize.

uwydatnić *zob.* **uwydatniać**.

uwzględniać take into consideration, take into account.

uwzględnić *zob.* **uwzględniać**.

uzależniać make dependent: *uzależniać coś od czegoś* make sth dependent on sth.

uzależniać się (*od narkotyku*) get (become) addicted to: *Łatwo jest uzależnić się od narkotyków.* It's easy to get addicted to drugs.

uzależnić *zob.* **uzależniać**.

uzależnić się *zob.* **uzależniać się**.

uzależnienie addiction.

uzależniony I (*narkoman*) drug addict.

uzależniony II 1 (*w nałogu*) addicted: *On jest uzależniony od porannej kawy.* He's addicted to his morning coffee. **2** (*zależny*) dependent: *Moja decyzja jest uzależniona od jego postanowień.* My decision is dependent on his decisions.

uzasadniać justify, excuse.

uzasadnić *zob.* **uzasadniać**.

uzasadnienie reasons, justification.

uzasadniony justified, justifiable.

uzbroić *zob.* **zbroić**.

uzbroić się *zob.* **zbroić się**.

uzbrojony armed.

uzdolniony gifted, talented.

uzdrawiać heal, cure.

uzdrowić *zob.* **uzdrawiać**.

uzdrowisko 1 health resort **2** (*z wodami mineralnymi*) spa.

uzgadniać negotiate, agree on sth: *Uzgodniliśmy, że...* We have agreed that...

uzgodnić *zob.* **uzgadniać**.

uziemienie ground.

uznać *zob.* **uznawać**.

uznany acknowledged, recognized.

uznawać acknowledge, recognize: *uznawać kogoś za kogoś (coś za coś)* regard sb as sb (sth as sth).

uzupełniać 1 (*zapasy*) replenish. **2** (*dietę*) supplement. **3** (*wypowiedź*) complete. **4** *uzupełnić zaległości* catch up with: *On musi uzupełnić zaległości w stosunku do reszty grupy.* He has to catch up with the rest of the group.

uzupełniać się *uzupełniać się wzajemnie* complement each other.

uzupełnić *zob.* **uzupełniać**.

uzupełnić się *zob.* **uzupełniać się**.

uzupełnienie 1 (*zapasów*) replenishment. **2** (*dodatek*) appendix.

uzurpator usurper.

uzurpować sobie usurp.

uzyskać *zob.* **uzyskiwać**.

uzyskiwać 1 (*przewagę*) gain. **2** (*pomoc*) get, receive. **3** (*zgodę*) obtain.

użądlić *zob.* **żądlić**.

użycie use: *sposób użycia* usage.

użyteczny useful.

użytek use: *robić z czegoś użytek* make use of sth; *do użytku wewnętrznego (zewnętrznego)* for internal (external) use.

użytkować use.

użytkownik user: *użytkownik Internetu* Internet user.

używać use.

używka stimulant.

użyźniać fertilize.

użyźnić *zob.* **użyźniać**.

VAT VAT (value added tax).

vel alias, also known as.

verte PTO (please turn over).

via via.

vice versa vice versa.

video *zob.* **wideo**.

VIP (*ważna osoba*) VIP (very important person).

W

w 1 (*miejsce*) in, at: *w Polsce* in Poland; *w domu* at home; *w szkole* at school; *w szpitalu* in hospital; *w kinie* at the cinema; *w łóżku* in bed; *w biurze* at the office; *w telewizji* on television. **2** (*czas*) in, on, at: *w 2003 roku* in 2003; *w zimie* in (the) winter; *w tym tygodniu (miesiącu, roku)* this week (month, year); *w zeszłym (następnym) tygodniu* last (next) week; *w grudniu* in December; *w środę* on Wednesday; *w przeszłości* in the past; *w przyszłości* in the future; *w samą porę* just in time; *w tym momencie* at the moment; *w końcu* at last. **3** (*określając kierunek*) *skręcać w prawo (lewo)* turn right (left); *patrzeć w górę (w dół)* look up (down). **4** *w środku* inside. **5** *w ogóle* at all: *Ja tego w ogóle nie rozumiem.* I don't understand it at all. **6** (*ubiór*) in: *mężczyzna w niebieskiej koszuli* a man in a blue shirt; *kobieta w okularach* a woman in glasses. **7** (*kształt*) *pokroić w kostkę* dice; *pokroić w plasterki* slice; *cukier w kostkach* sugar cubes; *mleko w proszku* powdered milk; *mydło w płynie* liquid soap; *w gotówce* in cash. **8** (*stan*) in: *w pośpiechu* in a hurry; *w dobrym humorze* in a good mood; *w niebezpieczeństwie* in danger. **9** (*wzór*) *koszula w kratę (paski, kropki)* checked (striped, spotted) shirt; **10** *uderzyć się w głowę* hit oneself on the head. **11** (*podczas*) during: *w lecie* during the summer, in the summer. **12** (*w czasie*) within: *w dwa lata* within two years. **13** *w biały dzień* in broad daylight.

wabić 1 attract. **2** *pejor.* lure, entice.

wachlarz 1 fan. **2** *przen.* (*wybór*) range: *szeroki wachlarz czegoś* a wide range of sth.

wacik 1 (*opatrunek*) cotton wool ball. **2** (*kosmetyczny*) cotton pad.

wada 1 (*charakteru*) shortcoming, fault. **2** (*minus*) disadvantage, drawback. **3** *wady i zalety* pros and cons. **4** (*defekt*) defect: *wada wymowy* speech defect.

wadliwy faulty, defective.

wafel 1 (*do lodów*) cone. **2** (*do jedzenia*) wafer.

wafelek wafer biscuit.

waga 1 (*przyrząd*) (weighing) scales. **2** (*ciężar*) weight: *waga netto* *(brutto)* net (gross) weight; *tracić na wadze* lose weight; *przybierać na wadze* put on weight. **3** *Waga (znak zodiaku)* Libra. **4** *(ważność)* importance, significance: *przywiązywać do czegoś ogromną wagę* attach great importance to sth.

wagarować *nieform.* play truant, skip classes, *AM* play hookey (hooky).

wagon 1 *(pasażerski)* carriage, *AM* car: *wagon restauracyjny* dining carriage, *AM* dining car; *wagon sypialny* sleeper, sleeping carriage, *AM* sleeping car; *wagon pierwszej klasy* first-class carriage. **2** *(towarowy)* truck, *BR* wagon.

wahać się 1 *(o człowieku)* hesitate. **2** *(o temperaturze)* range. **3** *(o zegarze)* waver.

wahadło pendulum.

wahanie 1 *(brak zdecydowania)* hesitation: *bez wahania* without hesitation. **2** *(zmienność)* fluctuation: *wahania temperatury* fluctuation of temperature.

wahnąć się *zob.* **wahać się 3**.

wakacje holiday, holidays, *AM* vacation: *jechać na wakacje* go on holidays (vacation); *być na wakacjach* be on holidays (vacation).

wakat vacancy.

walc waltz.

walcowaty cylindrical.

walczyć 1 fight: *walczyć z kimś* fight with (against) sb; *walczyć*

o coś fight about (over, for) sth. **2** *(zmagać się)* struggle (*z czymś* against sth). **3** *(rywalizować)* compete.

walec 1 *(w geometrii)* cylinder. **2** *(drogowy)* steamroller.

walet *(w kartach)* jack, knave.

walić *nieform.* **1** *(stukać)* bang: *walić do drzwi* bang at the door. **2** *(kogoś)* punch, hit. **3** *(coś)* strike, hit.

walizka suitcase, case.

walka 1 fight, struggle. **2** *(bitwa)* battle.

walnąć *zob.* **walić**.

waluta currency: *obca waluta* foreign currency.

wałek 1 *(do ciasta)* rolling pin. **2** *(do włosów)* curler.

wałęsać się hang around.

wampir vampire.

wandal vandal.

wandalizm vandalism.

waniliowy vanilla: *lody waniliowe* vanilla ice cream.

wanna bath.

wapno lime.

warcaby draughts, *AM* checkers.

warczeć *(o psie)* growl.

warga lip: *górna (dolna) warga* upper (lower) lip.

wariant 1 *(odmiana)* variant. **2** *(inna możliwość)* option, alternative.

wariat lunatic, madman, *nieform.* nut.

wariować go crazy, go mad.

warknąć *zob.* **warczeć**.

warkocz plait.

warstwa 1 (*kurzu*) layer. 2 (*farby*) coat. 3 *warstwy społeczne* social classes.

warsztat 1 (*naukowy*) workshop. 2 (*miejsce pracy*) shop. 3 (*artystyczny*) technique. 4 *warsztat samochodowy* service station, *BR* garage.

wart worth: *jest wart trzy tysiące funtów* it's worth £3,000; *wart przeczytania* worth reading; *nic niewart* worthless.

warto 1 it's worth: *Warto spróbować.* It's worth trying. 2 it's worthwhile: *Warto było tam pójść.* It was worthwhile going there.

wartościowy 1 valuable, precious, worthy. 2 *papiery wartościowe* securities.

wartość value.

warunek 1 (*wymaganie*) condition: *spełniać warunki* fulfil (meet) conditions. 2 *pod warunkiem, że...* on condition that..., provided (that)..., providing (that)...: *Pójdę z tobą pod warunkiem, że będziesz dla mnie miły.* I'll go with you on condition that you're nice to me. 3 (*sytuacja*) conditions, circumstances: *warunki życia* living conditions; *sprzyjające warunki* favourable conditions.

warunkowy 1 conditional: *zdania warunkowe* conditional sentenc-es. 2 conditioned: *odruch warunkowy* conditioned reflex.

warzywniak greengrocer's.

warzywo vegetable.

wasz 1 (*przed rzeczownikiem*) your: *Czy to wasz samochód?* Is that your car? 2 (*bez rzeczownika*) yours: *Czy ten samochód jest wasz?* Is that car yours?

wata cotton wool, *AM* absorbent cotton.

waza (*ozdobna*) vase.

wazon vase.

ważka dragonfly.

ważność 1 (*doniosłość*) importance, significance. 2 (*prawomocność*) validity. 3 *tracić ważność* (*o paszporcie*) expire. 4 *data ważności* (*paszportu, wizy*) date of expiry, (*produktu*) sell-by-date.

ważny 1 (*istotny*) important, significant. 2 (*o paszporcie*) valid.

ważyć 1 (*dokonywać pomiaru*) weigh: *Czy możesz zważyć te jabłka?* Can you weigh these apples? 2 (*mieć wagę*) weigh: *Ile ważysz?* How much do you weigh?

ważyć się 1 (*określać swój ciężar*) weigh oneself: *Muszę się zważyć.* I have to weigh myself. 2 (*decydować się*) hang in the balance. 3 (*mieć czelność*) dare: *Nawet się nie waż jej tknąć!* Don't you dare touch her!

wąchać (*o człowieku*) smell, (*o zwierzęciu*) sniff.

wąs *zob.* **wąsy**.

wąski narrow.

wąsy 1 (*zarost*) moustache (*AM* mustache). **2** (*kota*) whiskers.

wątek 1 (*utworu*) plot: **główny wątek** main plot; **wątek poboczny** subplot. **2** *tracić wątek* lose the thread, (*w dyskusji*) lose track.

wątpić doubt: *Wątpię w to.* I doubt it.

wątpliwość doubt: *mieć wątpliwości co do czegoś* have one's doubts about sth; *udowodnić ponad wszelką wątpliwość* prove beyond any doubt.

wątpliwy 1 doubtful. **2** (*problematyczny*) questionable.

wątroba liver.

wąwóz gorge, ravine.

wąż 1 (*zwierzę*) snake: *jadowity wąż* poisonous snake. **2** (*literacko*) serpent. **3** (*gumowy*) hose, hosepipe.

wbić *zob.* **wbijać**.

wbiec *zob.* **wbiegać**.

wbiegać run in, run into.

wbiegnąć *zob.* **wbiegać**.

wbijać 1 (*młotkiem*) hammer into, drive into: *wbijać gwóźdź w ścianę* hammer a nail into a wall. **2** (*nóż*) plunge. **3** *wbić sobie coś do głowy* get sth into one's head: *Wbiła sobie do głowy, że nie zda tego egzaminu.* She got it into her head that she wouldn't pass the exam.

wbrew against, contrary to: *wbrew prawu* against the law; *wbrew* *oczekiwaniom* contrary to expectations.

wcale 1 (*z przeczeniem*) at all, in the least: *On wcale ich nie lubi.* He doesn't like them at all.; *On nie jest wcale zainteresowany.* He's not in the least interested. **2** *wcale nie* not at all: *„Lubisz tam chodzić, prawda?" „Wcale nie!"* 'You like going there, don't you?' 'Not at all!'.

wchłaniać absorb.

wchłaniać się absorb.

wchłonąć *zob.* **wchłaniać**.

wchodzić 1 (*do budynku*) walk into, go in, *form.* enter. **2** (*do samochodu*) get into. **3** *proszę wejść!* come in! **4** *wchodzić po schodach* go upstairs, climb the stairs. **4** *wchodzić na drzewo* climb a tree. **5** *wchodzić w życie* come into effect. **6** *To nie wchodzi w rachubę (grę)!* It's out of the question! **7** *wchodzić na ekrany* come out.

wciągać 1 (*do góry*) pull up, draw up. **2** (*powietrze*) breathe in. **3** (*o wirze*) suck in. **4** (*o książce*) pull in. **5** *wciągnąć kogoś na listę* enter sb's name on the list.

wciągnąć *zob.* **wciągać**.

wciąż 1 (*jeszcze*) still: *On wciąż siedzi na górze.* He's still sitting upstairs. **2** (*bez przerwy*) constantly: *On wciąż mnie prosi, żebym coś dla niego zrobiła.* He's constantly asking me to do something for him.

wcierać rub in.

wczasowicz holidaymaker, *AM* vacationer.

wczasy holiday, *AM* vacation: *jechać na wczasy* go on holiday; *być na wczasach* be on holiday.

wczesny early: *wczesnym rankiem* in the early morning.

wcześnie early: *wstawać wcześnie* get up early.

wczoraj yesterday: *wczoraj rano* yesterday morning.

wdech inhalation.

wdepnąć 1 (*w błoto*) step into. **2** *nieform.* (*zaglądnąć do kogoś*) pop round.

wdowa widow.

wdowiec widower.

wdychać inhale, breathe in.

wdzięczność gratitude.

wdzięczny 1 (*pełen wdzięczności*) grateful, thankful. **2** (*pełen wdzięku*) graceful.

wdzięk grace.

we *zob.* **w**.

według 1 according to. **2** *według mnie* in my opinion, from my point of view.

weekend weekend: *w weekend* at the weekend, *AM* on the weekend.

wegetacja vegetation.

wegetarianin vegetarian.

wegetarianka vegetarian.

wegetariański vegetarian.

wegetować vegetate.

wehikuł vehicle.

wejście 1 (*drzwi*) entrance, door. **2** (*czynność*) entrance. **3** *zakaz*

wejścia no entrance, no admittance. **4** (*napis*) way in.

wejść *zob.* **wchodzić**.

wektor vector.

welon veil.

wełna (*owcza*) wool.

wełniany woolen, wool.

wentyl valve.

wentylator ventilator.

wepchnąć *zob.* **wpychać**.

weranda veranda, verandah.

werbować recruit, enlist.

werdykt verdict.

wers verse.

wersja version.

weryfikować verify.

wesele 1 (*ślub i wesele*) wedding. **2** (*przyjęcie*) wedding reception.

weselny wedding: *przyjęcie weselne* wedding reception.

wesoły 1 cheerful, joyful. **2** *wesołe miasteczko* funfair, *AM* amusement park. **3** *Wesołych Świąt!* (*Boże Narodzenie*) Merry Christmas!, (*Wielkanoc*) Happy Easter!

wesprzeć *zob.* **wspierać**.

westchnąć *zob.* **wzdychać**.

westchnienie sigh.

western western.

wesz louse.

weteran veteran.

weterynarz vet, veterinary surgeon, *AM* veterinarian.

wetrzeć *zob.* **wcierać**.

wewnątrz inside: *wewnątrz budynku* inside the building.

wewnętrzny 1 internal. **2** (*w polityce*) domestic, home, internal: *Ministerstwo Spraw Wewnętrznych* (*w Polsce*) the Ministry of Internal Affairs, (*w Wielkiej Brytanii*) the Home Office; *handel wewnętrzny* internal (domestic) trade. **3** (*spokój*) inner. **4** (*telefon*) *numer wewnętrzny* extension number.

wezwać *zob.* **wzywać.**

wezwanie 1 (*do sądu*) summons. **2** (*do wojska*) call-up, *AM* draft. **3** (*apel*) appeal.

węch sense of smell.

wędka fishing rod.

wędkarz angler.

wędlina cured meat, smoked meat.

wędrować wander, hike.

wędrówka wandering, hiking.

wędzić smoke, cure: *łosoś wędzony* smoked salmon.

węgiel 1 (*minerał*) coal: *węgiel kamienny (brunatny)* hard (brown) coal; *kopalnia węgla* coal mine. **2** (*pierwiastek*) carbon.

węgorz eel.

węzeł 1 (*supeł*) knot: *zawiązać węzeł* tie the knot; *rozwiązać węzeł* undo the knot. **2** (*jednostka prędkości*) knot. **3** (*komunikacyjny*) junction.

wgniecenie dent.

wiać blow.

wiadomości 1 (*radio, TV*) the news. **2** (*wiedza*) knowledge.

wiadomość 1 news, a piece of news: *dobra (zła) wiadomość* good (bad) news. **2** (*od kogoś*) message: *Czy mogę zostawić wiadomość dla Eli?* Can I leave a message for Ela?

wiadro 1 (*pojemnik*) bucket. **2** (*zawartość*) bucket, bucketful.

wiadukt flyover, *AM* overpass.

wiano dowry.

wiara 1 (*religijna*) faith, belief. **2** (*przeświadczenie*) belief, faith, trust. **3** *wiara w siebie* self-confidence.

wiarygodność credibility.

wiarygodny 1 (*powód*) credible. **2** (*pewny*) reliable.

wiatr wind.

wiatrak windmill.

wiązać (*sznurowadła*) tie.

wiązać się 1 *wiązać się z kimś* become involved with sb. **2** (*łączyć się*) mean, involve.

wibracja vibration.

wibrować vibrate.

wicedyrektor 1 deputy manager. **2** (*szkoły*) deputy head.

wiceprezydent (*państwa*) vice-president.

wichura gale, windstorm.

widelec fork: *jeść nożem i widelcem* eat with knife and fork.

wideo 1 (*kaseta*) video, video cassette. **2** (*magnetowid*) video recorder. **3** (*kamera wideo*) camcorder.

widły fork.

widmo 1 (*zjawa*) phantom, ghost. **2** (*w fizyce*) spectrum.

widnokrąg horizon.

widocznie 1 (*najwyraźniej*) clearly, evidently. **2** (*zauważalnie*) visibly.

widoczność visibility.

widoczny visible.

widok 1 (*panorama*) view: *pokój z widokiem na morze* room with a view of the sea. **2** (*obraz*) sight: *mdleć na widok krwi* faint at the sight of blood. **3** *l.mn.* **widoki** (*plany*) prospects.

widokówka postcard.

widowisko spectacle, show.

widownia audience.

widz 1 (*telewizyjny*) viewer. **2** (*wydarzenia sportowego*) spectator.

widzenie 1 (*wizja*) vision. **2** (*wzrok*) sight, vision: *znać kogoś z widzenia* know sb by sight. **3** *punkt widzenia* point of view: *z mojego punktu widzenia* from my point of view. **4** *do widzenia* goodbye.

widzialny visible.

widzieć 1 see: *Nic nie widzę.* I can't see anything.; *Czy widziałeś już ten nowy film?* Have you seen that new film already? **2** *nieform.* *no widzisz!* there you are!, there you go!

wiecznie 1 (*żyć*) forever, eternally. **2** *pejor.* (*przeszkadzać*) constantly, continually, always.

wieczność eternity.

wieczny 1 (*trwający wiecznie*) eternal, everlasting. **2** *wieczne pióro* fountain pen. **3** *pejor.* (*nieustanny*) perpetual, constant, endless.

wieczorem in the evening: *jutro wieczorem* tomorrow evening.

wieczorowy 1 (*suknia*) evening. **2** (*szkoła*) night.

wieczór 1 evening: *w piątkowy wieczór* on Friday evening. **2** *dobry wieczór* good evening.

wiedza 1 knowledge. **2** (*specjalistyczna*) expertise.

wiedzieć know: *wiedzieć o czymś* know about sth; *o ile wiem* as far as I know; *Skąd wiesz?* How do you know?

wiedźma witch.

wiejski 1 (*okolica*) country. **2** (*życie*) country, rural. **3** (*szkoła*) village.

wiek 1 (*stulecie*) century: *w dziewiętnastym wieku* in the nineteenth century; *na przełomie wieku* at the turn of the century. **2** (*liczba lat*) age: *w wieku pięciu lat* at the age of five; *kiedy ja byłem w waszym wieku...* when I was your age... **3** (*epoka*) age: *wieki średnie* the Middle Ages.

wieko lid.

wielbiciel 1 (*adorator*) admirer. **2** (*fan*) fan, enthusiast.

wielbić worship, adore.

wielbłąd camel.

wiele 1 (*z rzeczownikami policzalnymi*) many, a lot of, lots of: *wiele osób* a lot of people; *wiele razy* many times. **2** (*przed rzeczownikami niepoliczalnymi*) much, lots of: *Nie mam zbyt wiele czasu.* I haven't got too much time. **3** (*przed przymiotnikami i przysłówkami w stopniu wyższym*) much, a lot: *o wiele lepszy* much better; *o wiele wyżej* a lot higher.

Wielkanoc Easter.

wielkanocny Easter: *jaja wielkanocne* Easter eggs.

wielki 1 (*bardzo duży*) big, large, great: *wielki dom* big (large) house; *wielka różnica* great difference; *na wielką skalę* on a large scale. **2** (*wybitny*) great, grand: *wielki artysta* great artist. **3** *Wielki Post* Lent. **4** *Wielki Tydzień* Holy Week. **5** *Wielki Piątek* Good Friday. **6** *Wielki Czwartek* Maundy Thursday. **7** *wielka szkoda!* too bad!

wielkoduszny generous.

wielkość 1 (*rozmiar*) size: *być tej samej wielkości* be the same size. **2** (*matematyczna*) value, quantity. **3** (*ogrom*) vastness. **4** (*potęga*) greatness, magnitude.

wielokrotnie repeatedly, again and again.

wielokrotny repeated, multiple.

wieloletni long-term.

wieloryb whale.

wielostronny 1 (*o umiejętnościach*) versatile. **2** (*o rokowaniach*) multilateral.

wieloznaczny ambiguous.

wielożeństwo polygamy.

wieniec wreath: *wieniec laurowy* laurel wreath, laurels.

wieprz hog.

wieprzowina pork.

wieprzowy pork: *kotlet wieprzowy* pork chop.

wiercić drill.

wiercić się fidget.

wierność 1 (*lojalność*) fidelity, faithfulness. **2** (*dokładność*) fidelity.

wierny I (*przymiotnik*) **1** (*lojalny*) faithful, loyal. **2** (*dokładny*) faithful: *wierne tłumaczenie* faithful translation.

wierny II (*wyznawca*) believer.

wiersz 1 (*utwór literacki*) poem. **2** (*wers*) verse.

wiertarka drill.

wiertło drill.

wierzba willow.

wierzch 1 (*górna powierzchnia*) top. **2** (*powierzchnia wody*) surface. **3** (*dłoni*) back.

wierzchołek 1 (*góry*) peak, top. **2** (*drzewa*) top. **3** (*w matematyce*) point, apex.

wierzenie belief.

wierzyciel creditor.

wierzyć 1 believe: *wierzyć komuś* believe sb. **2** (*mieć zaufanie*) trust, have faith in.

wieszać hang.

wieszak 1 (*stojący*) stand, (*z kołkami*) coat rack, (*kołek*) peg. **2** (*na* *koszule*) hanger. **3** (*na ubrania*) loop.

wieś 1 (*miejscowość*) village. **2** (*okolica*) the country: *mieszkać na wsi* live in the country.

wietrzyć (*przewietrzać*) air.

wiewiórka squirrel.

wieźć carry, transport.

wieża 1 (*budowla*) tower. **2** (*w szachach*) castle, rook.

wieżowiec *BR* tower block, skyscraper.

więc 1 so, *form.* therefore. **2** *tak więc form.* thus. **3** *a więc* well.

więcej 1 (*bez przeczenia*) more: *coraz więcej* more and more; *mniej więcej* more or less. **2** (*z przeczeniem*) else: *nikt więcej* nobody else; *nic więcej* nothing else; *nigdy więcej* never again.

więdnąć wilt, wither.

większość majority: *większość ludzi* majority of people, most people.

większy 1 (*rozmiar*) bigger, larger. **2** (*znaczniejszy*) greater.

więzić keep in prison (imprisoned).

więzienie 1 (*miejsce*) prison, jail, *BR* gaol. **2** (*kara*) imprisonment, prison.

więzień prisoner.

więzy 1 bonds. **2** (*rodzinne*) ties.

więź bond, tie.

wigor vigour (*AM* vigor).

wilgoć 1 (*w powietrzu*) humidity. **2** (*na ścianie*) dampness. **3** (*skraplająca się woda*) moisture.

wilgotny 1 (*o klimacie*) humid. **2** (*o mieszkaniu*) damp.

wilk 1 wolf. **2** *o wilku mowa* speak of the devil.

wina 1 (*przewinienie*) fault: *To nie jego wina.* It's not his fault. **2** (*uczucie*) guilt: *poczucie winy* feeling of guilt.

winda lift, *AM* elevator.

windsurfing windsurfing.

winić blame (*kogoś za coś* sb for sth).

winien 1 (*winowajca*) guilty. **2** (*dłużny*) *Ile jestem ci winien?* How much do I owe you?

winieta vignette.

winnica vineyard.

winny 1 (*winowajca*) guilty: *być winnym czegoś* be guilty of sth; *czuć się winnym* feel guilty. **2** (*dłużny*) *Jestem ci winny przeprosiny.* I owe you an apology. **3** (*z wina*) wine: *ocet winny* wine vinegar.

wino wine: *kieliszek wina* glass of wine.

winogrono grape.

winszować congratulate (*komuś czegoś* sb on sth).

wioska village.

wiosło oar, paddle.

wiosłować row, paddle.

wiosna spring.

wiotczeć 1 (*o mięśniach*) grow flabby (limp). **2** (*o skórze*) get slack.

wir whirl, (*w wodzie*) whirlpool.

wirować 1 (*w pralce*) spin-dry. **2** (*kręcić się*) spin, (*o wodzie*) whirl.

wirtualny virtual: *rzeczywistość wirtualna* virtual reality.

wirus virus.

wirusowy viral, virus.

wisieć hang: *Ten obraz wisi nad moim łóżkiem od lat.* This picture has hung over my bad for years.

wisiorek pendant.

wiśnia cherry.

witać greet, welcome: *witamy w domu* welcome home; *witamy w Krakowie* welcome to Krakow.

witać się shake hands, greet each other.

witamina vitamin.

witryna (*sklepowa*) shop window.

wiwatować cheer.

wiza visa: *wiza turystyczna* tourist visa; *ubiegać się o wizę* apply for a visa; *przedłużyć wizę* extend a visa.

wizerunek (*opinia*) image.

wizja 1 (*telewizyjna*) picture. **2** (*przywidzenie*) vision.

wizualny visual.

wizyta 1 (*odwiedziny*) visit: *składać komuś wizytę* pay sb a visit. **2** (*u lekarza*) appointment: *umówić się na wizytę* make an appointment.

wizytacja inspection.

wizytowy formal.

wizytówka business card, card.

wjazd 1 (*wejście*) entrance. **2** (*brama*) gateway. **3** (*do garażu*) drive.

4 (*na autostradę*) slip road, *AM* entrance ramp. **5** *zakaz wjazdu* no entry.

wjechać *zob.* **wjeżdżać.**

wjeżdżać 1 (*do środka*) enter, drive in (to). **2** (*na szczyt*) ascend. **3** (*na coś*) run into, drive into: *Wjechał na lampę.* He drove into a lamp-post.

wklęsły hollow.

wkład 1 (*udział*) contribution, share. **2** (*wymienny*) refill. **3** (*do banku*) deposit.

wkładać 1 (*do środka*) put in, *form.* insert: *„włóż kartę"* 'insert card'; *Włożyła nożyczki do szuflady.* She put the scissors in the drawer. **2** (*o ubraniu*) put on: *Włóż czapkę, jest zimno!* Put on a hat, it's cold!

wkoło around: *Chodziliśmy wkoło rynku.* We were walking around the square.

wkraczać 1 (*o wojsku*) march in, invade. **2** (*uroczyście*) enter.

wkradać się sneak in, steal in: *Wkradł się do spiżarki.* He sneaked into the storage.

wkraść się *zob.* **wkradać się.**

wkręt screw.

wkroczyć *zob.* **wkraczać.**

wkrótce soon, *form.* shortly.

wkurzać *nieform.* get on (sb's) nerves.

wkurzyć *zob.* **wkurzać.**

wlać *zob.* **wlewać.**

wlec drag.

wlec się 1 (*o czasie*) drag. **2** (*o człowieku*) drag (along).

wlewać pour in, pour into.

wliczać include.

wliczony included: *obsługa wliczona w cenę* service included in the price; *wszystko wliczone w cenę* all inclusive.

wliczyć *zob.* **wliczać**.

władca ruler.

władza 1 (*rządzenie*) power: *dojść do władzy* come to power; *przejąć władzę* take over power. **2** *l.mn.* *władze* (*organy rządzące*) the authorities.

włamać się *zob.* **włamywać się**.

włamanie burglary.

włamywacz burglar.

włamywać się break in, break into.

własność 1 (*mienie*) property: *własność prywatna* personal property. **2** (*prawo*) ownership.

własny 1 own. **2** *nazwa własna* proper noun. **3** *w obronie własnej* in self-defence. **4** *we własnej osobie* in person. **5** *na własny koszt* at one's own expense.

właściciel 1 owner. **2** (*wynajmujący mieszkanie*) landlord.

właściwie 1 (*prawdę mówiąc*) actually, in fact. **2** (*należycie*) properly: *zachowywać się właściwie* behave properly. **3** (*poprawnie*) correctly.

właściwy 1 (*poprawny*) correct. **2** (*należyty*) proper: *właściwe za-chowanie* proper behaviour. **3** (*odpowiedni*) suitable.

właśnie 1 (*dopiero co*) just: *Właśnie wszedł.* He's just come in. **2** *właśnie mieć coś zrobić* be about to do sth: *Właśnie miałem do ciebie dzwonić.* I was just about to call you. **3** *Właśnie!* (*dokładnie*) Exactly!, Precisely!

włączać 1 (*światło*) switch on, turn on: *włączać światło* turn on (switch on) the light; *włączać radio* turn on the radio. **2** (*zawierać*) include: *wszyscy, włączając w to nas* everyone, including us.

włączać się 1 (*przyłączać się*) join: *włączać się do rozmowy* join in the conversation. **2** (*o świetle, urządzeniu*) come on.

włącznie 1 (*o terminach*) inclusive: *do wtorku włącznie* till Tuesday inclusive. **2** *włącznie ze mną* myself included.

włącznik switch.

włączony 1 (*zawarty*) included. **2** (*działać*) be on: *Sprawdź, czy radio jest włączone.* Check whether the radio is on.

włączyć *zob.* **włączać**

włączyć się *zob.* **włączać się**.

włochaty hairy.

włos 1 hair. **2** *włosy* hair: *jasne (ciemne) włosy* fair (dark) hair.

włoski Italian.

włożyć *zob.* **wkładać**.

włóczęga tramp.

włóczyć się wander around, hang around.

włókno fibre (*AM* fiber).

wmieszać *zob.* **mieszać**.

wnętrze 1 the inside. **2** (*budynku*) interior: **architekt (dekorator) wnętrz** interior designer, interior decorator.

wnieść *zob.* **wnosić**.

wnikliwy 1 (*analiza*) careful, scrupulous. **2** (*wzrok*) penetrating.

wniosek 1 (*konkluzja*) conclusion: **wyciągnąć wniosek** draw a conclusion; **dochodzić do wniosku** come to a conclusion, arrive at a conclusion. **2** (*propozycja*) proposal, motion. **3** (*podanie*) application.

wnioskować infer, conclude.

wnosić 1 (*meble*) carry in. **2** (*przedstawiać*) lodge: **wnosić skargę** lodge a complaint.

wnuczka granddaughter.

wnuk 1 (*chłopiec*) grandson. **2** (*ogólnie*) grandchild.

wobec 1 (*w obecności*) in the presence of, before. **2** (*w stosunku do*) towards: **być okrutnym wobec kogoś** be cruel towards sb.

woda water: **woda mineralna** mineral water; **woda bieżąca** running water; **woda zdatna do picia** drinking water.

Wodnik (*znak zodiaku*) Aquarius.

wodny 1 water, aquatic: **sporty wodne** water sports. **2** (*roztwór*) aqueous: **para wodna** aqueous vapour.

3 elektrownia wodna hydroelectric power station.

wodoodporny waterproof, water-resistant.

wodorost seaweed.

wodospad waterfall.

wodór hydrogen.

w ogóle at all: *Ja tego w ogóle nie rozumiem.* I don't understand it at all.

wojenny 1 war: **korespondent wojenny** war correspondent. **2 marynarka wojenna** the navy. **3** (*wojskowy*) martial: **sąd wojenny** court martial.

wojewódzki provincial.

województwo province.

wojna war: **wojna domowa** civil war; **wojna atomowa** nuclear war; **wypowiedzieć komuś wojnę** declare war on sb.

wojownik warrior.

wojsko armed forces, army: **wstąpić do wojska** join the army.

wojskowy military: **służba wojskowa** military service.

wokalista 1 (*zespołu*) vocalist. **2** (*piosenkarz*) singer.

wokoło (**wokół**) around, all around.

wokół *zob.* **wokoło**.

wola will: **wolna wola** free will; **silna wola** strong will; **dobra wola** goodwill; **ostatnia wola** one's last will.

woleć 1 prefer (*coś od czegoś* sth to sth): *Wolę sok jabłkowy od pomarańczowego.* I prefer apple juice to orange juice. **2 wolałbym coś zrobić** I'd rather do sth: *Wolałbym iść na piechotę.* I'd rather walk.

wolno I (*dozwolone*) **1 nie wolno** (*przy zakazach*) be forbidden, be not allowed: *Tu nie wolno palić.* It is forbidden (It is not allowed, You are not allowed) to smoke in here. **2 nie wolno komuś** sb mustn't: *Nie wolno mu się denerwować.* He mustn't get stressed. **3 wolno komuś** be allowed: *jemu wszystko wolno* he is allowed to do everything. **4 jeśli wolno spytać** if I may ask.

wolno II (*powoli*) slowly.

wolnocłowy duty-free.

wolność 1 (*niepodległość*) independence, freedom. **2** (*swoboda*) freedom, liberty. **3** (*prawo*) freedom: *wolność słowa* freedom of speech; *wolność prasy* freedom of press. **4 wypuścić kogoś na wolność** release sb, set sb free.

wolny 1 (*nieograniczony*) free: *wolny rynek* free market. **2** (*niezajęty* – *o osobie*) free: *Jesteś jutro wolny?* Are you free tomorrow? **3** (*o czasie*) spare, free: *Gdy będziesz miał wolną chwilę...* When you have a spare moment (a moment free)... **4 dzień wolny** (*z pracy*) day off. **5 wolny etat** vacancy. **6** (*stan cywilny*) single. **7** (*powolny*) slow. **8 mieć wolny zawód** be a freelancer.

wołać call, cry, shout.

wołanie call, cry.

wołowina beef.

wołowy beef: *pieczeń wołowa* roast beef.

worek sack.

wosk wax.

woźny (*szkolny*) caretaker, *AM* janitor.

wódka vodka.

wódz 1 (*plemienia*) chief. **2** (*wojskowy*) commander. **3** (*przywódca*) leader.

wół ox.

wówczas then, at that time.

wóz 1 (*konny*) cart, wagon. **2** (*samochód*) car.

wózek 1 (*dziecięcy*) pram, *AM* baby carriage. **2** (*spacerowy*) pushchair, *AM* stroller. **3** *wózek inwalidzki* wheelchair.

wpadać 1 (*do wnętrza*) fall in: *wpadać do wody* fall into the water. **2** (*o nieprzyjemnej sytuacji*) get into: *wpadać w terapaty* get into trouble. **3** *nieform.* (*wstępować*) drop in, pop in, call on. **4** (*zderzać się*) run into. **5** (*do pokoju*) storm in, rush in.

wpaść *zob.* **wpadać**.

wpis 1 (*rejestracja*) registration. **2** (*zapis*) entry.

wpisać *zob.* **wpisywać**.

wpisywać 1 (*rejestrować*) register. **2** (*podawać*) enter: *wpisz kod* enter the code number.

wpłacać pay in, pay into.

wpłacić *zob.* **wpłacać.**

wpłata payment: *dokonywać wpłaty* make a payment.

wpłynąć *zob.* **wpływać.**

wpływ 1 influence, impact: *mieć na kogoś wpływ* have an influence on sb. **2** *l.mn.* **wpływy** (*przychody*) takings. **3** *l.mn.* **wpływy** (*znajomości*) influential friends.

wpływać 1 (*o pieniądzach*) come in. **2** *wpływać na kogoś (coś)* influence sb (sth), affect sb (sth).

wpływowy influential.

wprawa skill, proficiency.

wprost 1 (*bez ogródek*) directly, outright, straight. **2** (*wręcz*) simply, just: *To wprost nie do wiary.* That's simply (just) unbelievable. **3** *na wprost czegoś* in front of sth, (*naprzeciwko*) opposite.

wprowadzać 1 (*gości*) show in, bring. **2** (*umieszczać*) insert. **3** (*zaczynać stosować*) introduce: *wprowadzić reformy (nowe zasady)* introduce reforms (new rules). **4** (*zaznajamiać*) introduce.

wprowadzić się move in.

wprowadzenie introduction.

wprowadzić *zob.* **wprowadzać.**

wprowadzić się *zob.* **wprowadzać się.**

wpuszczać let in.

wpuścić *zob.* **wpuszczać.**

wpychać push in, shove in.

wracać 1 (*przybywać z powrotem*) come back, *form.* return: *wracać*

do domu come back home. **2** *wracać do zdrowia* recover.

wrak wreck, wreckage.

wraz z with, together with.

wrażenie 1 (*zmysłowe*) sensation. **2** (*psychiczne*) impression: *mieć wrażenie, że...* get the impression that...; *robić na kimś dobre wrażenie* make a good impression on sb. **3** *zrobić na kimś wrażenie* impress sb: *Nie zrobił na mnie wrażenia.* He didn't really impress me.

wrażliwość sensitivity, sensibility.

wrażliwy sensitive: *wrażliwa skóra* sensitive skin; *wrażliwy na coś* sensitive to sth.

wredny nasty, malicious, mean.

wreszcie at last, finally.

wręczać 1 (*uroczyście*) present with. **2** (*dawać*) hand in, give.

wręczyć *zob.* **wręczać.**

wrodzony 1 (*zdolność*) inborn, innate. **2** (*wada*) congenial.

wrogi 1 (*wojsko*) enemy. **2** (*stosunek*) hostile.

wrogość hostility.

wrona crow.

wrotka roller skate: *jeździć na wrotkach* roller-skate.

wróbel sparrow.

wrócić *zob.* **wracać.**

wróg enemy.

wróżyć 1 (*przepowiadać przyszłość*) tell the future. **2** (*przewidywać*) predict, foretell.

wrzask scream.

wrzasnąć *zob.* **wrzeszczeć**.

wrzątek boiling water.

wrzesień September: *ósmego wrze-śnia* (*coś się stało*) on September 8th.

wrzeszczeć scream.

wrzos heather.

wrzód ulcer.

wrzucać throw in, throw into.

wrzucić *zob.* **wrzucać**.

wsadzać put.

wsadzić *zob.* **wsadzać**.

wschodni 1 eastern: *Europa Wschod-nia* Eastern Europe. **2** (*kierunek, wiatr*) easterly.

wschodzić 1 (*o słońcu*) rise. **2** (*o ro-ślinach*) sprout.

wschód 1 (*słońca*) sunrise. **2** (*kie-runek*) east: *na wschód od czegoś* to the east of sth. **3** (*region*) the East: *Bliski Wschód* the Middle East; *Daleki Wschód* the Far East.

wsiadać 1 (*do samochodu*) get into. **2** (*do autobusu*) get on. **3** (*do samolotu*) board. **4** (*na rower, ko-nia*) mount, get on. **5** (*na statek*) board.

wsiąść *zob.* **wsiadać**.

wskakiwać 1 (*do środka*) jump into. **2** (*na coś*) jump onto. **3** (*do auto-busu*) jump on.

wskazać *zob.* **wskazywać**.

wskazówka 1 (*zegara*) hand. **2** (*przy-rządu mierniczego*) needle. **3** (*rada*) hint, clue.

wskazywać 1 (*palcem*) point at. **2** (*ogólnie*) indicate, show: *wska-zać komuś drogę* show sb the way. **3** *coś wskazuje na coś* (*oznaczać*) sth indicates sth.

wskoczyć *zob.* **wskakiwać**.

wspaniale 1 magnificently, fantasti-cally. **2** *To wspaniale!* That's great (fantastic)!

wspaniałomyślny generous, magna-nimous.

wspaniałość greatness, splendour (*AM* splendor), magnificence.

wspaniały wonderful, magnificent, splendid.

wsparcie 1 (*podtrzymanie*) support, assitance. **2** (*pomoc*) aid.

wspiąć się *zob.* **wspinać się**.

wspierać 1 (*podtrzymać*) support. **2** (*pomóc*) aid, assist.

wspinaczka climbing, (*górska*) moun-taineering.

wspinać się climb: *wspinać się na drzewo* climb a tree.

wspomagać aid, support, help.

wspominać 1 (*przypominać sobie*) recall, remember, recollect. **2** (*nad-mieniać*) mention: *wyżej wspo-mniany* mentioned above, above mentioned.

wspomnieć *zob.* **wspominać**.

wspomnienie 1 (*obraz przeszłości*) recollection, memory. **2** *l.mn.* *wspomnienia* (*pamiętniki*) mem-oirs.

wspomóc *zob.* **wspomagać**.

wspólnik 1 (*w interesach*) (business) partner. **2** (*w przestępstwie*) accomplice.

wspólnota community.

wspólny 1 common: *wspólny cel* common purpose. **2** shared, communal: *wspólna łazienka* communal (shared) bathroom. **3** (*obopólny*) mutual. **4** (*przedsięwzięcie*) joint: *wspólny wysiłek* joint effort. **5** *mieć z kimś wiele wspólnego* have a lot in common with sb. **6** *nie mieć z kimś (czymś) nic wspólnego* have nothing to do with sb (sth).

współautor co-writer.

współczesny 1 (*o teraźniejszości*) contemporary, present-day. **2** (*o przeszłości*) contemporary: *Wielu malarzy nie jest docenianych przez im współczesnych.* Many painters are not appreciated by their contemporaries.

współczucie 1 compassion, sympathy. **2** *wyrazy współczucia* condolences: *Proszę przyjąć wyrazy współczucia.* Please accept my condolences.

współczuć feel sorry for.

współczynnik coefficient.

współdziałać cooperate.

współdziałanie cooperation.

współistnieć coexist.

współlokator flatmate.

współmałżonek spouse.

współpraca 1 (*zawodowa*) cooperation. **2** (*artystyczna, z wrogiem*) collaboration.

współpracować 1 (*zawodowo*) cooperate. **2** (*z innym artystą, wrogiem*) collaborate.

współpracownik co-worker.

współrzędna coordinate.

współrzędny coordinate.

współuczestniczyć participate.

współuczestnik participant.

współwłasność joint ownership.

współwłaściciel co-owner.

współzawodnictwo competition, rivalry.

współzawodniczyć compete.

współzawodnik competitor, contestant.

współżycie intercourse.

współżyć 1 (*o roślinach*) coexist. **2** (*obcować*) interact, get on with. **3** (*płciowo*) have sexual intercourse, have sex.

wstać *zob.* **wstawać**.

wstawać 1 (*z łóżka*) get up: *Zawsze wstaję wcześnie.* I always get up early. **2** (*z pozycji siedzącej*) stand up, rise.

wstąpić *zob.* **wstępować**.

wstążka ribbon.

wstecz back, backwards.

wsteczny 1 (*konserwatywny*) reactionary. **2** (*bieg*) reverse.

wstęp 1 (*prawo wejścia*) entry, admission: *wstęp wzbroniony* no entry; *wstęp wolny* admission free. **2** (*początek*) beginning. **3** (*do utworu literackiego*) introduction, preface.

wstępny 1 (*przygotowawczy*) preliminary. **2** (*początkowy*) initial. **3** (*egzamin*) entrance: *egzamin wstępny* entrance exam.

wstępować 1 (*do organizacji*) join. **2** (*odwiedzać kogoś*) call on, drop in, pop in. **3** (*np. do sklepu*) call at, call by, stop by. **4** *wstępować do wojska* join the army.

wstręt revulsion, repulsion, disgust.

wstrętny disgusting, repulsive.

wstrząsać 1 (*przedmiotem*) shake: *przed użyciem wstrząsnąć* shake before use. **2** (*szokować*) shock.

wstrząsający shocking.

wstrząsnąć *zob.* **wstrząsać**.

wstrzykiwać inject.

wstrzyknąć *zob.* **wstrzykiwać**.

wstrzymać *zob.* **wstrzymywać**.

wstrzymywać 1 (*zatrzymywać*) hold, hold up, restrain: *wstrzymywać oddech* hold one's breath. **2** (*pracę*) discontinue.

wstyd 1 shame, embarrassment. **2** *Jest mi wstyd.* I feel ashamed.

wstydliwość shyness.

wstydliwy shy, bashful.

wstydzić się 1 *wstydzić się czegoś* be ashamed of sth. **2** *wstydzić się za kogoś* be ashamed of sb. **3** *Nie wstydź się!* Don't be shy!

wsunąć *zob.* **wsuwać**.

wsuwać slip.

wsuwka (*do włosów*) hairpin.

wsypać *zob.* **wsypywać**.

wsypywać pour, pour in.

wszczepiać implant.

wszczepić *zob.* **wszczepiać**.

wszechstronny 1 (*człowiek*) versatile. **2** (*wykształcenie*) broad. **3** (*zainteresowania*) wide-ranging.

wszechświat the universe.

wszechwładny omnipotent.

wszelki 1 (*każdy*) every, all: *wszelkie prawa zastrzeżone* all rights reserved. **2** (*jakikolwiek*) all, any: *za wszelką cenę* at all costs, at any cost. **3** *na wszelki wypadek* just in case.

wszędzie everywhere.

wszyscy 1 (*każdy*) everybody, everyone: *Wszyscy wiedzą o tym.* Everyone knows that. **2** (*całość*) all: *Wszyscy uczniowie zdali test.* All students passed the test.

wszystko 1 all, everything: *Oddałbym wszystko, co mam.* I'd give everything I've got.; *To wszystko?* Is that all? **2** *przede wszystkim* first of all, in the first place. **3** *Wszystkiego najlepszego!* All the best! **4** *(jest mi) wszystko jedno* I don't mind, it doesn't matter. **5** *nade wszystko* above all, more than anything.

wściec się *zob.* **wściekać się**.

wściekać się 1 throw a fit, go mad. **2** *wściekać się na kogoś* be furious with sb.

wściekłość fury, rage.

wściekły 1 (*zły*) furious, mad. **2** (*chory*) rabid.

wśród among, amongst.

wtajemniczać initiate.

wtajemniczyć *zob.* **wtajemniczać**.

wtedy 1 then, at that time. **2** *wtedy, kiedy* when.

wtorek Tuesday: *we wtorek* on Tuesday.

wtrącać się 1 (*ingerować*) interfere, meddle. **2** (*do rozmowy*) butt in.

wtrącić się *zob.* **wtrącać się**.

wtyczka plug.

wujek uncle.

wulgarny vulgar.

wulgaryzm vulgarism.

wulkan volcano.

wy you.

wybaczać 1 (*przebaczać*) forgive: *Nigdy ci tego nie wybaczę.* I'll never forgive you this. **2** (*wykazywać wyrozumiałość*) excuse: *Proszę mi wybaczyć mój francuski.* Excuse my French.

wybaczalny excusable.

wybaczenie forgiveness.

wybaczyć *zob.* **wybaczać**.

wybawca saviour (*AM* savior).

wybawiać (*z opresji*) save.

wybawić *zob.* **wybawiać**.

wybielacz bleach.

wybielać bleach.

wybielić *zob.* **wybielać**.

wybierać 1 choose, select, pick, pick out. **2** (*głosowanie*) elect.

wybiórczy selective.

wybitny outstanding, distinguished.

wyborca voter.

wyborny excellent, delicious.

wyborowy *strzelec wyborowy* sharp-shooter.

wybór 1 choice: *nie mieć wyboru* have no choice. **2** (*głosowanie*) election. **3** (*towarów*) selection.

wybrać *zob.* **wybierać**.

wybrać się *zob.* **wybierać się**.

wybrany chosen, selected.

wybrzeże coast.

wybuch 1 (*bomby*) explosion. **2** (*wulkanu*) eruption. **3** (*epidemii*) outbreak. **4** (*śmiechu*) outburst.

wybuchać 1 (*o bombie*) explode, go off. **2** (*o wulkanie*) erupt. **3** (*o wojnie, epidemii*) break out.

wybuchnąć *zob.* **wybuchać**.

wybuchowy 1 (*o człowieku*) short-tempered. **2** (*o substancji*) explosive.

wycelować *zob.* **celować**.

wycena estimate, valuation.

wyceniać estimate, value.

wycenić *zob.* **wyceniać**.

wychodzić 1 (*opuszczać miejsce*) leave. **2** (*z pomieszczenia*) go out, walk out: *Wyszła i nigdy więcej jej nie widzieliśmy.* She went out and we never saw her again. **3** (*perspektywa z zewnątrz*) come out, walk out: *Widziałem ją, jak wychodziła z biura.* I saw her coming out of her office. **4** (*o włosach*) come out. **5** (*o książce*) come out. **6** (*o oknie*) face, look out on: *Okna wychodzą na wschód.* The windows face east.

wychować *zob.* **wychowywać**.

wychować się *zob.* **wychowywać się**.

wychowanie 1 (*proces*) upbringing, education. **2** (*ogłada*) manners. **3** *wychowanie fizyczne* physical education, PE.

wychowany *dobrze wychowany* well-mannered; *źle wychowany* bad-mannered.

wychowawca form tutor, *AM* home-room teacher.

wychowywać bring up.

wychowywać się grow up.

wychylać się lean out: *Nie wychylaj się przez okno.* Don't lean out of the window.

wychylić się *zob.* **wychylać się**.

wyciąć *zob.* **wycinać**.

wyciąg 1 (*narciarski*) lift: *wyciąg orczykowy* T-bar lift; *wyciąg krzesełkowy* chair-lift. **2** (*z konta*) bank statement. **3** (*ekstrakt*) extract. **4** (*odpis*) excerpt.

wyciągać 1 (*wyjmować*) pull out, take out. **2** (*rozprostowywać*) stretch.

wyciągnąć *zob.* **wyciągać**.

wycie howling.

wycieczka 1 trip, excursion: *pojechać na wycieczkę* take a trip, go on a trip. **2** (*zorganizowana, za granicę*) package tour.

wyciek leakage.

wycieńczony exhausted.

wycieraczka 1 (*przed drzwiami*) doormat. **2** (*samochodowa*) wind-

screen wiper, *AM* windshield wiper.

wycierać 1 (*ręce*) wipe. **2** (*brud*) wipe up. **3** (*naczynia*) dry.

wycinać cut out.

wyciskać 1 (*owoce*) squeeze. **2** (*z tubki*) squeeze out.

wycisnąć *zob.* **wyciskać**.

wycofać się *zob.* **wycofywać się**.

wycofywać się withdraw.

wyczerpać *zob.* **wyczerpywać**.

wyczerpany 1 exhausted. **2** (*bateria*) flat.

wyczerpujący 1 (*męczący*) exhausting. **2** (*kompletny*) exhaustive.

wyczerpywać 1 (*człowieka*) exhaust. **2** (*zużywać*) use up.

wyczuwać 1 (*zapach*) smell. **2** (*dotykiem*) feel. **3** (*intuicyjnie*) sense.

wyczyścić *zob.* **czyścić**.

wyć 1 (*o psie*) howl. **2** (*o syrenie*) wail.

wyćwiczyć *zob.* **ćwiczyć**.

wydać *zob.* **wydawać**.

wydać się *zob.* **wydawać się**.

wydajnie efficiently.

wydajność efficiency.

wydajny 1 (*o pracy*) effective. **2** (*starczający na długo*) effective.

wydanie 1 (*opublikowanie*) publication. **2** (*książki*) edition.

wydarzać się happen.

wydarzenie event.

wydarzyć się *zob.* **wydarzać się**.

wydatek 1 expense. **2** *l.mn.* **wydatki** expenses.

wydawać 1 (*pieniądze*) spend. **2** (*książkę*) publish. **3** (*polecenie*) give.

wydawać się seem.

wydawca 1 (*gazety*) editor. **2** (*książki*) publisher.

wydawnictwo publishing house.

wydech exhalation.

wydedukować *zob.* **dedukować**.

wydłużać lengthen.

wydłużyć *zob.* **wydłużać**.

wydma dune.

wydolność efficiency.

wydostać się *zob.* **wydostawać się**.

wydostawać się get out.

wydra otter.

wydrążony hollow.

wydrążyć *zob.* **wydrążać**.

wydruk printout.

wydrukować *zob.* **drukować**.

wydychać breathe out, exhale.

wydział 1 (*w firmie*) department. **2** (*na uniwersytecie*) faculty.

wydzierżawić *zob.* **dzierżawić**.

wyegzekwować *zob.* **egzekwować**.

wyeksportować *zob.* **eksportować**.

wyeliminować *zob.* **eliminować**.

wyemigrować *zob.* **emigrować**.

wyemitować *zob.* **emitować**.

wygasać 1 (*o umowie*) expire. **2** (*o ogniu*) die out.

wygasły (*o wulkanie*) extinct.

wygasnąć *zob.* **wygasać**.

wygaśnięcie (*umowy*) expiry.

wygiąć *zob.* **wyginać**.

wygięty bent.

wyginać bend.

wyginąć become extinct.

wygląd appearance, looks.

wyglądać 1 look out of. **2** (*jakoś*) look.

wygłaszać deliver.

wygłosić *zob.* **wygłaszać**.

wygłupiać się joke.

wygoda comfort.

wygodnie comfortably.

wygodny comfortable.

wygrać *zob.* **wygrywać**.

wygrywać win.

wyhaftować *zob.* **haftować**.

wyhodować *zob.* **hodować**.

wyimaginowany imaginary.

wyizolować *zob.* **izolować**.

wyjaśniać explain.

wyjaśnić *zob.* **wyjaśniać**.

wyjaśnienie explanation.

wyjawiać reveal.

wyjawić *zob.* **wyjawiać**.

wyjazd (*droga wyjazdowa*) exit.

wyjąć *zob.* **wyjmować**.

wyjątek exception: *za wyjątkiem* except for; *bez wyjątku* without exception.

wyjątkowo exceptionally.

wyjątkowy exceptional.

wyjechać *zob.* **wyjeżdżać**.

wyjeżdżać leave.

wyjmować take out.

wyjrzeć *zob.* **wyglądać**.

wyjście 1 (*skądś*) exit: *wyjście awaryjne* emergency exit. **2** (*rozwiązanie*) way out.

wyjść *zob.* **wychodzić**.

wykarmić *zob.* **karmić**.

wykaz register.

wykąpać *zob.* **kąpać**.

wykąpać się *zob.* **kąpać się**.

wykluczać exclude.

wykluczyć *zob.* **wykluczać**.

wykład lecture.

wykładać 1 (*mieć wykłady*) lecture. **2** (*np. na stół*) lay out.

wykładowca lecturer.

wykonać *zob.* **wykonywać**.

wykonalny feasible.

wykonanie performance.

wykonawca 1 performer. **2** (*utworu*) singer. **3** (*pracy budowlanej*) contractor.

wykonywać 1 (*utwór*) perform, sing. **2** (*robić*) do.

wykopać *zob.* **wykopywać**.

wykopywać dig up.

wykorzystać *zob.* **wykorzystywać**.

wykorzystywać 1 (*użytkować*) use. **2** (*wyzyskiwać*) exploit.

wykradać steal away.

wykraść *zob.* **wykradać**.

wykres graph, chart.

wykreślać (*skreślać*) cross out.

wykreślić *zob.* **wykreślać**.

wykroczenie offence (*AM* offense).

wykryć *zob.* **wykrywać**.

wykrywać detect.

wykrzywiać 1 (*twarz*) contort. **2** (*usta*) twist.

wykrzywić *zob.* **wykrzywiać**.

wykształcać 1 (*rozwijać*) develop. **2** (*wykształcenie*) provide education.

wykształcenie education.

wykształcić *zob.* **kształcić, wykształcać**.

wykształcony educated.

wykwalifikowany qualified.

wylać *zob.* **wylewać**.

wylądować *zob.* **lądować**.

wyleczyć *zob.* **leczyć**.

wylegitymować *zob.* **legitymować**.

wylewać 1 pour out. **2** (*rozlać*) spill.

wyliczać 1 (*wymieniać*) enumerate. **2** (*obliczać*) calculate.

wyliczyć *zob.* **wyliczać**.

wylot 1 (*samolotem*) departure. **2** (*ujście*) outlet.

wyładować *zob.* **wyładowywać**.

wyładowywać (*towar*) unload.

wyładunek unloading.

wyłamać *zob.* **wyłamywać**.

wyłamywać 1 (*drzwi*) break down. **2** (*zamek*) force.

wyłączać 1 turn off, switch off. **2** (*z kontaktu*) unplug. **3** (*wykluczać*) exclude.

wyłącznie exclusively.

wyłącznik switch.

wyłączny exclusive.

wyłączony turned off.

wyłączyć *zob.* **wyłączać**.

wyłożyć *zob.* **wykładać**.

wyłysieć *zob.* **łysieć**.

wymagać 1 (*żądać*) demand. **2** (*potrzebować*) require: *To mieszkanie wymaga generalnego remontu.* This flat needs doing up.

wymagający demanding.

wymaganie requirement.
wymagany required.
wymarły (*gatunek*) extinct.
wymarzony dream.
wymasować *zob.* **masować**.
wymawiać (*słowo*) pronounce.
wymazać *zob.* **wymazywać**.
wymazywać 1 (*z tablicy*) wipe out.
2 (*gumką*) rub out, erase.
wymiana 1 exchange. **2** (*części*) replacement.
wymiar dimension.
wymieniać 1 exchange. **2** (*wspomnieć*) mention. **3** (*wyliczać*) enumerate.
wymienić *zob.* **wymieniać**.
wymierać die out.
wymierzać 1 (*mierzyć*) measure. **2** (*sprawiedliwość*) mete out.
wymierzyć *zob.* **mierzyć**, **wymierzać**.
wymieszać *zob.* **mieszać**.
wymieszać się *zob.* **mieszać się**.
wymijać pass.
wyminąć *zob.* **wymijać**.
wymiotować vomit, *nieform.* throw up.
wymioty vomiting.
wymowa 1 (*sposób*) pronunciation. **2** (*znaczenie*) meaning.
wymóg requirement.
wymówić *zob.* **wymawiać**.
wymówka 1 (*usprawiedliwienie się*) excuse. **2** (*wyrzut*) reproach.
wymrzeć *zob.* **wymierać**.
wymurować *zob.* **murować**.

wymyć *zob.* **myć**.
wymyślać 1 (*wynaleźć*) invent. **2** (*zmyślać*) make up.
wymyślić *zob.* **wymyślać**.
wynagradzać 1 (*za coś*) reward. **2** (*stratę*) make up, compensate.
wynagrodzenie pay, salary.
wynagrodzić *zob.* **wynagradzać**.
wynająć *zob.* **wynajmować**.
wynajem 1 (*mieszkania*) renting. **2** (*samochodu*) hiring.
wynajęcie *do wynajęcia* (*mieszknie*) to let, for rent, (*samochód*) for hire.
wynajmować 1 (*mieszkanie*) rent, let. **2** (*samochód*) hire. **3** (*robotnika*) hire.
wynalazca inventor.
wynalazek invention.
wynalezienie invention.
wynieść *zob.* **wynosić**.
wynik 1 (*obliczeń*) result. **2** (*rozmów*) outcome. **3** (*meczu*) score.
wynikać 1 result. **2** (*o wniosku*) follow.
wyniknąć *zob.* **wynikać**.
wynosić 1 (*na zewnątrz*) take out. **2** (*w inne miejsce*) take away.
wynurzać się emerge.
wynurzyć się *zob.* **wynurzać się**.
wyobcowany alienated.
wyobrazić *zob.* **wyobrażać**.
wyobraźnia imagination.
wyobrażać imagine.
wyobrażenie 1 (*obraz*) picture. **2** (*mniemanie*) notion.

wyolbrzymiać (*przesadzać*) exaggerate.

wyolbrzymić *zob.* **wyolbrzymiać**.

wypadać 1 (*upadać*) fall out. **2** (*o włosach*) come out. **3** (*przypadać*) fall on: *Moje urodziny wypadają w sobotę.* My birthday falls on Saturday.

wypadek 1 (*kraksa*) accident: *wypadek samochodowy* car accident. **2** (*przypadek*) case: *na wszelki wypadek* just in case. **3** *w żadnym wypadku* on no account.

wyparować *zob.* **wyparowywać**.

wyparowywać evaporate.

wypastować *zob.* **pastować**.

wypaść *zob.* **wypadać**.

wypełniać 1 (*naczynie*) fill. **2** (*formularz*) fill in. **3** (*rozkaz*) fulfil (*AM* fulfill).

wypełnić *zob.* **wypełniać**.

wyperfumować *zob.* **perfumować**.

wypędzać throw out.

wypędzić *zob.* **wypędzać**.

wypierać się deny.

wypisać *zob.* **wypisywać**.

wypisywać (*czek*) make out.

wypłacać (*komuś*) pay.

wypłacalny solvent.

wypłacić *zob.* **wypłacać**.

wypłata 1 (*płaca*) payment: *dostać wypłatę* get paid. **2** (*z banku*) withdrawal.

wypłukać *zob.* **płukać**.

wypłynąć *zob.* **wypływać**.

wypływać 1 (*o statku*) set sail. **2** (*na powierzchnię*) emerge.

wypocząć *zob.* **wypoczywać**.

wypoczynek rest.

wypoczywać rest.

wyposażać equip.

wyposażenie 1 (*biura*) furnishings. **2** (*sprzęt*) equipment.

wyposażony equipped.

wyposażyć *zob.* **wyposażać**.

wypowiadać (*słowo*) utter.

wypowiedzieć *zob.* **wypowiadać**.

wypowiedź 1 (*opinia*) opinion. **2** (*komentarz*) comment.

wypożyczać 1 (*od kogoś*) borrow. **2** (*kasetę, narty*) rent. **3** (*samochód*) hire.

wypożyczyć *zob.* **wypożyczać**.

wypracowanie composition.

wyprać *zob.* **prać**.

wyprasować *zob.* **prasować**.

wyprawa expedition.

wyprodukować *zob.* **produkować**.

wyprowadzać się move out.

wyprowadzić się *zob.* **wyprowadzać się**.

wypróbować *zob.* **wypróbowywać**.

wypróbowywać try, try out.

wyprysk spot.

wyprzeć się *zob.* **wypierać się**.

wyprzedaż sale.

wyprzedzać (*samochodem*) overtake.

wyprzedzić *zob.* **wyprzedzać**.

wypudrować *zob.* **pudrować**.

wypuszczać 1 (*na wolność*) set free. **2** (*przestawać trzymać*) let go of. **3** (*powietrze*) let out.

wypuścić *zob.* **wypuszczać**.

wyrafinowany sophisticated.

wyraz 1 (*słowo*) word. **2** (*wygląd*) expression. **3** *wyrazy współczucia* condolences. **4** *wyrazy uznania* congratulations.

wyrazić *zob.* **wyrażać**.

wyrazić się *zob.* **wyrażać się**.

wyrazisty distinct.

wyraźnie 1 (*słyszeć*) distinctly. **2** (*zauważalnie*) visibly.

wyraźny clear.

wyrażać express.

wyrażać się 1 express oneself. **2** *Czy wyrażam się jasno?* Am I making myself clear?

wyrażenie phrase, expression.

wyrecytować *zob.* **recytować**.

wyregulować *zob.* **regulować**.

wyremontować *zob.* **remontować**.

wyrok verdict, sentence.

wyrozumiały understanding.

wyrób product.

wyrównać *zob.* **wyrównywać**.

wyrównany even.

wyrównywać 1 (*wygładzać*) level. **2** (*ujednolicać*) even out.

wyróżniać 1 (*faworyzować*) favour (AM favor). **2** (*rozróżniać*) distinguish. **3** (*nagradzać*) honour (AM honor).

wyróżniać się stand out.

wyróżnić *zob.* **wyróżniać**.

wyróżnić się *zob.* **wyróżniać się**.

wyruszać set off.

wyruszyć *zob.* **wyruszać**.

wyrwać *zob.* **wyrywać**.

wyrywać 1 (*kartkę*) tear out. **2** (*ząb*) pull out.

wyrządzać 1 *wyrządzać krzywdę* harm. **2** *wyrządzać szkody* do damage, cause damage.

wyrządzić *zob.* **wyrządzać**.

wyrzec się *zob.* **wyrzekać się**.

wyrzeczenie sacrifice.

wyrzekać się 1 (*zrywać z czymś*) renounce. **2** (*wyprzeć się kogoś*) disown.

wyrzucać 1 (*gazety*) throw away. **2** (*ze szkoły*) expel. **3** (*z pracy*) fire.

wyrzucić *zob.* **wyrzucać**.

wyrzut 1 (*wymówka*) reproach: *robić komuś wyrzuty* reproach sb. **2** (*ramion*) fling. **3** (*piłki*) throw.

wysadzać *wysadzać w powietrze* blow up.

wysadzić *zob.* **wysadzać**.

wysiadać 1 (*z pociągu*) get off. **2** (*z samochodu*) get out.

wysiąść *zob.* **wysiadać**.

wysilać (*słuch, wzrok*) strain.

wysilać się make an effort.

wysilić się *zob.* **wysilać się**.

wysilić *zob.* **wysilać**.

wysiłek effort.

wysłać *zob.* **wysyłać**.

wysłuchać *zob.* **wysłuchiwać**.

wysłuchiwać hear.

wysmarować *zob.* **smarować**.

wysoki 1 (*o człowieku*) tall. **2** (*o górach*) high. **3** (*o głosie*) high.

wysoko high.

wysokość 1 height. **2** (*dźwięku*) pitch. **3** (*lotu*) altitude.

wyspa island: *bezludna wyspa* desert island.

wyspecjalizować się *zob.* **specjalizować się**.

wyspowiadać się *zob.* **spowiadać się**.

wystarczać be enough, *form.* suffice.

wystarczająco enough.

wystarczyć *zob.* **wystarczać**.

wystartować *zob.* **startować**.

wystawa (*malarstwa*) exhibition.

wystawać stick out.

wystawiać 1 (*obrazy*) exhibit. **2** (*wychylać*) poke. **3** (*dokument*) make out.

wystawić *zob.* **wystawiać**.

wystąpić *zob.* **występować**.

wystąpienie 1 (*przemowa*) speech. **2** (*pojawienie się*) appearance.

wysterylizować *zob.* **sterylizować**.

występ 1 performance. **2** (*pojawienie się*) appearance.

występek misdemeanour (*AM* misdemeanor).

występować 1 (*pojawiać się*) occur, appear. **2** (*w filmie*) star.

wystraszyć się get scared.

wystrzał shot.

wystrzec się *zob.* **wystrzegać się**.

wystrzegać się avoid.

wysyłać send.

wysypać *zob.* **wysypywać**.

wysypisko refuse dump.

wysypka rash.

wysypywać 1 (*rozsypać*) spill. **2** (*celowo*) pour out.

wyszczególniać specify.

wyszczególnić *zob.* **wyszczególniać**.

wyszkolić *zob.* **szkolić**.

wyszukać *zob.* **wyszukiwać**.

wyszukiwać search.

wyszyć *zob.* **wyszywać**.

wyszywać embroider.

wyścig race.

wyśmiać *zob.* **wyśmiewać**.

wyśmienity exquisite.

wyśmiewać ridicule.

wyświetlać (*film*) project.

wyświetlić *zob.* **wyświetlać**.

wytapetować *zob.* **tapetować**.

wytępić *zob.* **tępić**.

wytężać strain.

wytężyć *zob.* **wytężać**.

wytłumaczyć *zob.* **tłumaczyć**.

wytłumaczyć się *zob.* **tłumaczyć się**.

wytrawny 1 (*o winie*) dry. **2** (*np. znawca*) expert.

wytrenować *zob.* **trenować**.

wytresować *zob.* **tresować**.

wytropić *zob.* **tropić**.

wytrwać *zob.* **trwać**.

wytrwale persistently.

wytrwałość perseverance.

wytrwały persevering.

wytrzepać *zob.* **trzepać**.

wytrzeźwieć *zob.* **trzeźwieć**.

wytrzymać *zob.* **wytrzymywać**.

wytrzymałość endurance.

wytrzymały 1 (*o człowieku*) tough. **2** (*o materiale*) durable.

wytrzymywać 1 (*znosić*) bear, stand: *Nie mogę już tego wytrzymać!* I can't stand it any longer! **2** (*wytrwać*) hold on.

wytwarzać produce.

wytworny (*o osobie*) refined.

wytworzyć *zob.* **wytwarzać**.

wytwórnia factory.

wytypować *zob.* **typować**.

wywabiać remove.

wywabić *zob.* **wywabiać**.

wyważać (*drzwi*) force.

wyważyć *zob.* **wyważać**.

wywiad 1 (*rozmowa*) interview. **2** (*służby wywiadowcze*) intelligence.

wywiercić *zob.* **wiercić**.

wywietrzyć *zob.* **wietrzyć**.

wywieźć *zob.* **wywozić**.

wywnioskować *zob.* **wnioskować**.

wywołać *zob.* **wywoływać**.

wywoływać 1 (*zdjęcia*) develop. **2** (*wzywać*) call. **3** (*skutki*) produce.

wywozić 1 (*coś zbędnego*) remove. **2** (*za granicę*) export.

wywracać się 1 fall over. **2** (*o łodzi*) capsize.

wywrócić się *zob.* **wywracać się**.

wyzdrowieć *zob.* **zdrowieć**.

wyznaczać 1 (*datę, cenę*) fix. **2** (*wytyczać*) mark out.

wyznaczony appointed.

wyznaczyć *zob.* **wyznaczać**.

wyznać *zob.* **wyznawać**.

wyznawać confess.

wyzwanie challenge.

wyzwolenie liberation.

wyzysk exploitation.

wyzyskać *zob.* **wyzyskiwać**.

wyzyskiwać exploit.

wyzywający provocative.

wyżej higher.

wyżłobić *zob.* **żłobić**.

wyższość superiority.

wyższy 1 (*o osobie*) taller. **2** (*o stopień wyżej*) higher.

wyżyna upland.

wyżywić *zob.* **żywić**.

wyżywienie food.

wzajemnie 1 each other. **2** *wzajemnie!* the same to you: „*Wszystkiego najlepszego!*" „*Wzajemnie!*" 'All the best!' 'The same to you!'

wzajemność mutuality.

wzajemny mutual.

wzbogacać enrich.

wzbogacać się become rich.

wzbogacić *zob.* **wzbogacać**.

wzbogacić się *zob.* **wzbogacać się**.

wzbroniony *wstęp wzbroniony* no entry.

wzbudzać (*złość, nienawiść*) arouse.

wzbudzić *zob.* **wzbudzać**.

wzburzony (*o morzu, człowieku*) agitated.

wzdłuż (*iść*) along: *Szła wzdłuż plaży.* She went along the beach.

wzdychać sigh.

wzejść *zob.* **wschodzić**.

wzgarda disdain.

wzgląd 1 *ze względu na kogoś, przez względ na kogoś* for sb's sake. **2** *bez względu na...* regardless of... **3** *pod tym (każdym, żadnym) względem* in this (every, no) respect. **4** *z tego względu* for that reason.

względnie (*stosunkowo*) relatively.

względny 1 (*wartość*) relative. **2** (*spokój*) comparative.

wzgórze hill.

wziąć *zob.* **brać**.

wziąć się *zob.* **brać się**.

wzmacniacz amplifier.

wzmacniać 1 (*człowieka*) strengthen. **2** (*umacniać*) reinforce.

wzmacniać się get stronger.

wzmianka mention.

wzmocnić *zob.* **wzmacniać**.

wzmocnić się *zob.* **wzmacniać się**.

wznieść *zob.* **wznosić**.

wzniosły lofty.

wznosić 1 (*podnosić*) raise. **2** (*budowlę*) erect.

wznowienie reissue.

wzorek pattern.

wzorowo irreproachably.

wzorowy model, exemplary.

wzór 1 (*deseń*) pattern. **2** (*krój*) model.

wzrastający growing.

wzrok sight.

wzrokowiec visualizer, visual learner.

wzrokowy visual.

wzrost 1 (*człowieka*) height: *być średniego wzrostu* be medium height; *Ile masz wzrostu?* How tall are you?; *Mam 1,90 m wzrostu.* I'm 190 cm tall. **2** (*rośnięcie*) growth.

wzruszać (*człowieka*) move.

wzruszać się be moved.

wzruszająco movingly.

wzruszający moving.

wzruszony moved.

wzruszyć *zob.* **wzruszać**.

wzruszyć się *zob.* **wzruszać się**.

wzwód erection.

wzwyż 1 *skok wzwyż* high jump. **2** *od stu wzwyż* one hundred and above.

wzywać 1 (*lekarza, policję*) call. **2** (*hydraulika*) call in. **3** (*do sądu*) summon. **4** *wzywać pomocy* call for help.

z

z (**ze**) **1** (*punktu wyjścia*) from: *Jestem z Polski.* I'm from Poland. **2** (*źródła*) from. **3** (*dotyczy czasu*) from: *budynek z XV wieku* a building from the 15th century. **4** (*dotyczy grupy*) of, from: *kolega ze szkoły* a friend from school. **5** (*dotyczy materiału*) from, of: *zrobiony z metalu* made of metal. **6** (*razem*) with: *chodź z nami* come with us. **7** *kawa z mlekiem i cukrem* coffee with milk and sugar. **8** *być dobrym z czegoś* be good at sth. **9** *z przyjemnością* with pleasure. **10** (*w miarę*) with: *z czasem* with time.

za 1 (*z tyłu*) behind. **2** (*po*) after, by: *jeden za drugim* one after the other, one by one. **3** (*po upływie czasu*) in: *za godzinę* in an hour. **4** (*przy podawaniu godziny*) to: *za pięć druga* five to two. **5** (*w zamian za*) for: *kupić coś za dwa euro* buy sth for two euros. **6** (*chwycić*) by: *trzymać za rękę* hold sb by his (her) hand. **7** (*zbyt*) too: *za dużo* too much. **8** *tęsknić za kimś* miss sb. **9** *wznosić toast za czyjeś zdrowie* drink (to) sb's health. **10** *mieszkać za miastem* live out of town.

zaadaptować *zob.* **adaptować**.

zaadoptować *zob.* **adoptować**.

zaadresować *zob.* **adresować**.

zaakcentować *zob.* **akcentować**.

zaakceptować *zob.* **akceptować**.

zaalarmować *zob.* **alarmować**.

zaangażować *zob.* **angażować**.

zaangażowany involved, commited.

zaatakować *zob.* **atakować**.

zaawansowany advanced.

zabawa 1 (*gra*) play, game. **2** (*impreza*) party.

zabawiać entertain.

zabawić *zob.* **zabawiać**.

zabawka toy.

zabawny amusing.

zabezpieczać 1 (*ochraniać*) protect. **2** (*czynić bezpiecznym*) secure.

zabezpieczać się protect oneself.

zabezpieczenie protection.

zabezpieczyć *zob.* **zabezpieczać**.

zabezpieczyć się *zob.* **zabezpieczać się**.

zabić *zob.* **zabijać**.

zabieg operation.

zabiegowy surgical: *sala zabiegowa* surgery.

zabierać 1 (*ze sobą*) take: *Zapomniałem zabrać portfela.* I forgot to take my wallet.; *zabierać coś*

komuś take sth away from sb.
2 (*zajmować czas*) take. 3 (*prze-strzeń*) take up.

zabijać kill.

zabity (*martwy*) killed.

zabobon superstition.

zabobonny superstitious.

zaborczy possessive.

zabójca murderer, assassin.

zabójczy (*śmiertelny*) lethal.

zabójstwo assassination, murder.

zabrać *zob.* **zabierać**.

zabraniać forbid, *form.* prohibit.

zabronić *zob.* **zabraniać**.

zabroniony prohibited.

zabrudzić *zob.* **brudzić**.

zabrzmieć *zob.* **brzmieć**.

zabytek monument.

zabytkowy 1 (*o budowli*) historic.
2 (*o meblu*) antique.

zachęcać encourage (*kogoś do zro-bienia czegoś* sb to do sth).

zachęcający encouraging.

zachęcić *zob.* **zachęcać**.

zachęta encouragement.

zachłannie greedily.

zachłanność greed.

zachłanny greedy.

zachłysnąć się *zob.* **zachłystywać się**.

zachłystywać się choke.

zachmurzony cloudy.

zachodni west, western.

zachodzić 1 (*o słońcu*) set. 2 (*mieć miejsce*) occur.

zachorować fall ill.

zachować *zob.* **zachowywać**.

zachować się *zob.* **zachowywać się**.

zachowanie 1 (*sposób bycia*) behaviour (*AM* behavior). 2 (*maniery*) manners.

zachowywać 1 (*zatrzymywać*) keep.
2 *zachowywać pozory* keep up appearances.

zachowywać się 1 (*postępować*) behave. 2 (*uchowywać się*) survive.

zachód 1 west: *na zachód od...* west of... 2 (*słońca*) sunset.

zachwycać delight.

zachwycać się be delighted with.

zachwycający charming.

zachwycić *zob.* **zachwycać**.

zachwycić się *zob.* **zachwycać się**.

zachwycony impressed.

zachwyt delight.

zaciąć się *zob.* **zacinać się**.

zaciekawiać intrigue.

zaciekawić *zob.* **zaciekawiać**.

zaciekawienie interest.

zaciekły 1 (*dyskusja*) fierce. 2 (*walczyć*) ferocious.

zacierać (*ślady*) cover up.

zaciętość tenacity.

zacięty fierce.

zaciskać 1 (*pasek*) tighten. 2 (*zęby, pięści*) clench.

zacisnąć *zob.* **zaciskać**.

zacytować *zob.* **cytować**.

zacząć *zob.* **zaczynać**.

zacząć się *zob.* **zaczynać się**.

zaczekać *zob.* **czekać.**

zaczynać begin, start.

zaczynać się start, begin.

zaćmienie (*słońca, księżyca*) e-clipse.

zad rump.

zadać *zob.* **zadawać.**

zadanie 1 task. 2 *zadanie domowe* homework.

zadatek deposit.

zadawać 1 (*pytanie*) ask: *zadawać komuś pytanie* ask sb a question. 2 (*zadanie*) assign.

zadbać *zob.* **dbać.**

zadecydować *zob.* **decydować.**

zadedykować *zob.* **dedykować.**

zadeklarować *zob.* **deklarować.**

zademonstrować *zob.* **demonstrować.**

zadłużenie debt.

zadłużony indebted.

zadowalać 1 (*satysfakcjonować*) satisfy. 2 (*radować*) please.

zadowalający satisfactory.

zadowolenie satisfaction.

zadowolić *zob.* **zadowalać.**

zadowolony satisfied.

zadrapanie scratch.

zadręczać pester.

zadręczyć *zob.* **zadręczać.**

zaduma meditation.

zadusić *zob.* **dusić.**

zadyszany breathless.

zadziwiać amaze.

zadziwiający astonishing.

zadziwić *zob.* **zadziwiać.**

zadzwonić *zob.* **dzwonić.**

zafascynowany fascinated.

zagadka 1 (*tajemnica*) mystery. 2 (*zadanie*) puzzle.

zagadkowy mysterious.

zagadnienie issue.

zagęszczać thicken.

zagęścić *zob.* **zagęszczać.**

zagiąć *zob.* **zaginać.**

zaginać 1 (*coś twardego*) bend. 2 (*papier*) fold.

zaginąć 1 (*o człowieku*) be missing, disappear.

zaginięcie disappearance.

zaginiony missing.

zaglądać 1 (*do środka*) look in. 2 (*odwiedzać*) look in.

zaglądnąć *zob.* **zaglądać.**

zagłada annihilation.

zagłębienie hollow.

zagłosować *zob.* **głosować.**

zagniewany angry.

zagoić *zob.* **goić.**

zagoić się *zob.* **goić się.**

zagorzały 1 (*dyskusja*) heated. 2 (*zwolennik*) fervent.

zagrabiać 1 (*grabiami*) rake. 2 (*majątek*) seize.

zagrabić *zob.* **zagrabiać.**

zagrać *zob.* **grać.**

zagraniczny foreign: *zagraniczni turyści* foreign tourists: *handel zagraniczny* foreign trade.

zagrażać threaten.

zagrozić *zob.* **zagrażać.**

zagrożenie threat.

zagubiony lost.
zagwarantować *zob.* **gwarantować**.
zahamować *zob.* **hamować**.
zahartować *zob.* **hartować**.
zahipnotyzować *zob.* **hipnotyzować**.
zaimek pronoun.
zaimponować *zob.* **imponować**.
zaimportować *zob.* **importować**.
zaimprowizować *zob.* **improwizować**.
zainspirować *zob.* **inspirować**.
zainstalować *zob.* **instalować**.
zainteresować *zob.* **interesować**.
zainteresować się *zob.* **interesować się**.
zainteresowanie 1 interest. 2 *l.mn.* *zainteresowania* interests.
zainteresowany interested: *być czymś zainteresowanym* be interested in sth.
zaintrygować *zob.* **intrygować**.
zainwestować *zob.* **inwestować**.
zaistnieć come into being.
zaizolować *zob.* **izolować**.
zajazd inn.
zając hare.
zająć *zob.* **zajmować**.
zająć się *zob.* **zajmować się**.
zajechać *zob.* **zajeżdżać**.
zajezdnia depot.
zajeżdżać (*docierać*) reach.
zajęcie occupation.
zajęcia (*lekcje*) classes.
zajęty 1 (*czymś*) busy. 2 (*siedzenie*) taken, *form.* occupied. 3 (*o telefonie*) engaged.

zajmować 1 (*czas*) take: *Ile ci zajmuje dojście do domu na piechotę?* How long does it take you to get home on foot? 2 (*przestrzeń*) take up. 3 (*przejmować we władanie*) seize. 4 (*stanowisko*) occupy.
zajmować się 1 (*jako hobby*) take up. 2 *Czym się zajmujesz (zawodowo)?* What do you do for a living?
zakaz prohibition, ban.
zakazać *zob.* **zakazywać**.
zakazany forbidden.
zakazić *zob.* **zakażać**.
zakazywać 1 forbid. 2 *form.* (*prawnie*) ban.
zakaźny infectious.
zakażać infect.
zakażenie infection.
zakątek corner.
zakląć *zob.* **zaklinać**.
zaklęcie (*w magii*) spell: *rzucić na kogoś zaklęcie* cast (put) a spell on sb.
zaklinać 1 (*błagać*) entreat. 2 (*rzucać zaklęcie*) cast a spell.
zakład 1 (*umowa*) bet. 2 *zakład fryzjerski* (*damski*) hairdresser's, (*męski*) barber's. 3 (*fabryka*) plant, factory.
zakładać 1 (*ubranie*) put on. 2 (*organizację*) establish. 3 (*Internet*) install. 4 (*rodzinę*) start. 5 (*robić założenie*) assume.
zakładać się bet.

zakładnik hostage.

zakłopotany embarrassed.

zakłócać disturb.

zakłócić *zob.* **zakłócać**.

zakochać się *zob.* **zakochiwać się**.

zakochany in love (*w kimś* with sb).

zakochiwać się fall in love.

zakon (*męski*) monastic order, (*żeński*) convent.

zakonnica nun.

zakonnik monk.

zakonserwować *zob.* **konserwować**.

zakończenie 1 (*opowiadania*) ending. 2 (*pracy*) end.

zakopać *zob.* **zakopywać**.

zakopywać bury.

zakpić *zob.* **kpić**.

zakradać się sneak in.

zakraść się *zob.* **zakradać się**.

zakres 1 (*wiedzy*) extent. 2 (*obowiązków*) range.

zakręcać 1 (*skręcać*) turn. 2 (*gaz*) turn off.

zakręcić *zob.* **zakręcać**.

zakręt bend.

zakrętka (*butelki*) cap, (*słoika*) lid.

zakryć *zob.* **zakrywać**.

zakrywać cover, cover up.

zakrztusić się *zob.* **krztusić się**.

zaksięgować *zob.* **księgować**.

zakup purchase.

zakupić *zob.* **zakupywać**.

zakupy shopping: *iść na zakupy* go shopping.

zakupywać buy, *form.* purchase.

zakwaterowanie accommodation.

zakwitać bloom.

zakwitnąć *zob.* **zakwitać**.

zaledwie 1 (*tylko*) merely. 2 (*ledwo*) no sooner... than: *Zaledwie weszłam do domu, a już zadzwonił telefon.* No sooner had I got home, than the telephone rang.

zalegalizować *zob.* **legalizować**.

zaległy overdue.

zaleta advantage.

zależeć 1 depend: *zależeć od kogoś (czegoś)* depend on sb (sth); *to zależy* it depends. 2 *To zależy od ciebie.* It's up to you. 3 *Zależy jej na nim.* She cares about him. 4 *Nie zależy mi.* I don't care.

zależność 1 (*związek*) relationship. 2 (*uzależnienie*) dependence.

zależny (*uzależniony*) dependent.

zaliczka advance.

zalotny flirtatious.

zaludnienie population.

zaludniony inhabited.

załadować *zob.* **ładować**.

załadunek loading.

załamać *zob.* **załamywać**.

załamać się *zob.* **załamywać się**.

załamanie breakdown.

załamywać 1 (*zaginać*) bend. 2 (*człowieka*) bring down.

załamywać się 1 (*o człowieku*) break down. 2 (*zaginać się*) bend.

załatać *zob.* **łatać**.

załatwiać 1 (*sprawy*) take care of. 2 (*radzić sobie z czymś*) handle.

załatwić *zob.* **załatwiać**.

załączać enclose: *form.* (*w listach*) *załączam czek* find the enclosed cheque.

załącznik 1 (*do e-maila*) attachment. **2** (*do listu*) enclosure.

załączyć *zob.* **załączać**.

załoga 1 (*statku*) crew. **2** (*fabryki*) staff.

założenie 1 (*teza*) assumption. **2** (*utworzenie*) establishment.

założyciel founder.

założycielski founding.

założyć *zob.* **zakładać**.

założyć się *zob.* **zakładać się**.

zamach (*na czyjeś życie*) attempt on sb's life, assassination.

zamachowiec (*zabójca*) assassin, (*podkładający bombę*) bomber.

zamanifestować *zob.* **manifestować**.

zamarynować *zob.* **marynować**.

zamarzać freeze.

zamarznąć *zob.* **zamarzać**.

zamarznięty frozen.

zamaskować *zob.* **maskować**.

zamawiać 1 (*danie*) order. **2** (*rezerwować*) reserve, book.

zamazać *zob.* **zamazywać**.

zamazywać blur.

zamek 1 (*budowla*) castle. **2** (*w drzwiach*) lock. **3** (*suwak*) zip, *AM* zipper.

zameldować *zob.* **meldować**.

zameldować się *zob.* **meldować się**.

zamęczać badger (*kogoś czymś* sb with sth).

zamęczyć *zob.* **zamęczać**.

zamęt confusion.

zamężna married.

zamglony 1 (*zasnuty mgłą*) foggy, misty. **2** (*niewyraźny*) blurred.

zamiana 1 (*wymiana*) exchange. **2** (*przekształcenie*) conversion.

zamiar intention.

zamiast 1 instead of: *Zamiast uczyć się, grał cały dzień na komputerze.* Instead of studying, he played on the computer the whole day. **2** *zamiast tego* (*zamiast zrobienia tego*) instead: *Miał zabrać ją do kina, ale zamiast tego poszli na kolację.* He was going to take her to the cinema, but they went out for dinner instead.

zamiatać sweep.

zamieć snowstorm.

zamieniać 1 *zamieniać coś na coś* exchange sth for sth. **2** *zamieniać kogoś w coś* turn sb into sth.

zamienić *zob.* **zamieniać**.

zamienny (*części*) spare.

zamierzać (*mieć zamiar*) be going to, *form.* intend: *Co zamierzasz zrobić?* What are you going to do?; *Zamierzałam to zrobić, ale nie udało mi się.* I was going to do this, but I didn't manage.

zamierzony intended.

zamierzyć *zob.* **zamierzać**.

zamieszać *zob.* **mieszać**.

zamieszanie chaos.

zamieszczać (*w gazecie*) include, place.

zamieszkały 1 (*teren*) inhabited.
2 (*człowiek*) resident.

zamieszkany inhabited.

zamieszki riots.

zamieścić *zob.* **zamieszczać**.

zamieść *zob.* **zamiatać**.

zamilknąć *zob.* **milknąć**.

zamiłowanie passion.

zamknąć *zob.* **zamykać**.

zamknięty 1 closed. **2** (*na klucz*) locked.

zamoczyć *zob.* **moczyć**.

zamontować *zob.* **montować**, **zamontowywać**.

zamontowywać instal.

zamordować *zob.* **mordować**.

zamordowany murdered.

zamożny wealthy.

zamówić *zob.* **zamawiać**.

zamówienie order.

zamrażać freeze.

zamrażalnik freezer.

zamrażarka freezer.

zamrozić *zob.* **zamrażać**.

zamsz suede.

zamurować *zob.* **zamurowywać**.

zamurowywać brick up.

zamykać 1 (*książkę*) close, shut. **2** (*na klucz*) lock. **3** (*sklep na noc*) close up.

zamykać się 1 (*w pomieszczeniu*) lock oneself. **2** *nieform.* ***Zamknij się!*** Shut up!

zamyślać się be lost in thought.

zamyślić się *zob.* **zamyślać się**.

zamyślony lost in thought.

zanalizować *zob.* **analizować**.

zanieczyszczać pollute.

zanieczyszczenie pollution.

zanieczyścić *zob.* **zanieczyszczać**.

zaniedbać *zob.* **zaniedbywać**.

zaniedbany neglected.

zaniedbywać neglect.

zaniemówić be speechless.

zaniepokoić *zob.* **niepokoić**.

zaniepokoić się *zob.* **niepokoić się**.

zaniepokojenie anxiety.

zaniepokojony anxious.

zanieść *zob.* **zanosić**.

zanik loss.

zanikać 1 (*o tradycji*) disappear. **2** (*o głosie*) fade (away).

zaniknąć *zob.* **zanikać**.

zanosić take, carry.

zanotować *zob.* **notować**.

zanucić *zob.* **nucić**.

zanurzać dip, *form.* immerse.

zanurzyć *zob.* **zanurzać**.

zaoferować *zob.* **oferować**.

zaopatrywać 1 (*dostarczać*) provide, supply. **2** (*wyposażać*) equip.

zaopatrzyć *zob.* **zaopatrywać**.

zaostrzać 1 (*konflikt*) inflame. **2** (*apetyt*) whet. **3** (*przepisy*) tighten.

zaostrzyć *zob.* **zaostrzać**.

zaoszczędzać save.

zaoszczędzić *zob.* **zaoszczędzać**.

zapach smell.

zapalać 1 (*papierosa*) light. **2** (*światło*) turn on, switch on.

zapalić *zob.* **zapalać**.

zapalniczka lighter.

zapalny inflammatory.

zapalony 1 (*o świetle*) turned on, switched on. **2** (*o świeczce*) lit. **3** (*entuzjastyczny*) keen.

zapał eagerness.

zapałka match.

zapamiętać *zob.* **zapamiętywać**.

zapamiętywać 1 remember. **2** (*uczyć się na pamięć*) memorize.

zapanować *zob.* **panować, zapanowywać**.

zapanowywać 1 (*o pokoju*) come. **2** (*o ciszy*) fall.

zaparkować *zob.* **parkować**.

zaparzać (*herbatę*) brew.

zaparzyć *zob.* **zaparzać**.

zapas store.

zapasowy spare.

zapasy (*sport*) wrestling.

zapełniać fill.

zapełniać się fill up.

zapełnić *zob.* **zapełniać**.

zapełnić się *zob.* **zapełniać się**.

zapewne 1 (*na pewno*) surely. **2** (*prawdopodobnie*) probably.

zapewniać 1 (*upewniać*) assure. **2** (*gwarantować*) ensure.

zapewnić *zob.* **zapewniać**.

zapiąć *zob.* **zapinać**.

zapiec *zob.* **zapiekać**.

zapieczętować *zob.* **pieczętować**.

zapiekać bake.

zapięcie 1 (*suwak*) zip. **2** (*klamra*) fastener.

zapinać 1 (*klamrę*) fasten. **2** (*guziki*) button up. **3** (*suwak*) zip up.

zapis 1 (*wpis*) record. **2** (*nagranie*) record.

zapisać *zob.* **zapisywać**.

zapisać się *zob.* **zapisywać się**.

zapiski 1 (*notatki*) notes. **2** (*pamiętniki*) memoirs.

zapisy (*na uczelnię*) registration.

zapisywać 1 (*notatki*) note down, write down. **2** (*na listę*) register. **3** (*w komputerze*) save. **4** (*na recepcie*) prescribe.

zapisywać się 1 (*do szkoły*) enrol (*AM* enroll). **2** (*na kurs*) sign up.

zaplamić *zob.* **plamić**.

zaplanować *zob.* **planować**.

zaplanowany planned.

zaplatać plait.

zapleść *zob.* **zaplatać**.

zapleśnieć *zob.* **pleśnieć**.

zaplombować *zob.* **plombować**.

zapłacić *zob.* **płacić**.

zapładniać fertilize, impregnate.

zapłata payment.

zapłodnić *zob.* **zapładniać**.

zapłodnienie fertilization, impregnation.

zapłon ignition.

zapobiec *zob.* **zapobiegać**.

zapobiegać prevent.

zapobieganie prevention.

zapobiegawczy preventive.

zapoczątkować *zob.* **zapoczątkowywać**.

zapoczątkowywać begin, initiate.

zapominać forget: *Zapomniałem, jak ona ma na imię.* I forgot her name.

zapomnieć *zob.* **zapominać**.

zapora (*tama*) dam.

zapotrzebowanie demand.

zapowiadać announce.

zapowiedzieć *zob.* **zapowiadać**.

zapowiedź announcement.

zapoznać się *zob.* **zapoznawać się**.

zapoznawać się (*z problemem*) familiarize oneself with.

zapracowany (*o człowieku*) busy.

zapraszać 1 (*do domu*) invite. **2** (*na kawę*) invite, ask out.

zaprezentować *zob.* **prezentować**.

zaprogramować *zob.* **programować**.

zaprojektować *zob.* **projektować**.

zaproponować *zob.* **proponować**.

zaprosić *zob.* **zapraszać**.

zaproszenie invitation.

zaproszony invited.

zaprotokołować *zob.* **protokołować**.

zaprowadzać (*osobę*) show the way.

zaprowadzić *zob.* **zaprowadzać**.

zaprzeczać 1 *zaprzeczać czemuś* deny sth. **2** *zaprzeczać komuś* contradict sb.

zaprzeczyć *zob.* **zaprzeczać**.

zaprzeszły *czas zaprzeszły* the past perfect tense.

zaprzyjaźniać się make friends.

zaprzyjaźnić się *zob.* **zaprzyjaźniać się**.

zapuszczać (*włosy*) grow.

zapuścić *zob.* **zapuszczać**.

zapylać pollinate.

zapylić *zob.* **zapylać**.

zarabiać 1 (*pieniądze*) earn. **2** (*osiągać zysk*) make a profit.

zaradny resourceful.

zaraz 1 (*natychmiast*) immediately. **2** (*za chwilę*) soon. **3** *zaraz za rogiem* just round the corner. **4** *Zaraz wracam!* I'll be back soon!, I'll be right back!

zaraza plague.

zarazek germ.

zarazić *zob.* **zarażać**.

zarazić się *zob.* **zarażać się**.

zaraźliwy contagious.

zarażać infect.

zarażać się get infected.

zardzewiały rusty.

zardzewieć *zob.* **rdzewieć**.

zareagować *zob.* **reagować**.

zarejestrować *zob.* **rejestrować**.

zarejestrowany registered.

zareklamować *zob.* **reklamować**.

zarezerwować *zob.* **rezerwować**.

zarezerwowany reserved, booked.

zaręczać (*gwarantować, zapewniać*) guarantee, assure.

zaręczać się get engaged.

zaręczony engaged.

zaręczyć *zob.* **zaręczać**.

zaręczyć się *zob.* **zaręczać się**.

zaręczyny engagement.

zarobek earnings, wage(s).

zarobić *zob.* **zarabiać**.

zarodek embryo.

zarost facial hair.

zarozumiały conceited.

zarumienić się *zob.* **rumienić się**.

zaryglować *zob.* **zaryglowywać**.

zaryglowywać bolt.

zarys 1 (*kontur*) outline. **2** (*szkic*) sketch.

zarząd management, board of directors.

zarządca manager.

zarządzać manage.

zarządzenie order.

zarządzić *zob.* **zarządzać**.

zarzucać 1 (*ubranie*) throw on. **2** (*porzucać*) abandon. **3** *zarzucać coś komuś* accuse sb of sth.

zarzucić *zob.* **zarzucać**.

zarzut accusation.

zasada (*reguła*) rule, principle.

zasadniczy 1 (*podstawowy*) basic. **2** (*surowy*) strict.

zasadzka ambush.

zasięg range.

zasilacz power supply adaptor.

zasilanie power supply.

zasiłek 1 benefit. **2** *zasiłek dla bezrobotnych form.* unemployment benefit.

zaskakiwać surprise.

zaskakujący surprising.

zaskarżać 1 (*kogoś*) sue. **2** (*wyrok*) appeal from.

zaskarżyć *zob.* **zaskarżać**.

zaskoczenie surprise.

zaskoczyć *zob.* **zaskakiwać**.

zasłaniać cover.

zasłona 1 curtain, *AM* drape. **2** *zasłona dymna* smokescreen.

zasłonić *zob.* **zasłaniać**.

zasługa merit.

zasługiwać deserve.

zasłużyć *zob.* **zasługiwać**.

zasmucać make sad, *form.* sadden.

zasmucić *zob.* **zasmucać**.

zasnąć *zob.* **zasypiać**.

zasób 1 (*zapas*) reserve. **2** *l.mn.* **zasoby** resources.

zaspa snowdrift.

zaspać *zob.* **zasypiać**.

zaspany sleepy.

zaspokajać 1 (*kogoś, ciekawość*) satisfy. **2** (*wymagania*) answer.

zaspokoić *zob.* **zaspokajać**.

zastanawiać puzzle.

zastanawiać się think.

zastanowić *zob.* **zastanawiać**.

zastanowić się *zob.* **zastanawiać się**.

zastaw deposit.

zastawa 1 (*stołowa*) tableware. **2** (*do herbaty*) tea service.

zastąpić *zob.* **zastępować**.

zastępca 1 (*osoba zastępująca*) substitute. **2** *zastępca dyrektora* deputy manager.

zastępować 1 *zastępować kogoś* substitute for sb, stand in for sb. **2** *zastępować coś czymś* replace sth with sth.

zastępstwo 1 (*za kogoś*) substitution. **2** (*czymś innym*) replacement.

zastosować *zob.* **zastosowywać**.

zastosowanie application.

zastosowywać apply.

zastraszać intimidate.

zastraszyć *zob.* **zastraszać**.

zastrzelić shoot.

zastrzeżenie reservation.
zastrzeżony reserved.
zastrzyk injection.
zasugerować *zob.* **sugerować**.
zasunąć *zob.* **zasuwać**.
zasuwa bolt.
zasuwać (*zasłony*) draw.
zasygnalizować *zob.* **sygnalizować**.
zasypiać 1 (*zapadać w sen*) fall asleep. **2** (**zaspać** *dk*) (*nie budzić się w porę*) oversleep.
zaszczepić *zob.* **szczepić**.
zaszczyt honour (*AM* honor).
zaszkodzić *zob.* **szkodzić**.
zaszyć sew up.
zaszyfrować *zob.* **szyfrować**.
zaszywać *zob.* **zaszyć**.
zaścielać *zaścielać łóżko* make the bed.
zaścielić *zob.* **zaścielać**.
zaśmiecać litter.
zaśmiecić *zob.* **zaśmiecać**.
zaświadczać 1 (*ustnie*) testify. **2** (*pisemnie*) certify.
zaświadczenie 1 (*certyfikat*) certificate. **2** (*poświadczenie*) testimony.
zaświadczyć *zob.* **zaświadczać**.
zaświecać 1 (*światło*) turn on, switch on. **2** (*zapałkę*) light.
zaświecić *zob.* **zaświecać**.
zatankować *zob.* **tankować**.
zatapiać 1 (*statek*) sink. **2** (*miasto*) flood.
zatarg conflict.
zatelegrafować *zob.* **telegrafować**.

zatęsknić *zob.* **tęsknić**.
zatętnić *zob.* **tętnić**.
zatłoczony crowded.
zatoka (*morza*) gulf, bay.
zatonąć *zob.* **tonąć**.
zatopić *zob.* **topić**, **zatapiać**.
zatrąbić *zob.* **trąbić**.
zatroszczyć się *zob.* **troszczyć się**.
zatrucie 1 (*otrucie*) poisoning. **2** *zatrucie pokarmowe* indigestion.
zatruć *zob.* **zatruwać**.
zatruć się *zob.* **zatruwać się**.
zatrudniać employ.
zatrudnić *zob.* **zatrudniać**.
zatrudnienie employment.
zatrudniony employed.
zatruwać (*środowisko*) contaminate.
zatruwać się 1 (*trucizną*) get poisoned. **2** (*niestrawność*) have indigestion.
zatrzaskiwać (*drzwi*) slam.
zatrzaskiwać się 1 (*o drzwiach*) slam. **2** (*w środku*) lock oneself in.
zatrzasnąć *zob.* **zatrzaskiwać**.
zatrzasnąć się *zob.* **zatrzaskiwać się**.
zatrząść *zob.* **trząść**.
zatrząść się *zob.* **trząść się**.
zatrzeć *zob.* **zacierać**.
zatrzymać *zob.* **zatrzymywać**.
zatrzymać się *zob.* **zatrzymywać się**.
zatrzymywać 1 (*osobę*) stop. **2** (*podejrzanego*) arrest. **3** (*pojazd*) stop.
zatrzymywać się 1 (*o osobie, pojeździe*) stop. **2** (*o urządzeniu*) stop.

3 (*na noc*) stay for the night: *Czy możemy zatrzymać się u ciebie?* Can we stay for the night at your place?

zatwierdzać approve.

zatwierdzić *zob.* **zatwierdzać**.

zatyczka plug.

zatykać stop.

zatytułować *zob.* **tytułować**.

zaufanie trust, confidence.

zaułek lane.

zauroczenie enchantment.

zauważać 1 (*dostrzec*) notice. **2** (*powiedzieć*) remark.

zauważyć *zob.* **zauważać**.

zawahać się *zob.* **wahać się**.

zawalać się (*o budynku*) collapse.

zawalczyć *zob.* **walczyć**.

zawalić się *zob.* **zawalać się**.

zawał (*serca*) heart attack.

zawartość 1 (*pojemnika*) contents. **2** (*tłuszczu*) content.

zaważyć 1 (*mieć wpływ*) influence. **2** (*zdecydować*) decide.

zawdzięczać owe.

zawiadamiać inform.

zawiadomić *zob.* **zawiadamiać**.

zawiązać *zob.* **zawiązywać**.

zawiązywać tie.

zawiedziony disappointed.

zawieja snowstorm.

zawierać 1 (*w sobie*) include. **2** (*umowę*) sign.

zawiesić *zob.* **zawieszać**.

zawieszać 1 (*na wieszaku*) hang. **2** (*wstrzymywać*) suspend.

zawieść 1 *zob.* **wieść**. **2** *zob.* **zawodzić**.

zawieść się *zob.* **zawodzić się**.

zawieźć 1 *zob.* **wieźć**. **2** *zob.* **zawozić**.

zawijać 1 (*owijać*) wrap. **2** (*podwijać*) roll up.

zawiły complex.

zawinąć *zob.* **zawijać**.

zawistny envious.

zawiść envy.

zawodnik 1 (*sportowy*) competitor. **2** (*w turnieju*) contestant.

zawodny 1 (*urządzenie, człowiek*) unreliable. **2** (*pamięć*) fallible.

zawodowiec professional.

zawodowy 1 (*nieamatorski*) professional. **2** (*szkoła*) vocational.

zawody competition, contest.

zawodzić 1 (*wyć*) wail. **2** (*rozczarowywać*) let down, disappoint. **3** (*o urządzeniu*) fail.

zawodzić się *zawodzić się na kimś* be disappointed with sb.

zawołać *zob.* **wołać**.

zawozić 1 (*dostarczać*) deliver. **2** (*samochodem*) drive.

zawód 1 (*profesja*) job, occupation: *Kim jesteś z zawodu?* What's your job (profession, occupation)?, What do you do?, What do you do for a living? **2** (*rozczarowanie*) disappointment.

zawór valve.

zawracać turn back.

zawrócić *zob.* **zawracać**.

zawrzeć 1 *zob.* **zawierać**. **2** *zob.* **wrzeć**.

zawstydzać (*zakłopotanie*) embarrass.

zawstydzać się be embarrassed, feel ashamed.

zawstydzić *zob.* **zawstydzać**.

zawstydzić się *zob.* **zawstydzać się**.

zawstydzony 1 (*zakłopotany*) embarrassed. **2** (*nieśmiały*) shy.

zawsze 1 always: *On się zawsze spóźnia.* He's always late. **2** *na zawsze* for ever, forever. **3** *raz na zawsze* once and for all.

zawyć *zob.* **wyć**.

zawzięty 1 (*opór*) fierce. **2** (*uparty*) obstinate. **3** (*zdeterminowany*) determined.

zazdrosny jealous (*o kogoś, coś* of sb, sth).

zazdrościć envy (*komuś czegoś* sb sth).

zazdrość jealousy.

zaziębiać się catch a cold.

zaziębić się *zob.* **zaziębiać się**.

zaznaczać 1 (*wyróżniać*) mark. **2** (*uwydatniać*) stress.

zaznaczyć *zob.* **zaznaczać**.

zazwyczaj usually.

zażalenie complaint.

zażartować *zob.* **żartować**.

zażądać *zob.* **żądać**.

zażenowanie embarrassment.

zażenowany embarrassed.

zażyć *zob.* **zażywać**.

zażyłość intimacy.

zażyły intimate.

zażywać (*tabletki*) take.

ząb tooth: *pasta do zębów* toothpaste; *szczoteczka do zębów* toothbrush; *myć zęby* brush (clean) one's teeth.

zbadać *zob.* **badać**.

zbagatelizować *zob.* **bagatelizować**.

zbawca saviour (*AM* savior).

zbawiać redeem.

zbawić *zob.* **zbawiać**.

zbawienie redemption, salvation.

zbędny redundant, irrelevant.

zbić 1 *zob.* **zbijać**. **2** *zob.* **bić**.

zbiec *zob.* **zbiegać**.

zbieg 1 (*uciekinier*) fugitive. **2** (*ulic*) junction. **3** *zbieg okoliczności* coincidence.

zbiegać 1 (*uciekać*) run away. **2** (*biec w dół*) run downhill, (*po schodach*) run downstairs.

zbiegnąć *zob.* **zbiegać**.

zbiegowisko crowd.

zbierać 1 (*kolekcjonować*) collect. **2** (*grzyby*) pick.

zbiornik 1 (*pojemnik*) container. **2** (*na paliwo*) fuel tank.

zbiorowy collective.

zbiór 1 (*znaczków*) collection. **2** (*zboża*) harvest.

zbiórka 1 (*zebranie się*) assembly. **2** (*pieniędzy*) fund-raising.

zbliżać bring nearer.

zbliżać się 1 (*podejść*) come closer. **2** (*zaprzyjaźnić się*) become close.

zbliżyć *zob.* **zbliżać**.

zbliżyć się *zob.* **zbliżać się**.

zbocze slope.

zboczenie perversion.
zboczeniec pervert.
zboczony perverted.
zbojkotować *zob.* **bojkotować**.
zbombardować *zob.* **bombardować**.
zboże cereal, *BR* corn.
zbrodnia crime.
zbrodniarz criminal.
zbroić arm.
zbroja armour (*AM* armor).
zbrojny armed.
zbudować *zob.* **budować**.
zbudzić *zob.* **budzić**.
zbuntować się *zob.* **buntować się**.
zburzyć *zob.* **burzyć**.
zbyt 1 (*zbytnio*) too: *zbyt wolny* too slow; *zbyt szybko* too quickly. **2** (*sprzedaż*) sale, sales: *cena zbytu* selling price.
zbytek 1 (*luksus*) luxury. **2** (*nadmiar*) excess.
zdać *zob.* **zdawać**.
zdanie 1 (*opinia*) opinion, view: *moim zdaniem* in my opinion. **2** (*w językoznawstwie*) sentence.
zdarzać się happen.
zdarzenie event.
zdarzyć się *zob.* **zdarzać się**.
zdawać 1 (*podchodzić do egzaminu*) take, sit. **2** (*zaliczać egzamin*) pass.
zdawać się (*wydawać się*) seem.
zdążać 1 (*zmierzać*) head for. **2** (*być na czas*) be in time. **3** *nie zdążyć na pociąg* miss the train.
zdążyć *zob.* **zdążać**.

zdechnąć *zob.* **zdychać**.
zdecydować *zob.* **decydować**.
zdecydować się *zob.* **decydować się**.
zdecydowanie I 1 (*stanowczo*) strongly. **2** (*niewątpliwie*) undoubtedly: *zdecydowanie szybszy* definitely faster; *zdecydowanie najlepszy* by far the best.
zdecydowanie II (*determinacja*) determination.
zdecydowany 1 (*o człowieku*) firm. **2** (*niewątpliwy*) unquestionable.
zdejmować 1 (*ubranie*) take off. **2** (*z półki*) take off.
zdemolować *zob.* **demolować**.
zdenerwować *zob.* **denerwować**.
zdenerwować się *zob.* **denerwować się**.
zdenerwowanie 1 (*niepokój*) anxiety. **2** (*złość*) anger.
zdenerwowany 1 (*zaniepokojony*) anxious. **2** (*zły*) angry.
zderzać się 1 (*o dwóch pojazdach*) collide. **2** (*z drzewem*) crash.
zderzak bumper.
zderzenie (*samochodowe*) collision, crash.
zderzyć się *zob.* **zderzać się**.
zdesperowany desperate.
zdeterminowany determined.
zdezorientowany confused.
zdezynfekować *zob.* **dezynfekować**.
zdjąć *zob.* **zdejmować**.
zdjęcie (*fotografia*) photo, picture: *zrobić komuś zdjęcie* take a photo of sb.

zdmuchiwać (*świeczkę*) blow out.
zdmuchnąć *zob.* **zdmuchiwać.**
zdobić decorate.
zdobyć *zob.* **zdobywać.**
zdobywać 1 (*miasto*) capture. **2** (*np. szacunek*) win. **3** (*wiedzę*) acquire.
zdobywca 1 (*miasta*) conqueror. **2** (*nagrody*) winner.
zdolność 1 (*umiejętność*) ability. **2** (*talent*) talent.
zdolny 1 (*będący w stanie*) able. **2** (*uzdolniony*) talented.
zdołać manage, succeed in: *Nie zdołałam go przekonać.* I didn't manage to convince him.
zdrada 1 (*ojczyzny*) betrayal. **2** (*przestępstwo*) treason. **3** (*małżeńska*) adultery, unfaithfulness.
zdradzać 1 (*przyjaciół*) betray. **2** (*współmałżonka*) be unfaithful to.
zdradzić *zob.* **zdradzać.**
zdradziecki treacherous.
zdrajca traitor.
zdrętwiały numb.
zdrętwieć *zob.* **drętwieć.**
zdrowie 1 health. **2** *na zdrowie!* (*gdy ktoś kichnął*) bless you; (*toast*) cheers!
zdrowieć recover.
zdrowo 1 (*wyglądać*) healthy. **2** (*odżywiać się*) healthily.
zdrowy healthy.
zdrożeć *zob.* **drożeć.**
zdrój 1 (*źródło*) spring. **2** (*miejscowość*) spa.
zdumienie astonishment.

zdumiony astonished.
zdychać die.
zdyskwalifikować *zob.* **dyskwalifikować.**
zdziwić *zob.* **dziwić.**
zdziwić się *zob.* **dziwić się.**
zdziwienie surprise.
zdziwiony surprised.
ze *zob.* **z.**
zebra 1 (*zwierzę*) zebra. **2** (*przejście dla pieszych*) zebra crossing, *AM* crosswalk.
zebrać *zob.* **zbierać.**
zebranie meeting.
zegar clock.
zegarek (*na rękę*) watch.
zejść *zob.* **schodzić.**
zemdleć *zob.* **mdleć.**
zemleć *zob.* **mleć.**
zemsta revenge.
zemścić się *zob.* **mścić się.**
zenit zenith.
zepsucie (*moralne*) corruption.
zepsuć *zob.* **psuć.**
zepsuć się *zob.* **psuć się.**
zepsuty 1 (*niedziałający*) broken. **2** (*dziecko*) spoilt.
zerkać peek.
zerknąć *zob.* **zerkać.**
zero 1 (*liczba*) zero. **2** (*cyfra*) nought: *0,2* (*zero przecinek dwa*) 0.2 (nought point two). **3** (*przy odczytywaniu numeru telefonu, konta*) o: *3200* three two double o. **4** (*w sporcie*) nil: *dwa do zera* two nil. **5** (*w tenisie*) love.

zerwać *zob.* **zrywać**.
zeskakiwać jump down.
zeskoczyć *zob.* **zeskakiwać**.
zespawać *zob.* **spawać**.
zespołowy team.
zespół 1 (*ludzi*) group, team. **2** (*muzyczny*) band.
zestarzeć się *zob.* **starzeć się**.
zestaw 1 (*elementy całości*) set. **2** (*narzędzi*) kit.
zestresować *zob.* **stresować**.
zeszyt notebook, copybook.
zetknąć się *zob.* **stykać się**.
zetrzeć *zob.* **trzeć**.
zewnątrz (*w wyrażeniach*): *na zewnątrz* outside.
zewnętrzny 1 (*ściana, elewacja*) outside. **2** *wygląd zewnętrzny* appearance, looks. **3** *tylko do użytku zewnętrznego* for external use only.
zewrzeć się *zob.* **zwierać się**.
zewrzeć *zob.* **zwierać**.
zez squint.
zezłościć się *zob.* **złościć się**.
zezłościć *zob.* **złościć**.
zeznać *zob.* **zeznawać**.
zeznanie testimony.
zeznawać testify.
zezwalać allow, permit.
zezwolenie 1 (*zgoda*) permission. **2** (*dokument*) permit.
zezwolić *zob.* **zezwalać**.
zeżreć *zob.* **zżerać**, **żreć**.
zgadnąć *zob.* **zgadywać**.
zgadywać guess.

zgadzać się agree.
zgasić *zob.* **gasić**.
zgasnąć *zob.* **gasnąć**.
zgęstnieć *zob.* **gęstnieć**.
zgiąć *zob.* **zginać**.
zginać bend.
zginąć *zob.* **ginąć**.
zgłaszać 1 (*na piśmie*) submit: *zgłaszać propozycję* submit a proposal. **2** (*ustnie*) make: *zgłaszać wniosek* make a motion. **3** *zgłaszać coś do oclenia* declare sth. **4** *zgłaszać coś na policję* report sth to the police.
zgłaszać się 1 (*w szkole*) raise one's hand. **2** (*przychodzić*) report.
zgłosić *zob.* **zgłaszać**.
zgłosić się *zob.* **zgłaszać się**.
zgłoszenie application.
zgnębić *zob.* **gnębić**.
zgniatać squash.
zgnić *zob.* **gnić**.
zgnieść *zob.* **zgniatać**.
zgniły rotten.
zgoda 1 (*pozwolenie*) consent. **2** (*brak konfliktów*) harmony.
zgodny 1 (*bez kłótni*) harmonious. **2** (*jednomyślny*) unanimous.
zgodzić się *zob.* **zgadzać się**.
zgorzkniały bitter.
zgrabny 1 (*osoba*) shapely. **2** (*zręczny*) deft.
zgromadzenie gathering.
zgromadzić *zob.* **gromadzić**.
zgromadzić się *zob.* **gromadzić się**.
zgrzeszyć *zob.* **grzeszyć**.

zgrzyt grate.

zgrzytać grind.

zgrzytnąć *zob.* **zgrzytać**.

zguba 1 (*rzecz*) lost property. **2** (*zagłada*) ruin.

zgubić *zob.* **gubić**.

zgubić się *zob.* **gubić się**.

zgubiony lost.

zgubny fatal.

zgwałcić *zob.* **gwałcić**.

ziarnko grain.

ziarno grain.

zidentyfikować *zob.* **identyfikować**.

ziele herb.

zieleń 1 (*kolor*) green. **2** (*roślinność*) greenery.

zielony green.

ziemia 1 Ziemia (*planeta*) the Earth. **2** (*gleba*) soil. **3** (*po której się stąpa*) ground. **4** (*własność*) land.

ziemniak potato.

ziemski 1 (*atmosfera*) earth's. **2** (*doczesny*) wordly.

ziewać yawn.

ziewnąć *zob.* **ziewać**.

zięć son-in-law.

zignorować *zob.* **ignorować**.

zilustrować *zob.* **ilustrować**.

zima winter: *zimą* in winter.

zimno cold: *Jest mi zimno.* I am cold., I feel cold.

zimny cold.

zimowy winter.

zinterpretować *zob.* **interpretować**.

zioło herb.

ziołowy herbal.

zirytować *zob.* **irytować**.

zirytowany irritated.

zjadać eat, have: *Czy zjadłeś już śniadanie?* Have you had your breakfast yet?

zjawiać się show up.

zjawić się *zob.* **zjawiać się**.

zjawisko phenomenon.

zjazd 1 (*jazda w dół*) downhill ride. **2** (*zgromadzenie*) convention. **3** (*z autostrady*) slip road, *AM* exit ramp.

zjechać *zob.* **zjeżdżać**.

zjednoczenie union.

zjednoczony united: *Zjednoczone Królestwo Wielkiej Brytanii i Irlandii Północnej* the United Kingdom of Great Britain and Northern Ireland.

zjeść *zob.* **zjadać**.

zjeżdżalnia slide.

zlecać comission.

zlecenie order.

zlecić *zob.* **zlecać**.

zlewozmywak sink.

zlikwidować *zob.* **likwidować**.

zlokalizować *zob.* **lokalizować**.

złagodzić *zob.* **łagodzić**.

złamać się *zob.* **łamać się**.

złamany broken.

złączyć się *zob.* **łączyć się**.

zło 1 (*abstrakcyjnie*) evil. **2** (*zła rzecz*) wrong.

złodziej thief: *złodziej kieszonkowy* pickpocket.

złościć irritate.

złościć się be angry: *złościć się na kogoś o coś* be angry with sb about sth; *Nie złość się na niego.* Don't be angry with him.

złość anger.

złośliwie maliciously.

złośliwość malice.

złośliwy 1 (*o człowieku*) malicious. **2** (*np. nowotwór*) malignant.

złoto gold.

złoty 1 (*ze złota*) gold. **2** (*w kolorze*) gold, golden.

złowić *zob.* **łowić**.

złożony 1 (*skomplikowany*) complex. **2** (*składający się z części*) compound.

złożyć *zob.* **składać**.

złożyć się *zob.* **składać się**.

złudzenie illusion.

zły 1 (*niedobry*) bad: *być w złym humorze* be in a bad mood. **2** (*zdenerwowany*) angry. **3** (*niepomyślny*) ill. **4** (*niepoprawny*) wrong. **5** (*niemoralny*) evil.

zmarły deceased.

zmarnować *zob.* **marnować**.

zmarszczka 1 (*na twarzy*) wrinkle. **2** (*na materiale*) crease.

zmarszczyć *zob.* **marszczyć**.

zmartwić się *zob.* **martwić się**.

zmartwienie worry.

zmartwiony upset, worried.

zmarznąć *zob.* **marznąć**.

zmazać *zob.* **zmazywać**.

zmazywać 1 (*na tablicy*) wipe off. **2** (*gumką*) rub out, erase.

zmęczenie tiredness.

zmęczony tired.

zmęczyć *zob.* **męczyć**.

zmęczyć się *zob.* **męczyć się**.

zmiana change.

zmiażdżyć *zob.* **miażdżyć**.

zmiąć *zob.* **miąć**.

zmieniać change.

zmieniać się change.

zmienić *zob.* **zmieniać**.

zmienić się *zob.* **zmieniać się**.

zmienny changeable.

zmierzch dusk.

zmierzyć *zob.* **mierzyć**.

zmieszać się *zob.* **mieszać się**.

zmieszany embarrassed.

zmięknąć *zob.* **mięknąć**.

zmniejszać 1 (*o rozmiarze*) diminish. **2** (*o ilości*) reduce.

zmniejszać się 1 (*o rozmiarze*) grow smaller. **2** (*o ilości*) decrease.

zmniejszyć *zob.* **zmniejszać**.

zmniejszyć się *zob.* **zmniejszać się**.

zmobilizować *zob.* **mobilizować**.

zmoczyć *zob.* **moczyć**.

zmodernizować *zob.* **modernizować**.

zmodyfikować *zob.* **modyfikować**.

zmoknąć *zob.* **moknąć**.

zmontować *zob.* **montować**.

zmora (*sen*) nightmare.

zmrok dusk.

zmrozić *zob.* **mrozić**.

zmusić *zob.* **zmuszać**.

zmuszać force, make: *zmuszać kogoś do zrobienia czegoś* force sb to do sth, make sb do sth.

zmyć *zob.* **zmywać.**

zmylić *zob.* **mylić.**

zmysł 1 sense. **2** *l.mn.* **zmysły** (*rozum*) the senses.

zmysłowy 1 (*dotyczący zmysłów*) sensory. **2** (*podniecający*) sensual.

zmyślać invent, make up.

zmyślić *zob.* **zmyślać.**

zmywać 1 *zmywać naczynia* wash up, wash the dishes. **2** (*brud*) wash off.

zmywarka dishwasher.

znaczący 1 (*gest*) meaningful. **2** (*pozycja*) significant.

znaczek (*pocztowy*) stamp.

znaczenie 1 (*sens*) meaning. **2** (*ważność*) importance.

znacznie considerably.

znaczny considerable.

znaczyć 1 (*oznaczać*) mean: *Co to znaczy?* What does it mean? **2** (*być ważnym*) be of importance.

znać know: *Nie znam jej.* I don't know her.; *Daj mi znać.* Let me know.

znajdować find.

znajdować się 1 (*zostać odszukanym*) be found. **2** (*pojawić się*) turn up. **3** (*mieścić się*) be situated.

znajomość 1 (*z kimś*) acquaintance. **2** (*wiedza*) knowledge.

znajomy I (*kolega*) acquaintance.

znajomy II (*rozpoznawalny*) familiar.

znak sign.

znakomity superb.

znakować 1 (*zaznaczać*) mark. **2** (*naklejką*) label.

znalazca finder.

znaleźć *zob.* **znajdować.**

znaleźć się *zob.* **znajdować się.**

znany 1 well-known, famous (*z czegoś* for sth). **2** *pejor.* notorious.

znawca expert.

znicz (*na grobie*) candle.

zniechęcać 1 (*odstraszać*) put off. **2** (*zapał*) discourage (*kogoś do czegoś* sb from doing sth).

zniechęcić *zob.* **zniechęcać.**

zniecierpliwić *zob.* **niecierpliwić.**

zniecierpliwić się *zob.* **niecierpliwić się.**

zniecierpliwienie 1 (*niecierpliwość*) impatience. **2** (*rozdrażnienie*) irritation.

zniecierpliwiony 1 (*niecierpliwy*) impatient. **2** (*rozdrażniony*) irritated.

znieczulać anaesthetize (AM anesthetize).

znieczulić *zob.* **znieczulać.**

zniekształcać (*odkształcenie*) deform.

zniekształcić *zob.* **zniekształcać.**

znieść *zob.* **znosić.**

zniewaga insult.

znieważać insult.

znieważyć *zob.* **znieważać.**

znikać disappear, vanish.

zniknąć *zob.* **znikać.**

zniszczenie destruction.

zniszczony destroyed.

zniszczyć *zob.* **niszczyć.**

zniżka reduction.
zniżkowy (*obniżony*) reduced.
znosić 1 (*nosić w dół*) carry down.
  2 (*jajka*) lay. **3** (*cierpienie*) endure.
znośny tolerable.
znowu (**znów**) again.
znów *zob.* **znowu**.
znudzenie boredom.
znudzić *zob.* **nudzić**.
znudzić się *zob.* **nudzić się**.
znudzony bored.
znużenie weariness.
znużony weary.
znużyć *zob.* **nużyć**.
zobaczyć *zob.* **widzieć**.
zobaczyć się *zob.* **widzieć się**.
zobojętniały indifferent.
zobowiązać *zob.* **zobowiązywać**.
zobowiązać się *zob.* **zobowiązywać się**.
zobowiązanie obligation.
zobowiązany obliged: *być zobowiązanym do czegoś* be obliged to do sth; *byłbym (wielce) zobowiązany* I would be (much) obliged.
zobowiązywać oblige (*kogoś do zrobienia czegoś* sb to do sth).
zobowiązywać się commit oneself (*do zrobienia czegoś* to doing sth).
zodiak the zodiac.
zoo zoo.
zoologiczny zoological: *ogród zoologiczny* zoological garden, zoo.
zoperować *zob.* **operować**.
zorganizować *zob.* **organizować**.
zorganizowany organized.

zostać *zob.* **zostawać**.
zostawać 1 (*w tym samym miejscu*) stay. **2** (*pozostać*) remain. **3** (*stać się*) become.
zostawiać 1 (*opuszczać*) leave. **2** (*nie zabierać*) leave.
zostawić *zob.* **zostawiać**.
zrealizować *zob.* **realizować**.
zredagować *zob.* **redagować**.
zredukować *zob.* **redukować**.
zreformować *zob.* **reformować**.
zregenerować *zob.* **regenerować**.
zrekompensować *zob.* **rekompensować**.
zremisować *zob.* **remisować**.
zreorganizować *zob.* **reorganizować**.
zrewanżować się *zob.* **rewanżować się**.
zrewidować *zob.* **rewidować**.
zrezygnować *zob.* **rezygnować**.
zręcznie 1 (*sprytnie*) cleverly. **2** (*zwinnie*) swiftly.
zręczny 1 (*fizycznie*) agile. **2** (*sprytny*) smart.
zrobić *zob.* **robić**.
zrobić się *zob.* **robić się**.
zrodzić *zob.* **rodzić**.
zrodzić się *zob.* **rodzić się**.
zrozpaczony desperate.
zrozumiały 1 (*klarowny*) comprehensible. **2** (*wytłumaczalny*) understandable.
zrozumienie 1 (*pojęcie*) understanding. **2** (*współczucie*) understanding.
zrównać *zob.* **zrównywać**.
zrównać się *zob.* **zrównywać się**.

zrównywać level.

zrównywać się (*poziom*) equal.

zróżnicowanie diversity.

zróżnicowany varied.

zrymować *zob.* **rymować**.

zrymować się *zob.* **rymować się**.

zrywać 1 (*owoce*) pick. **2** (*zaręczyny*) break (off). **3 zrywać z kimś** split up with sb.

zrzędzić *nieform.* nag.

zrzucać 1 (*z góry*) drop. **2** (*ubranie*) throw off.

zrzucić *zob.* **zrzucać**.

zszywacz stapler.

zubożały impoverished.

zuchwały impertinent.

zupa soup.

zupełnie totally.

zupełny total.

zużycie consumption.

zużyć *zob.* **zużywać**.

zużyć się *zob.* **zużywać się**.

zużyty used up.

zużywać (*używać*) use up.

zużywać się 1 (*kończyć się*) be used up. **2** (*niszczyć się*) get worn out.

zwalniać 1 (*wolniej*) slow down. **2** (*z pracy*) fire, give the sack: *Jesteś (jest pan) zwolniony!* You're fired!

zwariować *zob.* **wariować**.

zwariowany mad.

zwarty 1 (*blisko siebie*) close. **2** (*nierozwlekły*) compact.

zwątpić *zob.* **wątpić**.

zwątpienie despair.

zweryfikować *zob.* **weryfikować**.

zwężenie narrowing.

związać *zob.* **związywać**.

związany 1 (*skrępowany*) tied up. **2** *związany z czymś* related to sth.

związek 1 (*powiązanie*) relation, connection: *w związku z...* in relation to..., in connection with... **2** (*między ludźmi*) relationship. **3** (*organizacja*) association.

związywać 1 (*krępować*) tie up. **2** (*słowem*) bind.

zwiedzać 1 (*zabytek*) visit, see. **2** (*ogólnie*) go sightseeing.

zwiedzający visitor, tourist.

zwiedzić *zob.* **zwiedzać**.

zwielokrotniać multiply.

zwierzchnictwo supervision.

zwierzę animal, (*ulubieniec*) pet.

zwierzęcy animal.

zwieść *zob.* **zwodzić**.

zwiędły wilted, withered.

zwiędnąć *zob.* **więdnąć**.

zwiększać increase.

zwiększyć *zob.* **zwiększać**.

zwięzły concise.

zwijać roll, roll up.

zwilżać moisten.

zwilżyć *zob.* **zwilżać**.

zwinąć *zob.* **zwijać**.

zwinnie swiftly.

zwinność swiftness.

zwinny swift.

zwlekać put off.

zwłaszcza especially.

zwłoka (*opóźnienie*) delay.

zwłoki corpse.
zwodzić deceive.
zwolennik follower, supporter.
zwolnić *zob.* **zwalniać**.
zwolnienie 1 (*z pracy*) dismissal.
  2 *zwolnienie lekarskie* sick-leave.
zwołać *zob.* **zwoływać**.
zwoływać call, *form.* summon.
zwracać 1 (*coś pożyczonego*) give
  back, (*o pieniądzach*) pay back.
  2 *zwrócić uwagę na coś (kogoś)*
  (*zauważyć*) notice sth (sb).
zwrot 1 (*oddanie*) return. **2** (*wyrażenie*) expression.
zwrotka (*piosenki*) verse.
zwrotnik tropic.
zwrotnikowy tropical.
zwrócić *zob.* **zwracać**.
zwycięski victorious.
zwycięstwo victory.

zwycięzca winner.
zwyciężać (*wygrywać*) win.
zwyciężyć *zob.* **zwyciężać**.
zwyczaj 1 (*nawyk*) habit. **2** (*obyczaj*)
  custom.
zwyczajnie 1 (*jak zwykle*) as usual.
  2 (*po prostu*) simply.
zwyczajny 1 (*niespecjalny*) ordinary. **2** (*niewyszukany*) simple.
zwykle 1 usually. **2** *jak zwykle* as
  usual.
zwykły 1 (*niespecjalny*) ordinary.
  2 (*niewyszukany*) simple.
zwymiotować *zob.* **wymiotować**.
zwyrodniały degenerate.
zysk 1 (*w handlu*) profit. **2** (*korzyść*)
  gain.
zyskowny profitable.
zza from behind.
zżerać devour.

Ź

źdźbło blade, straw.
źle 1 (*o samopoczuciu*) ill, unwell:
  źle się czuć feel ill. **2** (*wyglądać*)
  bad. **3** *źle zrozumieć* misunderstand. **4** *źle traktować* illtreat, mis-
  treat.
źrebak foal.

źrebię foal.
źrenica pupil.
źródlany spring.
źródło 1 (*wody*) spring. **2** (*informacji*) source: *źródło dochodów* income source, source of income.
źródłowy source.

Ż

żaba frog.

żaden 1 (*ani jeden*) no, not any: *Nie mam żadnych kwiatków w domu.* I have no plants at home., I haven't got any plants at home. **2** (*żaden z wielu*) none: **żaden z nich** none of them. **3** (*żaden z dwóch*) neither: *Żaden z moich dwóch braci nie przyjechał.* Neither of my two brothers came.

żaglowiec sailing ship.

żaglówka sailing boat, *AM* sailboat.

żakiet jacket.

żal 1 (*smutek*) grief. **2** (*wyrzuty*) regret. **3** (*rozgoryczenie*) bitterness. **4** (*uraza*) grudge.

żaluzja blind, *AM* window shade.

żałoba mourning.

żałosny miserable.

żałować 1 żałować zrobienia czegoś regret doing sth, regret having done sth, wish one hadn't done sth: *Żałuję, że jej o tym powiedziałem.* I regret telling her about it., I regret having told her about it., I wish I hadn't told her about it. **2 żałuję, że nie mogę czegoś zrobić** I wish I could do sth: *Żałuję, że nie mogę z wami jechać.* I wish I could go with you. **3 żałować kogoś** feel sorry for sb.

żar 1 (*upał*) heat. **2** (*namiętność*) passion.

żargon 1 (*specjalistów*) jargon. **2** (*mowa potoczna*) slang.

żarłoczny gluttonous.

żarówka light bulb.

żart joke.

żartobliwy playful.

żartować joke.

żarzyć się glow.

żądać demand.

żądanie 1 demand: **spełniać czyjeś żądania** meet (satisfy) sb's demands. **2 przystanek na żądanie** request stop, *AM* flag stop.

żądlić sting.

żądło sting.

żądza 1 (*pragnienie*) greed. **2** (*pożądanie*) desire.

że 1 that: *Wiem, że jesteś zmęczony.* I know that you're tired., I know you're tired. **2 chyba że** unless. **3 dlatego że** because.

żebrać beg.

żebrak beggar.

żebro rib.

żeby 1 to: *Chciałem, żeby wszyscy byli szczęśliwi.* I wanted everyone to be happy. **2 zbyt... żeby...** too... to...: *Jestem zbyt niska, żeby tam* *dosięgnąć.* I'm too small to reach up there. **3** (*w celu*) to, in order to, so as to: *Wyszedłem z domu wcześnie, żeby być tam na czas.* I left early to (in order to) be there on time.

żeglarstwo sailing.

żeglarz sailor.

żeglować sail.

żegluga sailing.

żegnać 1 say goodbye. **2** *żegnaj!* (*żegnajcie!*) farewell!

żegnać się say goodbye.

żel gel.

żelazko iron.

żelazny iron.

żelazo iron.

żeliwo cast iron.

żenić marry off.

żenić się get married.

żenujący embarrassing.

żeński 1 (*rodzaj*) feminine. **2** (*chór, komórka*) female.

żeton 1 (*do telefonu*) token. **2** (*w kasynie*) chip.

żłobek crèche, *AM* day nursery.

żłobić groove.

żmija adder.

żmudny tiresome.

żniwa harvest.

żołądek stomach.

żołądź acorn.

żołnierz soldier.

żona wife.

żonaty married.

żongler juggler.

żonglować juggle.

żółknąć turn yellow.

żółtaczka jaundice.

żółtko yolk.

żółty 1 yellow. **2** *żółty ser* cheddar, hard cheese.

żółw 1 (*lądowy*) tortoise. **2** (*morski*) turtle.

żrący caustic.

żubr (European) bison.

żuchwa lower jaw.

żuć chew: *guma do żucia* chewing gum.

żuk beetle.

żuraw 1 (*ptak*) crane. **2** (*urządzenie*) crane.

żurawina cranberry.

żużel slag.

żwawy brisk.

żwir gravel.

życie 1 life: *życie osobiste* private life. **2** (*utrzymanie*) living: *Jak zarabiasz na życie?* What do you do for a living?

życiorys 1 (*dokument*) curriculum vitae, CV. **2** (*opis życia*) biography.

życiowo realistically.

życiowy 1 (*o funkcji organizmu*) vital. **2** (*doświadczenie*) life.

życzenie wish: *składać komuś życzenia* wish sb all the best.

życzliwie kindly.

życzliwość kindness.

życzliwy kind.

życzyć wish.

żyć live.

żyjący existing.

żyletka razor-blade.

żyła vein.

żyrafa giraffe.

żyrandol chandelier.

żyto rye.

żywica resin.

żywić feed.

żywioł element.

żywiołowy 1 impulsive. **2** *klęska żywiołowa* natural disaster.

żywnościowy food.

żywność food.

żywo 1 (*reagować*) impulsively. **2** (*interesować się*) keenly. **3** *na żywo* live.

żywopłot hedge.

żywotny vital.

żywy 1 (*nie martwy*) alive: *Był żywy, gdy go znaleźli.* He was alive when they found him. **2** *żywy organizm* living organism. **3** (*ożywiony*) lively. **4** (*energiczny*) lively. **5** (*wspomnienia*) vivid.

żyzny fertile.

WYDAWNICTWO ZIELONA SOWA Sp. z o.o.
30-415 Kraków, ul. Wadowicka 8 A
tel./fax (0-12) 266-62-94, tel. (0-12) 266-67-98, 266-67-56, 266-62-92

**Aktualna oferta wydawnicza i cennik na stronie:
www.zielonasowa.pl**

Księgarnia Humanistyczna Wydawnictwa Zielona Sowa Sp. z o.o.
31-004 Kraków, Plac Wszystkich Świętych 7, tel. (0-12) 421-09-85

Księgarnia Wydawnictwa Zielona Sowa Sp. z o.o.
31-042 Kraków, Rynek Główny 12, tel./fax (0-12) 431-00-83